Enigmas y Misterios

del Mundo

Enigmas y Misterios del Mundo

Edición Especial para:
Bookspan
15 E 26th Street, 4 th floor
New York, NY 10010
U.S.A.

Impreso en U.S.A. - Printed in U.S.A.
ISBN 0-7394-5480-3

PRÓLOGO

Barridos de la memoria bajo el fragor de batallas y heroísmos, desvanecidos como mensajes escritos en cristales batidos por la lluvia, aparecen rodeados de un halo de misterio hechos históricos de los que apenas conocemos su significado. Por los laberintos del tiempo vagan extraños personajes, incomprensibles construcciones de la mente y sorprendentes circunstancias a la espera de ser rescatados de su lugar entre las sombras. Unas veces el desconocimiento ha sido fruto de la difícil comunicación entre culturas dispares y distantes en el tiempo, otras veces los hechos fueron escamoteados por los poderosos, conscientes de la facultad que otorga la posesión del saber. En muchos casos, el imaginario colectivo, impotente para conocer la verdad que subyace bajo la apariencia, creó el mundo paralelo de los mitos para dar explicación a sus inquietudes y serenar su miedo. Siguiendo las huellas del pasado, uniendo fragmentos, abriendo sendas bajo la niebla, muchos enigmas que mantuvieron en vilo a nuestros antepasados han sido desvelados y hoy los recordamos con su mismo asombro, mientras otros aún esperan ser rescatados definitivamente del sopor del silencio.

El Colibrí, Nazca (Perú).

ELEMENTOS DE LA OBRA

Un icono alusivo al tema tratado identifica cada una de las secciones de las que se compone la obra.

Las «**cabeceras**» o breves textos introductorios con que se abre cada artículo, constituyen un resumen de su contenido y lo sitúan en su correspondiente marco espaciotemporal.

El equipo de especialistas a quienes se ha confiado la redacción de la obra, entre los que se encuentran historiadores y periodistas científicos, ha elaborado unos textos rigurosos y a la par amenos, que nos aportan valiosos conocimientos sobre los enigmas y mitos que han inquietado a la humanidad a lo largo del tiempo. Al final de la obra, el lector encontrará un detallado Índice analítico que le permitirá localizar facilmente los temas de su interés.

Enigmas de la arquitectura

LOS MONOLITOS DE STONEHENGE

Situado en las proximidades de la ciudad inglesa de Salisbury, el conjunto megalítico de Stonehenge se supone que es uno de los más antiguos centros de culto religioso de la humanidad. Con 3 000 años de historia a sus espaldas, las claves sobre su utilidad y su significado aún continúan siendo objetivo de polémica.

Mencionada ya en la *Historia regnum Britanniae*, de Geoffroy de Monmouth, que data del año 1136, la construcción de Stonehenge se atribuyó durante siglos a los celtas, que habrían erigido el complejo megalítico para la celebración

El gran círculo de piedras del supuesto monumento al Sol, levantado en el II milenio a.C., en Stonehenge, Gran Bretaña.

de los rituales druídicos. Sin embargo, con el paso del tiempo se ha demostrado que el monumento, tal como lo conocemos en la actualidad, es la culminación de sucesivas aportaciones a una construcción original que se remontaría aproximadamente al 3300 a.C.

UN SOFISTICADO OBSERVATORIO ASTRONÓMICO

Una de las teorías más contrastadas sobre el origen de Stonehenge es la formulada por el científico Gerald Hawkins y el astrofísico Fred Hoyle, quienes en 1961 afirmaron que no era tan sólo una sepultura, como se había creído tradicionalmente, sino que cumplía también las funciones de un preciso observatorio astronómico.
Para respaldar su teoría, los dos investigadores demostraron la forma en que, desplazando

piedras por las distintas perforaciones de los círculos concéntricos o tomando como referencia los megalitos para observar determinados ángulos del firmamento, el monumento permitía prever sin error los ciclos del Sol y de la Luna o definir los solsticios y los equinoccios.
Sin embargo, sus argumentos fueron acogidos con cierto escepticismo por la comunidad arqueológica, y este divorcio entre arqueólogos y astrónomos no hizo sino contribuir a que el enigma del complejo megalítico de Stonehenge continúe sin resolver.

UNA TITÁNICA TAREA DE CONSTRUCCIÓN

La construcción del complejo de Stonehenge es un verdadero enigma, mayor incluso que el que gira en torno al uso que tuvo el monumento en su día. Los primeros interrogantes surgen al examinar la naturaleza de las distintas piedras que lo componen, y que provienen todas ellas de ubicaciones distintas. Mientras que algunas proceden de Avenbury, a apenas 20 kilómetros del emplazamiento del complejo, otras, las llamadas *bluestones* (piedras azules) se transportaron desde 385 kilómetros de distancia, una tarea sin duda colosal, pero no imposible para los constructores, que requirió el trabajo de hasta mil personas para mover cada bloque.
Pero dejando a un lado la cuestión relativa a las materias primas, otro de los puntos sobre la construcción de Stonehenge que encierra un

La función de los mapas que ilustran esta obra es presentar, de una manera esquemática y clara, la ubicación exacta de los lugares en los que se produjeron determinados sucesos.

Los aspectos más curiosos o insólitos de los hechos enigmáticos, los datos pormenorizados, las breves cronologías, las biografías e incluso las anécdotas en torno a cada tema, se han reunido en «pastillas informativas», recuadradas y con fondo tramado en color que salpican el texto general y dan dinamismo a las páginas.

LA AYUDA DE LOS ATLANTES

La fidelidad al plano original de Stonehenge con la que se llevaron a cabo las aportaciones al monumento a lo largo del tiempo nos induce a pensar que el arquitecto original del complejo debió de ser alguien muy avanzado a su época. Esta figura enigmática, aún hoy envuelta en el misterio, ha dado pie a numerosas teorías, como la de quienes han querido ver en él a un ser extraterrestre. Otros prefieren pensar que fueron los atlantes quienes sentaron las bases de Stone-

henge, y para respaldar tal teoría apelan a una singular inscripción en uno de los bloques del conjunto megalítico. Esta inscripción, que representa un extraño puñal, habría sido tallada en la piedra por los atlantes según los defensores de esta hipótesis.

Sin embargo, con el tiempo se ha determinado que el origen de dicha inscripción podría ser micénico, lo cual, por otra parte, constituye también un misterio dado que no existen pruebas definitivas de expediciones micénicas a Inglaterra y que la identificación tipológica del insólito puñal es incierta.

Los cerca de 800 **fotografías y dibujos** de la obra aportan una información visual de primer orden, que nos permite acercarnos a los hechos relatados en el texto. Los grabados antiguos se combinan con documentos gráficos contemporáneos.

gran misterio es el de la distribución de las piedras, es decir, el diseño espacial del complejo. Con una precisión casi matemática, el monumento se encuentra inscrito en un círculo de unos 98 metros de diámetro, 4 de ancho y un foso de entre 1,5 y 2 metros de profundidad. En su interior hay otros tres anillos concéntricos, todos ellos delimitados por agujeros en los que se han encontrado restos óseos calcinados. Al término del cuarto anillo se alza la parte monumental del complejo, con dos círculos de piedras completos en los que se inscriben otros dos círculos con forma de media luna. Sin duda, tan complicada y concienzuda disposición ha de estar perfectamente estructurada en un plan cuidado al detalle. Lo que parece más extraño es que, en las diferentes modificaciones sufridas por el complejo a lo largo del tiempo, el plan original de construcción siempre fue respeta-

El pintor británico John Constable apresó en esta acuarela su visión romántica de Stonehenge.

do, consumándose finalmente el monumento tal como habría sido proyectado en un principio. A partir del 2100 a.C. se inició la reconstrucción del monumento y se erigieron diversos círculos de piedras y estructuras en herradura en subsiguientes remodelaciones.

Las preguntas al respecto de la construcción de Stonehenge son muchas y la mayoría no ha recibido respuesta. ¿Cómo consiguieron llevar monolitos de más de 50 toneladas desde más de 200 kilómetros de distancia? ¿Quién y con qué finalidad pudo trazar el detallado plano del complejo en el año 3300 a.C.? Desde las disparatadas conjeturas de quienes han querido ver en él un «aeropuerto» de naves espaciales hasta las de quienes lo han considerado un generador de energía, son numerosas las vías de investigación que han pretendido resolver el enigma sobre la utilidad del complejo de Stonehenge.

Más allá de la mera información sobre lo que nos muestran las imágenes, los textos que acompañan las fotografías y los dibujos contienen **informaciones complementarias** que ayudan a comprender mejor los hechos relatados en la exposición general.

119

El actual conjunto arqueológico de Stonehenge, formado por dos grandes círculos de construcciones de piedra, fue construido en dos etapas, entre 3300 a.C. y 1700 a.C.

Sumario

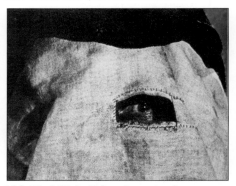

Huaca del Dragón, perteneciente a la cultura chimú, que floreció en la costa norte del actual Perú entre los siglos XI y XV. Para los antiguos pobladores de Perú, una huaca era algo más que una pirámide funeraria, pues servía para designar a los dioses, sus templos y a todo lo sobrenatural.

INTRODUCCIÓN

Los relatos de los contemporáneos y la intensa labor de los historiadores, que muchos años después se interesaron por conocer los hechos del pasado, iluminan los pasajes de nuestra historia colectiva. Pero aún persisten inquietantes zonas de sombras. La presente obra recoge la cara menos conocida de la historia de la humanidad, aquella en la que el misterio marca la débil frontera que separa la realidad de la imaginación.

Los silenciosos mensajes que nos transmiten las hileras alineadas de menhires en Carnac o las majestuosas esculturas que alberga la pequeña isla de Pascua; las evanescentes huellas de ciudades perdidas o el perfil de los personajes históricos más insólitos conforman un universo sorprendente que le proponemos conocer.

Pero también tienen cabida en estas páginas los seres, hechos y lugares imaginarios trazados al borde del sueño a lo largo de los tiempos. Un mundo paralelo habitado por sirenas, brujas o diablos, creado por las civilizaciones que nos precedieron, y que no son más que una manera de dar respuesta a las eternas preguntas sobre nuestro origen y nuestro destino.

LOS MECANISMOS DEL ASOMBRO

A lo largo del tiempo, el ser humano se ha enfrentado a un mundo de preguntas sin respuesta, empezando ya por el propio enigma del origen y el final de su existencia. Así, en su irrefrenable ansia por conocer, el hombre fue creando un universo de leyendas, un mundo urdido en largas noches sin luna, cuando parecía que el cielo se había tragado todas las respuestas.

El desarrollo de métodos científicos de investigación y la era de esplendor tecnológico que sucedió a la Revolución Industrial no supuso, sin embargo, la completa instauración de un nuevo «siglo de las luces». Por una parte, aún en la actualidad, nos queda mucho por saber sobre hechos acaecidos en el pasado y, por otro, los intereses creados por algunos y la ignorancia de los demás han dado pie a la creación de nuevos enigmas.

Tal vez sea la propia necesidad del hombre por trascender la cotidianidad y enfrentarse a los límites de su razón, lo que ha propiciado en pleno siglo XXI la proliferación de leyendas urbanas, las visitas a dudosos conocedores de lo por venir o la pasión por teorías cuando menos sospechosas, surgidas de la parapsicología y otras paraciencias.

Es cierto que una gran parte de la cara más enigmática de la historia de la humanidad tiene ya explicaciones basadas en datos probados y contrastados, y no es, por tanto, el objetivo de esta obra abrir nuevas incertidumbres sino mostrar principalmente enigmas que lo fueron para nuestros antepasados y que colmaron años o, incluso siglos, de asombro.

COMPRENDER EL MUNDO, INTERPRETAR LA VIDA

Los enigmas sin resolver alimentaron en el curso de la historia los mitos, huellas dramáticas del esfuerzo humano por comprender el mundo. Un esfuerzo consustancial a la conciencia y vinculado al proceso de emancipación de la realidad evidente que experimenta el ser humano como resultado de la evolución de sus facultades intelectivas.

Desde este punto de vista, los mitos hunden sus raíces en el pensamiento humano, el cual instrumenta la capacidad para convertir la percepción de los objetos y de los hechos en representaciones mentales susceptibles de ser combinadas entre sí y de crear otras nuevas para hallar las respuestas a las cuestiones esenciales que se le plantean. Esto explica en gran medida que los grandes mitos estén relacionados con la fundación del mundo y el origen de las criaturas que lo habitan, así como el destino de éstas.

Los más antiguos mitos, como los griegos de Artemisa o Dioniso, expresan la angustia que causa al ser humano su propio tránsito del estado salvaje al civilizado, de la edad infantil a la adulta, de la vida a la muerte y, en definitiva, la conciencia de sí y del otro. De hecho, esta angustia por la extrañeza informa de la razón por la que los mitos se relacionan en sus formas más primitivas con la magia y el ritual religioso.

Considerado un hombre santo por algunos y un farsante por otros, el monje Grigori Rasputín ejerció un poder casi sobrenatural sobre la corte y la familia del último zar de Rusia. Su influencia hipnótica y su portentosa resistencia frente a la muerte siguen constituyendo un desafío para la ciencia.

LA CONCEPCIÓN SIMBÓLICA DEL MUNDO

Como el trazo de un arco iris en el cielo, los mitos dibujan en el imaginario de los pueblos un amplio espectro de percepciones en el que los colores se traducen en múltiples significados simbólicos. Dentro de ese paisaje interior campean las epopeyas, las leyendas y los enigmas, el interrogante que aún palpita en algún lugar del alma humana. Es de este modo como se consagra el nexo entre los dioses y los hombres, entre el mundo del más allá y el terrenal; como se vislumbra una realidad que trasciende la evidencia y en la que conviven los vivos y los espíritus, las fuerzas físicas y las indefinibles.

El medio privilegiado de comunicación con la divinidad es la magia. Por la magia se atribuyen facultades ocultas a objetos y poderes misteriosos a personas, mientras que por el rito, a través de gestos, movimientos y ceremonias litúrgicas, se obtienen determinados efectos o situaciones que rompen con los límites de la realidad ordinaria. La magia y el rito actúan en su origen como los instrumentos del mito, el cual consagra la representación conceptual del mundo, sus orígenes y la evolución de la civilización, por medio de ficciones orales y literarias sagradas.

EN BUSCA DE RESPUESTAS

El ser humano del siglo XXI no ha olvidado que los enigmas y las leyendas siguen actuando como guías de la conducta individual y social y también como motores de las ciencias y la técnica, pues nada de lo que pueda ser soñado o imaginado queda exento de su construcción. Ejemplar de esta idea es el mito de Prometeo, quien, en la tradición griega, es el creador de los hombres y quien, con la oposición de los otros dioses del Olimpo, les entrega el secreto del fuego y de la técnica, lo que supone enseñarles el camino de la libertad a costa de su propia y renovada destrucción.

Esta obra constituye la apasionante narración de la historia de la civilización desde las grandes incertidumbres que han preocupado e inquietado a los seres humanos desde los tiempos más remotos y que, en la búsqueda y satisfacción de las respuestas, han hecho posibles las realizaciones que definen el paisaje del mundo moderno.

DONDE HABITA EL SILENCIO

DONDE HABITA EL SILENCIO

El cometido de ciencias como la geografía o la antropología, es retratar con la mayor exactitud posible todo el legado de nuestros antepasados, del que no sólo pende nuestro presente, sino también nuestro futuro. Para este cometido se han perfeccionado hasta cotas altísimas los análisis de restos diseminados a lo largo y ancho del planeta, pertenecientes a las incontables etnias de las que derivamos. En la actualidad, unos restos óseos pueden proporcionar una fotografía exacta del hombre que algún día fue aquel cadáver y mostrarnos las características del pueblo del que formaba parte.

Sin embargo, el edificio de la ciencia sigue teniendo algunas asignaturas pendientes en su cometido de radiografiar toda nuestra historia, y son muchos los pueblos y lugares sobre cuya existencia y naturaleza no existe todavía un consenso claro. Alimentados por la innata imaginación de los hombres y vivos en la memoria colectiva a través de las obras de los visionarios, merece la pena adentrarse en los herméticos misterios de estos puntos oscuros de la historia.

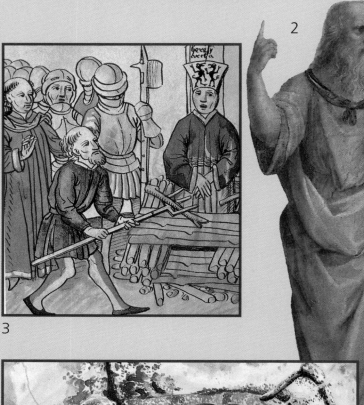

1. Pendiente de oro de la cultura precolombina mixteca.
2. El filósofo Platón habló en sus obras de la existencia de la Atlántida.
3. Miniatura del siglo XV perteneciente a la *Crónica de Ulrico de Richental* (Biblioteca Nacional, Praga).
4. Representación de uno de los recintos de la antigua fortaleza de Zimbabwe.

LUGARES SIN HUELLA

A lo largo de la historia de la humanidad han sido muchos los pueblos y territorios que, por diversos motivos, han sido barridos por completo sin dejar huellas, o muy escasas, de su paso por la historia. Sobre algunos de estos paisajes incluso planea la duda de su existencia, y se ha especulado sobre la posibilidad de que sólo fueran recursos literarios de los autores de la Antigüedad. En cualquier caso, un halo de misterio sigue envolviendo a algunos de estos emplazamientos, lo suficiente como para mantener viva la llama de sus respectivos enigmas.

Así mismo, abundan también los territorios que, tras cebarse sobre sus cimientos una catástrofe o una cruel batalla, se han convertido en verdaderos enigmas; éste es el caso de ciudades engullidas por las fauces del mar, regiones enteras arrasadas por virulentas campañas militares... Y aunque el empeño de muchos investigadores se mantiene vivo y se siguen rastreando las huellas de todos esos lugares desaparecidos, en muchos casos se antoja imposible que algún día sus leyendas dejen de serlo para convertirse en verdades contrastadas.

El mar y el cielo, testigos mudos de lugares que desaparecieron sin dejar huella.

LEMURIA, UN CONTINENTE EN EL PACÍFICO

El antediluviano continente de Lemuria pudo haber sido un puente geográfico entre el sur de la India y África del Sur. Son muchos los investigadores que señalan a los lemurianos como precursores de la práctica totalidad de las culturas indígenas americanas.

La de Lemuria fue una de las más antiguas civilizaciones, si hacemos caso a los investigadores que afirman su existencia. Su territorio se extendía entre Asia, Australia y la actual masa continental americana, en el sur del océano Pacífico. Según la cronología descrita por quienes sostienen la existencia de esta civilización, este pueblo ancestral inició su andadura unos 98 000 años antes del nacimiento de Cristo, y su pista se perdió nada menos que noventa mil años más tarde.

El mar de hielo obra del pintor romántico Caspar D. Friedrich. La presunta existencia del continente perdido de Lemuria pasó, de basarse en una teoría geológica abandonada, a configurarse como un sistema de creencias en el cual las tradiciones de continentes perdidos se mezclaban con elementos de mística teosófica.

DEL CONTEXTO BIOLÓGICO A LA CATEGORÍA DE MITO

Los orígenes etimológicos de la palabra *lemuria* se hallan en una polémica surgida a finales del siglo XIX en los círculos biológicos de la época. Fue el zoólogo británico P. L. Slater quien se encargó de suscitar esta controversia, que dio el pistoletazo de salida al mito de Lemuria. Slater, a través del estudio de fósiles muy similares encontrados al sur de la India y en África del Sur, apuntó la existencia de una masa de tierra de proporciones continentales en el océano Índico, que en tiempos inmemoriales habría servido de puente geográfico entre estas dos regiones. Los fósiles sobre los que se articula esta teoría pertenecen a la especie de los lémures, primates de ojos saltones y grandes orejas, y en su honor Slater llamó a esta gran masa de tierra «Lemuria».

Las tesis de este zoólogo británico provocaron división de opiniones entre los estudiosos de la materia, pero científicos de la talla del biólogo Thomas Huxley (1825-1895) le dieron su visto bueno. Sin embargo, la carrera de esta hipótesis se vio truncada poco después por la más contrastada teoría de la deriva continental, según la cual los continentes actuales estuvieron unidos en el pasado en una única unidad territorial llamada Pangea.

Pero, justo cuando la teoría de Lemuria parecía condenada al olvido, la teósofa Elena Bla-

LOS TEMPLOS DE CRISTAL LEMURIANOS

A estos Templos de Cristal, que presuntamente protegían el planeta del mal, recurren los defensores de esta teoría para hablar del final de Lemuria. Al parecer, los lemurianos se enfrentaron con los atlantes por el control del planeta, y durante sus enfrentamientos, la destrucción de muchos Templos de esos provocó la desestabilización del Firmamento. Esta alteración se materializó en el diluvio universal, que puso fin a una era y dio paso a otra: la actual.

vatsky la incorporó a su obra *La doctrina secreta*, de 1888. A partir de aquí, los fundamentos biológicos en que se basaba la teoría sobre Lemuria dieron paso a un enfoque enigmático de este hipotético continente, que quedó convertido de buenas a primeras en un misterio por resolver sobre una avanzada civilización desaparecida en extrañas circunstancias.

EL ENFOQUE DE ELENA BLAVATSKY

En *La doctrina secreta*, Elena Blavatsky expone que había conocido Lemuria a través del *Libro de Dyzan*, documento incunable que había sido escrito en la también mitológica Atlántida. Sin desmerecer la aportación de Slater, a quien adjudicó la invención del nombre de Lemuria, en *La doctrina secreta* lleva mucho más allá la teoría del continente perdido en las profundidades del Índico. La nueva Lemuria, la que ali-

En la página anterior, fósil de *Emopolemur Koenigswaldi*. Sobre estas líneas un lémur de cola anillada. Los lémures, que dieron nombre a este mítico continente, forman parte de la familia de los lemúridos, lejanamente emparentada con los simios. De hecho, se cree que los antepasados de los homínidos tuvieron rasgos comunes con esta especie.

menta el mito, existió hace 150 millones de años, y se corresponde con un continente desaparecido que la tradición sánscrita llamaba Rutas. No existe consenso sobre la civilización lemuriana entre los diferentes estudiosos que han tratado de explicar a lo largo del tiempo este mito. Elena Blavatsky afirma en su libro que estos habitantes eran una raza superevolucionada respecto a los seres humanos, una extirpe de seres capaces de vivir sin cerebro, tan sólo haciendo uso de unos extraños poderes, en parte proporcionados por un tercer ojo. Esta teoría concluye que el final de Lemuria llegó con el despertar sexual de sus habitantes, que les llevó a enzarzarse en crueles disputas que acabaron borrándolos del mapa.

Según otras teorías, los lemurianos eran seres avanzados pero de apariencia humana, capaces, por ejemplo, de guardar en cristales sus conocimientos. Estos hombres rendían culto a lo que denominaban Firmamento, un estrato de agua congelada sobre la superficie terrestre. Este Firmamento, puesto en pie por los pobladores primigenios del planeta para protegerlo de la radiación solar o de otras radiaciones nocivas, se mantenía gracias a los denominados Templos de Cristal, principal lugar de culto de los lemurianos.

Los finales apocalípticos son una constante en las leyendas de continentes perdidos. Sobre estas líneas, mosaico del siglo XI que muestra el diluvio universal.

LAS PREMONICIONES DE LOS SABIOS LEMURIANOS

Antes de ser engullidos por el diluvio universal, los lemurianos ya sabían que una gran catástrofe amenazaba con barrer de la Tierra a su avanzada civilización. En efecto, los profetas de Lemuria vaticinaron que el planeta iba a sufrir cambios cataclísmicos, y el pueblo lemuriano trazó un plan de salvación. Para el momento del gran cataclismo, los lemurianos construyeron una red de túneles para guarecerse y registraron todos sus conocimientos en cristales y los enterraron. Algunos investigadores esgrimen esta teoría para afirmar que los lemurianos que sobrevivieron al diluvio universal fueron los primeros pobladores de América y, en consecuencia, los precursores de la práctica totalidad de las culturas indígenas de dicho continente.

La legendaria isla de la Atlántida

Engullida por las fauces del océano, la isla de la Atlántida es uno de los más indescifrables mitos de la Antigüedad. Dada a conocer por Platón en sus célebres diálogos, las especulaciones sobre su ubicación y su cronología se mantienen vivas en la actualidad.

La primera referencia documental de la Atlántida se halla en dos diálogos de Platón (h. 428 a.C.-348 a.C.) el *Timeo* y el *Critias*, si bien el origen de su leyenda se remonta al político ateniense Solón (h. 640 a.C.-h. 560 a.C.) quien, durante un viaje a Egipto, escuchó de boca de unos pescadores la historia de una misteriosa isla ya desaparecida en la que se había desarrollado una próspera civilización. La descomunal isla, del tamaño del norte de África y Asia Menor juntas, estaba situada más allá de las Columnas de Hércules, el actual estrecho de Gibraltar, y en ella habitaba el pueblo atlante, cuyos soberanos descendían de Poseidón, dios del mar.

una campaña para la conquista del mundo conocido. Tras hacerse con Libia y Egipto sin excesivas complicaciones, las huestes atlantes se abrieron paso por Europa hasta alzarse con el poder en buena parte de la Italia occidental. Pero cuando llegó la hora de enfrentarse con las filas atenienses, el imparable avance atlante llegó a su fin, y la derrota desencadenó una serie de desastres naturales que acabaron sumergiendo bajo el mar el otrora esplendoroso vergel de la Atlántida.

El *Poseidón* o *Zeus de Artemisio*, una estatua de bronce de 460 a. C. que representa al dios griego del mar.

POSEIDÓN, PADRE DE LOS ATLANTES

Hijo de Cronos y Rea, y hermano de Zeus y Hades, tras la muerte de su padre heredó el trono de los mares. Aunque de poderes inferiores a los de sus hermanos, su tridente señala su realeza divina. Sus hijos, producto de sus relaciones con divinidades, nereidas y mujeres mortales, suelen ser seres monstruosos, como el mítico cíclope Polifemo. Uno de sus hijos, Atlas, fue el primer rey de la Atlántida.

Los atlantes, trabajando en perfecta armonía y gracias a sus inextinguibles fuentes de recursos, consiguieron recrear en la isla una sociedad idílica que erigía templos con paredes de oro y plata. Esta grandeza, sin embargo, acabó volviéndose en contra de sus poderosos habitantes, hasta el punto de conducir irremisiblemente la isla a su cataclismo. El principio del fin, como el de tantas otras civilizaciones reales y ficticias, debe buscarse en el afán expansionista de los soberanos atlantes, que les llevó a emprender

UNA ISLA PARADISÍACA

Según Platón, la isla tenía una singular disposición: una serie de anillos de agua y tierra alternados y culminados en el centro por un templo sagrado dedicado a Poseidón, el dios del mar. Según parece, tras crearse una red de canales drenados por el mar, de forma circular y convergentes en el centro de la isla, se construyeron puentes sobre ellos.
A su vez, en los cercos de tierra se abrieron canales para el tránsito de embarcaciones y se levantó un perímetro amurallado salpicado de torres, con puertas junto a los puentes y canales.
El grandioso templo emplazado en el centro de la isla, cuya fachada exterior estaba recubierta de plata, albergaba magníficas estatuas de Poseidón en un carro tirado por seis caballos alados y con cien nereidas cabalgando sobre delfines a su alrededor. También podían encontrarse en la isla fuentes de agua fría y caliente, piscinas, jardines e incluso pistas para disputar carreras de caballos. Todas estas maravillas permiten formarse una idea de la prosperidad y el esplendor que alcanzó la sociedad atlante.

LA ATLÁNTIDA A DEBATE

A lo largo de la historia de la humanidad, el mito de la Atlántida erigido por Platón ha sido foco de una controversia que aún se mantiene viva, y que se articula en diferentes planos: por un lado, quienes defienden la existencia de la isla frente a los que la niegan; y por otro, quienes asumen la veracidad del mito, pero no se ponen de acuerdo sobre su emplazamiento exacto.

En la Edad Media se reavivó el debate acerca de la Atlántida, y a partir de entonces el mito no ha dejado de alimentar toda clase de ficciones hasta nuestros días. Las más diversas teorías han dado lugar a numerosas obras de literatura paracientífica, en ocasiones asociada a la ufología o a las civilizaciones perdidas. Autores de renombre, como el científico Charles Berlitz, han intentado demostrar en sus obras la existencia de la Atlántida y su hundimiento bajo las aguas del mar, y que en ella habitó una civilización muy avanzada, de la que incluso se ha llegado a decir que descienden grandes civilizaciones, como la egipcia o la mesoamericana.

LA ATLÁNTIDA Y SANTORÍN

Otra de las teorías aceptables sobre la ubicación de la Atlántida es la propuesta por el científico francés Jacques-Yves Cousteau, quien identifica la isla mitológica con la isla de Santorín, cercana a Creta y convertida en un archipiélago a raíz de una devastadora erupción volcánica en el 1470 a.C.

Platón relató en uno de sus diálogos, el *Timeo*, la existencia de la Atlántida. Sin duda, entre los griegos existía la leyenda de un poderoso reino engullido por las aguas, aunque éste bien pudo ser la isla de Santorín.

LA CONTROVERTIDA UBICACIÓN DEL MITO

En cuanto a la ubicación geográfica de la isla tragada por el mar, las teorías se han multiplicado a lo largo del tiempo, e incluso una de ellas fue formulada por una figura tan popular como el oceanógrafo francés Jacques-Yves Cousteau.

Si bien existen centenares de posibles emplazamientos en los que pudo haberse desarrollado la civilización atlante, sólo unos pocos cimentan sus afirmaciones en principios lo bastante contrastados como para ser dignos de mención. Éste es el caso de la hipótesis que sostiene que el archipiélago de las Azores fue, en la Antigüedad, la isla de la Atlántida, teoría respaldada por reputados arqueólogos en el siglo XIX.

Otra teoría enunciada ya en el siglo XX sitúa la Atlántida en las proximidades de la isla de Bimini, al oeste del océano Atlántico, tras descubrirse en sus profundidades lo que parecían ser dos muros de más de 8 000 años de antigüedad, si bien algunos sectores rechazan esta teoría por considerar que los presuntos muros son el producto de un fenómeno natural.

Mapa del siglo XVII en el cual se muestra la posición que habría ocupado la Atlántida. Debe advertirse la disposición de los puntos cardinales, inversa respecto a la convención actual, con la península Ibérica y África a la izquierda y el continente americano a la derecha.

UN ESPEJISMO EN LA SELVA, EL DORADO

El mito de El Dorado sirvió como incentivo para que muchos exploradores españoles se adentrasen en las entrañas del Nuevo Mundo, pero ninguna de las expediciones emprendidas en su búsqueda logró dar con esta mitológica ciudad de oro, supuestamente situada entre el Orinoco y el Amazonas.

La codicia de los primeros conquistadores, mucho más interesados en amasar una fortuna en el Nuevo Mundo que en el legado de las comunidades indígenas, hizo que en los primeros tiempos de la conquista primaran los intereses económicos. Un buen ejemplo de ello es el poblamiento de la Guayana a principios del siglo XVI, que se debió a la presentida existencia de un reino legendario rico en yacimientos de oro: El Dorado.

LAS RAÍCES DE LA CIUDAD DE ORO

Los pueblos indígenas prehispánicos daban un gran valor espiritual al oro, no ya como indicativo de la afiliación a un clan o como símbolo de la relación con una especie animal, sino como una verdadera concentración de energía divina. El oro, por tanto, era considerado el medio de intermediación entre los hombres

Pendiente de oro mixteca (Museo Nacional de Antropología de Ciudad de México) que representa a una divinidad barbada ataviada con un tocado. El oro era el material predilecto para la representación de las divinidades entre los pueblos prehispánicos.

LA CAÍDA DE UN MITO

El mito de El Dorado comenzó a decaer a causa de los discretos resultados obtenidos por el dragado del lecho del lago Guatavita: todo parecía apuntar a que el reino de oro sólo había sido un mito. Para acabar de despejar las dudas sobre la veracidad de la leyenda de El Dorado, el alemán Humboldt llevó a cabo, a principios del siglo XIX, una serie de estudios topográficos que dejaron fuera de toda duda la inexistencia del reino de oro.

Armadura de oro de la cultura calima (Museo del Oro de Bogotá).

y los dioses, lo que lo convertía en el principal objeto de las ofrendas religiosas. Estas ofrendas solían efectuarse en lagunas, que eran consideradas por los indígenas el útero de la tierra.

De todas estas creencias surge uno de los rituales más pintorescos de los nativos de Cundinamarca, territorio conocido también como país del cóndor (Colombia en la actualidad), del que se hizo eco el cronista Gonzalo Fernández de Oviedo en 1534. Se trataba de una ceremonia en la que el soberano local, con el cuerpo cubierto de polvo de oro, era llevado en balsa hasta el centro del lago Guatavita, donde lanzaba oro y esmeraldas a modo de ofrenda a las divinidades. Fue a partir de esta celebración de donde surgió el mito de El Dorado, que era el nombre del monarca de un reino del mismo nombre, cuyas calles, edificios y objetos estaban hechos de oro.

LA CARRERA EN BUSCA DE EL DORADO

Uno de los primeros buscadores de El Dorado de los que tenemos constancia histórica es el explorador alemán Ambroise Alfinger, quien entre 1529 y 1538 emprendió varias expediciones al país del cóndor financiadas por él mismo a través del tráfico de esclavos. Cegado por la codicia, Alfinger no dudó en arrasar cuantas tribus indígenas le salieron al paso en su ascensión por el río Magdalena, pero acabó pagando cara su falta de escrúpulos al morir envenenado a manos de los indios en el curso de una expedición. Otros muchos exploradores intentaron alcanzar Cundinamarca sin éxito, como Jorge de Spira, Nicolás Federmann o Sebastián de Belalcázar.

Reproducción en miniatura de una máscara funeraria conservada en el Museo de Oaxaca. Esta pieza de oro, de siete centímetros de ancho por diez de alto y perteneciente a la cultura mixteca, representa al dios de la muerte, como puede advertirse por su característica boca de jaguar.

UN SINGULAR BAÑO DE ORO

Uno de los cronistas de las Indias al servicio del Reino de España, Juan Rodríguez Freyle, relata así la ceremonia de unción de El Dorado. «En aquella laguna de Guatavita se hacía una gran balsa de juncos, adornada con gran vistosidad. Se desnudaba al cacique y se le untaba y rociaba todo con oro en polvo, de tal manera que quedaba del todo revestido por este metal; lo metían en la balsa, y a los pies le ponían un montón grande de oro y esmeraldas para ofrendar a su dios. Al partir la balsa sonaban las cornetas y, una vez llegaba al centro de la laguna, daban señal de silencio. (...) Hacía el indio dorado su ofrecimiento arrojando a la laguna todo el oro y las esmeraldas que llevaba (...) y cuando concluía la ceremonia, comenzaba la grita, con grandes coros de bailes y sus danzas. De esta ceremonia se tomó el tan celebrado nombre de El Dorado».

Pero en 1537 un antiguo abogado convertido en aventurero logró hacerse con el control de la ciudad de Bogotá, centro neurálgico del país del cóndor. Gonzalo Jiménez de Quesada, inmortalizado por su biógrafo como «el caballero de El Dorado», se alzó con la victoria en su asedio a la región. Su glorioso triunfo le reportó grandes riquezas en oro y diamantes, pero Jiménez de Quesada no halló rastro alguno del reino de El Dorado. Lejos de desalentar a los numerosos aventureros que iban tras su pista, este hecho les llevó a pensar que se había cometido un error primordial en la ubicación de la ciudad de oro, y que se debían buscar sus coordenadas lejos de la recién invadida Cundinamarca. A partir de entonces fueron muchas las direcciones en las que durante siglos se continuó la búsqueda de El Dorado, pero ninguna de ellas pudo aportar pistas fiables respecto a su emplazamiento.

LA PERSECUCIÓN DE UN SUEÑO

Tras el auge vivido al principio de la conquista de América, el interés por El Dorado se estabilizó y las expediciones organizadas en su búsqueda se fueron espaciando. Los relatos de autores del prestigio de sir Walter Raleigh o Voltaire se encargaron de mantener viva la llama del mito a lo largo de los siglos XVII y XVIII.

Fotograma perteneciente a la película *El Dorado*, dirigida en el año 1987 por Carlos Saura. El filme, protagonizado por Omero Antonutti y Eusebio Poncela, ilustra la búsqueda de la mitológica ciudad perdida a cargo de los conquistadores españoles.

OFIR, LA REGIÓN DE ORO

Citado por vez primera en las páginas de la Biblia*, el país de Ofir se ganó durante siglos el sobrenombre de «El Dorado africano». En él se encontraban supuestamente las legendarias minas del rey Salomón, que a través de la literatura y el cine han fascinado al mundo a lo largo del tiempo.*

En 1871, el geólogo alemán Karl Mauch empezó a investigar las ruinas de una ciudad descubierta tres años antes en el África suroriental, en lo que es hoy la república de Zimbabwe. La ausencia de inscripciones impedía identificar al pueblo que había erigido y habitado la ciudad, lo que dio lugar a varias teorías al respecto. Mientras unos investigadores afirmaban que se trataba de los restos de un centro minero fenicio, otros preferían considerarlo un emplazamiento árabe. Otra hipótesis proponía que estas ruinas habrían pertenecido al legendario país de Ofir, citado en la *Biblia*. El misterio de su ubicación se remontaba al siglo I d.C., y tras él se escondía también el secreto emplazamiento de las legendarias minas del rey Salomón.

En este detalle de la fortaleza de Zimbabwe puede apreciarse que la construcción de sus muros, de hasta cinco metros de grosor, se realizó con bloques de granito unidos tan sólo por contacto.

Ruinas del Edificio Elíptico del Gran Zimbabwe, residencia de los monarcas y posiblemente también templo. Hasta el siglo XIX fue considerado como un santuario.

LAS VASTAS RIQUEZAS DEL REY SALOMÓN

La historia de Salomón, tercer rey de los hebreos, se recoge en las páginas de la *Biblia*. Hijo de David y Betsabé, su subida al trono se vio enturbiada por sucias conspiraciones urdidas por él y su madre, que supusieron un mal comienzo para el que acabó siendo un pésimo reinado. Aunque en los primeros años de su mandato el pueblo hebreo disfrutó de una época de bonanza gracias a la explotación de rutas comerciales y a la firma de alianzas con egipcios o fenicios, el mismo Salomón fue el responsable del declive y escisión del reino a causa de su fastuoso tren de vida. Y es que el pueblo de Israel, que veía indignado cómo los impuestos iban en aumento con el único objeto de costear la vida de lujo del monarca, acabó sublevándose y escindiéndose en dos reinos, el de Israel y el de Judá.

Al parecer, el codicioso rey Salomón contó durante su reinado con una inmensa y misteriosa fuente de riqueza, desde la que transportaba al puerto de Esyón Guéber, en el mar Rojo, grandes cantidades de oro. La existencia de estas ricas minas explicaría la vida boyante del monarca, que, de haber nutrido sus arcas con tan sólo su herencia y los tributos de su pueblo, probablemente no podría haberse permitido las setecientas esposas y trescientas concubinas que se le atribuyen. Pero el misterio rodea el emplazamiento de estas minas, que según la *Biblia* se encontraban en un país llamado Ofir.

La búsqueda ininterrumpida del mítico y rico reino de Ofir, una vez descartados Arabia o las Indias como posibles ubicaciones, ha quedado restringida al sur del continente africano. Esto ha contribuido a que ganara puntos una hipótesis bastante difundida que situaba Ofir en una misteriosa ciudad fortificada de la antigua Rhodesia, que respondía al nombre de Zimbabwe.

LA CIUDAD DE ZIMBABWE

Las primeras investigaciones sobre la ciudad de Zimbabwe, descubierta por casualidad por el cazador bóer Adam Renders, en 1868, arrojaron la primera luz sobre el enigma: a juzgar por el diseño, los materiales y la técnica empleados en su construcción, la ciudad no era obra de ningún pueblo conocido del África primitiva. En efecto, las torres cónicas en forma de silos o los muros de hasta cinco metros de grosor eran demasiado avanzados para los antiguos pueblos africanos. Este hecho parecía confirmar la hipótesis de quienes querían ver en esta ciudad los vestigios del legendario país de Ofir, y por ello la fiebre del oro atrajo a la zona a aventureros de toda índole que iban tras la pista de las minas del rey Salomón.

Pero aunque hasta principios del siglo XX se confió en esta teoría, los estudios realizados por la arqueóloga británica Gertrude Caton-Thompson en 1929 demostraron que la fortaleza de Zimbabwe había sido levantada durante la Edad Media. Quedaba así fuera de toda duda que la fortaleza hubiera sido construida en tiem-

Detalle de uno de los muros de piedra que se conservan aún en el perímetro de la antigua ciudad de Zimbabwe, cuya fortaleza podría haber sido el epicentro de la mitológica región de Ofir. Estos muros de granito, que circunvalaban la acrópolis a fin de defenderla, constituían a menudo una prolongación de las rocas naturales de la zona.

pos del rey Salomón, y se ponía fin al mito de que había grandes cantidades de oro esperando aún a ser rescatadas en algún lugar próximo a la ciudad fortificada.

LA MAGNIFICENCIA DEL REY SALOMÓN

El *Libro de los Reyes*, escrito entre los siglos VII y VI a.C., ofrece un relato que nos acerca a la figura del mítico tercer rey de los hebreos: Salomón tenía doce intendentes en Israel encargados de proporcionar cuanto era necesario para él y su casa. (...) Cada uno de estos intendentes cuidaba de que no le faltara nada al rey Salomón y a todos sus convidados. (...) Los víveres de Salomón eran treinta cargas de flor de harina y sesenta de harina por día, diez bueyes cebados y veinte bueyes de pasto, cien cabezas de ganado menor, además de los ciervos, gacelas, gamos y aves cebadas. (...) Salomón tenía cuatro mil establos con caballos para sus carros, y alrededor de doce mil caballos. (...) La sabiduría de Salomón superó la de los sabios orientales famosos y la de todos los sabios de Egipto.

En este cuadro del siglo XV, obra del pintor italiano Piero della Francesca, aparece representado el rey Salomón en compañía de la reina de Saba, vestidos ambos como personajes renacentistas.

Fotograma perteneciente a la película *Las minas del rey Salomón*, dirigida por J. Lee Thompson en el año 1985.

UN ACICATE PARA LA IMAGINACIÓN

La fértil imaginación del escritor británico H. Rider Haggard (1856-1925) situó una de sus ficciones en el mítico país de Ofir. *Las minas del rey Salomón*, todo un clásico de la literatura de aventuras publicado en 1885, inspiró una inolvidable película. Compton Bennet y Andrew Marton dirigieron en 1950 a Stewart Granger y Deborah Kerr en *Las minas del rey Salomón*. Unos años más tarde, en 1959, King Vidor consiguió una de sus mejores obras con la superproducción *Salomón y la reina de Saba*, protagonizada por Yul Brynner (que sustituyó a Tyrone Power, fallecido durante el rodaje) y Gina Lollobrigida. La fascinación por Ofir y su mítico reino venía de lejos, y así, a mediados del siglo XV, el pintor italiano Piero della Francesca (1416-1492) ya había seducido al público de su época con un impresionante lienzo, también titulado *Salomón y la reina de Saba*.

LA CIUDAD AMURALLADA

Los recintos amurallados del Gran Zimbabwe se encuentran entre las cuencas de los ríos Zambeze y Limpopo, junto a la meseta metalífera de Matabelé. Sus estructuras arquitectónicas de piedra, las más antiguas que se conocen en esta área del continente africano, se construyeron entre los siglos X y XV.

En este complejo se diferencian tres tipos de construcciones. El más famoso es el edificio conocido con el nombre de Edificio Elíptico. Este impresionante palacio circular no debió de estar aislado en el paisaje, sino que, en torno a sus muros, se apiñaban las chozas de los súbditos del monarca, rodeadas de vallas. A unos quinientos metros del Edificio Elíptico se conservan los restos de una especie de acrópolis sobre una colina y, diseminados por el valle, se encuentran diversos recintos fortificados. Tras estos muros se refugiaba la población en caso de ataque.

Levantados con bloques de granito, por lo general tallados y unidos en seco, constituían una especie de prolongación de las rocas naturales. El camino de acceso a la muy escarpada colina estaba pavimentado con piedras talladas y disponía de escaleras en algunos tramos.

Representación de uno de los recintos de la fortaleza de Zimbabwe, concretamente el conocido como Edificio Elíptico. La sofisticación de este y de otros elementos arquitectónicos de la acrópolis parece indicar que su construcción no fue obra de ningún pueblo africano.

PUEBLOS Y SOCIEDADES MISTERIOSOS

*C*on el paso de los siglos, el estudio antropológico ha conformado un fresco detallado del conjunto de pobladores que han habitado nuestro planeta a lo largo del tiempo. Sin embargo, algunos de estos pueblos, así como ciertas sociedades inscritas en civilizaciones bien conocidas, no han podido ser diseccionados con tanta facilidad y aún hoy numerosas incógnitas envuelven sus diferentes historias en sombras e incertidumbre.

Colmados de ritos enigmáticos, poseedores de conocimientos avanzados en ocasiones, las crónicas de todos estos pueblos y sociedades misteriosos han alimentado la memoria colectiva de las culturas que conforman el conjunto de la humanidad. Y aunque los investigadores no se rinden en su intento de aportar informaciones contrastadas sobre la realidad de estas civilizaciones, parece claro que sus mitos seguirán vivos por mucho tiempo en la tradición oral de numerosos rincones de nuestro planeta, así como en las páginas de visionarios que seguirán llenando con su imaginación los datos que estos pueblos se llevaron consigo al desaparecer.

Pintura mural de Uaxactún, Guatemala, que representa un ritual maya.

LA INCOMPRENSIBLE LENGUA DE LOS ETRUSCOS

De dudosa procedencia histórica, la civilización etrusca se desarrolló a partir del siglo IX a.C. en la región italiana de Etruria. Con una tecnología muy avanzada y un orden social estructurado con rigor, el misterio sigue rodeando a esta civilización de marcada religiosidad, sobre todo por la dificultad que entraña interpretar su lengua.

Ubicada entre los Apeninos al norte, el Tirreno al oeste y el río Tíber al sur y el este, la civilización etrusca se desarrolló entre los siglos IX a.C. y el I d.C., en que fue desmantelada por el poderío militar del Imperio Romano en su etapa de apogeo. Son varias las teorías sobre los orígenes del pueblo etrusco, desde las que sitúan sus antecedentes en la actual Turquía hasta las que afirman sus orígenes autóctonos, como defiende el gran estudioso de la etruscología Massimo Pollottino.

Fue durante los siglos X y VIII a.C. cuando empezaron a configurarse las ciudades etruscas, fruto de la fusión de villas pertenecientes a la cultura itálica que ocupó la región en los inicios de la Edad del Hierro. A través del comercio exterior y gracias a su supremacía marítima durante los siglos VII y VI a.C., el pueblo etrusco empezó una intensa fase de desarrollo. Fueron los contactos con la civilización griega los que confirieron a los etruscos sus rasgos de sociedad urbana.

Representación en bronce del dios Marte hallada en Todi y datada en el siglo IV a.C. (Museo Gregoriano etrusco, Vaticano). La figura divina de Marte sería más tarde adoptada por el panteón romano, lo que demuestra la gran relevancia de la cultura etrusca.

Acceso a una tumba de la necrópolis etrusca de Populonia, situada en el municipio de Baratti, en Toscana. El estudio de este y de otros enclaves funerarios etruscos ha sido la principal fuente de información sobre tan enigmática civilización.

RITOS FUNERARIOS

Tras una primera fase en la que el pueblo etrusco practicó la incineración (ss. IX y VIII a.C.), el rito funerario sufrió un profundo cambio y se generalizó la inhumación en tumbas. Este cambio responde al culto creciente de los habitantes de Etruria a sus difuntos.

Con una clase aristocrática dedicada al comercio exterior y gracias al desarrollo de nuevas técnicas agrícolas y artesanales, el crecimiento de la civilización etrusca era imparable. A finales del siglo VI a.C. sus límites geográficos se extendían hasta Campania, al sur, y hasta el valle del río Po, al norte. Una muestra de esta fase de apogeo etrusco es la forma en que el avance griego en el sur de Italia fue contenido por las tropas etruscas sin grandes dificultades.

Sin embargo, entre los siglos VI y V a.C. se inició el declive de la civilización etrusca, cuyo punto álgido fue la dramática derrota en la batalla de Cumas contra los siracusanos. Asediados por los samnitas, al sur, y los celtas, al norte, las derrotas militares se sucedieron hasta la desunión definitiva de las diferentes ciudades

tica. Así lo demuestran el pensamiento mágico o la creencia en el destino de los habitantes de Etruria. La teogonía etrusca está formada por un grupo de divinidades mayores, a las que siguen las doce correspondientes a los signos zodiacales, las siete relativas a los planetas conocidos en la época y las dieciséis de las diferentes regiones del cielo. La relación que el pueblo establece con dichas divinidades es de completa sumisión, hasta llegar casi al extremo de la anulación de la voluntad humana en aras de lo divino.

En esta teología era fundamental la figura del sacerdote, que se encargaba de interpretar las ordenanzas divinas a través de ciertos signos. Así, ponían en práctica la interpretación fulguratoria (*fulgitur*) de los rayos de las tormentas, y la ornitomancia o adivinación por el vuelo y canto de las aves. Pero la práctica adivinatoria más relevante era la aruspicina, que versaba sobre la predicción del porvenir a partir de la observación de las vísceras de los animales sacrificados, en especial el hígado. Los sacerdotes practicantes de dicha disciplina se denominaban arúspices, y las directrices sobre dicha práctica se recogían en los *Libros tagéticos*, obra del niño profeta Tages.

El análisis de las estructuras funerarias etruscas es la principal fuente de estudio no sólo del fenómeno religioso, sino del conjunto de la civilización. Las imponentes estructuras nos transmiten la creencia de los etruscos en una vida después de la muerte que se desarrollaba en el mismo lugar donde los despojos mortales del difunto recibían sepultura. Esto convierte al sepulcro en una casa y, como tal, éste se divide en estancias. En ellas se depositaban los objetos predilectos del fallecido, y se le abastecía así mismo de alimentos y bebidas.

etruscas hacia el año 350 a.C. El incontenible avance romano borró del mapa a Etruria entre los siglos I a.C. y I d.C.

¿DE DÓNDE PROCEDE LA LENGUA ETRUSCA?

Los primeros intentos de descifrar la lengua etrusca se deben al dominico Annio de Viterbo, que en 1498 publicó una obra en la que exponía algunos rudimentarios conocimientos sobre las formas de comunicación verbal y escrita de los etruscos. En los siglos posteriores, las excavaciones arqueológicas sacaron a la luz unas nueve mil inscripciones funerarias que permanecen sin descifrar. Algo similar ocurre con otros textos de distintas procedencias. Los lingüistas desconocen el origen del etrusco, una vez descartada su procedencia del indoeuropeo, y, por supuesto, su gramática. El etrusco no guarda ninguna relación con otras lenguas contemporáneas como el hebreo, el arameo o el egipcio, aunque su alfabeto recuerda mucho al griego. En este desolador panorama, el único avance ha sido la identificación de algo más de una treintena de palabras, todas ellas referidas a la vida cotidiana y a la naturaleza.

A principios del siglo XX, los arqueólogos encontraron en una tumba egipcia una momia envuelta en unas vendas curiosamente repletas de textos en etrusco. Aunque no se sabe por qué el embalsamador recurrió a la lengua etrusca y no a la egipcia, el estudio de esas vendas, así como de otros indicios, ha permitido reconstruir fragmentos de la vida etrusca, siempre muy ligada a un profundo sentimiento religioso.

LOS VIVOS Y LOS MUERTOS

Gran parte del bagaje religioso del pueblo etrusco parece tener sus orígenes en la tradición asiá-

Cámara funeraria conocida como tumba de los Relieves de Cerveteri. Las tumbas subterráneas etruscas, cubiertas por túmulos, tenían mobiliario tallado en la roca a fin de emular la vivienda del fallecido, lo que ha permitido reconstruir a partir de su estudio la vida cotidiana del pueblo etrusco.

Representación en bronce de un hígado utilizada por los sacerdotes etruscos para poner en práctica la aruspicina, técnica adivinatoria a partir del estudio de las vísceras. El pueblo etrusco poseía amplios conocimientos en materia de anatomía.

MÉDICOS ETRUSCOS

La civilización etrusca recopiló a lo largo de su historia grandes conocimientos en materia de anatomía. Así lo demuestra la representación de órganos humanos en terracota y bronce.
También se tiene constancia del uso de herramientas quirúrgicas de hierro, así como de utensilios empleados en odontología. Así mismo, en materia de medicina estaba muy extendido el uso de las aguas termales, consideradas sagradas por los etruscos.

LOS SACRIFICIOS HUMANOS DE LOS DRUIDAS

Aunque el paso del tiempo ha inmortalizado a los druidas como amables ancianos aficionados a la herboristería, su verdadera historia está envuelta en un halo de misterio y sangre. Como líderes carismáticos de la sociedad gala, los sacerdotes druidas supieron inculcar al pueblo una cultura de violencia sin igual.

Estela de la *Tumba de Au* en la que aparece representada una dama celta llamada Umma (Landesmuseum, Viena). En la inscripción en latín que se lee al pie de la estela se menciona la romanización de los celtas, iniciada en el año 52 a.C. tras la invasión de las Galias a cargo de las legiones de Julio César.

¿EXISTIERON LAS DRUIDESAS?

Aunque escasos y más bien algo confusos, existen indicios que señalan la existencia de druidesas en las comunidades galas.
Todo parece indicar que hubo una comunidad de nueve sacerdotisas en las tierras de la actual Normandía.
Su extenso conocimiento de la magia y los ritos de los druidas no sólo les permitía adivinar el futuro o realizar curaciones valiéndose de remedios naturales, sino que también estaban capacitadas para provocar temibles tempestades y convertir a los hombres en animales. Estos poderes emparentarían a las druidesas con las brujas.

Sacerdote, poeta y legislador al mismo tiempo, la figura del druida es sin duda uno de los ejes centrales de los antiguos pueblos celtas. El término druida, que se remonta a la lengua de los galos, significa dueño de la ciencia. Fueron precisamente los galos, escisión del pueblo celta que habitó los territorios de las actuales Francia, Bélgica y Luxemburgo hacia el año 1000 a.C., quienes más encumbraron a los druidas en su orden jerárquico.

UN MICROCOSMOS HERMÉTICO

Versátiles en las numerosas funciones que desempeñaban y hombres de conocimiento, el fuerte carácter del pueblo celta se debe en gran parte a la tarea de los druidas. Fueron ellos quienes introdujeron e impulsaron la creencia en la inmortalidad del ser, apoyada en la convicción de que tras la muerte de un hombre se producía la transmutación o reencarnación de su alma en un nuevo cuerpo y bajo un nuevo nombre.

Además de mantener vivo todo este legado de tradiciones y creencias, la principal tarea de los druidas era la de educar a los jóvenes en el conocimiento y en las artes de la lucha, arbitrar los juicios entre las distintas tribus y, sobre todo, celebrar los ritos sagrados. Estos ritos, en su mayoría sacrificios, estaban revestidos de un gran secretismo, y sólo se transmitían cuando el druida encontraba a su sucesor en el cargo. El hermetismo en torno a los ritos era uno de

LOS SACRIFICIOS QUE VIO JULIO CÉSAR

Julio César describe en el libro IV de su obra *La guerra de las Galias* algunas costumbres de los druidas: «El pueblo galo es muy religioso y parece que las personas que sufren enfermedades graves, así como los que arriesgan su vida en el combate o de algún otro modo, inmolan o hacen votos de inmolar víctimas humanas, utilizando para estos sacrificios el ministerio de los druidas. (...)

Ciertos poblados tienen maniquíes de proporciones colosales, hechos de mimbre tejido, que se llenan con hombres vivos; luego se les prende fuego y los hombres son presa de las llamas. El suplicio de aquellos que han sido sorprendidos en delito flagrante por robo o bandolerismo, o después de haber cometido algún crimen, es juzgado más placentero para los dioses. Sin embargo, cuando no existen suficientes víctimas de este tipo, no temen sacrificar a inocentes».

Calderón de origen celta
realizado en plata (Museo
Nacional, Copenhague).
La cultura celta llegó a un
grado de civilización avanzado
gracias, en gran medida, a la
figura de los druidas.

NEODRUIDAS

El fin de la civilización celta, que se remonta al 52 a.C., cuando Julio César aplastó a la coalición resistente gala mandada por Vercingetórix, supuso un duro revés para el druidismo, pero no su erradicación.

La religión druídica salvó a algunos acólitos, que soportaron durante siglos la persecución empeñada durante el Medioevo para erradicar los cultos paganos en Occidente. Tras esta etapa de dura represión, alrededor del siglo XVI empezaron a florecer corrientes de pensamiento fundamentadas en el legado de los druidas, sobre todo en lo que respecta a la magia natural y el culto a la naturaleza. Estas comunidades, mucho más pacíficas que las de los sanguinarios druidas galos, se han perpetuado hasta la actualidad bajo nombres como Antiguo Orden de los Druidas, Confraternidad Filosófica de los Druidas u Orden Druida.

los compromisos que el druida contraía al pronunciar su juramento, además del de honrar a los dioses, no obrar con imprudencia y prestar ayuda incondicional a la comunidad.

Aparte del cumplimiento de este código, otra de las principales tareas de los druidas era la observación de la naturaleza, de la que cosechaban numerosas plantas con fines medicinales. En agradecimiento por estos remedios, los druidas promovían el respeto a los bosques como si de lugares sagrados se tratara. Por último, cabe destacar que con una periodicidad anual se celebraba una reunión de todos los druidas galos en el actual emplazamiento de la catedral de Chartres, cuya misteriosa edificación a menudo se ha relacionado con la presencia de los druidas desde tiempos inmemoriales en el lugar.

LOS DESPIADADOS SACRIFICIOS

En el calendario ritual de los druidas, reconstruido gracias a diferentes hallazgos realizados durante el siglo XX, eran habituales los sacrificios destinados a honrar a las diferentes deidades celtas.

La naturaleza del dios era la que determinaba en gran medida la forma de los sacrificios. Por ejemplo, quienes morían en honor del dios de la guerra Esus eran ahorcados o degollados, mientras que las víctimas ofrecidas a Tutatis eran ahogadas en toneles de agua. Otras de estas aberrantes torturas contemplaban la incineración de las víctimas. Por lo general, en los sacrificios se utilizaban prisioneros de guerra o criminales, pero si no los había se pedían voluntarios o bien, se elegía directamente a todos aquellos que debían entregar su vida para honrar a una deidad.

Otra de las ocasiones en que los druidas ofrecían sacrificios humanos era cuando las tropas de una tribu debían partir a la guerra. Para dicha ocasión se requería el sacrificio de uno o varios prisioneros del bando contrario, que eran apuñalados en lo alto de un inmenso caldero. Por la forma en que se derramaba la sangre de las víctimas, amén de otras señales proféticas, podía efectuarse una predicción del desenlace de la inminente batalla. El rito se completaba rociando a los combatientes con la sangre obtenida tras el sacrificio.

De la popularidad de las leyendas que circularon durante mucho tiempo sobre los druidas es una buena muestra este druida, que ilustra la edición original de un cuento de Charles Perrault.

EL MISTERIO DE LOS MAYAS

Con muchos siglos de historia a sus espaldas, la civilización maya fue una de las más brillantes y poderosas de Mesoamérica. Sus conocimientos en materia de astronomía o matemáticas se adelantaron en miles de años a los del mundo occidental. ¿Qué enigma se esconde tras la misteriosa desaparición de un pueblo tan avanzado como el maya?

La ubicación geográfica del imperio maya abarca los actuales estados mexicanos de Yucatán, Campeche y Quintana Roo, así como los territorios de Guatemala y Belice, y algunos enclaves de El Salvador y Honduras. La historia del pueblo maya se divide en tres períodos: el Preclásico, que abarca desde el año 2000 a.C. hasta el 250 d. C.; el Clásico, desde el 250 hasta el 900, y la época de decadencia, conocida

Calendario maya.
Los avanzados conocimientos de astrología y matemáticas permitieron a los mayas la elaboración de un preciso calendario.

UN PUEBLO CON DOS CALENDARIOS

Los mayas utilizaban dos calendarios: uno de tipo ritual, de 260 días, llamado *tzolkín,* y otro solar, llamado *haab.* El primero comprendía 13 períodos de 20 días, cada uno de ellos con un nombre propio precedido de un número del 1 al 13. Los 20 nombres diferentes de los

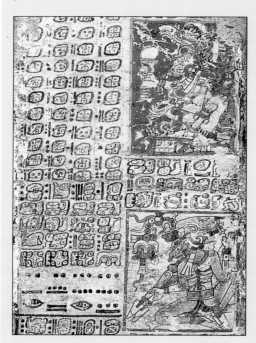

días eran: Imix, Ik, Akbal, Kan, Chicchan, Cimi, Manik, Lamat, Muluc, Oc, Chuén, Eb, Ben, Ix, Men, Cib, Caban, Eznab, Cauac y Ahau.
Por lo que respecta al calendario solar, incluía 18 meses de 20 días y un decimonoveno mes de tan sólo cinco días aciagos. Estos meses, denominados *Winal,* se llamaban, respectivamente: Pop, Uo, Zip, Zotz, Zec, Xul, Yaxkin, Mol, Chen, Yax, Zac, Ceh, Mac, Kankin, Muan, Pax, Kayab, Kumku y Uayeb. Estos dos calendarios se utilizaban simultáneamente.

como período Posclásico, desde el 900 hasta el 1500, que coincide con el comienzo del dominio español en México. Fue durante el período Clásico cuando esta civilización vivió su momento de esplendor, durante el cual florecieron las artes, la ciencia y la tecnología.

LA RELIGIOSIDAD MAYA

Como muchas otras civilizaciones de la Antigüedad, la maya tenía una religión politeísta basada en los atributos de la naturaleza y el espacio. Por ejemplo, el cielo representado por el dios supremo Itzamná estaba subdividido en trece secciones, y en él residían los dioses Ixchel y Nohok Ek, que se correspondían con la Luna y el planeta Venus, respectivamente. Así mismo, los mayas consideraban que el cosmos era de forma circular y que continuamente era destruido y reordenado por obra divina con la finalidad de hacer evolucionar a los hombres.

En agradecimiento y como muestra de veneración, a fin de preservar el orden del cosmos, se celebran los ritos en los que el pueblo alimentaba a los dioses mediante ofrendas. Existían diferentes tipos de ellas, y todas se repartían a lo lar-

Página del *Códice de Dresde* en el que se expone el ritual astronómico de Venus y los planetas, así como el avanzado sistema calendárico maya.

Vista del templo de Copán, erigido para conmemorar el descubrimiento de la duración de los intervalos entre eclipses, uno de las muchos conocimientos astrológicos de los mayas.

go de minuciosos calendarios, pero eran especialmente relevantes los sacrificios de animales y de seres humanos para entregar sus espíritus a los dioses. Estos espíritus se materializaban en la sangre y el corazón del sacrificado.

DEL ESPLENDOR AL ABANDONO DE LAS CIUDADES

Convertido en una sociedad sedentaria hacia el 2000 a.C., el pueblo maya empezó a gestarse a orillas del golfo de México. En esta primera etapa no puede hablarse de una verdadera cultura maya, sino más bien de una comunidad arcaica de carácter tribal. Fue a partir del año 292 d.C., fecha recogida en la inscripción de una estela de Tikal, cuando se inició la época clásica propiamente dicha, en la que la civilización mesoamericana vivió su momento de mayor desarrollo.

En dicha época, conocida también como Imperio Antiguo, el foco geográfico a cuyo alrededor floreció la cultura maya estaba constituido por el norte de Guatemala, Belice y parte de México. Los principales núcleos urbanos mayas eran, entre otros, Tikal, Palenque y Uaxactún, todas ellas ciudades-estado independientes. La clase dirigente, formada por los nobles, los sacerdotes, los jefes guerreros y los comerciantes, era la responsable de mantener el orden teocrático de dichas poblaciones, en las que existía una compleja jerarquía de clases derivada de la división del trabajo. Al margen de los dirigentes ya mencionados, existía el colectivo de los especialistas, empleados en diferentes áreas, como la construcción, la artesanía o la

EL SABER ASTRONÓMICO MAYA

Los avances en matemáticas y astronomía alcanzados por la civilización maya son sin lugar a dudas los más señalados de las civilizaciones antiguas. Su alto grado de desarrollo se debe en gran medida a la conciencia del devenir del pueblo maya, concebido como el movimiento del espacio, que parece ser la piedra angular de su cultura. El universo no es una realidad estática, sino en constante movimiento, lo cual permite evolucionar a los hombres. Así, con miles de años de antelación respecto a otras culturas, los mayas desarrollaron un sistema de numeración vigesimal y utilizaron por primera vez el cero. Fue a partir de esta base matemática de la que surgió el saber astronómico, que registró por vez primera los ciclos del Sol, la Luna y Venus, entre otros muchos astros. Y de nuevo a partir de la evolución en materia astronómica, los mayas desarrollaron un minucioso calendario mucho más avanzado que el gregoriano.

El *chac mool* del templo de los Guerreros de Chichén Itzá. Este altar antropomorfo característico de la cultura tolteca fue adaptado más tarde por los mayas.

arquitectura. Los esclavos y los agricultores completaban el organigrama social.

La agricultura, la economía y facetas del conocimiento tales como las matemáticas o la astronomía siguieron evolucionando hasta alcanzar cotas insospechadas de progreso, pero en pleno apogeo de la civilización maya, alrededor del siglo IX, las ciudades fueron misteriosamente abandonadas. Aquí nos encontramos con el gran enigma de los mayas, porque siguen sin conocerse las razones por las que una sociedad tan próspera y organizada decidió abandonar sus centros habitados. Se han formulado innumerables teorías, algunas de ellas ligadas a fenómenos meteorológicos, como lluvias torrenciales o terremotos. Esta última hipótesis no deja de tener cierta base científica, pues los asentamientos mayas ocupaban zonas por donde discurren las grandes líneas de fractura de la corteza terrestre. Sea como fuere, a la llegada de los españoles a tierras americanas el pueblo maya era tan sólo una sombra que apenas opuso resistencia a la invasión de los conquistadores.

EL TESORO CÁTARO, ¿FANTASÍA O REALIDAD?

Borrados de la historia por el fuego de la Inquisición, los cátaros perviven en la memoria colectiva como una de las comunidades más misteriosas de la Edad Media. No en vano, muchos exploradores aún siguen su rastro en busca del cuantioso tesoro que escondieron antes de desaparecer.

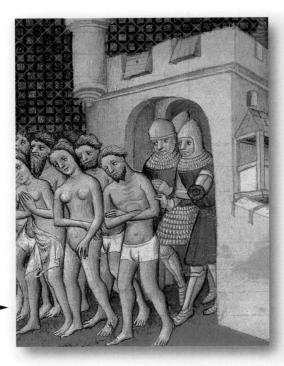

Hacia el año 240, el profeta Mani, nacido a orillas del río Tigris, empezó a propagar su doctrina, el maniqueísmo, que acabaría siendo el eje central del catarismo. Dicha creencia, que no era más que un sincretismo de las doctrinas de Zoroastro, Buda y Cristo, fue condenada por la Iglesia católica en un edicto de Diocleciano promulgado el año 269. Considerados herejes, los maniqueos fueron perseguidos y acabaron extinguiéndose, pero en la Edad Media alguien tomó su relevo: los cátaros, cuyo nombre procedía del vocablo griego *katharós*, que significa puro, bueno. Los cátaros, llamados albigenses en el sur de Francia, constituían una secta religiosa de costumbres muy sencillas y vida pacífica, cuya doctrina se inspira por igual en el cristianismo y en las religiones orientales, principalmente el budismo.

El catarismo fue abriéndose paso por Europa occidental, y se estableció en el sur y el este de Francia, y llegaron a encontrarse comunidades cátaras en casi media Italia, en una tercera par-

Detalle de una miniatura del siglo XIV en la que aparece representada la expulsión de los cátaros de la ciudad de Carcasona (British Library, Londres). Tras ser tildados de herejes por el papa Inocencio III, los cátaros atravesaron toda clase de penurias que culminaron en su exterminio en la primera mitad del siglo XIII.

Patio de armas del castillo de Montségur. Esta fortaleza, situada en la región francesa de Ariège, fue el último bastión cátaro. Al cabo de diez meses de sitio, los católicos ejecutaron a los cátaros resistentes la trágica noche del 16 de marzo del año 1244.

te de Alemania, e incluso en Inglaterra. Pero donde dejaron una huella más profunda fue en el condado de Tolosa, en Francia, donde queda constancia de la fundación de una iglesia cátara en el siglo XII.

Con una organización similar a la del cristianismo, la religión cátara giraba en torno a la figura de los perfectos, considerados herederos de los apóstoles y encargados de transmitir y difundir la doctrina. Además de los perfectos, el catarismo contaba también con la figura del obispo, encarnada en los prelados de cuatro sedes: Carcasona, Albi, Tolosa y Agen.

EN EL PUNTO DE MIRA DE LA JERARQUÍA CATÓLICA

A raíz de la celebración de un concilio en el sur de Francia, en 1176, en virtud del cual se consagró la doctrina cátara, esta secta empezó a constituir una grave amenaza para la Iglesia romana. Empezó entonces una etapa de represión que se agravó con el pontificado de Inocencio III, en 1198. El punto culminante de la persecución se alcanzó en 1209, cuando este papa proclamó la cruzada contra la herejía. La ira de los católicos partía de una errónea interpretación del credo cátaro. La diferenciación entre un principio del bien y otro del mal, con la que los cátaros subrayaban el poder del demonio, del cual había que protegerse, hizo creer a los católicos todo lo contrario: que los cátaros adoraban al demonio. Por otra parte, la teoría cátara de la reencarnación era inadmisible para la Iglesia romana.

El exterminio cátaro permitió a los católicos la reconquista del sureste francés a base de ver-

EL CASTILLO DE «LOS HOMBRES BUENOS»

La fortaleza que sirvió de refugio a los últimos cátaros, situada a 1 060 m de altura en la actual región administrativa francesa de Languedoc-Roussillon, ha sido objeto, a lo largo del tiempo, de numerosas especulaciones.

La orientación de sus murallas hacia el orto del sol en las estaciones de verano e invierno ha hecho suponer que se trataba de un observatorio astronómico. Por otra parte, la perfecta orientación del edificio hacia los cuatro puntos cardinales y su planta pentagonal ha despertado la curiosidad sobre su simbolismo.

daderas matanzas que se sucedieron a lo largo de casi cuarenta años. Dos fechas especialmente trágicas fueron la de la toma de Lavaur, en 1211, en la que cuatrocientos perfectos murieron en la hoguera y ochenta caballeros en la horca , y la del sitio de Marmande, que fue pasto de las llamas y se cobró cinco mil vidas. El último bastión del catarismo, la fortaleza de Montségur, cayó en 1244, poniendo el punto final a la amarga historia del movimiento.

Ilustración que representa el asalto a un castillo recogida en un manuscrito francés del siglo XIV (Biblioteca Marciana, Venecia). Por espacio de más de treinta y cinco años, el catarismo se vio sometido al constante asedio de los católicos, que los consideraban adoradores del diablo.

LAS VÍCTIMAS DEL *PRAT DELS CREMATS*

El castillo de Montségur, que se levanta a 1060 metros de altura sobre la montaña de Tabo, en la región francesa de Ariège, fue uno de los principales centros cátaros, con una comunidad que ascendía a quinientos fieles. Durante la cruzada, Montségur ofreció una férrea resistencia al asedio cristiano, y en ese contexto se desarrolló uno de los más inquietantes capítulos de la historia cátara.

Ocurrió durante el sitio a la fortaleza en marzo de 1244, en el último suspiro del catarismo.

Miniatura del siglo XV perteneciente a la *Crónica* de Ulrico de Richental (Biblioteca Nacional, Praga). En ella se representa la ejecución en la hoguera de Jan Hus tras ser condenado por el tribunal de la Inquisición. Muchos cátaros corrieron la misma suerte durante la primera mitad del siglo XIII.

Las tropas atacantes, tras diez meses de sitio y a punto de hacerse con la victoria, ofrecieron una tregua a los resistentes, y cuando el plazo de ésta estaba a punto de expirar, 215 personas decidieron entregarse. Conocedores del cruel final que les esperaba, la noche del 16 de marzo los 215 fieles descendieron montaña abajo, cogidos de la mano y entonando himnos, con el padre Bertrán d'En Marti a la cabeza. Voluntariamente se dirigieron a la hoguera que las tropas reales les tenían reservada, encontrando allí su final. En su recuerdo se erigió un monumento en la zona, conocida en la actualidad como «El camp dels cremats» (el campo de los quemados).

EL TESORO DE MONTSÉGUR

La tradición ocultista afirma que la noche antes de la caída de la fortaleza de Montségur, el 15 de marzo de 1244, cuatro fieles se descolgaron de sus muros para poner a salvo el denominado tesoro cátaro. Se cree que, tras abandonar Montségur, tomaron el sendero de Saint-Barthélemy en dirección al castillo de Usson. Nadie sabe a ciencia cierta en qué consistía el tesoro, y menos el emplazamiento donde fue escondido por los cuatro evadidos.

Aunque según algunos en Montségur se guardaban celosamente unas 100 000 libras en oro o plata, el fruto del ahorro de los cátaros durante décadas de continua persecución, ha sido otra teoría sobre el tesoro cátaro la que ha acaparado la atención a lo largo de la historia, la que defiende que en realidad el tesoro era la «sangre real» de Jesús, el denominado Santo Grial. Si bien esta teoría carece de fundamento, su popularización a través de la literatura y del cine la han convertido en un apéndice indiscutible del misterio de los cátaros.

35

ALQUIMIA Y NUMEROLOGÍA EN EL TEMPLE

Los templarios, desaparecidos injustamente en el siglo XIV a raíz de una deuda contraída por Felipe el Hermoso con la Orden, fue una de las más sólidas organizaciones de la época medieval. Con una gran capacidad de gestión y un firme ideario, algunas de sus facetas siguen envueltas en el misterio.

El nacimiento oficioso de la Orden del Temple tuvo lugar en 1128 con la celebración del concilio de Troyes, si bien sus raíces se remontan algunos años atrás, concretamente a 1119, en el que nueve caballeros enviados a Tierra Santa pronunciaron votos de pobreza, castidad y obediencia ante el patriarca de Jerusalén. Cimentada alrededor de la regla de la Orden del Temple, encargada a San Bernardo con motivo del concilio de Troyes, la doctrina de los templarios era monacal y esencialmente cisterciense. A la vocación monástica del Temple se unía, así mismo, una clara vocación militar.

Detalle de un fresco de la capilla de los templarios de Cressac, en Charente, Francia. En él se representan imágenes de la contienda que mantuvieron los templarios en Siria durante la segunda mitad del siglo XII. La pericia militar de los miembros de la Orden les reportó grandes victorias.

EL ESPLENDOR DE LOS MONJES CABALLEROS

La Orden del Temple vivió una gran eclosión tras su acta fundacional. Su presencia se proyectó por toda Europa, así como gran parte de Palestina, y las tareas de reclutamiento emprendidas por el núcleo originario del Temple cosecharon inmejorables resultados. Por otra parte, las generosas donaciones remitidas a la Orden la convirtieron en la más rica de su época.

Su ingente patrimonio, fruto no sólo de las donaciones, sino de los tesoros obtenidos por los caballeros en el saqueo de las ciudades musulmanas, fue gestionado por el Temple con una habilidad inédita, más propia de banqueros que de unos monjes. Signos evidentes de esta maestría en las prácticas administrativas son el uso de letras de cambio en lugar de dinero en metálico o el hecho de que muchos nobles les confiaron sus riquezas para su gestión y custodia. Sin embargo, este dominio comercial propició los primeros recelos sobre la Orden, cuyo

En este mapa del siglo XII se muestran los territorios en los que se desarrollaron las cruzadas. La pugna por la reconquista de los Santos Lugares enfrentó durante casi doscientos años (1095-1270) a árabes y cristianos.

EL BAFOMETO

En el portal de la iglesia parisina de Saint-Méry, que en su día perteneció a la Orden de los Templarios, puede observarse un diablillo barbudo con cuernos y alas, un cruce entre un animal y una mujer.
Si bien no se conoce con exactitud ni su significado ni su función ritual, la representación podría ser la del Bafometo, un ídolo de la Orden del Temple.

Venerado por los hermanos de la Orden y guardado en una alacena, a lo que parece se trataba de un busto que presentaba a un hombre barbudo, bifronte y de ojos refulgentes. Algunas investigaciones apuntan que el Bafometo podía estar relacionado con el voto de castidad que pronunciaban los miembros del Temple, en cuyo caso el cinturón de los hábitos monacales llevaría ceñida una pequeña figura del ídolo.

poder económico superaba en 1307 las dos mil encomiendas.

ARRESTO Y JUICIO DE LA ORDEN

La caída de la Orden del Temple empezó en 1291 con la rendición ante los musulmanes de San Juan de Acre, último bastión cristiano en Tierra Santa. Se incumplía con ello la función primordial de los templarios, la protección de los peregrinos, y la utilidad de la Orden fue puesta en entredicho. Con su cúpula establecida en Chipre y planeando la reconquista de Tierra Santa, se avecinaban malos tiempos para el Temple.

Esta debacle militar coincidió en el tiempo con el reinado en Francia de Felipe el Hermoso, un monarca muy dado a las artimañas y con una ambición sin límites. Con las altas esferas de la Iglesia católica bajo su control, el denominado «rey de hierro» contempló la posibilidad de

Grabado en el que un maestro instruye a su aprendiz en el arte de la alquimia. La transmisión de padres a hijos de los conocimientos ancestrales era una práctica habitual entre los miembros del Temple, que celaban con gran empeño sus amplios conocimientos.

EL MISTERIOSO TESORO DE LOS TEMPLARIOS

Parece ser que, aparte de otorgar protección a los peregrinos, los nueve fundadores de la Orden del Temple tenían reservada una misión secreta en su viaje a Tierra Santa, allá por el siglo XII. Una teoría afirma que estos caballeros debían buscar un tesoro sagrado emplazado en el templo de Salomón, nada menos que el Arca de la Alianza y las tablas de la Ley. Pero la confidencialidad de dicha misión ha conferido a este fragmento de la historia de la Orden un halo de profundo misterio. En efecto, no se tiene constancia de que los nueve caballeros llegaran a conseguir tan preciado tesoro y, en caso de que así fuera, se desconoce el emplazamiento al que fue trasladado...

Muchos han querido establecer una relación entre la bonanza de la Orden en los años posteriores a la misión y la posesión de los tesoros sagrados, pero estas teorías no se basan en ningún dato contrastado.

entregado de inmediato. Una vez con el dinero en su poder, y con fecha de 14 de septiembre de 1307, promulgó una orden según la cual debían ser arrestados y entregados a la Inquisición todos los templarios de Francia.

LA OTRA CARA DEL TEMPLE

Si bien nunca ha dejado de ser un enigma, son muchos los investigadores que han señalado a los miembros de la Orden del Temple como practicantes de la alquimia. Dando un paso más, algunos afirman que los templarios llegaron a consumar la invención de la piedra filosofal. Lo que parece claro es que, en caso de ser ciertas estas afirmaciones, habrían recibido las enseñanzas de la alquimia de los sufíes persas, y éstos las habrían recopilado a partir de diversos documentos egipcios guardados en la famosa biblioteca de Alejandría, que fue pasto de las llamas a manos del califa Umar.

La relación entre la Orden y la numerología es mucho más evidente y contrastada. Parece fuera de toda duda que el tres, símbolo del misterio o la Trinidad, era considerado el número templario y que, por ello, sus construcciones tenían por base un triángulo. Un claro ejemplo de esta devoción por el tres es la rotonda de la iglesia del Temple en París, generada por triángulos equiláteros de sentidos opuestos que forman una estrella de seis puntas, y que se relaciona con el sello de Salomón.

saldar sus enormes deudas a través del tesoro de los templarios. Tras fracasar en su intento de introducir a uno de sus hijos en la Orden, Felipe IV trató de fusionar la Orden del Temple con la del Hospital, medida a la cual se opusieron los templarios.

Dicha oposición fue la excusa esgrimida por el monarca francés para levantar oficialmente la veda para la caza y captura de la Orden. Antes de ello, sin embargo, Felipe IV llamó a Francia al gran maestre de la Orden, Jacques de Molay, a quien pidió un elevado préstamo que le fue

Fragmento de la mítica Arca de la Alianza. La Orden del Temple quiso para sí esta reliquia de valor incalculable, y por ello organizó una expedición secreta en los albores del siglo XII con destino a Tierra Santa, concretamente al templo de Salomón, en el cual supuestamente se hallaba oculto este legendario arcón.

LOS OSCUROS DESIGNIOS DE LA SOCIEDAD THULE

Fueron muchas las sociedades esotéricas que proliferaron en Alemania en las décadas de 1930 y 1940, pero la más influyente de ellas fue sin duda la de Thule. Esta organización secreta afirmaba que la raza aria descendía de una antigua civilización que había vivido en tiempos inmemoriales en una isla ya desaparecida.

Rudolf Hess, en el centro de la fotografía, escucha con gesto abatido los cargos que se le imputaron durante el juicio de Nuremberg. Hess fue uno de los más conocidos miembros de Thule, grupo que llegó a contar con cerca de 1 500 asociados.

La eclosión de los movimientos nacionalistas a finales del siglo XIX en muchos países europeos conllevó la creación de diversas asociaciones dedicadas a ensalzar las señas de identidad de cada pueblo. En algunos casos, esta tarea en pos de la singularidad se tornó en una frenética búsqueda de elementos que la legitimaran. En este contexto, dos países centroeuropeos, Alemania y Austria, fueron el escenario de una proliferación de órdenes esotéricas, destinadas en su mayoría a alabar las virtudes del pueblo germánico. Si bien los primeros pasos de las órdenes fueron muy discretos, el panorama convulso de la Alemania de principios del siglo XX acrecentó la presencia de éstas en las altas esferas del poder. El punto álgido de la euforia nacional-esotérica lo encontramos en la Sociedad Thule, fundada en 1918.

EN EL CONFÍN DEL MUNDO

Detrás de la influyente Sociedad Thule se encontraba la enigmática figura de Rudolf von Sebottendorf, un aventurero que gozó de gran fama en los círculos ocultistas de su época. Nacido en

EL MAGO HANUSSEN

Una de las personalidades más curiosas y misteriosas, que mantuvo estrechas relaciones con los más altos estamentos del Tercer Reich, fue Eric-Jan Hanussen. Conocida la debilidad de Adolf Hitler por la astrología, alguien le presentó a un practicante de magia negra que había adquirido cierta notoriedad, Hanussen. Aunque su biografía permanece como un misterio, debía de causar sensación entre quienes le conocían, gracias a sus audaces predicciones. La más famosa de ellas fue, ni más ni menos, la que pronosticó el incendio del Reichstag. Hitler acudía gustoso a sus sesiones de iniciación, no desprovistas de una cierta dosis de erotismo. Sin embargo, la estrecha amistad que se fue forjando entre el alto mandatario y su mago predilecto acarrearía a este último no pocos problemas. La envidia por esta relación privilegiada desató la animadversión de una parte de la cúpula nazi, que no dudó en fomentar una campaña de desprestigio contra él.

1875 cerca de Dresde, Sebottendorf había viajado por todo el globo en su juventud, empapándose de las tradiciones de pueblos como el egipcio o el turco. Así, tras este período iniciático, cosechó un bagaje que giraba en torno al pangermanismo, el antimaterialismo, el rosacrucismo y la alquimia. Con estos antecedentes, y al serle encargada la reconstrucción de la Orden de los Germanos en la región de Baviera, Sebottendorf alumbró la Sociedad Thule en 1918.

El nombre de la Sociedad provenía de una isla legendaria similar a la Atlántida, y que al igual que ésta se había hundido conduciendo a un final dramático a la próspera civilización

Emblema de la Sociedad Thule en 1919. En él aparece, además de una característica espada germánica, la esvástica, cuyo diseño invertido respecto a un símbolo ancestral budista tenía connotaciones malignas.

que la habitaba. La ubicación de esta legenda-ria isla está rodeada de misterio al no existir pruebas documentales que aclaren su enigma. Algunos investigadores la han situado en la actual Islandia, que podría ser la parte de Thule que hubiese quedado por encima del nivel del mar tras el cataclismo, pero otros estudiosos la han situado en emplazamientos más próximos al polo Norte. De hecho, las leyendas de la Anti-güedad nos hablan de Thule como el confín del mundo, la «última Thule».

SIGUIENDO EL RASTRO DE LA RAZA ARIA

Según sus adeptos, los secretos de la civilización que habitó la isla no se habían ahogado por com-pleto en el fondo oceánico: su sabiduría, afirman, se mantiene viva a través de seres inmateriales encargados de perpetuarla eternamente, figuras que recuerdan a los maestros de la teosofía. Uno de los principales objetos de la Sociedad era, por tanto, conectar a través de rituales mágicos con estos entes ancestrales a fin de recopilar to-da la sabiduría de la civilización de Thule.

Pero la legendaria isla cumplía una doble fun-ción en la idiosincrasia del grupo de Thule. No sólo permitía articular la creencia en los seres que guardaban la sabiduría de su civilización, sino que a través de ella se justificaba uno de los estandartes no ya de la Sociedad en sí, sino del conjunto del movimiento nacionalista alemán: la supremacía de la raza aria. El mito de la isla

La idea de situar la cruz sobre un fondo blanco y rojo partió del fundador de la Thule.

EL ORIGEN DE LA CRUZ GAMADA

Aunque Hitler utilizó la cruz gamada como símbolo del Tercer Reich, los orígenes de este símbolo se sumergen en la misteriosa tradición de la Socie-dad Thule. No en vano su auto-ría se atribuye a un miembro del grupo, Karl Haushofer, militar y diplomático que, durante una larga estancia en el Tíbet, entró en contacto con los símbolos del budismo tibetano. Entre ellos, le llamó la atención la esvástica, a partir de la cual,

invirtiendo el sentido de sus brazos, dio forma a la cruz gamada nazi.

En la diferente orientación de sus brazos radica, de hecho, la razón de ser de la cruz gamada: la esvástica original, con su orientación de derecha a izquierda, constituye en muchas culturas antiguas una fuerza positiva (en sánscrito, de hecho, *svastika* quiere decir «lo que conduce al bienestar»), mientras que la esvástica nazi viene a representar, orientada de izquierda a derecha, una fuerza maléfica. Para los miembros de la Sociedad, la cruz gamada representaba tanto la legendaria civilización de Thule como a sus avanzados pobladores.

SEBOTTENDORF Y ROSENBERG, IDEAS COINCIDENTES

Para Rudolf von Sebottendorf, el fundador de la Thule, un viaje a Egipto y Turquía en 1900 sería decisivo para el desarrollo de su obra teórica. Constantinopla era por entonces una tierra mágica de gran tradición ocultista donde se habían refugiado los Rosacruces, donde se dice que Fulcanelli asistió a dos transmutaciones de plomo en oro y donde Sebottendorf entró en contacto con los derviches giróvagos. A los dos años de su regreso de Turquía, en 1910, publicaría su *Práctica operativa de la francmasonería turca*.
Convencido de la vinculación entre la tradición esotérica islámica y la germánica, Sebottendorf ingresaría en la Orden de los Germanos en 1916 y, el 17 de agosto de 1918 fundaría la Thule en el Hotel de las Cuatro Estaciones de Munich.
En *Antes de que Hitler viniera*, Sebottendorf define la Thule como una sociedad que se inscribe en la tradición rosacruciana y que busca la construcción del Halgadom, concepto equivalente al templo interior de los rosacruces, el «reino terrestre testigo de la resurrección del espíritu de Thule, el imperio de todos los germanos». No es difícil imaginar que en esta misma obra, Sebottendorf se autoconsidere como el precursor del nazismo.
Las ideas de Sebottendorf fueron recogidas y desarrolladas por el otro gran ideólogo del nacionalsocialismo, Alfred Rosenberg.

En su obra más conocida, *El mito del siglo XX*, recupera el concepto de Halgadom al tiempo que propone la recuperación de todos los grandes mitos de la mitología germánica, desde las valquirias a Sigfrido. El explosivo coctel ideológico estaba así dispuesto; Adolf Hitler sería el encargado de servirlo.

de Thule legitimaba a los nacionalistas, que consideraban que los arios eran los descendientes directos de los supervivientes del cataclismo. Los arios, por lo general altos, de complexión atlética, rubios y de ojos azules, eran para la Sociedad los vástagos de la raza superior que había habitado en tiempos remotísimos la gélida y próspera isla de Thule.

Alfred Rosenberg, el ideólogo nazi que sería condenado a pena de muerte por el tribunal de Nuremberg.

Cartel propagandístico editado en 1933 por el Frente alemán del trabajo. La Thule tuvo una gran influencia sobre los círculos dirigentes de esta poderosa organización, que agrupaba a patronos y trabajadores, tanto intelectuales como manuales.

EL OCULTISMO Y EL TERCER REICH

Los objetivos de la Sociedad Thule y el partido nacionalsocialista estuvieron entrelazados desde el principio, pues, ya desde su acta fundacional, en el grupo esotérico se encuentran muchos de los mandatarios que acabarían desempeñando cargos importantes en el inminente Tercer Reich.

Alfred Rosenberg, Dietrich Eckart o Karl Haushofer son sólo algunos de los miembros de la Sociedad Thule que acabaron flanqueando la figura de Adolf Hitler. También Rudolf Hess, que fue el brazo derecho de Hitler e inspirador de su controvertido manifiesto *Mein Kampf*, estuvo en las filas de la Sociedad Thule.

Pero esta relación, lejos de quedarse en mera anécdota, ha dado lugar a la teoría de que la dirección del partido siempre estuvo manipulada, en la sombra, por los designios de la Sociedad Thule. En tal caso, la imagen de Hitler, que siempre se ha visto como eje central indiscutible de la causa nacionalsocialista, quedaría reducida a la de ejecutor de los designios de una serie de personajes en la sombra.

De manera paradójica e incomprensible, las pruebas que los investigadores alegaban y aún alegan sobre las relaciones entre la sociedad secreta y el Tercer Reich, aunque mencionadas en el proceso de Nuremberg (1945-1946), fueron inexplicablemente obviadas por los jueces de los países aliados.

II

VOCES DEL PASADO

Dibujo perteneciente a la cultura nazca (300 a.C. a 1000 a.C.).

VOCES DEL PASADO

¿Existe alguna relación entre las hileras alineadas de menhires en Carnac y las singulares esculturas que alberga la pequeña y lejana isla de Pascua? El lenguaje de nuestros antepasados es a menudo sutil y complejo. Aunque muchos de los descubrimientos de vestigios de estos lenguajes se han producido de manera fortuita, los científicos están empeñados en descubrir su significado. Son muchos los hitos de la arqueología en este sentido, por lo que sólo nos detendremos en aquellos que han supuesto una revelación importante sobre la Antigüedad. Comenzaremos con los primeros lenguajes simbólicos que se conocieron, para proseguir con los métodos más arcanos de adivinar y contar objetos, y finalizar con los signos inscritos sobre la piel y otros ritos ancestrales. Se trata sin duda de grandes enigmas, no sólo por la dificultad que entraña descifrar el significado de estos restos del pasado sino también por el estado de conservación de éstos. En este apartado nos proponemos explorar algunas facetas de la naturaleza humana y conocer sus lejanos y extraños legados. Y es que cada símbolo, cada trazo sobre este planeta y cada rito tiene un sentido y una finalidad que sus autores no formularon explícitamente. Desde lugares muy distantes entre sí, desde Perú hasta Japón, desde Bretaña hasta Egipto, escucharemos el sonido de unos lenguajes silenciosos pero imponentes.

1. Catedral de Santa Maria del Fiori (Florencia).
2. Observatorio del Cerro de Tololo, en el desierto de Atacama.
3. Grupo de moáis de la isla de Pascua.
4. Piedra Rosetta, cuya inscripción trilingüe fue el punto de partida de la egiptología.
5. Figura conocida como El Colibrí en la costa sur de Perú.

LOS LENGUAJES SIMBÓLICOS

*E*n un esfuerzo por explicar lo inexplicable, la humanidad ha ido creando mitos a partir de hechos reales. Y con tal de tornar tangibles fenómenos incomprensibles, los ha acicalado con su imaginación, a veces sin la menor cordura. Allí donde la razón no puede escrutar, se alza un misterio que no hace sino acrecentar la fascinación que despierta el legado cultural y artístico que ha llegado hasta nuestros días.

Gracias a la ciencia, por encima de lo arcano, la suposición, el ocultismo o cualquier expresión de fanatismo, se impone la lógica, capaz de clarificar tanto algunas figuras marcadas de por vida en el paisaje (líneas de Nazca, el gigante de Atacama o el candelabro de la bahía de Pisco), como mensajes tan herméticos que se dirían enviados por los dioses (jeroglíficos egipcios, rongorongo de la isla de Pascua, tablillas de Glozel) o incluso la presencia de estatuas erigidas cual centinelas perennes (Cnosos o Carnac). Ni el más simple garabato es casual o vacuo, sino producto de la necesidad de comunicación de su autor, y por ello ha de considerarse precursor, más o menos rudimentario, de nuestro particular modo de pasar del pensamiento a la representación.

43

Capitel del templo de Ramsés III.

CARNAC, EL SECRETO DE LAS PIEDRAS

Los 6 000 años de historia de Carnac, en el noroeste de Francia, han quedado registrados en sus más de 2 500 menhires y en el suelo que los soporta. En esta aldea se yergue el conjunto megalítico más asombroso del mundo, tanto por sus dimensiones como por la enigmática disposición de estas piedras, que fueron hincadas en el suelo verticalmente con una finalidad desconocida.

$\mathbf{E}$n el áspero territorio que mira hacia las bravías aguas del golfo de Vizcaya, unas cuantas hileras de piedras colocadas en línea recta llaman a la contemplación. Los autores de los impresionantes monumentos de piedra debieron de ser pueblos neolíticos, que entre 6000 y 2000 a.C. habitaron la actual región de Carnac.

Al parecer, la disposición de estas pesadas piedras erectas no es fortuita, sino que sigue un determinado esquema geométrico, bastante

Carnac, aldea de Kermario (Bretaña, Francia). Esta aldea se extiende a lo largo de 1 200 metros y tiene en su haber un total de más de 2 500 menhires agrupados en diez filas. Destaca entre ellos un gran menhir de 3 metros de altura que sirve para demarcar el túmulo de Manio.

regular que guarda cierto parecido con estructuras megalíticas encontradas en otros lugares de Europa. Así, por ejemplo, presenta alguna semejanza con el más afamado conjunto megalítico prehistórico: los círculos de piedra de Stonehenge, en Inglaterra.

Una de las hipótesis que se han propuesto para explicar estas misteriosas construcciones ha sido la que sostiene que se trataba de observatorios astronómicos. La aparición de la agricultura en el Neolítico llevó a diversas comunidades humanas a establecer una relación muy intensa con el ciclo estacional: ya no se trataba de seguir la caza, moviéndose tras ella, sino de prever las estaciones para proceder a la siembra.

EN BUSCA DE EXPLICACIONES

Si tomamos como ejemplo el menhir de Locmariaquer, de unas 350 toneladas de peso, la pregunta no se hace esperar: ¿cuántos hombres fueron necesarios para colocarlo? La respuesta que nos daría un cálculo aritmético articulada sobre horas / hombre sería, en el fondo, banal: la cuestión es saber el porqué de tamaño esfuerzo.

Acerca de la intención, abundan las versiones divergentes y algunas poco creíbles. En 1521, el navegante español García Ferrande interpretó las piedras como marcas o balizas para la navegación. Se ha hablado también de los vestigios de un diluvio. Los arqueólogos, sin embargo, prefieren la versión que propuso, a principios del siglo XIX, Jacques Cambry, fundador de la Academia Céltica, quien consideraba que los alineamientos de Carnac eran observatorios astronómicos.

Posteriormente, esta teoría se ha visto reforzada con nuevas precisiones, como la del capitán Alfred Devoir, que a principios del siglo XX señaló que las filas principales de menhires y sus perpendiculares están orientados hacia los puntos solsticiales y equinocciales de salida del sol. Las salidas del sol intermedias permitían completar un auténtico calendario muy valioso para la agricultura. En 1970, el ingeniero inglés Alexander Thom siguió los pasos de Gerald Hawkins en sus estudios sobre Stonehenge y los aplicó a Carnac. Según Thom, los alineamientos de Carnac eran auténticas calculadoras solares, utilizadas para corregir las irregularidades observadas en los movimientos de la Luna. Aun así, la teoría de Thom no ha sido corroborada en su totalidad, del mismo modo que sus mediciones sobre la denominada «yarda megalítica» fueron desestimadas por posteriores análisis estadísticos: la dedicación astronómica de Carnac está aún por confirmar. Frente a todas estas teorías, una versión más fol-

Dolmen de Kerivan en Carnac (Bretaña, Francia).

clórica sobre los menhires de Carnac es la que corre en la costa meridional de Bretaña. Allí se habla de una trifulca entre san Cornelio, patrón de la ganadería, y un oficial del ejército romano a causa de unas reses. Al parecer, para zanjar una discusión que iba en aumento, Dios decidió tomar partido por el santo y petrificar a la tropa.

¿VIGÍAS PARA LOS MUERTOS?

Estas piedras fantasmales, reducidas a algo más de 2 500 tras sesenta y cinco siglos, se disponen en tres grandes agrupamientos. Las de la aldea de Le Ménec están colocadas por orden de altura. En total son 1 099 piedras de entre 3,7 metros y 90 centímetros de altura. Se despliegan en dirección nordeste en suaves ondulaciones. Las de Kermario tienen una presencia colosal, algunas superan los 7 m y van disminuyendo su tamaño a lo largo de 1 000 m, se despliegan en siete líneas principales y otras tres parciales.

Aunque la palabra bretona Kermario significa «ciudad de los muertos», se descarta la relación del conjunto con una finalidad exclusivamente mortuoria, ya que no se han encontrado restos que abonen tal posibilidad. Pero, si bien es cierto que el bretón es una lengua de origen celta, los menhires son muy anteriores a la aparición de este pueblo en aquella región. Tal plétora de interpretaciones, que son, en definitiva, trazas para entender la concepción del mundo de este pueblo, ha alimentado con el transcurso del tiempo la idea de santidad de Carnac.

UN FRAGMENTO DE HISTORIA EN CADA MENHIR

Arqueología, naturaleza, comodidad, supuestos poderes curativos y milagrosos, creencias arcanas..., sobran razones para dejarse sorprender por el halo misterioso de la región y también por sus gentes y las delicias gastronómicas. Lo peor es que, desde hace tiempo, la vegetación autóctona de Carnac sufre un grave deterioro por la afluencia masiva de turistas y esto repercute también en los monumentos megalíticos, ya que, poco a poco, el suelo se va deteriorando y deja al desnudo el zócalo rocoso.

Falto de cimiento, el menhir languidece y, lo que aún es más grave, podría perderse el informe que guardan en sus entrañas cada una de las capas arqueológicas que aún no han podido ser analizadas con técnicas avanzadas.

No obstante el gobierno francés ya ha adoptado algunas medidas para impedir el contacto de los visitantes con las antiguas piedras.

Menhires dispuestos en filas en Carnac (Bretaña, Francia). ¿Podrían ser estos menhires soldados convertidos en piedra por la acción divina?

TEMPLOS Y ALTARES

Las construcciones monumentales de Carnac han llamado la atención a muchos pueblos y culturas. Milenios después de que fueran erigidos, los druidas galos, una casta sacerdotal celta, consideraban los menhires lugares de culto. ¿Tuvieron estos druidas conocimiento de la verdadera naturaleza de estas piedras fantasmales, o sólo intentaron encontrar, como hacemos nosotros, una respuesta al enigma?

MENSAJES DESDE EL ANTIGUO EGIPTO

Hasta 1822, cuando Jean-François Champollion logró descifrar la escritura jeroglífica egipcia, la historia de Egipto había suscitado todo tipo de conjeturas. En la actualidad podemos leer la escritura jeroglífica, pero el conocimiento de los signos o glifos que la componen fue un misterio inescrutable durante quince siglos.

En las proximidades de Alejandría y a orillas del Nilo y su delta, las tropas francesas del general Napoleón Bonaparte descubrieron en 1799 una estela de basalto negro que contenía una insólita inscripción. Era la piedra de Rosetta, el cimiento de la moderna egiptología y la llave para comprender, al menos de manera parcial, los secretos de la civilización egipcia.

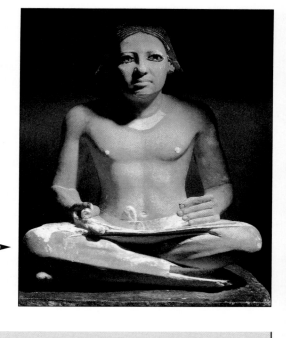

Estatua que representa a un escriba de la V dinastía con las piernas cruzadas y un papiro sobre sus rodillas.

COMPENDIO DE SABIDURÍA

Relatos antiquísimos cuentan cómo Tales de Mileto, Solón, Demócrito, Pitágoras y Platón fueron desde Grecia al delta del Nilo en busca de conocimiento.

Pero poco consciente era el ejército napoleónico del incalculable valor arqueológico e histórico de aquella pieza grabada en el año 197 a.C., hoy conservada en el Museo Británico. Su contenido, un edicto en honor del rey de Egipto Tolomeo V, fue descifrado en 1822 por el egiptólogo francés Jean-François Champollion, gracias a que el texto de la piedra de Rosetta estaba escrito en dos lenguas (egipcio y griego) y tres caligrafías: la jeroglífica, la demótica (una forma en cursiva de la anterior) y la griega.

LA EGIPTOLOGÍA, UNA NUEVA CIENCIA

La campaña de Napoleón en Egipto a finales del siglo XVIII, con toda una comitiva de eruditos y especialistas dispuestos a desentrañar el pasado de esta antigua civilización, fue la génesis de una nueva disciplina hoy muy en boga. Es verdad que el encuentro del edicto del rey Tolomeo V, bautizado con el nombre de piedra de Rosetta (en honor de la localidad árabe donde fue descubierta, Rashid) fue fortuito, pero impulsó el estudio de la cultura egipcia desde la perspectiva filológica y arqueológica. Tanto es así que en muchas de las grandes universidades del mundo se imparte esta doctrina.

Pintura jeroglífica en la que aparece el nombre del faraón, representado bajo la forma de un ave portadora de coronas.

El origen de la escritura egipcia aún no está del todo resuelto, aunque las pruebas arqueológicas parecen indicar que proviene de una serie de signos pictóricos de finales del período predinástico (las muestras más antiguas datan del año 2925 a.C.). En esta fase inicial, la escritura se reducía a signos pictóricos que reproducían palabras (por ejemplo, el signo de un hombre con una mano en la boca podría significar «comer»).

Durante la etapa predinástica, los egipcios escribían sus misivas con jeroglíficos sobre las paredes de los palacios, las tumbas y los templos. Obtenían del papiro, una planta que abundaba en las riberas del Nilo, una especie de papel en el cual escribían una forma de cursiva de la llamada escritura hierática.

Los setecientos *glifos* o signos que componen la escritura jeroglífica de Egipto eran un conjunto hermético, pues sólo los escribas, los sacerdotes y algunos faraones podían dedicarse al estudio de esta compleja caligrafía. Los egipcios continuaron utilizando jeroglíficos hasta

La piedra de Rosetta, descubierta por un oficial del cuerpo de ingenieros del ejército de Napoleón Bonaparte en el año 1799.

el 394 d.C., aunque, tras la conquista de Alejandro Magno, la escritura jeroglífica convivió durante un tiempo con la griega, que iba ganando terreno.

Alguno de estos escribas debió de utilizar estos signos hacia el año 196 a.C., durante el reinado de Tolomeo V, para anunciar en la piedra Rosetta que el clero había concedido honores al faraón. Repitió tres veces el mensaje, en tres lenguas distintas, sobre el mismo pedazo de basalto de unos 114 centímetros de altura y 30 de espesor.

CUESTIÓN DE ESTILO

La escritura a partir de figuras y símbolos tiene un carácter preferentemente religioso. De ahí su significado etimológico: *Hierós*, en griego, significa sagrado y *glífein*, grabar. Se puede encontrar escritura jeroglífica, además de en la cultura egipcia, en los pueblos hitita y cretense, a veces con un propósito exclusivamente ornamental.

En los jeroglíficos egipcios, los signos están ordenados de izquierda a derecha y de arriba hacia abajo si la escritura es en horizontal. Cuando la escritura es vertical, se debe comenzar la lectura de arriba abajo y de izquierda a derecha. En los jeroglíficos cuyas imágenes miran a la derecha, el sentido de la lectura se invierte.

Los jeroglíficos no estaban escritos de manera lineal, uno tras otro, como las letras nuestro alfabeto, sino que se agrupaban en cuadros imaginarios según un criterio de armonía visual que rehuía los espacios en blanco, considerados poco estéticos. Como consecuencia, el tamaño relativo, el orden y las proporciones de los carac-

BAJO EL VELO DE FÁBULAS Y ALEGORÍAS

La piedra de Rosetta despertó la misma fascinación que otros muchos vestigios y jeroglíficos del antiguo Egipto. Ha habido, empero, mucho desatino en las disquisiciones e interpretaciones relacionadas con el legado de la civilización egipcia, cercanas, a veces, al absurdo. Tomemos como ejemplo la gran pirámide de Keops. ¿Fue un oráculo divino, una bomba hidráulica o una pista de aterrizaje para seres de otros mundos? Sin duda, estas opiniones gozan de una eximia credibilidad, pero las palabras del exegeta y teólogo de origen alejandrino Orígenes (h. 185- h. 254) acrecientan aún más el escepticismo: «Los filósofos egipcios tienen nociones sublimes con respecto a la naturaleza divina, que ellos mantienen en secreto, y nunca las revelan al pueblo sino bajo un velo de fábulas y alegorías». El egiptólogo francés P. Le Page Renouf afirmó que «la dificultad no reside en la traducción literal del texto, sino en desvelar el significado que ocultan los términos familiares». De hecho, se sabe que los egipcios otorgaban virtudes mágicas a los jeroglíficos pues creían que, por ejemplo, una redacción que se apartara de los cánones escrita en una tumba o en un sarcófago, podría otorgar vida propia a los caracteres que representaran a animales, que podrían atacar al difunto o consumir las ofrendas depositadas en honor de éste. El resultado es que algunas inscripciones son doblemente crípticas, pues omiten, de manera deliberada, algunos caracteres.

Estela funeraria de la XVIII dinastía conservada en la actualidad en el Museo de Compiègne (Francia).

teres era variable, y así, una palabra debería escribirse completa o en forma abreviada a tenor del espacio disponible. Cuestiones diplomáticas o de alcurnia podían determinar también el orden de escritura.

EL ORIGEN DE LA ESCRITURA

Aunque el origen de la escritura se remonta a la civilización sumeria y, de manera casi simultánea e independiente, a los caracteres chinos, los jeroglíficos egipcios son una de las formas más antiguas de caligrafía y, sin duda, una de las más sugerentes. Cada símbolo fonético o ideográfico encarna y toma la forma del objeto, el animal o la persona que designa. Su procedencia se atribuye a los camitas, unos grupos de pueblos oriundos del norte y el noroeste de África.

EL LEGADO DE LA CULTURA NAZCA

Un mosaico de colosales dibujos y trazos geométricos recorre la costa sur de Perú, sin que hasta el momento se haya conseguido descifrar su significado. Es el legado intacto de una cultura que desapareció hace más de 1 400 años. Las líneas de Nazca constituyen un valioso legado de una de las civilizaciones de la América precolombina.

Figura conocida como El Colibrí. Es uno de los dibujos más característicos compuestos por las enigmáticas líneas de Nazca, con una distancia entre los extremos de sus dos alas de 66 metros.

«Cuando intentamos localizar los trazos desde tierra, nos dimos cuenta, con sorpresa, de que era difícil distinguirlos. Pronto resultó evidente que la escala de los dibujos era tan grande que sólo podían ser apreciados desde el aire. ¿A quién estaban destinados?» (Tony Morrison, *Caminos a los dioses*, 1978).

Sorprendido el cineasta y escritor británico ante la gigantesca pizarra con 70 figuras que adorna la árida provincia de Nazca a lo largo de unos 500 kilómetros cuadrados de desierto, se preguntó cuánto habría de conjuro y arcano en

Vista aérea de la desértica provincia peruana de Nazca. Los geoglifos realizados en la antigüedad por la enigmática cultura nazca fascinan aún hoy a la humanidad, y el modo en que fueron realizados hace más de 1 400 años sigue siendo un completo misterio.

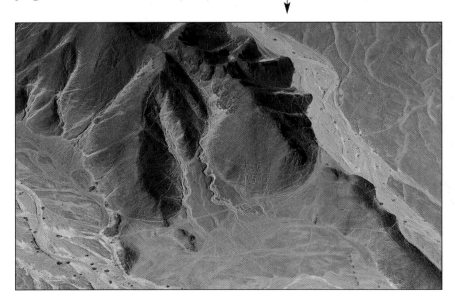

MARIA REICHE, EL EMPEÑO DE TODA UNA VIDA

Maria Reiche es la «Bruja de la Pampa». Así es como la conocían quienes habitan estas tierras. Esta matemática y geógrafa alemana dedicó toda su vida a descifrar el mensaje que ocultan las líneas, desde los 27 años de edad hasta el fin de sus días (murió en plena Pampa cuando contaba 95 años). Pero si enigmáticos eran para ella los dibujos, más intrigante era su figura para los lugareños cuando la veían llegar con su escoba para barrer, uno a uno, los trazos grabados en la arena. Curiosamente, tras una amputación accidental, una de sus manos tenía sólo cuatro dedos, como la mayoría de las figuras grabadas por los nazca en el árido terreno. Llevaba consigo una escalera desde la que podía fotografiar y medir. Así, de esta forma más bien rudimentaria, comenzó su tarea. A los treinta años ya dio las primeras pistas en la prestigiosa revista *Archaeology*, donde desveló al mundo la existencia de este gran enigma.

Reiche llegó a cartografiar y registrar muchas inscripciones. Su labor contó con el apoyo incondicional del profesor de la Universidad estadounidense de Long Island Paul Kosok. Maria Reiche siempre reaccionó enfurecida contra quienes sostenían que las líneas y figuras de Nazca eran obra de extraterrestres.

esta meseta sembrada de geoglifos. No se conoce la intención de sus autores y los misterios que ocultan las líneas de Nazca parecen ser numerosos: ¿cómo fue posible la precisión de trazo que exigen, por ejemplo, la araña de 45 metros de longitud o la claridad de la única línea continua que bordea el gigantesco colibrí?

Si los arqueólogos datan el conjunto entre los años 200 y 600 d.C y los dibujos sólo son perceptibles desde una determinada altura, ¿cómo se alcanzó tan perfecta proporción dada su magnitud? ¿Es posible que sus diseñadores supieran, de algún modo, volar? Aunque parece improbable, no falta quien ha querido ver imágenes parecidas a globos y cometas en sus cerámicas. Sin embargo, el hecho es que los gigantescos dibujos son visibles desde las montañas cercanas y recientemente el mismo Tony Morrison, junto con un grupo de estudiosos, fue capaz de reproducir estructuras similares con la simple ayuda de una cuerda y unas cuantas estacas.

EL DESTINO ESCRITO EN LA PIEDRA
Durante siglos, los geoglifos permanecieron en el olvido, cual espectros, sin que fueran capaces de despertar un interrogante. Algunos escritos de finales del siglo XVI, atribuidos al magistrado español Luis de Monzón, ya mencionan el misterio de las líneas de Nazca. Pero fue casi a mediados del siglo XX cuando el arqueólogo norteamericano Paul Kosok sobrevoló la región y advirtió entre tanto trazo cuando menos un indudable atractivo histórico, amén de todo su simbolismo.

Después de un relevante estudio mediante el que descartó que se tratara de un sistema de irrigación, creyó encontrarse ante el más exótico libro de astronomía. De hecho, los lugareños no dudan que sus antepasados lo utilizaron como registro inagotable de los fenómenos celestes que

¿QUIÉNES FUERON LOS NAZCA?

La alfarería policromada de la cultura nazca narra el pasado lejano de este pueblo pacífico y poco amigo de las jerarquías, que desapareció hacia el año 900 acosado por los flujos de población llegados de la alta meseta andina. Eran agricultores y artesanos sedentarios y no empleaban el metal. Momificaban a sus muertos y los enterraban en posición fetal en tumbas cilíndricas y verticales, ataviados con vestimentas tejidas con suma exquisitez y rodeados de valiosos objetos.

Pieza de cerámica pictórica perteneciente a la cultura nazca (Museo de Antropología y Arqueología de Lima).

Vista aérea de una de las figuras compuestas por las líneas de Nazca, concretamente la conocida como La Ballena.

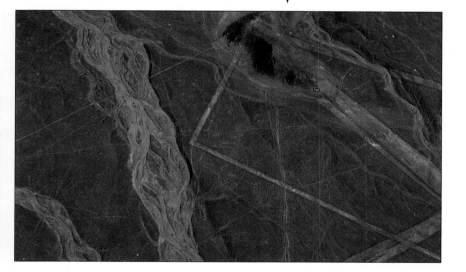

habrían de tener lugar. Sin embargo, dada la gran cantidad de líneas trazadas sobre el suelo desértico resulta muy fácil, desde un punto de vista probabilístico, que alguna de ellas apunte hacia un cuerpo celeste u otro. Lo cierto es que por más que el hombre anhele significado y racionalidad, el cariz arcano de este lugar, sede quizás de ceremonias rituales mágico-religiosas, atrapa la imaginación humana, que desoye cualquier explicación lógica si con ella desaparece el aura misteriosa que cubre la tierra nazca.

¿QUÉ SON ESTAS SEÑALES?
Son muchos los arqueólogos y estudiosos que han interpretado las líneas de Nazca como un viaje iniciático hacia la divinidad. Quizás, la Pampa pudo ser el punto de encuentro de este pueblo agricultor con sus dioses a través de los dibujos. El ensayista suizo Erich von Däniken cree ver en la Pampa una pista rudimentaria de aterrizaje de naves extraterrestres que visitaron nuestro planeta en el pasado. Su hipótesis, sin embargo, está lejos de poder contrastarse científicamente y ha sido objeto de severas críticas.

De todas las versiones que hasta ahora se han dado acerca de este conjunto, la más aceptable es la que considera las líneas como un calendario astronómico. Ésta es la que propuso ya en 1941 el arqueólogo estadounidense Paul Kosok.

ENTRE LA CURIOSIDAD HUMANA Y LA NATURALEZA INDÓMITA

¿Cómo explicar la integridad de unas líneas milenarias sobre la arena?
La respuesta no puede ser más lógica: en esta apartada región peruana, los rigores del clima desértico no son sino un auténtico privilegio que permite la custodia de las figuras. No obstante, en 1998 sufrieron la amenaza de *El Niño*, un fenómeno meteorológico que dejó inundada buena parte del desierto de Perú. Pero más que el paso del tiempo o la naturaleza, su mayor enemigo en la actualidad son las potentes ruedas de los automóviles.

EL GIGANTE DEL DESIERTO DE ATACAMA

El gigante de Atacama, que representa al dios andino Viracocha, forma parte del patrimonio cultural de la humanidad y confiere al paisaje un carácter místico. Al igual que las figuras de Nazca, es un gran dibujo sobre el suelo, sólo visible desde cierta altura, cuyo objetivo y forma de realización siguen siendo desconocidos.

EL PUEBLO KUNZA

En medio del desierto habita un puñado de gentes que ahora luchan por rescatar sus raíces. Entre ellas, el *kunza*, una lengua hablada hace más de 12 000 años. En San Pedro de Atacama, un pequeño pueblo a 1 200 kilómetros de Santiago de Chile y 2 200 metros de altitud, las casas son de adobe y los niños visten con ropas antiquísimas. Poco a poco, el *kunza* vuelve a arraigar: los escolares lo aprenden en la única escuela pública de San Pedro. Lo hacen mediante juegos, como si con ello quisieran detener el tiempo. No obstante, la modernidad se ha implantado en Atacama con la misma fuerza que en el resto de Chile. Es la convivencia pacífica de la tradición con el desarrollo, de la nueva cultura con lo popular, de lo exótico con cierta vanguardia.

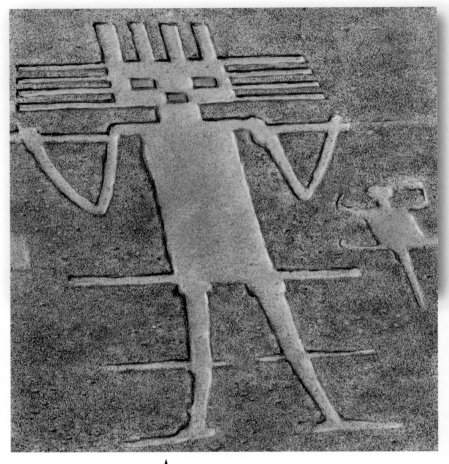

Descomunal imagen del gigante de Atacama, de 120 m de altura.

Vista del desierto chileno de Atacama. Las condiciones de este árido paraje lo hacen inhabitable.

«El paisaje mostraba la más completa desolación, subrayada por un cielo despejado y diáfano. Al principio, la contemplación del paisaje produce la impresión de lo sublime, pero ésta no dura mucho y acaba resultando de lo más anodino.» Es fácil comprender la descripción del desierto de Atacama realizada por Charles Darwin en 1872. Situado al norte de Chile, es el más árido del mundo, uno de los más fríos y con menos vegetación (su promedio anual de precipitaciones no alcanza los 5 mm). Es el paradigma de la sinrazón, de lo absurdo. ¿Por qué precisamente aquí, donde hasta la misma existencia parece improbable, habita el gigante de Atacama, que con sus 120 metros de altura supone la mayor representación de una figura humana? Y éste es sólo uno, quizás el más bello, de los 16 000 geoglifos, o figuras grabadas en el suelo, que se pueden apreciar en las laderas de las montañas, de diseños antropomorfos, zoomorfos y geométricos.

La inmensidad del gigante de Atacama plantea cuestiones que aún no han sido resueltas por los científicos: ¿cómo se pudo conseguir la proporción de la figura sin la posibilidad de alejarse lo suficiente para tener visión de conjunto, en una época en la cual, sin duda, no existían ingenios voladores capaces de alcanzar una cierta altura? ¿Qué finalidad tenía una obra artística de tan majestuosas dimensiones?

UNA ANTIGUA SED DE LLUVIA

La erosión del paisaje invita al menos a desvelar parte del misterio o, quizás, a hacerlo aún más incomprensible: se afirma que aquí alguna vez debió de haber agua en una época que precediera a un cambio climático radical. Y acaso un clima tropical hizo posible la vida de mastodontes, *equus* prehistóricos, perezosos gigantes... Aún hoy, en este lugar desolado, es posible encontrarse algún reptil o pequeños mamíferos y escasas especies vegetales. ¿Acaso los geoglifos de Atacama fueron diseñados para que algún espíritu protector los viera desde el cielo?

En el desierto de Atacama convergen, desde hace 10 000 años, varios fenómenos meteorológicos que explican la extrema aridez: el sistema de alta presión sobre el oeste del Pacífico, los efectos desecadores de la corriente de Humboldt, el efecto barrera de la cordillera de los Andes contra la lluvia procedente del este y, por fin, la interceptación de cualquier precipitación por la convergencia intertropical.

La extrema aridez ha permitido que San Pedro de Atacama conserve uno de los más soberbios mausoleos. Pero no sólo se han conservado de forma natural los esqueletos de quienes habitaron esta tierra unos 500 años antes de Cristo,

Vista aérea de los geoglifos del desierto de Atacama. Son más de 16 000 las figuras grabadas en el árido suelo de este desierto. Las condiciones y los medios con los que fueron realizados estos dibujos continúan siendo un misterio.

sino también sus propios objetos de piedra, cerámica o metal, e incluso los fabricados con madera o fibras vegetales. Tales reliquias nos acercan un poco más a la vida de sus hombres y nos permiten conocer algunas de sus peculiaridades, como el hábito de inhalar polvos narcóticos a través de tabletas y tubos o la atrofias óseas que padecía buena parte de la población debido a la falta de hierro en la alimentación.

LA ENERGÍA DE LA PACHAMAMA

Aunque yermo, este paisaje no tiene nada de desabrido y mucho menos de huraño para el visitante. En cada rincón se conjuga la fuerza de la naturaleza con la desazón que causa el observar la sequedad de los lagos del Valle de la Luna, que se arropan con una túnica blanquecina compuesta de sal, o los cuarenta géiseres que empañan el ambiente con su vapor. Es la Pachamama, la Madre Tierra, que exhala de su vientre toda la energía que le proporcionan los ricos yacimientos de nitrato de sodio y de cobre que guarda con celo. A ella le brindan sus plegarias los atacameños, con rituales transmitidos de generación en generación por los indios del desierto. No es extraño que mientras la Pachamama descansa, sus hombres se entreguen a todo tipo de interpretaciones mágicas y se sientan fuera de este mundo.

Observatorio del Cerro de Tololo, en el desierto de Atacama. Este observatorio dispone del mayor telescopio del mundo, el Very Large Telescope (VLT). Las condiciones climatológicas del territorio, con escaso riesgo de precipitaciones y una presencia de nubes prácticamente nula, son idóneas para la observación del cielo.

UNA VENTANA ABIERTA AL UNIVERSO

El cielo pulcro y estrellado en la noche de Atacama es el más adecuado para cobijar al Very Large Telescope (VLT), el mayor de los telescopios del mundo, construido por el Observatorio Europeo Austral (ESO) y que permitirá explorar el tiempo y el espacio remontándose hasta, aproximadamente, 14 000 millones de años luz.

En el desierto chileno no existe el riesgo de nubes, y mucho menos de tormenta, lo que contribuirá a conseguir los objetivos del ESO: escudriñar las zonas más recónditas del espacio y observar con nitidez los objetos.

UN EXCEPCIONAL CANDELABRO EN PISCO

Una enorme figura en forma de candelabro yace sobre la seca arena del desierto de Paracas. ¿Qué indica este extraño guía marino? ¿Era tal vez precursor de posteriores faros, o acaso su mensaje es otro bien distinto? El candelabro de Pisco es uno de los mayores interrogantes del mundo.

Cuando los primeros conquistadores españoles llegaron a las tierras del actual Chile creyeron, al menos eso quedó escrito en sus diarios de navegación, que «aquella señal era un signo»: divisaron el «impresionante candelabro casi divino que otorgaba el oportuno permiso de la conquista y la esclavización y cristianización de la población inca». En las huestes de los conquistadores todo era posible, hasta interpretaciones

Detalle del llamado «candelabro» de Pisco en Paracas, perteneciente al departamento peruano de Ica. Los vestigios de las distintas culturas precolombinas entrañan multitud de enigmas pendientes de ser resueltos como el de Pisco.

como ésta, en las que se invocaba el poder divino para justificar la conquista.

La tesis interpretativa más aceptada sobre el candelabro indica que podría tratarse de una señal de orientación para las gentes del mar de las culturas precolombinas. También llamado «Tres Cruces» o «Tridente», los surcos del candelabro de Pisco, labrados en el suelo con una profundidad de más de medio metro, des-

Destilería de Pisco en Vicuña, en el valle del río Elqui. Este aguardiente se viene elaborando desde el siglo XVI, si bien los incas ya lo conocían.

pliegan sus casi 200 metros de altura al noroeste de la bahía de Paracas. La figura resulta visible desde mar adentro, a una distancia de hasta 12 millas. A pesar de toda su espectacularidad, y en contra de lo que algunos han sostenido, no era necesaria la presencia de observadores a gran altura para trazar este geoglifo. Con unos pocos medios rudimentarios su realización sería muy sencilla, pero su presencia ha engendrado un sinfín de especulaciones, vinculándola, por una parte, con la constelación de la Cruz del Sur, y, por otra, con la cultura anterior a la de Paracas (Chavín). En esta última, el elemento del cactus está dotado de una fuerza suprema, como si el hombre quisiera imitar la naturaleza.

SU IDIOSINCRASIA, PURA SUPERSTICIÓN

Algunos investigadores aventuran que el conjunto forma parte de un «enorme sismógrafo natural que en el pasado incorporaba contrapesos, escaleras y sogas, que se deslizaban sobre poleas para medir la intensidad de los terremotos de la zona».

EL PISCO, UNA BEBIDA CON ESTIRPE

El origen y las virtudes del pisco, aguardiante que se obtiene a partir del zumo de uva, están relatados en numerosas crónicas peruanas. Su elaboración sigue cuidadosamente las prácticas tradicionales que se basan en la destilación de los caldos frescos de la fermentación exclusiva del mosto de uva. En la actualidad es una bebida muy popular.

Momia hallada en la península de Paracas. La momia, envuelta en tejidos, remite a una primera etapa de la cultura paraca.

UN GRAN VALOR ECOLÓGICO

La ciudad de Pisco se levanta sobre una amplia bahía en la costa del departamento de Ica, al sur de la desembocadura del río Pisco. Su extraordinaria actividad pesquera ha permitido la construcción de importantes fábricas de harina de pescado. Pisco es también sede de la Reserva Nacional de Paracas, que alberga especies de aves y lobos de mar.

La ciudad fue fundada en 1640 por el virrey Pedro Toledo y Leyva. Se considera una ciudad próspera gracias a los viñedos y también al cultivo de algodón de máxima calidad, caña de azúcar y palmeras datileras. En ella se gestó la independencia peruana, cuando desembarcó el general San Martín en su puerto.

El estudioso francés Robert Charroux consideraba que el geoglifo en forma de candelabro cumplía fines religiosos y estratégicos, con los que advertir a «los iniciados» de la proximidad del misterioso tesoro inca, algo que entra dentro de lo pausible.

Un monte, una cueva, el curso de un río, las piedras, concebidas como huesos de la tierra, podían ser veneradas por el ancestral pueblo paraca para respetar a sus antepasados. Así abundan diversas leyendas, como la de la roca de Titicaca, según la cual el Sol se ocultó después de un gran diluvio.

CRÁNEOS DEFORMADOS

En este sorprendente escenario natural se fraguó hace más de 3 000 años una cultura preincaica rica en tradiciones y manifestaciones artísticas. El arqueólogo peruano Julio C. Tello, pionero en estas lides, descubrió en 1925 los primeros vestigios de la cultura de Paracas. Una de las peculiaridades que conocemos de ella, gracias a sus momias, es la habilidad de este pueblo para practicar operaciones quirúrgicas de cerebro, que entrañaban un grave riesgo, o el empeño de hacer diferenciar a los nobles por la forma de su cabeza, colocándoles al nacer unas tablillas craneales.

LOS HERMÉTICOS GRABADOS RONGORONGO

Es difícil elucidar los misterios de la isla de Pascua, uno de los lugares más apartados del planeta, mientras no se comprenda el significado de los rongorongo, ese peculiar sistema de escritura a partir de tablillas con textos grabados, clave imprescindible para arrancar a la isla su secreto.

El explorador holandés Jakob Roggeveen descubrió la isla el 5 de abril de 1722, día de Pascua de Resurrección, y le impuso el nombre de Pascua (Rapa-Nui es el nombre polinesio). De la isla de Pascua se diría que está en medio de ninguna parte, alejada del resto del mundo. Y, pura paradoja, para sus habitantes es Te Pito o, lo que es lo mismo, el ombligo del mundo.

Es preciso recurrir a la leyenda para aclarar al menos en parte el enigma que envuelve la isla de Pascua, su origen y sus antepasados. Aunque se habla de una civilización que arranca de tiempos prehistóricos, seguramente los habitantes proceden de las migraciones desde la Polinesia y América en el siglo IV. Y acaso los polinesios, llegados en canoas desde las islas Marquesas, fueron también los autores de los colosales moáis, estatuas de roca volcánica de grandes cabezas y orejas alargadas, cuya pre-

Moáis característicos de la isla de Pascua. Esta isla, a una distancia aproximada de 3 760 km al oeste del continente americano, encierra en sus escasos 170 kilómetros cuadrados de superficie innumerables misterios aún por resolver, que remiten a menudo a la enigmática civilización que habitó la isla antes de su colonización.

OCÉANO PACÍFICO

AMÉRICA DEL SUR

OCÉANO ATLÁNTICO

ISLA DE PASCUA

Terevaka

Katiki

Hanga Roa

Rano Kao

EL FALO COMO FETICHE

El investigador norteamericano Steven Fisher llegó a la conclusión de que cada una de las secciones en que se dividía la tablilla a la que dedicó su atención estaba separada por un «sufijo», consistente en la representación estilizada de un falo, que en rongorongo se utiliza como conglomerado de ideogramas. La presencia del falo se justifica con la creencia de que los antiguos polinesios explicaban la génesis del universo a partir de una cópula desmesurada: un pájaro, seguido de un falo, un pez y un sol. La secuencia podría traducirse del modo siguiente: *Todos los pájaros han copulado con los peces y de su unión ha nacido el sol.*

Ejemplo de grabado rongorongo sobre una lápida. Este sistema de escritura, el único conocido en toda Oceanía, presenta multitud de interrogantes que décadas consagradas a su estudio no han logrado dilucidar. La principal controversia gira en torno a si este sistema debe ser considerado un alfabeto, un sistema de ideogramas, o bien un conjunto de jeroglíficos.

Tareas de medición de los moáis de la isla de Pascua a cargo de dos oficiales de la expedición de La Pérouse. Grabado del año 1820 realizado a partir de un dibujo del duque de Vancy (Bibliothèque des Arts Décoratifs, Paris).

sencia es una viva evocación de episodios rescatados del pasado. Pudo llegar a haber hasta 1 600 moáis, si bien sólo unos cuantos siguen en pie, algunos con más de 2 500 años de antigüedad.

Las laderas del volcán Rano Raraku sirvieron de cantera para tallar las estatuas fantasmagóricas que pueblan la isla de Pascua. Varias aparecen abatidas o semienterradas. Rondan los 10 metros de altura y pesan unas 50 toneladas, aunque la estatura de alguna de ellas puede superar los 21 metros y su peso, las 200 toneladas. Su mérito es aún mayor si tenemos en cuenta los imperativos de la época: desconocían los metales y la rueda. Sus útiles se reducían a unas rudimentarias piedras, algún rodillo de madera y útiles cortantes de feldespato fundido naturalmente, que obtenían del volcán. El secreto para trabajar con semejantes proporciones parece estar en que cincelaban directamente la piedra en la misma ladera. Sólo cuando estaba concluida la obra, la transportaban sobre rodillos de madera.

EL HECHIZO DE UNA ISLA

La isla de Pascua fue anexionada por Chile en 1888, lo que en cierto modo supuso una pérdida de identidad de sus habitantes. Sus ancestrales costumbres dieron paso a una economía mucho más volcada hacia el exterior y el turismo que a la tierra y el mar, de donde siempre extrajeron sus riquezas. Quedan como vestigios del pasado el tesoro arqueológico que conforman las estatuas que se reparten por toda la isla, más algún que otro recuerdo de la fiesta del Tangata Manu, ceremonia con la que se inauguraba la primavera. El encanto de sus gentes y el hechizo de esta isla, que recibe con una guirnalda de flores al recién llegado, han convertido la isla de Pascua en uno de los enclaves turísticos más importantes. Una vez en ella, el sorprendido turista comienza un periplo por unos 170 kilómetros cuadrados, donde se suceden los relatos más sobrecogedores que uno pueda imaginar, como el de las angelicales niñas de la ciudad sagrada de Orongo, a las que se recluía de por vida en cuevas como parte de un ritual. Hay quien incluso alberga la esperanza de adentrarse en alguna cueva virgen y tropezar con algún rongorongo o tablilla escrita.

55

UNA EXTRAÑA ESCRITURA

Pero la referencia histórica más significativa son los rongorongo, un tempranísimo sistema de escritura a partir de textos grabados que muestran caracteres alineados formando palabras. Éstas aparecen escritas de izquierda a derecha, en una línea, y en sentido inverso en la siguiente. Este modo de escribir tan singular obliga a una lectura en constante rotación visual, un gesto que tal vez formara parte de algún ritual.

En los textos aparecen también siluetas humanas y de algún animal. Todavía en la actualidad se discute con qué nombre debe designarse a los rongorongo: alfabeto, ideogramas o jeroglíficos.

Ni siquiera el científico alemán Thomas Barthel, que desde 1950 ha consagrado su vida a la interpretación de esta escritura, ha sido capaz de arrojar demasiada luz.

Los rongorongo conforman la única lengua escrita en Oceanía. No se puede negar el atrac-

Los moáis, estatuas gigantes de la isla de Pascua, representadas en un cuadro de William Hodges (National Maritime Museum, Londres). Estas imponentes estatuas alcanzan en ocasiones los 21 metros de altura y llegan a pesar hasta 200 toneladas.

Algunos moáis de la isla de Pascua aparecen rematados por grandes sombreros rojos, elaborados a partir de las rocas que se extraían del cráter del volcán Rano Roi. Estas estatuas con sombrero, además, presentan la peculiaridad de que están orientadas de espaldas al mar.

tivo gráfico de las incisiones sobre la madera y la armonía que guardan todos los signos y las líneas que componen cada uno de los asombrosos conjuntos.

La belleza estética de los rongorongo ha llevado a pensar a los estudiosos que tal vez su principal propósito fuera el contemplativo.

¿UN CANTO COSMOLÓGICO?

En vano filólogos y antropólogos llegados de todo el mundo se han empeñado en descifrar tan enigmáticos jeroglíficos.

El antropólogo estadounidense Steven Fisher, experto en lenguas del Pacífico, los considera una especie de «canto cosmológico» muy común entre los sacerdotes que habitaban la isla en el siglo XVIII. De hecho, éstos traducían la palabra *rongorongo* por «canto» o «letanía», ya que estos términos les servían para explicar a sus feligreses el misterio de la Creación.

Según este autor, con una base de 120 elementos, los pascuenses llegaban a formar hasta 2 000 ideogramas. El conocimiento y la interpretación de esta escritura se perdió a causa de los cataclismos que entre 1862 y 1863 diezmaron la población. Al menos se conservan veinticinco tablillas, y en la actualidad se exhiben en distintos museos del mundo.

Su legado, más estético que pragmático, permite al menos una afirmación irrebatible: los habitantes de la isla de Pascua fueron los mejores escultores de todas las islas del Pacífico y los más hábiles en el arte de la talla de la piedra y la madera.

EL HOMBRE-PÁJARO

Privada de todo contacto con el exterior, en la isla de Pascua se desarrolló el mito del hombre-pájaro: un ser prodigioso cuya llegada implicaría el final del aislamiento y llevaría a los isleños más allá de su infinito horizonte oceánico.

El mito es comprensible si se considera que, tras la profusión de esculturas y el ingente consumo de recursos humanos y materiales, la isla sufrió una intensa deforestación que impidió la construcción de embarcaciones de tamaño suficiente para emprender grandes travesías.

El culto del hombre-pájaro culminaba en una ceremonia en virtud de la cual se otorgaban grandes honores al hombre que fuera capaz de cruzar a nado un trecho plagado de tiburones hasta unos islotes, de donde debía regresar portador de un huevo intacto de un ave marina que allí anidaba.

ADIVINAR
Y CONTAR

*A*divinar y contar son dos conceptos
que muestran, a lo largo de los tiempos,
que la expresión humana, su
pensamiento y sus herramientas
comunicativas se configuran bajo
diversos modelos. Las matemáticas
y la adivinación son modos alternativos
de lenguaje, aunque en su forma más
primitiva nos llegan a menudo velados
y llenos de ambigüedades.

Hablar de los huesos adivinatorios
de la dinastía Shang, los quipus incas,
el número áureo o el ábaco tártaro es
subrayar la repercusión de estas
manifestaciones en la interpretación y
el conocimiento del mundo, en la mejora
de la vida cotidiana y social, la evolución
de la tecnología y el desarrollo de otras
ciencias.

Como bien advirtió Platón en una
de sus obras más carismáticas,
La República, *«cuando los espíritus*
tardos son educados y ejercitados en la
disciplina del cálculo, sacan de ella, si no
otro provecho, al menos el que sean más
vivaces de lo que lo eran antes».

Fragmento de la cubierta de un sarcófago
egipcio del siglo IV a.C.

LOS QUIPUS, EL LENGUAJE DE LAS CUERDAS

Los incas, cuyo momento de máxima expasión se produjo a principios del siglo XV, emplearon los quipus, cuerdas con varios nudos y diversos colores, como método de escritura. La destrucción de la mayoría de los quipus por sus enemigos dificultó su interpretación que se basa, sobre todo, en los relatos de los colonizadores españoles.

Allí donde la escritura no se conocía, donde la memoria no alcanzaba a relatar cada una de las circunstancias y cuitas que rodean a un pueblo y mucho menos a pormenorizar en sus cálculos, balances y razones, hubo que idear un sistema que sirviera a la vez como almanaque y como calculadora, para no añadir más zozobra al pago de tributos o perderse en la maraña de recuerdos, costumbres y ritos. Por medio de los quipus se informaba a la colectividad de hechos acaecidos o nuevas leyes, pero también de las cuentas de las arcas estatales.

Por paradójico que pueda parecer, cuando el escritor el Inca Garcilaso (1539-1616) acompañaba a Cuzco a su padre para pagar los tributos correspondientes a su hacienda, los indios, a falta de escritura o guarismos, les ofrecían sus

Ilustración de una obra del cronista Felipe Huamán Poma de Ayala en la que aparece representado un contador mayor y tesorero inca. Estos tesoreros, conocidos como quipucamayocs, eran especialistas en la interpretación de los quipus.

Detalle de un quipu inca. Mediante los nudos se podían escribir números del uno al nueve en unidades, decenas y centenas.

cuentas en forma de ramales de cuerdas anudados. Padre e hijo conocían muy bien su interpretación: los nudos se daban por su orden de unidad, decena, centena, millar y decena de millar. Las centenas escaseaban. Los colores encerraban el significado propio de cada hilo. Amarillo para designar el oro; blanco para la plata y rojo para el número de guerreros. «Las cosas que no tenían colores —explica Garcilaso— iban puestas por su orden, empezando por las de más calidad y procediendo hasta las de menos, cada cosa en su género, como en las mieses y legum-

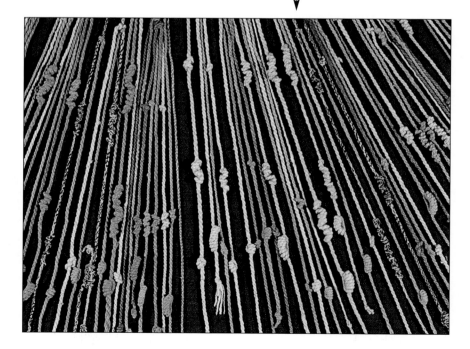

UN CALENDARIO DE DOCE MESES

El pueblo inca, que creía que la Tierra era un disco plano cubierto por la bóveda celeste, demostró una gran intuición al registrar sobre los quipus los movimientos de los planetas y su conjunción en el mismo grado de la eclíptica o en el mismo círculo de posición. La exactitud de sus anotaciones es realmente sorprendente. También elaboraron su particular almanaque a partir de un año solar de 365 días, distribuidos en 12 meses de 30 días, con cinco días intercalados. Este calendario, que empezaba el 21 de diciembre, no alcanzó la complejidad del azteca ni la perfección del maya.

bres... algunos de estos hilos tenían otros hilitos delgados del mismo color.»

LA VIDA EN UN HILO

En el hilo quedaba inscrito también el estado civil de hombres y mujeres de cada edad, y el número de viudos o viudas de la misma edad que aquel año había en la ciudad. Para registrar y manejar todas estas informaciones, se creó un cuerpo de especialistas llamados quipucamayocs. La transcripción más popular de un quipu al alfabeto latino es la que realizó Huamán Poma en su obra *Nueva Crónica*, un valioso documento para conocer cómo estaba organizado el Estado inca. Políticamente, dividieron la administración en sectores de diez, cien, mil y diez mil habitantes, cada uno de ellos a cargo

El gráfico muestra el significado numeral de los distintos nudos que formaban los quipus. El estudio de este lenguaje avanzado permitió a L.L. Locke, miembro del Museo de Historia Natural de Nueva York, descifrar en 1912 su funcionamiento.

EL IMPERIO INCA

La palabra *inca*, que en quechua significa «rey» o «príncipe», designa a todos los súbditos del vasto imperio incaico que alcanzó su esplendor en tiempos prehispánicos.
Este pueblo veneraba al dios Sol, personificado en el *Inca* (el soberano). A él consagraban los templos y los sacrificios de animales. De todas las culturas precolombinas, la incaica es, junto con la azteca y la maya, una de las más avanzadas. Su nivel de desarrollo fue extraordinario: canales de riego para la agricultura y uso de fertilizantes, creación de un complejo sistema de irrigación que permitía el cultivo en las empinadas laderas de las montañas andinas, así como diseño de una amplia red de comunicaciones y complejas edificaciones.
Todos los grupos que hasta entonces habitaban desde el sur de Colombia hasta el noroeste de Argentina y el centro de Chile, sucumbieron hacia el año 1000 ante el poderío del imperio incaico.

menos, sus palabras quedaron como legado para que algunos cronistas o funcionarios de la época, como Vaca de Castro y Toledo, pudieran interpretar el significado de los nudos y colores de las cuerdas, un significado también desvelado gracias a algunas exhumaciones funerarias.

de personas nombradas por el soberano. Este dato es suficiente para confirmar que los incas conocieron y aplicaron el sistema decimal al menos desde el siglo XI de nuestra era.

Gracias a los quipus hemos podido conocer la profusión de ceremonias y rituales, casi siempre ligados a anhelos agrícolas y de curación de las enfermedades que entonces aquejaban a las poblaciones indígenas de América. En estos ritos se sacrificaban animales vivos como ofrenda a los dioses; y, si bien la religión no era tan cruenta como las practicadas por otras civilizaciones precolombinas, alguna vez se ofrecían sacrificios humanos.

Son sólo algunas referencias para entender la cultura del Incario ya que, con el paso de los años, los quipus fueron cayendo en desuso, un hecho que reviste de un aura de misterio estos instrumentos. Poco se ha podido guardar de aquellos quipus, pero los ancianos quipucamayocs lo conservaron en su memoria hasta la muerte. Al

Retrato del escritor Garcilaso de la Vega el Inca (1539-1616), cuyo contacto con los quipus incas fue recogido en una de sus crónicas.

EL RELATO DE GARCILASO

El Inca Garcilaso narra así en su *Historia general del Perú* (publicada en 1617) la práctica de los quipus: «Hacían los indios hilos de diversos colores: unos eran de un color solo, otros de dos colores, otros de tres y otros de más, porque los colores simples y los mezclados, todos tenían su significación de por sí: los hilos eran muy torcidos, de tres o cuatro liñuelos y gruesos como un huso de hierro y largos de a tres cuartas de vara, los cuales ensartaban en otro hilo por su orden a la larga, a manera de rapacejos. Por los colores sacaban lo que se contenía en aquel tal hilo, como el oro por el amarillo y la plata por el blanco, y por el colorado la gente de guerra».

EL MISTERIO DE LA DIVINA PROPORCIÓN

Desde la antigüedad, muchos filósofos, artistas y matemáticos se han interesado por la sección áurea, que los escritores del Renacimiento llamaron divina proporción. Fue entonces cuando fraguó la idea, anticipo del desarrollo de la ciencia moderna, de que la realidad puede ser representada matemáticamente.

A pesar de su imparable fluir, en la naturaleza es posible encontrar principios o leyes constantes que pueden ser conocidos aplicando la razón y la intuición. De ellos deriva la divina proporción, cuyo valor numérico es 1,618: el número áureo. Todos los elementos en la naturaleza están regidos por un concepto de cantidad y otro de proporción. De acuerdo con esta idea, hasta la belleza dispone de una fórmula matemática. La idea viene de lejos: ya en la antigua Grecia, los discípulos de Pitágoras insistían en la necesidad de ordenar el cosmos en cuatro elementos (aire, agua, tierra y fuego), y a cada uno de ellos asignaron una figura geométrica. Cuando encontraron el quinto sólido perfecto, decidieron asociarlo con los dioses: se

Vista de la catedral de Santa Maria del Fiore, obra de Filippo Brunelleschi, emprendida en el año 1418. A principios del siglo XV, tanto Brunelleschi como Donatello se dedicaron a medir los antiguos monumentos romanos en busca del secreto de la divina proporción.

trataba del dodecaedro, un sólido compuesto de doce pentágonos regulares, símbolo de la armonía cósmica.

Precisamente, los pentágonos se pueden formar a partir del mágico número áureo y los relatos de la tradición cristiana dicen que fue ésta la medida con que Dios formó el mundo. Su presencia y su lógica son racionales, pero por su valor numérico es un número irracional. Los griegos lo llamaron δ y es la medida y razón última de belleza.

LA PROPORCIÓN EN LA NATURALEZA

A partir de esta idea es posible encontrar innumerables ejemplos de proporción y armonía en la naturaleza: las ramas y hojas de los árboles

EL NÚMERO QUE SOSTIENE LAS PIRÁMIDES

Desde la antigüedad los egipcios buscaban medidas que les permitieran la división exacta de la Tierra. Analizando y observando, dieron con la proporción áurea, la misma que conocerían más tarde las civilizaciones griega y romana, y la misma que es capaz de explicar la perfección de las esculturas y obras arquitectónicas más gloriosas de estos pueblos. El matemático y monje renacentista Luca Paccioli la llamó «la divina proporción», porque, según afirmaba, guardaba correspondencia con la Santísima Trinidad. Leonardo da Vinci prefirió llamarla «sección áurea» y el astrónomo alemán Johannes Kepler la considera, junto al teorema de Pitágoras, el paradigma de la perfección. En el mundo del arte, el número áureo fue sinónimo de armonía, perfección y equilibrio. Y lo encontramos, por ejemplo, en las proporciones que guardan la gran pirámide de Keops, el Partenón griego, los dibujos de Leonardo da Vinci, *La Anunciación* de Lorenzetti o la cúpula de la catedral de Florencia.

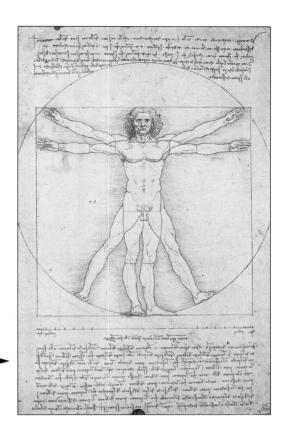

En el célebre *Esquema de las proporciones del cuerpo humano*, realizado alrededor de 1492 por Leonardo da Vinci, el genio renacentista trató de demostrar su teoría según la cual las proporciones anatómicas del hombre se correspondían con sencillas figuras geométricas.

que se bifurcan para recibir la mayor cantidad posible de sol, las espirales logarítmicas de los cuernos de los corderos, los caracoles o las piñas de las coníferas, etc.

Busto de Pitágoras (Museo Capitolino, Roma). La doctrina de este filósofo de la antigüedad originario de Samos, que insistía en la necesidad de ordenar el cosmos conforme a cuatro elementos, fue precursora de la búsqueda de la divina proporción llevada a cabo durante el Renacimiento.

También en los recién nacidos se puede apreciar cómo el ombligo divide el cuerpo en dos partes iguales. Ya el arquitecto e ingeniero romano Vitruvio (70-25 a.C.) describió en sus obras la correlación entre el hombre y las figuras geométricas.

En una de sus disertaciones, consideradas como un compendio de la arquitectura clásica romana y referencia ineludible para Occidente desde el Renacimiento, explica cómo una persona de pie, con los brazos extendidos, puede inscribirse en un cuadrado, y si separa las piernas, en un círculo, argumento que retomó Leonardo da Vinci.

Su razonamiento sobre la estética de las formas es el siguiente: «Para que un espacio dividido en partes desiguales resulte agradable y estético, deberá haber entre la parte más pequeña y la mayor la misma relación que entre la mayor y el todo.»

LA FÓRMULA DE LA BELLEZA

Que el canon de toda la belleza puede reducirse a una sola ecuación matemática lo prueba la siguiente fórmula: $x^2 - x - 1 = 0$. Una de las raíces de esta ecuación es el número áureo (1,61803399...), y la otra es la sección áurea (0,61803399...). Ahora sólo queda observar un rostro bello y comprobar que, efectivamente, sus facciones cumplen innumerables veces la relación entre 1 y 0,618.

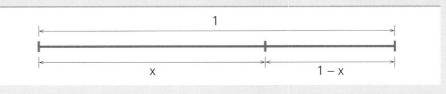

EL SUWANPAN, UN PODEROSO INSTRUMENTO

El ábaco tártaro, o suwanpan, se remonta al año 2630 a.C. Varios siglos más tarde se introdujo en lugares tan distantes como Rusia, con el nombre de stchoty, *y en Japón, con el de* soroban. *Durante mucho tiempo, su casi mágica capacidad de cálculo fue un enigma para los occidentales que se adentraban en Asia*

En 1945, un soldado estadounidense, ufano usuario de una calculadora eléctrica, retó al japonés Kiyoshi Matsuzaki a resolver una serie de operaciones matemáticas cada vez más complicadas. La victoria del japonés, que únicamente había recurrido a un *soroban*, fue aplastante. Merece la pena recordar el inmediato titular del diario *Nippon Times*: «Al alba de la era atómica, la civilización se ha tambaleado bajo los golpes del *soroban*, de dos mil años de antigüedad». Anécdotas como ésta hacen que recobre actualidad el texto de un legajo del siglo XI en el que se describe cómo hacían sus cálculos los chinos: «Volando con tal rapidez de un lado a otro, que el ojo no podría seguir su movimiento».

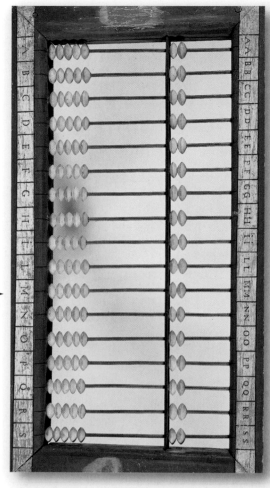

Aunque no se conserva ninguna imagen del primitivo suwanpan, se supone que sería muy similar al ábaco europeo del siglo XIV que aparece en la fotografía.

Los tártaros fueron quienes introdujeron el suwanpan en Rusia a finales de la Edad Media. El invento de tan ingenioso instrumento se atribuye al ministro Cheó'u-ly, que vivió durante el reinado del emperador Huang-Ti. El primer relato de la antigüedad que se refiere al suwanpan se realizó en el 2630 a.C. Aunque no existen representaciones gráficas del suwanpan,

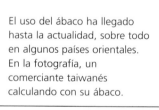

El uso del ábaco ha llegado hasta la actualidad, sobre todo en algunos países orientales. En la fotografía, un comerciante taiwanés calculando con su ábaco.

LOS TÁRTAROS

Los tártaros, pueblo de origen turco, invadieron buena parte de los territorios de Asia y Europa durante el imperio mongol en el siglo XIII. Seguramente, los primeros tártaros procedían de Asia oriental y central o de Siberia central. Las interminables conquistas del líder mongol Gengis Kan a principios de ese siglo hicieron que los mongoles y los turcos se fusionaran en un mismo colectivo que los europeos llamaron tártaros.

Su imperio dominó Rusia hasta el ocaso tártaro, bien entrado el siglo XV. En el siglo XVIII perdieron su último Estado, Crimea, que fue anexionado por Rusia. En la actualidad, la mayoría de los tártaros habitan en la república federada rusa de Tatarstán y en la región noroccidental de la república federada de Bashkortostán. Los Urales, Crimea, Kazajstán, Siberia occidental y otras repúblicas de Asia central acogen al resto de la población tártara.

LA TAREA DE CONTAR

Desde los tiempos más remotos, el hombre tuvo necesidad de contar y lo hizo con ayuda de sus dedos, palos pequeños o piedrecitas: precisamente la palabra «cálculo» procede del latín *calculus* (piedra pequeña). Aunque pueda parecer increíble, estos toscos modos de mostrar la cantidad de piezas cazadas o el número de hijos, persisten en la actualidad de manera residual. En algunos lugares apartados de África e incluso en las ciudades más cosmopolitas del continente asiático es posible encontrar tenderos que aún realizan sus cálculos con bolas, mediante el ábaco. Este antiguo instrumento también se utiliza para impartir las matemáticas en las escuelas de los países orientales, pues el adiestramiento en su manejo fomenta la capacidad de cálculo mental.

El ábaco tuvo una amplísima difusión cultural. Tanto las civilizaciones precolombinas y mediterráneas como las del Lejano Oriente lo utilizaron para efectuar las operaciones matemáticas en sus más variadas versiones.

se supone que se componía de un bastidor de madera con varillas paralelas también de madera y cuentas insertadas en ellas. Se trata de un sistema de numeración posicional, es decir, en él hay una posición para las unidades, otra para las decenas y otra para las centenas, una muy ingeniosa disposición que facilita y agiliza el cálculo y que no es sino reflejo del sistema decimal, totalmente extendido hoy en día.

La necesidad del hombre de contar se remonta a tiempos inmemoriales. De hecho, la misma raíz etimológica del término «cálculo» se remonta al término latino *calculus*, que significa piedra diminuta.

EL ASOMBRO DE LOS EUROPEOS

Como bien apuntaba en el siglo XVII el filósofo y matemático alemán Gottfried Wilhelm Leibniz, «no es cosa digna de hombres excelentes perder horas como esclavos para hacer cálculos que tranquilamente podrían confiarse a cualquier otro si se usaran máquinas». No es de extrañar que los primeros viajeros europeos que se adentraron en Asia, siguiendo los pasos del pio-

En el ábaco, las varillas tienen un lugar posicional. Para representar un número debe desplazarse una bola y acercarla al listón horizontal intermedio. Las letras corresponden, de derecha a izquierda, a los valores de 1, 10, 100, 1 000, 10 000, 100 000, 1 000 000, 10 000 000 y 100 000 000.

nero Marco Polo, quedaran maravillados a la vista del ábaco. La enorme rapidez con la que este instrumento facilitaba los cálculos hizo creer a los europeos que estaban ante un hecho poco menos que mágico y su funcionamiento aparecía ante sus ojos como enigmático.

Es posible que la cuna del ábaco se encuentre en Babilonia, donde se inventó para representar números y contar. El ábaco chino perfeccionado, heredero del antiguo suwanpan, llegaría hacia el año 1300 a.C. Permitía ya realizar raíces cuadradas y operaciones con fracciones ordinarias. Hasta el siglo VIII fue necesario dejar un blanco para representar el lugar que debía ocupar el cero (cabe mencionar que las culturas romana, griega y judía no conocían el cero). Su utilidad fue profusa: el ábaco permitió a los astrónomos imperiales de la antigua China conocer las estaciones y los días del año; a los recaudadores, llevar la contabilidad del Estado y a los comerciantes, realizar transacciones en sus negocios. En la Edad Media se había difundido por toda Europa y hasta el siglo XVII gozó de una gran aceptación.

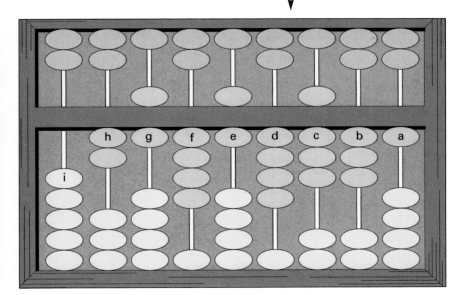

DEL ÁBACO A LA CALCULADORA MECÁNICA

El siguiente estadio de la evolución del cálculo es la invención de la calculadora mecánica.

FRIDERICVS GVIL. LEIBNITZIVS

Retrato del filósofo y matemático alemán Gottfried Wilhelm Leibniz (Galería Uffizi, Florencia). Ya en el siglo XVII, este pensador alemán insistía en la necesidad de emplear máquinas para resolver los cálculos matemáticos.

EN FILA INDIA

Los indígenas de Madagascar tenían por costumbre contar a sus soldados haciendo que la tropa desfilase en fila india por un pasaje estrechísimo. Una vez atravesado, cada uno debía depositar un pequeño canto en una zanja allí abierta. Cuando llegaban a diez guijarros, éstos se sustituían por uno solo que se depositaba en una zanja contigua (representaría las decenas). Cuando esta segunda zanja llegaba a diez cantos, se reemplazaban de nuevo por otro que iría a parar a un tercer surco, reservado a las centenas, y así sucesivamente.
Se trataba de un procedimiento de cálculo que, de hecho, constituía la base del ábaco y del propio sistema decimal.

Este innovador aparato, que hizo su aparición a finales del siglo XVIII, se compone de ruedas dentadas y manivelas. Con él, los procesos de cálculo se aligeraron considerablemente. La calculadora mecánica es el antecedente directo de las calculadoras eléctrica y electrónica, así como de la computadora. Pese a esta evolución, no siempre las nuevas técnicas son más eficientes que aquellas a las que teóricamente superan. Si se posee suficiente destreza, es posible realizar cálculos con el ábaco más rápidamente que con calculadora. En diversas ocasiones se han organizado concursos de cálculo en los que competían el ábaco y calculadoras eléctricas y electrónicas, y el ábaco ha logrado imponerse a sus contrincantes en muchas operaciones, incluidos los cálculos complejos.

EL CÁLCULO COMO VÍA DE CONOCIMIENTO

El número es la primera expresión propiamente racional del pensamiento humano y pronto se convirtió en el instrumento que permitió elaborar unos conceptos abstractos, matemáticos, rigurosamente racionales. Su historia nos descubre, mediante investigaciones antropológicas llevadas a cabo en pueblos que actualmente permanecen en estadios primitivos, que el concepto de número abstracto se alcanzó después de una etapa indeterminada en que el número fue concebido como una característica concreta e inseparable de las cosas.

El paso revelador de la capacidad de abstracción del ser humano fue el número. Las palabras que anteriormente había acuñado el hombre primitivo respondían a una función expresiva mucho más material e inmediata: las pronunciaba movido por la necesidad o el deseo. Con el número alcanzó una conquista conceptual más alta.

Para cuantificar las cosas existen diferentes numerales, según los tipos de elementos materiales en que se divide la realidad. Y, también, de manera previa a la creación de números, se produce la adquisición de métodos prácticos de numeración.

El uso de dedos, piedras, cuerdas con nudos, etcétera, constituye un conjunto de diversos sistemas de cálculo. No es necesario saber nombrar los números para conocerlos. El cálculo abre nuevos caminos de indagación para conocer el mundo material que rodea al ser humano y también para conocer el mundo lejano, el mundo celeste.

Ilustración en la que aparece Tamerlán, líder de los tártaros, en una campaña militar por la conquista de la India, consumada en 1398. Los tártaros destacaron por sus especiales habilidades para mecanizar los cálculos matemáticos.

ESCRITO EN LA PIEL

El cuerpo humano ha servido para expresar, mediante signos físicos (sangre, pintura, perforaciones...) pensamientos, el sentir de un colectivo o la propia idiosincrasia de una persona. Así ha sido siempre y así será en el transcurso de la historia y en todas las clases sociales. Esta metáfora corporal trasciende a menudo lo meramente expresivo y deja que se entrecrucen la leyenda y las concepciones mágico-religiosas.

Tatuajes, heridas, acuerdos a partir de sangre... son metáforas practicadas en el cuerpo, que impregnan la vida cotidiana de quienes las portan y, a menudo, el preludio de inquietantes rituales donde pueden llegarse a citar la vida y la muerte.

Grupo de guerreros masai, que habitan en una zona fronteriza entre Kenia y Tanzania.

65

EL TATUAJE COMO SIGNO DE LA TRIBU

Para las tribus del África subsahariana, la práctica de tatuarse la piel no sólo es un modo de expresión artística, sino también un ritual cargado de sentido religioso, cultural y sociológico, que las diferentes tribus de la antigüedad practicaron con rigor.

«Lo más profundo que hay en el hombre está en la piel», decía el escritor francés Paul Valéry (1871-1945), una frase que podría ser la consigna de muchas tribus africanas. La práctica de la religión en el África negra ha generado un amplio repertorio de símbolos artísticos, en el que el carácter sacro raya a menudo con el mágico y la superstición. Esto explicaría por qué las distintas tribus adornan el cuerpo humano con todo tipo de recursos, tatúan su piel y atusan su pelo

Retrato de un indígena de Nueva Zelanda realizado por Sydney Parkinson en 1770 (British Library, Londres). Entre algunas tribus primigenias de Oceanía, al igual que ocurre en África, el tatuaje se utiliza en un contexto ritual, al margen de su significación meramente ornamental.

EL ÁFRICA SUBSAHARIANA EN LA ACTUALIDAD

Después de dos siglos de colonización y dominación, la década de 1970 marcó un punto de inflexión en la independencia del África negra, si bien Namibia, última colonia, no consiguió independizarse de Sudáfrica hasta 1990. En la actualidad, la situación del continente africano se encuentra muy lejos de haberse estabilizado.

La herencia del colonialismo, con su división fronteriza artificial, fuente de tantos conflictos, así como los intereses enfrentados de las antiguas potencias coloniales, han creado una explosiva situación de difícil solución. La sociedad de muchos de los países del África subsahariana aún se encuentra bajo el impacto de los gobiernos dictatoriales, la guerra civil y la explotación económica. Éstas son, quizás, las cicatrices más profundas que surcan el continente africano y sus pueblos.

con complicados tocados. Desde antiguo, utilizan las materias vegetales, después de haber sido tratadas, con fines puramente estéticos.

Las pinturas, los fetiches, los sacrificios, la sangre y las máscaras forman parte de los espectaculares rituales africanos que pasan de padres a hijos. Algunos, como los de las máscaras, se elaboran con un misterioso hermetismo y pretenden invocar a los antepasados. En unos y otros pueblos, lo que se advierte es que las formas de tatuaje son tan variadas como lo es la mitología, con todo su repertorio de dioses y espíritus, que ejerce una influencia considerable en la vida del hombre.

OSCUROS RITUALES EN EL CORAZÓN DE ÁFRICA

En Etiopía es posible el encuentro con los antepasados, al menos metafóricamente. En este país habita una etnia primitiva que ha sabido preservar su sistema de vida tradicional, sus viejos rituales y sus prácticas ancestrales. Los mursi, así se llama esta tribu, viven con un excepcional apego a la superstición, presente de manera muy vívida en sus quehaceres cotidianos. Necesitan, por tanto, protegerse contra el mal

La precaria situación en la que se hallan muchos pueblos indígenas africanos en la actualidad hace peligrar la conservación del bagaje milenario de estas tribus. En la imagen, refugiados de Uganda esperando su ración de alimento.

VACUNAS ARTÍSTICAS

El gusto por el tatuaje entre los mursi responde a un deseo, sobre todo, de índole estética. De todas formas, se afirma que el grabado sobre la piel ejerce, paradójicamente, un efecto inmunizador semejante al de una vacuna, puesto que inocula microbios que, a su vez, propician la creación de anticuerpos contra las infecciones, tan frecuentes en África.

de ojo y las fuerzas del mal y lo hacen mediante las pinturas faciales.

Otra de las costumbres primitivas que conserva esta tribu con fama de agresiva es la perforación del labio inferior a las niñas para colocar platos de madera o arcilla que pueden llegar a alcanzar los 20 centímetros de diámetro. También se les dilatan los lóbulos de las orejas y se les extraen los dos incisivos inferiores. De nuevo, como sucede con el tatuaje, la finalidad, que pudiera parecer exclusivamente estética, se amplía para determinar la reputación y diferencia con el resto de la comunidad. El tamaño del disco marca la dote que piden los padres a la familia del novio. Una joven con un plato

TATUAJE Y MADUREZ

Los pigmeos adolescentes se cubren todo el cuerpo de pinturas en tiempo de *nkumbi*, es decir, de ritos iniciáticos para pasar a la etapa madura y ser admitidos en su clan. La madre es la encargada de practicar este complejo ceremonial cuyo objetivo no es otro que suscitar temor en el joven para poner a prueba su madurez.

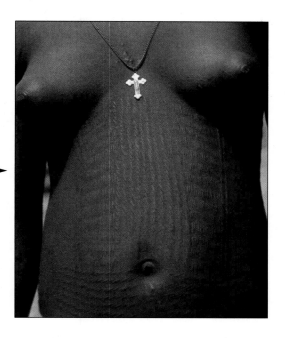

Busto de una mujer africana. El tatuaje del vientre identifica a su portadora como integrante de una determinada etnia. El carácter ritual en el uso de tatuajes, como ocurre en el ejemplo de la fotografía, es característico de los pueblos indígenas africanos.

Ceremonia ritual en el poblado dogon de Ogol, en la cual se lleva a cabo el sacrificio de una cabra sobre un altar, a fin de conseguir una buena cosecha. Los pueblos indígenas africanos suelen ser muy ricos en mitos y rituales.

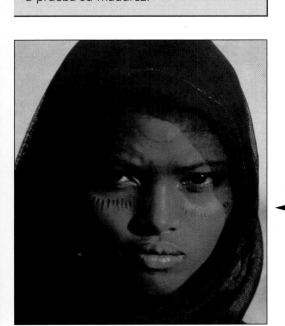

Joven de la etnia etiópida afar con el rostro profusamente tatuado. La práctica del tatuaje está generalizada entre los integrantes del pueblo afar, también conocido como pueblo danakil, y su uso tiene un significado ritual.

de 200 gramos puede suponer una compensación de 40 vacas. La imagen de una mujer mursi deambulando por la sabana, con la cabeza rapada, el cuello adornado con cuentas de vidrio y los labios expandidos, no puede resultar más perturbadora. El hombre mursi también aparece con el cuerpo tatuado. Pero el fin es bien distinto. Su pintura responde al anhelo de alcanzar el grado de *moran* o portador de virilidad.

Más allá, en Okupawe, las mujeres himba se tiñen el cuerpo con un tono rojizo que extraen raspando la piedra encarnada de hematites. Para la ceremonia nupcial, cubren su cabellera con el pellejo, por supuesto rojizo, de una vaca. Esta tribu mantiene una estrecha relación con sus antepasados y llevan a los cementerios cuernos de vaca como alimento simbólico para los familiares fallecidos.

INICIACIÓN Y HERIDAS RITUALES

En muchos países africanos, el paso de la infancia a la adolescencia ha estado rodeado de rituales iniciáticos cruentos. Envueltos en el misterio y en un lenguaje enigmático, marcan la nueva etapa que supone la entrada a la edad adulta, parte crucial del ciclo vital de los seres humanos.

Una mujer africana sostiene entre los dedos una hoja de afeitar en Kpalime (Togo), con la que realizará una ablación del clítoris.

En la tribu africana de los kikuyos, etnia de lengua bantú que habita en la región central de Kenia, cuando un púber llega a la edad de iniciación es separado de su madre y llevado a un recinto especial, donde ayunará durante tres días. Al llegar la tercera noche, se sienta en un círculo alrededor del fuego con los varones mayores. Uno de ellos abre con su cuchillo una herida en su brazo y deja caer un poco de su sangre en un cuenco, que pasa de mano en mano para que cada hombre haga lo mismo. Luego se le entrega al muchacho, quien debe beberse la sangre de los hombres. A través de este ritual aprende que el alimento no proviene únicamente de su madre, y con ello recibe la bienvenida al mundo de los adultos.

El rito simboliza también que todo nacimiento implica una separación física que deja una cicatriz corporal, el ombligo. Algunos antropólogos comparan el sentido de estos ritos con los comportamientos y las costumbres de admisión en algunas instituciones modernas como el ejército o la universidad.

SABIDURÍA Y TALENTO MÁGICO

No es éste el único rito existente para marcar el itinerario de las edades de la vida y, en concreto, uno de los más trascendentales: el paso de la infancia a la adolescencia. En muchas sociedades tradicionales puede constituir una experiencia traumática y muy dolorosa. A los varones se les circunda, se les provocan heridas simbólicas y se les corta el cabello. En otras culturas, a las mujeres se las excluye del grupo cuando llegan a la menarquía. Sigue a las ceremonias oportunas una dura instrucción, que inicia a las jóvenes en las tareas de la vida.

La Biblia narra cómo ocho días después de su nacimiento, y de acuerdo con los mandatos de la ley, Jesús fue sometido al rito de la circuncisión en una ceremonia familiar que solía realizarse en el hogar. A menudo el circuncisor era el propio padre, rodeado de vecinos y parientes próximos. Con ayuda de una cuchilla se le practicaba una pequeña incisión, al tiempo que se recitaban ciertas fórmulas rituales. Con la circuncisión, el niño pasaba a ser considerado ciudadano de Israel. Los Evangelios relatan también la circuncisión de Juan Bautista.

CRUELDAD SIN LÍMITE

«Tenía cuatro años. Recuerdo cómo me tomaron entre todas, tumbada encima de la mesa, cómo me separaban las piernas y el dolor pro-

Los guerreros masai (en la fotografía), deben abatir a un elefante a modo de rito iniciático, y salir ellos indemnes del enfrentamiento con el animal.

EL ELEFANTE, BLANCO DE CEREMONIAS INICIÁTICAS

En Kenia, donde la población de elefantes ha estado amenazada durante mucho tiempo por los cazadores furtivos, la tribu de los masai practica una tradición ancestral que convierte a los jóvenes de dieciséis o diecisiete años en valientes guerreros. El rito iniciático consiste en matar un elefante abatiéndolo con una lanza envenenada. Aunque esta práctica ha contado con la indulgencia de los demás nativos, en los últimos años se está despertando una conciencia colectiva muy crítica con este tipo de prácticas.

CUANDO ESTÁ EN JUEGO LA HONRA

A principios de la Edad Media la caballería adquirió una primacía casi absoluta en el campo de batalla. El caballero debía aprender su oficio desde muy temprana edad, primero como paje y luego como escudero. El momento clave era la investidura u ordenamiento, una ceremonia en la que se bendecía la espada y se practicaba la herida simbólica. El acto, de gran complejidad estética, evoca un viejo rito iniciático en el que la herida o muerte ritual implican el renacimiento a una nueva vida. Surge así una alianza indisoluble entre todos los miembros de la caballería y un juramento de acatamiento de la norma. La literatura universal ha descrito una imagen muy idealizada del mundo de la caballería y todos sus valores: noble linaje, virtudes cristianas, valor inquebrantable y cortesía a la mujer. Así, la figura del caballero tiene una carga cristiana muy profunda: su espada debe estar al servicio del humilde, del necesitado y de las Cruzadas. Sin embargo, no debe olvidarse que, en muchos casos y en diversas etapas históricas, los caballeros eran auténticos caudillos guerreros que sometían a sus súbditos y que, a menudo, no dudaban en saquear las tierras de otros para subsistir.

fundo e indescriptible que sentí. Mi madre lloró mucho cuando se enteró.» Éste es el relato de Nahid, una joven africana de 22 años. En África del Norte, un gran porcentaje de las mujeres sufre la mutilación del clítoris, o ablación, en un ritual ancestral cuyo fin es impedir la satisfacción sexual. La escisión y la infibulación se practican actualmente en más de treinta países de este continente, desde Egipto, Somalia, Etiopía, Kenia y Tanzania hasta la costa occidental, de Sierra Leona hasta Mauritania.

Muy a menudo se practica con instrumentos burdos y rudimentarios: un cristal roto, el borde afilado de una lata o un simple imperdible. Si hay que volver a coser, se utilizan con frecuencia las herramientas más peregrinas: hilo de pescar, alambre, etc. No son pocas las mujeres que pierden la vida en la operación o inmediatamente después. En este caso, la interpretación del Corán no subyace como pretexto en tales costumbres, sino más bien la ignorancia, la superstición y la dominación masculina. Los defensores de la ablación de clítoris aducen argumentos tales como la pureza de las mujeres, la higiene, la sumisión de las niñas y el buen juicio, la fertilidad y un modo de preservar el clítoris de un crecimiento desmedido que podría acarrear comportamientos promiscuos. Así, en

Miniatura del siglo XIV que ilustra la ceremonia de investidura de un caballero (Biblioteca Marciana, Venecia). El complejo acto por el cual se iniciaba a un caballero en la Edad Media incluía una herida ritual que implicaba el renacimiento a una nueva vida de su destinatario.

una tribu guineana se obliga a las chicas a bailar tras la intervención para demostrar que no sienten dolor. Las iniciadas baten palmas durante 24 o 48 horas de ayuno absoluto.

UNA CIRUGÍA MUY RUDIMENTARIA

La operación puede ser de tres tipos. El primero, *sunna* (tradición), consiste en cortar la punta del clítoris. En el segundo tipo, la clitoridectomía, se secciona parte del clítoris y los labios menores. El tercero y más sanguinario es la llamada infibulación o circuncisión faraónica. El clítoris y los labios menores desaparecen totalmente, para después coser ambos lados de la vulva dejando tan sólo un diminuto orificio con la finalidad de dejar paso a la orina y el flujo menstrual.

Para realizar esta operación, se atan las piernas a la niña, que deberá permanecer tumbada hasta que cicatricen los tejidos (unas tres semanas). Esta operación produce un gran daño en los genitales externos de la mujer, ricos en vasos sanguíneos, lo cual no sólo afecta seriamente su capacidad para sentir placer, sino que le acarrea graves complicaciones ginecológicas, ya que, tras el parto, la intervención suele volver a realizarse con consecuencias similarmente graves.

Se afirma que el rito proviene del Alto Egipto como símbolo de diferenciación de sexos y de celebración del tránsito de la infancia a la edad madura. La razón más remota podría encontrarse en la antigua creencia faraónica de la bisexualidad de los dioses. Al hombre se le circunda para arrancarle su alma femenina, localizada en el prepucio. El clítoris correspodería, por el contrario, al alma masculina de la mujer.

Una joven de Sillakoro (Costa de Marfil) participa en una ceremonia de ablación. El acto, que se inicia con la ablación ritual de las jóvenes en el bosque y su posterior marcha en fila de regreso al poblado, culmina con una celebración en la que se las viste y pinta para la ocasión.

JURAMENTOS Y PACTOS DE SANGRE

El mito de la sangre, como portadora de vida, ha arraigado con fuerza en todas las religiones, magias y culturas. Con ella se han rubricado acuerdos y se han fortalecido alianzas a lo largo de los tiempos. Según proclama la Biblia, «la sangre es el alma». Muchos pactos y juramentos de sangre han estado siempre rodeados de misterio y en nuestros días perduran aún en determinados ámbitos marginales del mundo occidental.

El pacto de sangre sustituye a cualquier otro tipo de juramento cuando entre las partes implicadas la lealtad sería una quimera. En el oscuro mundo de las mafias, de traiciones, temores y venganzas, existen pocas cosas que infundan fidelidad y respeto. Entre ellas, el juramento secreto y los pactos de sangre. Así fue desde sus inicios en Sicilia, ya durante la época feudal, cuando sus miembros debían proteger los bienes de los nobles absentistas. Así sucedió también en pleno siglo XIX, cuando acataban el *Omerta*, un rígido código de conducta que les

LETRAS DE ORO ROJO

Mucho antes de los inicios del Islam, algunos historiadores describieron los pactos de sangre que se realizaban ante la Kaaba (la piedra negra de La Meca) desde épocas muy remotas. Los encargados de este rito formaban un grupo de profesionales armados con cuchillos de piedra para practicar incisiones en distintas partes del cuerpo.

Para estos hombres, la sangre está cargada de simbolismo mágico y en ella se condensa la historia. En otros rituales se utiliza la sangre menstrual en los rituales mágicos.

prohibía cualquier contacto o cooperación con las autoridades.

UNA HISTORIA PRÓDIGA EN ACUERDOS CON SANGRE

En otro escenario se ubican los aquelarres, frecuentes en la Europa medieval y presentes hasta el siglo XVII, donde brujos y brujas se reunían en una asamblea liderada por el mismo demonio. Según la tradición popular de muchos pueblos de Europa, en ellos tenían lugar todo tipo de ritos de culto, preparaban actuaciones futuras, etc.

Más provocativas aún eran las llamadas *shabats*, que congregaban a miles de asistentes, todos ellos relacionados con la brujería, en Brocken, el pico más alto de los montes alemanes Harz. Allí transcurre, por cierto, uno de los episodios más sublimes de la literatura: la escena del *shabat* del *Fausto*, de Goethe. En esta ceremonia, los neófitos firmaban pactos de sangre con el diablo. Se profanaban crucifijos y

HISTORIA MARAVELLOSA DEL SABAT DE LES BRVXES, Y BRVXOTS, CONFORME ells ho han declarat en Tolofa, y altres llochs ahont fon eftats fentenciats à mort, traduida de Françes en Català per B.R.P.

L. D. S. Iefus Maria.

Portada de un libro sobre brujería publicado en el año 1645 (Biblioteca de Cataluña, Barcelona). A fin de conseguir inmensos poderes, los brujos y las brujas llegaban a acuerdos con el diablo.

Fotograma de *Entrevista con el vampiro*, de Neil Jordan. El mito del vampirismo gira en torno a un pacto de sangre entre el vampiro y su progenie.

objetos sagrados y se nombraba un asistente en forma de animales pequeños, como ratones, sapos, comadrejas...

¿Cuál podía ser la compensación a tanta servidumbre? Los brujos recibían supuestos poderes que les permitían curar enfermedades o provocarlas, atraer o repudiar el agua, arruinar cosechas, volver impotente al hombre y estéril a la mujer, suscitar pasión mediante filtros y extrañas pociones o incluso provocar la muerte con sólo una mirada. También se les atribuía capacidad adivinatoria.

UNA EXTRAÑA FASCINACIÓN POR LA SANGRE

El rito incruento de la tradición cristiana establece sus orígenes en los antiguos sacrificios de animales de la religión judía, que incluían el derramamiento de sangre en las ceremonias de compromiso entre los hombres y, sobre todo, en el de sus hijos.

En Bosnia, el rito del matrimonio eclesiástico incluía un acto de fraternidad de sangre que presidía el sacerdote. Los novios se practicaban unas pequeñas incisiones en las manos, los pies u otras partes visibles del cuerpo, dejando ver gotas de sangre en una copa cuyo contenido después bebían ambos. La mezcla de sangres era el símbolo de la unión en un solo ser. En muchos lugares, hasta tiempos relativamente cercanos, cualquier atentado contra la unidad de los cónyuges lo era contra el honor familiar y sólo podía ser vengado con el derramamiento de sangre.

Que la sangre ha suscitado desde siempre una tenebrosa fascinación lo prueba la atracción que ejercen todas estas leyendas desde hace siglos, o el éxito de la figura del conde Drácula, creado por el escritor irlandés Bram Stoker a finales del siglo XIX, y, en suma, de los vampiros como símbolo antitético de la muerte y la inmortali-

Ceremonia ritual azteca en honor al dios del Sol y de la guerra, Huitzilopochtli.

Escena de brujería en una pintura de G. B. Bison (Galería de Arte Antiguo, Udine, Italia). Los aquelarres y otras reuniones de brujos y brujas son escenario de pactos de sangre con el diablo.

dad. En la antigüedad, los agonizantes dejaban también beber su sangre a sus descendientes para que su fuerza siguiera influyendo en su estirpe. Así mismo, existían los llamados «besos de sangre», actos conciliatorios en virtud de los cuales a una de las partes se le realizaba un pequeño corte en el puño derecho para que la otra depositara un beso.

En otros lugares de Europa se ponía remedio al desamor, o incluso a la impotencia masculina, derramando unas gotas de sangre en un recipiente de vidrio que se ofrecía a quien se sentía despechado.

LA SANGRE DEL GRIAL

Según la tradición, el Grial es el cáliz sagrado que Jesucristo usó en la Última Cena y fue José de Arimatea quien recogió la sangre de Cristo crucificado. En torno al santo Grial, al que se atribuyen propiedades milagrosas, se ha erigido una leyenda que ha merecido un sinfín de interpretaciones. Al parecer, su encuentro corresponde sólo a los elegidos, por eso los caballeros del legendario rey Arturo lo buscaron incansables. También la tradición popular otorgó a los cátaros una estrecha relación con el Grial.

LA PIEL GRABADA DE LA MAFIA YAKUZA

Las organizaciones criminales japonesas formadas por los yakuza empezaron a surgir a finales del siglo XVI. En la actualidad constituyen una de las mafias más numerosas del mundo. Sus miembros suelen llevar en el cuerpo grandes tatuajes con enigmáticos mensajes cuyo significado sólo conocen sus correligionarios.

Hacia el año 500, el tatuaje como adorno era en Japón un privilegio exclusivo del emperador, que sus súbditos convirtieron en arte ornamental. Sin embargo, su evolución en el tiempo está en íntima conexión con el mundo de la delincuencia. En el antiguo Japón, el individuo tatuado era una persona *non grata*: se le excluía de la comunidad y su propia familia renegaba de él condenándolo al aislamiento. El tatuaje aplicado sobre delincuentes convictos solía estar en lugar bien visible y reseña-

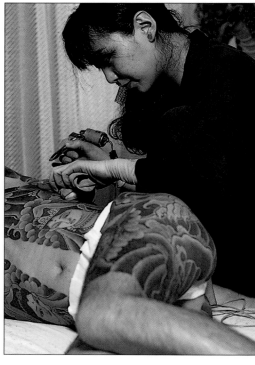

La minuciosidad con la que esta tatuadora japonesa recorre el cuerpo masculino cubriéndolo de dibujos convierte su labor en un arte.

Yakuza, dirigido por Sydney Pollack en 1975. El filme muestra las intrigas de la mafia japonesa.

ba incluso la prisión de la que procedía. En un tiempo y contexto bien distintos, el tatuaje identifica a los yakuza, es decir, los integrantes de las mafias japonesas, que actúan en clandestinidad. Se rigen por un estricto código moral interno cuya premisa es la defensa de «la gente común».

UN MOSAICO HECHO DE BRÍO Y CORAJE

A los yakuza se les supone temple, valentía y entereza, valores que quedan patentes desde el doloroso proceso del tatuaje, un rito que, de paso, presupone lealtad de por vida a la banda. Para el resto de la sociedad japonesa, la marca sobre su piel le confiere carácter marginal para siempre. Los yakuza inauguraron también la práctica de cercenar sus dedos como castigo ejemplar para los traidores, que reciben sin mostrar atisbo de dolor ante su jefe. El tatuaje solía practicarse a mano, por medio de una estaca de madera a la que, según la intensidad del color y el diseño, se le iban sumando hasta una docena de agujas. Con una mano se estira la piel, y con la otra se golpea rítmicamente la zona que se va a tatuar.

El tatuaje japonés clásico, heredado por los yakuza, se caracteriza por la belleza y variedad de sus diseños, llenos de color y de luz, y portadores de mensajes ininteligibles para los no iniciados. Las formas reproducen normalmente héroes legendarios y motivos religiosos, que pueden combinarse con decoraciones florales, lunas, paisajes y animales simbólicos como dragones y tigres, sobre fondos de olas, nubes y rayos, en una explosión de movimiento que casi las convierte en imágenes tridimensionales.

LA LARGA HISTORIA DE UNA TORTURA CORPORAL

De los dibujos pequeños se pasó, a finales del siglo XVIII, al tatuaje de zonas enteras del cuer-

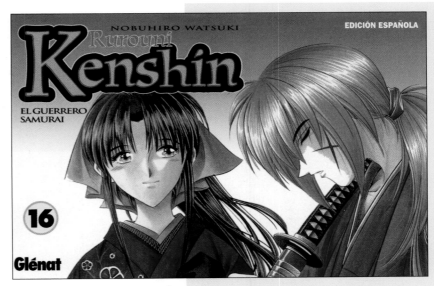

Portada del *manga* japonés *Kenshin, el guerrero samurai* donde aparece la mafia japonesa. El cómic está plenamente integrado en la cultura de Japón y abarca temáticas relativas a todos los ámbitos sociales.

Fotograma de la película *Berlín interior*, dirigida por Liliana Cavani en 1985. Asociada o no a los grupos criminales, la práctica del tatuaje está muy arraigada en la tradición japonesa desde tiempos remotísimos.

UN FILÓN PARA LA FICCIÓN

Noburino Watsuki, autor de cómics japonés, es el creador de uno de los *mangas* más populares en Japón, *Kenshin*. En él mezcla los personajes históricos con los legendarios y representa en algunos de sus capítulos el intrincado mundo de la mafia japonesa.

La mafia yakuza también ha sido protagonista de diversas películas. En 1975, el director estadounidense Sydney Pollack retrató con singular maestría todos los ritos e intrigas de la mafia japonesa en su película *Yakuza*. Con un nivel estético dispar, pero cargado de realismo, unos años antes, en 1963, Umeji Inoue dirigió *Yakuza no kunsho*, estrenada en algunos países de lengua hispana con el título *Condecoración para un gángster*.

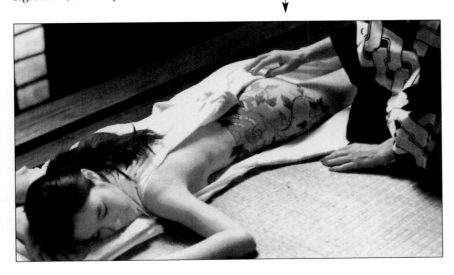

po (espalda, torso, pecho, etc.) con motivos calcados a menudo de la pintura tradicional del país. Los antropólogos han encontrado una razón lógica a este salto cuantitativo: el tatuaje como estigma quedaba así oculto bajo un colosal dibujo. De ser cierta esta interpretación, cabría plantearse si el precio emocional y económico que había que pagar para esconder los signos del castigo no era demasiado elevado.

En 1842, en pleno aperturismo de la era Meiji, se intentó frenar esta manifestación ancestral, común a otras muchas civilizaciones. El emperador apoyó sus argumentos en la doctrina de Confucio, que propugna la idea de un cuerpo limpio e impoluto. Su deseo fue vano, pues el tatuaje empezaba a causar verdadero

El antiguo gángster Hiroyuki Suzuki, reconvertido en reverendo, muestra los tatuajes que dan fe de su paso por la mafia yakuza.

CAMINO DEL INFIERNO

El escritor japonés Shozo Ijichi (1897-1978) se adentró en su obra *Confesiones de un yakuza* en el estremecedor territorio de las mafias japonesas. Su testimonio está lleno de desolación: «Al hacerme viejo, he comenzado a entender cuán sucia y vacía ha sido mi vida, y ahora, diariamente rezo a la estatua de Buda que he puesto en mi casa. Sin embargo, sé muy bien que cuando deje este mundo, iré a parar directamente al infierno».

ávidas de unas ganacias extras fáciles de conseguir. Al parecer, la mayoría de estas salas, repartidas por todo Japón, son propiedad de japoneses de origen coreano. Se calcula que actualmente existen en Japón unas 15 000 salas, equipadas con cerca de dos millones de máquinas de *panchinko*.

El *panchinko*, inspirado en un juego tradicional estadounidense, el *corinth game*, fue introducido en Japón en la década de 1950 por Nagoya, y significa literalmente «lanzamiento de piedra». En efecto, se trata de un juego basado en la probabilidad, muy similar al de los casinos occidentales, aunque en este caso se emplean bolitas de metal en lugar de fichas. La mecánica del juego es muy simple: las bolas se lanzan sobre una especie de bandeja, de la que está provista la máquina, y desde allí salen disparadas hacia un circuito vertical donde rebotan. El movimiento lo controla el jugador apretando con su pulgar un botón. Cuando alguna de las bolas cae en una cavidad en forma de flor, la máquina le concede al jugador más bolas y éste las vuelve a jugar.

entusiasmo, no sólo en Japón sino en el resto del mundo. Ya en el siglo XX, el auge de este tipo de tatuajes se debió, más que a los yakuzas, al éxito del best-seller *Sukoden*, protagonizado por más de cien personajes marginales convertidos en héroes y donde los amantes se juran amor eterno con un tatuaje partido en dos.

YAKUZAS, NÚMEROS MÁGICOS Y AZAR

El término *yakuza*, que podríamos traducir como «hampón», proviene del vocabulario empleado en un juego de dados para designar «8-9-3», la combinación perdedora. Y es precisamente el juego uno de los negocios con los que mueve más dinero la mafia japonesa. Las *panchinko* son salas donde se practica el juego de azar del mismo nombre, situadas generalmente frente a las estaciones de ferrocarril, lugares por donde transitan muchas personas

DE CAPO, A PREDICADOR CRISTIANO

Hiroyuki Suzuki, antiguo jefe de una de las grandes familias de la mafia japonesa, fundó una iglesia evangélica en los suburbios de Tokio a finales de la década de 1990. Sus incondicionales no eran criminales, sino gente de bien que acudía a escuchar mensajes de paz. La razón de lo que él mismo llamó «redención» hay que buscarla en una historia de amor vivida por Suzuki con una bella coreana.

III

LA CONDICIÓN HUMANA

LA CONDICIÓN HUMANA

El enigma, la improbabilidad y la controversia son los principales factores que perfilan la vida de unos personajes guardados en la iconografía colectiva bajo la seña de identidad de la excepcionalidad. Esta característica esencial los humaniza y lleva a algunos al territorio de los mitos y las leyendas. Se discute aún el papel que desempeñaron en su momento, qué provocó su mera presencia o por qué las características físicas de algunos de ellos parecían cuestionar los principios mismos de la naturaleza, en unos casos, o llevar a la veneración en otros. Los perfiles de estos personajes plantean enigmas tanto sobre su condición y su actuación como sobre su identidad y su origen. Son personajes que, improbables o controvertidos, parecen tener la misión de replantear interrogantes vinculados a la conducta social, pero también a aspectos profundos de la condición humana y de su presencia en el mundo. Desde Matusalén, Homero o el rey Arturo hasta Juana de Arco o Cagliostro, pasando por muchos otros de singular existencia, todos ellos hablan del espíritu humano, de sus miserias y grandezas, sin dejar lugar a la indiferencia.

1

2

3

4

5

1. Fotograma de *La máscara de hierro* (1976), de Mike Newell.
2. Fotograma de *El niño salvaje* (1969), de François Truffaut.
3. Fotograma de *Excalibur* (1981), de John Boorman.
4. Retrato de Vlad IV, realizado en el siglo XVI (Kunsthistorisches Museum, Viena).
5. Fotograma de *El hombre elefante* (1980), de David Lynch.

PERSONAJES ENIGMÁTICOS

*L*a coincidencia de un cúmulo de factores vinculados a la cultura y a las creencias populares, también al azar o a oscuros intereses terrenales, ha dado origen a personajes cuya existencia ha entrado en la historia por la puerta de la leyenda.

Hombres y mujeres que en un determinado momento, impulsados por un deseo irresistible de huir de un entorno delimitado por fronteras convencionales, dieron a sus vidas un sentido que los proyectó como héroes, como encarnaciones de los sueños y de las aspiraciones que sus pueblos guardaban en su seno. De este modo, acaso sin proponérselo, desafiaron el orden social, político, moral y religioso de su tiempo. Todos ellos pagaron un alto precio por tamaña osadía, pero entraron en las leyendas y decires populares en un estadio, el del imaginario colectivo, donde nada ni nadie podía derrotarlos.

Las respectivas vidas de estos personajes, como los de Juana de Arco y Gilles de Rais, los de China Poblana y la Difunta Correa o los de Catalina de Erauso y Grigori Rasputín, transitaron por los tremedales que rodean a la historia oficial, alumbrados por la luz de los elegidos para una suerte distinta de la del común de los mortales. Y en esta suerte, para la que no parecían estar preparados, radica el enigma de su paso físico por el mundo.

La heroína francesa Juana de Arco retratada por Juan-Auguste-Dominique Ingres en el cuadro *Juana de Arco en la coronación del rey Carlos VII*.

EL INCIERTO FINAL DE LA REINA NEFERTITI

El Antiguo Egipto ha sido siempre una fuente inagotable de enigmas, muchos de los cuales siguen fascinando aún hoy a la humanidad. Este es el caso de la bella reina Nefertiti, de la que dejan de tenerse noticias tras ser abandonada por el faraón Amenofis IV. ¿Qué misterio acecha tras su desaparición?

Durante el reinado del faraón Amenofis IV, también conocido como Ajenatón, que transcurrió alrededor del siglo XIV a.C., se llevaron a cabo profundas reformas que transformaron la sociedad del Antiguo Egipto. Parte del mérito de este efectivo reformismo, que modernizó más aún la enigmática civilización egipcia, se debe a Nefertiti, esposa del faraón y sin duda su principal consejera. La reina Nefertiti desapareció de la vida pública poco después, y el mismo Amenofis IV se encargó de borrar sus huellas en la historia, para lo que ordenó la destrucción de las estatuas erigidas en su honor y borrar su nombre de los distintos monumentos.

Busto de la reina Nefertiti conservado en el Museo Egipcio de Berlín. Aun tratándose de un modelo preliminar hallado entre los escombros del estudio del escultor Tutmés, esta pieza de caliza policromada en perfecto estado de conservación nos permite apreciar la magnífica belleza de la enigmática reina egipcia.

Perfil de la máscara de Tutankamón (Museo Egipcio, El Cairo). Hijo de la reina Nefertiti, este faraón fue apartado de los brazos de su madre.

EL AMARGO DESTINO DE NEFERTITI

Durante su estancia en la fortaleza de Amarna, donde pasó los últimos años de su vida, Nefertiti fue reemplazada en sus tareas de consejera del faraón por el enigmático Semenkare. Este joven personaje, del que se dice que pudo haber mantenido relaciones amorosas con el faraón, utilizó sus influencias para restablecer el politeísmo en Egipto.

Nefertiti, contraria a esa tendencia, intentó al parecer dar un golpe de Estado en defensa del dios único Atón.

Sin embargo, el plan se vio frustrado con la muerte tanto de Semenkare como del faraón en su duodécimo año de reinado. Se dice que Nefertiti aprovechó el doble fallecimiento para convertir en faraón a uno de sus hijos, Tutankamón, pero no está claro que el joven emperador fuera ni siquiera hijo de Nefertiti.

Manipulado por las cúpulas del poder, el jovencísimo e inexperto Tutankamón acabó por abolir el monoteísmo y volvió a fijar en Tebas la capital de Egipto.

Según diversos indicios, Nefertiti parece haber fallecido en la ciudad de Amarna a causa de un tracoma (conjuntivitis granulosa debida a un virus), en el tercer año de reinado de Tutankamón, abandonada a su suerte tras perder su cargo de regente.

LA VIDA CONOCIDA DE NEFERTITI

Aunque aún sigue abierto el debate sobre sus orígenes, se suele señalar a Nefertiti como la hija primogénita del general Aya, hermano mayor de la reina Tiy, que fue esposa principal del faraón Amenofis III. Nefertiti, cuyo verdadero nombre era Nofretete (que significa «la hermosa ha llegado»), pasó su infancia en compañía de su hermana menor, Mutnedjemet, fruto de la unión de su padre con su segunda esposa y cuatro años menor que ella. En 1381 a.C., a la temprana edad de dieciséis años, Nefertiti contrajo matrimonio con su joven primo Amenofis, quien ese mismo año tuvo con Nefertiti su primer hijo y se convirtió en faraón.

A su llegada al trono, Amenofis IV tenía tan sólo doce años, lo cual hizo que en un primer momento su mandato se viera muy manipulado por la reina madre Tiy. Pero el faraón pronto ganó autoridad y, una vez liberado de la influencia de Tiy, inició un período de profundas reformas en el seno de la sociedad egipcia. Nefertiti, lejos de permanecer en la sombra, intervino activamente en estos cambios, que giraron principalmente en torno a la abolición

EL BUSTO DE NEFERTITI

El hallazgo del célebre busto de Nefertiti atribuido a un equipo de arqueólogos de la Sociedad Alemana de Oriente dirigido por el profesor Borchardt, nos ha permitido constatar la gran belleza que siempre fue atribuida a la esposa de Amenofis IV. Conservado en la actualidad en el Museo Egipcio de Berlín, el busto data del año 1350 a.C. y es obra de Tutmés, brillante escultor de la XVIII dinastía. Fue encontrado entre los escombros de lo que debió de ser el estudio del artista, a pesar de lo cual se halla en muy buenas condiciones. Cabe señalar que este busto era tan sólo un modelo con el que trabajar en posteriores esculturas, lo cual explicaría la ausencia de uno de los iris. De facciones finas y marcadas, cuello alargado y ojos almendrados, se sabe que la escultura representa a Nefertiti por la corona azul, que fue diseñada expresamente para ella.

Detalle de una estela del palacio de Ajenatón (Museo Egipcio, El Cairo). En él, el faraón aparece haciendo una ofrenda al dios Atón.

del politeísmo y la adoración de un único dios: Atón. La capital de Egipto, así mismo, fue trasladada a Amarna.

Un año después de dar a luz al futuro emperador Tutankamón, ocurrió algo impensable para la época: se disolvió el matrimonio entre Nefertiti y Amenofis IV. La reina, que por aquel entonces tenía treinta años, se recluyó en una fortaleza al norte de Amarna hasta la muerte por envenenamiento del faraón, momento en el que se pierde su pista, y a partir del cual todo lo que se sabe sobre ella son puras conjeturas.

EL FARAÓN NIÑO

Tutankamón, nacido hacia el año 1333 a.C., se convirtió en faraón a tan corta edad que ha pasado a la historia con el sobrenombre de «el faraón niño», al suceder a su padre que reinó como Amenofis IV. Tutankamón, que originariamente se llamaba Tutanatón, cambió su nombre dentro de un movimiento de restauración del culto al dios Amón propugnado por la jerarquía religiosa y los altos funcionarios.
Entre otras medidas, Tutankamón accedió a abandonar la capital de su predecesor en Ajetatón (hoy Tell el-Amarna) para trasladarla a Tebas, lo que indica una clara voluntad de ruptura con el pasado inmediato marcado por la memoria del «faraón herético».
Tras su temprana muerte fue enterrado en el Valle de los Reyes, y su tumba, descubierta en 1922 por Howard Carter y lord Carnavon, ha sido el único sepulcro de faraón que ha llegado hasta nuestros días indemne.

JUANA DE ARCO, UNA VOZ ENTRE LAS LLAMAS

La «doncella de Orléans» es una de las figuras más controvertidas de la Edad Media europea. Sus épicas hazañas no evitaron que fuese condenada a morir en la hoguera por herejía. Sin embargo, el pueblo, que no la vio arder, se negó a aceptar su muerte y creyó verla durante muchos años.

En 1412, en el hogar del campesino Jacques Darc, situado en la actual aldea de Domrémy-la-Pucelle, nació una niña a la que impusieron el nombre de Jehanne. Por entonces Francia padecía las consecuencias de la larga guerra que enfrentaba a los Valois con la Inglaterra de los Plantagenet y los Lancaster, y que los historiadores llamarían más tarde de los Cien Años.

A los tres años del nacimiento de Juana, el monarca inglés Enrique V desembarcó en Normandía e infligió una contundente derrota al ejército francés en la batalla de Azincourt, en el Somme. Como se lee en la *Chronique de Jean Lefèbre*, «a sangre fría, toda esta nobleza francesa fue allí asesinada y decapitadas cabezas y rostros». A raíz de esta derrota y los consiguientes avances enemigos, gran parte del territorio francés quedó bajo el dominio de los ingleses y sus aliados.

LA NIÑA QUE OÍA A DIOS

El delfín de Francia, el adolescente Carlos VII, se hallaba refugiado en Bourges, cuando en 1422 murió su padre y fue coronado rey de Francia. Sin embargo, su situación política era muy ines-

Juana de Arco besando la espada de la liberación, óleo realizado en el año 1863 por Dante Gabriel Rossetti (Galería Christie's, Londres).

table ya que sólo contaba con el apoyo declarado de los Armagnacs y su poder se limitaba al dominio que ejercía sobre Auvernia, Orléans, la Turena y el Berry. Dado que el tratado de Troyes, firmado entre ingleses y borgoñones dos años antes, otorgaba el trono al inglés Enrique VI, se reanudó la guerra.

Con sus escasos territorios aislados geográficamente, sin ejércitos ni dominios y sin posibilidad de hallar aliados poderosos y sólo arropado por su popularidad, la posición del joven rey francés era prácticamente insostenible. Entonces, cuando todo parecía perdido, sucedió algo inexplicable que cambió radicalmente el rumbo del reino de Francia.

Juana, que desde los trece años decía oír la voz de Dios a través de San Miguel, Santa Catalina y Santa Margarita, apareció ante los ojos del pueblo como la guía que devolvería al rey de Francia el poder sobre sus dominios. «La voz de Dios me dice dos o tres veces por sema-

EL RETORNO DE LA «DONCELLA DE ORLÉANS»

Cuatro años después de la ejecución, una mujer vestida de soldado, que decía ser Juana de Arco, se presentó ante Pedro de Lys y Juan el Pequeño, que la reconocieron como a su hermana. También su lugarteniente, el mariscal Gilles de Rais, la reco-

noció. Tiempo después, Juana de Arco casó con el señor de Lorena, Roberto des Amoises, y fue aclamada en Orléans. Sin embargo, el rey siempre se negó a recibirla. Sorprendentemente, en 1440, sin que nadie la obligara, la mujer confesó ser una impostora llamada Claudia. La revelación sumió aún más en el misterio la figura, la vida y la muerte de Juana de Arco.

na que tengo que irme... y liberar la ciudad de Orléans de su asedio», decía la niña. Los rumores llegaron a la corte y Carlos y sus consejeros vieron la oportunidad de consolidar la legitimidad del rey sobre los cimientos de la mística de una hija del pueblo. Así fue como el capitán Robert de Baudricourt llevó a la niña a Chinon, para su primera entrevista con el rey.

JUANA, EL CABALLERO HEREJE

Tras su encuentro con Carlos VII, llamado con toda justicia «el Bienservido», Juana Darc fue ennoblecida y pasó a llamarse Juana d'Arc, o de Arco en su forma castellanizada, y armada caballero. En aquel momento histórico, la devoción y la introspección mística individuales, surgidas de la *devotio moderna* impulsada por los franciscanos y dominicos, eran complementarias de las efusiones colectivas en torno a la pasión de Cristo y el culto a María, en particular sobre el misterio de su concepción. Las «voces» de Dios que Juana decía escuchar y la misión que le encomendaban tenían el valor de lo creíble en un medio donde la espontaneidad de los sentimientos religiosos personales y sus manifestaciones populares eran aceptados como vehículos de los designios divinos.

Juana de Arco, como mensajera de Dios, organizó el ejército real, pero sobre todo lo armó espiritualmente para luchar contra los ingleses. El poder de su fe se puso de manifiesto cuando, en mayo de 1429, las tropas de Carlos VII enca-

LA PASIÓN DE JUANA DE ARCO

Las indecisiones políticas de Carlos VII tuvieron negativas consecuencias militares. El 23 de mayo de 1430, después de haber sido herida en París, Juana de Arco fue capturada frente a Compiègne por Juan de Luxemburgo, al servicio de los borgoñones. A instancias del obispo de Beauvais, Pierre Cauchon, los borgoñones la entregaron a los ingleses.

Trasladada a Ruán, Juana de Arco fue sometida a tortura, juzgada y condenada por herejía por un tribunal inquisitorial presidido por el obispo Cauchon y el viceinquisidor Jean Lemaitre. A pesar del suplicio, nunca negó haber oído «las voces» de Dios que le encomendaban la misión de coronar al rey en Reims y expulsar a los ingleses de Francia. Cuando en la mañana del miércoles 30 de mayo de 1431 el fuego laceraba su cuerpo y el olor a carne quemada invadía la plaza del mercado de Ruán, el pueblo y sus verdugos pudieron oír, confundido con el crepitar de las llamas, un grito final que estremeció los cielos: «¡Jesús!». Sin embargo, ochocientos soldados ingleses impidieron al pueblo ver si la mujer que ardía en la hoguera era realmente Juana de Arco.

En esta ilustración, conservada en la Biblioteca del monasterio de El Escorial de Madrid, aparece representada Juana de Arco rindiendo homenaje a Carlos VII. Juana apoyó la entronización del monarca una vez acabada la guerra de los Cien Años, y en señal de agradecimiento, éste le dio un título nobiliario.

Grabado que representa la inmolación en la hoguera de Juana de Arco. Capturada por Juan de Luxemburgo en mayo de 1430, Juana fue tildada de hereje por un tribunal inquisitorial. Tras serle infligidas toda clase de torturas, la heroína francesa acabó en la hoguera el 30 de mayo del año siguiente.

bezadas por Juana de Arco liberaron Orléans, después de varios años de asedio inglés. Enarbolando el estandarte real y la mágica espada atribuida a Carlos Martel, Juana de Arco lanzó una incontenible ofensiva, que situó al rey francés por primera vez en una posición de fuerza frente al enemigo. Pero para que el poder real quedara completamente restaurado aún faltaba un gesto de gran importancia simbólica. Juana, la «Doncella de Orléans», aconsejó la coronación del rey en la catedral de Reims, capital espiritual del reino.

El 17 de julio se llevó a cabo la fastuosa ceremonia de la coronación en Reims, que legitimó definitivamente a Carlos VII en el trono de Francia y abrió el camino a la restauración de las instituciones reales.

LA REENCARNACIÓN DE LA CHINA POBLANA

Una desconocida princesa asiática llegó un día del siglo XVII como esclava al virreinato de Nueva España, y con el tiempo se convirtió en una santa que movió a la devoción popular. Según la leyenda, la China Poblana apareció más de un siglo más tarde, durante la Independencia, reencarnada en una bella mestiza.

El choque espiritual entre el cristianismo y las religiones nativas fructificó en el México colonial en un vigoroso sincretismo. En ese clima, donde las creencias religiosas de distinto origen se confundían y las gentes tenían visiones y se comunicaban con los dioses, nuevos y antiguos, y las vírgenes, la figura de la China Poblana se nutre de realidades filtradas a través de la fantasía y de lo inexplicable.

Nadie sabe a ciencia cierta quién fue la China Poblana, pero su tumba se encuentra en la ciudad mexicana de Puebla, en la sacristía del templo de la Compañía de Jesús, bajo el nombre cristiano de Catarina de San Juan.

Según la leyenda, la China Poblana había nacido en 1609 y era una bella princesa asiática de los exóticos reinos Gran Mogol o Cochín, que algunos localizan en la India. Su verdadero nombre era Mirrah o Mira y, al parecer, unos piratas la capturaron cuando era niña y la vendieron como esclava en Filipinas.

Óleo mexicano anónimo de principios del siglo XIX que representa a la China Poblana convertida en sirvienta.

SUPUESTOS MILAGROS Y APARICIONES

Según recogen sus confesores y biógrafos, Alonso Ramos en *Los prodigios de la omnipotencia y milagros de la Gracia en la vida de la venerable sierva de Dios Catharina de San Juan, natural del Gran Mogor, difunta en esta imperial ciudad de la Puebla de los Ángeles de la Nueva España*, y José del Castillo Grajeda en *Compendio de la vida y virtudes de la venerable Catarina de San Juan*, la China Poblana tenía el don de ver en sueños místicos a los vivos y los muertos, en el cielo, en el infierno o en el purgatorio, y a Jesús, la Virgen y a cualquier santo, a los que pedía la ayuda que el pueblo mexicano necesitaba.

Al parecer, en cierta ocasión, la Virgen del Socorro la vio tan débil y famélica, que la alimentó dándole de mamar de sus pechos.

LA ESCLAVA CRISTIANIZADA

En Filipinas fue cristianizada y bautizada con el nombre de Catarina de San Juan antes de que fuera embarcada en el «galeón de Manila» rumbo a Acapulco. Aunque en un principio fue destinada al virrey de Nueva España, pronto fue adoptada por un acaudalado mercader.

No tardó Catarina en mostrar su carácter bondadoso, sobre todo con los indios, con quienes era muy diligente. A las mujeres les enseñó a coser al estilo chino y, al parecer, el hilado de la seda.

Según escritos jesuitas de la época, a la muerte de sus ricos amos, un clérigo la casó con otro esclavo «chino», a pesar de lo cual mantuvo su virginidad durante su matrimonio porque la Virgen se le aparecía en sueños y le hablaba de las cualidades y los beneficios de la castidad.

A la muerte de su esposo y del clérigo protector, Catarina de San Juan se ganó el sustento preparando hostias para los jesuitas. A pesar de sus escasos recursos, no dejó de ayudar a los pobres y auxiliar a los enfermos y necesitados. Incluso se dice que, con ayuda divina, liberó del yugo a no pocos esclavos. Convencida de que sus buenas acciones eran insuficientes para alcanzar la santidad, Catarina de San Juan, a quien el pueblo ya había comenzado a llamar la China Poblana, se flagelaba, hacía largos ayunos y se cubría de harapos para que nadie la reconociese ni la tocara.

A medida que envejecía, su cuerpo fue inmovilizándose y sus ojos perdiendo la visión del mundo, pero no la de Cristo, la Virgen y los santos de su devoción. Sufría terribles picores en todo el cuerpo, que ni rascándose con «olotes bien secos» se le quitaban, pero aun así tenía fuerzas para librar terribles combates contra los demonios, que la dejaban maltrecha pero viva. «¿Qué soy sino una perra, un polvo, un muladar, una basura?», decía después de estos combates con el maligno.

El pueblo decía que sus manos, que antes habían sido suaves como la seda, ponían misteriosamente monedas en los bolsillos de los indigentes y que los marineros la habían visto salvar a la flota española del ataque de los piratas en las aguas del Pacífico. Los campesinos

Fotograma perteneciente a la película *La China Poblana*, dirigida por Fernando Palacios en el año 1943. La adaptación para la pantalla grande de la extraordinaria historia de la princesa asiática del siglo XVII convertida en esclava contó con la actuación de la famosa actriz mexicana María Félix en el papel protagonista.

acudían a su intercesión para pedir las lluvias, calmar las tormentas o ahuyentar las plagas.

Tenía cerca de ochenta años cuando entregó su alma al Cielo. Sin embargo, su culto se multiplicó y los pobres y los necesitados la siguieron viendo durante mucho tiempo, incluso reencarnada en una joven muchacha que alegró y ayudó a los soldados patriotas cuando estalló la revolución libertadora, más de un siglo después.

La jerarquía eclesiástica nada pudo hacer para evitar que el pueblo le rezara y rindiera culto. Por entonces ya nadie podía responder sobre el misterio de su origen ni la causa de sus milagros y apariciones.

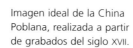
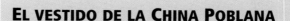

Imagen ideal de la China Poblana, realizada a partir de grabados del siglo XVII.

EL VESTIDO DE LA CHINA POBLANA

Se considera a la China Poblana la creadora del traje que lleva su nombre y que es el típico vestido de las mujeres del estado de Puebla. Según cuenta la leyenda, la China Poblana habría enseñado a la mujeres de su pueblo a coser según el "estilo chino", y también habría ideado el diseño de este traje, que cuenta con los tres colores de la bandera mexicana, verde, blanco y rojo. El material con el que se confeccionaba el vestido era la seda brillante de Oriente, y ésta se rebordeaba con lentejuelas. Sin embargo esta narración parece poco probable, dado que se tiene constancia de la aparición de dicho traje nada menos que doscientos años después del fallecimiento de su presunta creadora, y además ésta vistió a lo largo de su vida el hábito de monja.

DEOLINDA CORREA, LA SANTA PAGANA

Miles de personas del noroeste de Argentina, así como de Chile y Bolivia, rinden culto desde el siglo XIX a una mujer, Deolinda Correa, para que las proteja y ayude, del mismo modo que a su hijo, al que dio el pecho después de muerta. ¿Qué impide a la Iglesia reconocerla como santa?

La historia de la Difunta Correa, la *Difuntita*, como cariñosamente la llaman sus devotos, nutre el espíritu popular con el misterio de la vida y de la muerte. Su mito no tiene parangón en la cultura occidental cristiana, pero la Iglesia católica no ve la posibilidad de asimilarlo, ya que para la jerarquía eclesiástica se trata simplemente de un culto pagano.

Pedro Correa era en su San Juan natal un hombre respetado y gozaba de gran prestigio

Según explica la leyenda, tres días después de haber fallecido, Deolinda Correa pudo amamantar a su hijo gracias a una fuerza milagrosa que llenó sus pechos de leche.

EL AUGE DE UN CULTO POPULAR

Los supuestos milagros de Deolinda Correa se multiplicaron y las noticias de los mismos se extendieron por amplios territorios de la cordillera andina hasta Chile y Bolivia, donde sus devotos no han dejado de levantar hasta la actualidad altarcitos a la llamada *Difuntita*. Las madres le ruegan que las nutra de leche para sus hijos; los campesinos, que les mande lluvia para sus cosechas y los arrieros, quienes la declararon su patrona, que les proteja de los peligros del camino. El eco de su culto alcanzó así mismo a poetas y cantores populares, que le dedicaron sus versos y canciones, haciendo cada vez más honda la devoción por esta santa pagana.

Cada año, por Semana Santa y por el Día de Difuntos, miles de peregrinos viajan desde los más diversos puntos de Argentina, Chile y Bolivia hasta el lugar sanjuanino de Vallecito a encenderle una vela y ofrecerle una botella de agua y un presente, desde una alhaja hasta un apero, desde un traje de novia a un coche, a cambio de un favor.

Más allá del misterio que rodea la fuerza que nutrió los pechos de una madre que llevaba tres días muerta, para proporcionar el alimento esencial para la vida de su hijo, Deolinda es una heroína popular. No falta quien critica a la Iglesia católica, con su probada capacidad para absorber los cultos y mitos indígenas, por no haber podido cristianizar la tradición de la Difunta Correa.

por haber luchado en la guerra de independencia de Argentina y Chile. Él y su esposa, Damiana Castro, tenían una hija llamada María Antonia Deolinda, que con el tiempo se convirtió en una muchacha de gran hermosura. Su belleza hizo que tuviera numerosos pretendientes, entre los cuales ella eligió a un apuesto joven llamado Baudilio Bustos.

Hacia 1835, el país se hallaba inmerso en una guerra fratricida entre unitarios y federales. En tales circunstancias, las *montoneras* del caudillo riojano Facundo Quiroga entraron en la provincia de San Juan y arrasaron el pueblo donde vivían los Correa. El padre y el esposo de Deolinda fueron apresados y llevados por las tropas del «Tigre de los Llanos», como llamaban al caudillo federal.

PATRONA DE LOS CAMIONEROS

Muchos camioneros argentinos, chilenos y bolivianos que transitan por las empinadas y peligrosas carreteras de la cordillera de los Andes tienen a la Difunta Correa por patrona. Al igual que los arrieros, le rinden un culto especial y, a principios de octubre, celebran en Vallecito, junto al santuario, la Fiesta Nacional del Camionero.

Vista del desolador paisaje del desierto de Ampacama. Al parecer, por allí pasó Deolinda Correa con su hijo en 1835 huyendo de las *montoneras* del caudillo Facundo Quiroga, que habían arrasado su pueblo.

salió tras su esposo. Atravesó el inhóspito desierto de Ampacama, subió y bajó montañas y valles de piedra y tierra reseca, soportó el viento, el ardiente sol y la greda sin apenas descansar, comer y beber. Con los pies lacerados y los labios resecos por la sed, al cabo de unos días alcanzó un lugar llamado Vallecito, en la cuesta de la sierra Pie de Palo. Allí, en la cima de un pequeño cerro, cayó exhausta y, viéndose morir, probablemente rezó y rogó al Cielo por la vida de su hijo.

Tres días más tarde, unos arrieros que pasaban por las proximidades vieron que los caranchos volaban en círculos, como terribles ángeles negros, sobre el cerro. Se aproximaron y descubrieron a la muchacha muerta y a su hijo vivo mamando de sus pechos. Profundamente conmovidos por la escena, los arrieros sepultaron a la infortunada Deolinda, marcaron el lugar con una cruz de algarrobo, y se llevaron al niño hasta el pueblo de Caucete.

Enterados los lugareños del «primer milagro», corrieron hasta la humilde tumba de la Difunta y levantaron un santuario, dejándole velas y vasijas de agua para que saciara su sed. Ninguno de ellos tenía noticias de que de la muerte pudiera surgir la vida, como había hecho la Difunta Correa dando de mamar a su hijo después de morir.

El santuario dedicado a la memoria de Deolinda Correa se encuentra en las inmediaciones de la estación Vallecito del ferrocarril Belgrano, en las estribaciones de la sierra Pie de Palo, a la altura del kilómetro 64 de la carretera nacional 141.

Cuenta la historia que las mujeres se quedaron solas y desprotegidas. Según unos, Deolinda decidió marchar detrás de la montonera riojana, llevándose con ella a su hijo, para pedir a Quiroga que le devolviera a su esposo enfermo. Según otros, prefirió correr tras su marido para huir del asedio del jefe de policía, que la requería de amores. Sea como fuere, lo cierto es que Deolinda inició entonces su travesía hacia la muerte y la leyenda.

EL PRIMER MILAGRO

Provista de un *chifle* de agua y abrigada con un poncho, Deolinda tomó a su hijito en brazos y

PROMESAS INCUMPLIDAS

Dicen que la Difunta Correa es cumplidora, pero también muy celosa y exigente, y quien no cumple con su promesa empieza a tener problemas. Por eso, cuando alguien se queja de lo mal que le empiezan a ir las cosas, hay alguno que le pregunta: «¿No le deberá una promesa a la Difunta Correa?». Basta con que la cumpla, para que todo vuelva a irle bien. Cuentan incluso que si alguno de los solicitantes ha bebido de las vasijas llevadas como ofrendas sin reponer el agua o ha profanado de algún modo el santuario, la Difunta no lo deja marchar ni tampoco a quienes lo acompañan hasta que no repara la falta.

LA PODEROSA FUERZA MENTAL DE GRIGORI RASPUTÍN

Considerado un hombre santo por algunos y un farsante por otros, el monje Grigori Yefímovich Rasputín ejerció un poder casi sobrenatural sobre las mentes y voluntades de muchos que, como la corte y la familia del último zar de Rusia, cayeron bajo su extraña influencia.

Desde el siglo XVII y hasta el estallido de la Revolución bolchevique de 1917, la situación religiosa de Rusia se caracterizaba por la proliferación de sectas místicas y fanáticas que actuaban al margen de las normas de la Iglesia ortodoxa. Curanderos, santones, fanáticos y oportunistas concitaban la atención y atraían a las gentes de un pueblo que vivía en condiciones de extrema pobreza, y a las de una nobleza terrateniente tiránica. Ésta se caracterizaba por una cierta miseria espiritual, fruto de su propia decadencia de clase y de un sistema social de tipo feudal, ya superado hacía tiempo por las

Nicolás II, último zar de Rusia, en compañía de su esposa, Alexandra Feodorovna. Uno de los hijos del matrimonio, el zarevich Alexis, se confió al cuidado de Rasputín para que éste tratara su hemofilia. El monje ruso aprovechó la mejoría en la salud del primogénito del zar para conseguir manejar a su antojo a Nicolás II.

Fotografía de Grigori Yefímovich Rasputín. Este monje de origen siberiano hizo valer su facilidad de palabra y sus poderes psíquicos para escalar posiciones entre los poderosos.

grandes naciones de Occidente. El zar de todas las Rusias, Nicolás II, y la zarina Alexandra Fiódorovna no fueron inmunes a la acción de los «enviados de Dios», personificados en este caso en un monje de extraña y dominante personalidad llamado Rasputín.

Nacido el año 1872, en la aldea siberiana de Pokróvskoie, próxima a Tobolsk, Grigori Yefímovich Rasputín llevó desde muy joven una vida disipada, hasta que sintió la «llamada divina» y entró en una comunidad religiosa. Su verbo encendido, su mirada fanática y una poderosa fuerza psíquica le granjearon cierta fama de *starets*, hombre santo. Con esta aureola llegó a San Petersburgo en 1903 y, aunque iletrado, logró ser hospedado en la Academia de Teología. Pronto sedujo a quienes le oían y, no sin intrigas, llegó ante el obispo Hermógenes y el predicador Heliodoro, quienes también sucumbieron a su influencia y lo introdujeron en los círculos nobiliarios de la ciudad.

SEDUCCIÓN CIEGA

De la misma manera que el poder de Rasputín mantenía a raya a la enfermedad del zarevich, también ganaba terreno sobre las voluntades de la zarina Alexandra y de Nicolás II. Los zares, la corte y el clero de San Petersburgo estaban fascinados por la personalidad de Rasputín y los ojos de todos eran ciegos ante su conducta disipada. Su aureola mística y su voz enfebrecida parecían servirle de salvoconducto para dominar las fuerzas de la naturaleza, tanto las ocultas como las evidentes. En el ejercicio de este dominio, Rasputín tanto podía curar enfermos como seducir a cuantas mujeres hermosas se cruzaran en su camino, sin que importaran ni su edad ni su estado civil, o valerse de la confianza de los zares para colocar a alguno de sus adeptos en puestos claves del gobierno. Progresivamente, Rasputín logró apropiarse de la voluntad de los zares y casi convertirlos en ejecutores de sus enigmáticos planes.

EL HACEDOR DE MILAGROS

Los «milagros» de Rasputín entre la aristocracia rusa comenzaron a multiplicarse, le dieron tanta fama como su tendencia a los excesos sexuales. Ambas cosas no aparecían ante sus admiradores como contradictorias para su condición de «hombre santo», por cuya mano obraba la voluntad de Dios.

Rasputín rodeado de numerosos admiradores, todos ellos pertenecientes a la poderosa nobleza rusa. El libertinaje del que hizo gala en vida el monje místico no conseguía disminuir el fervor de sus partidarios.

Pintura en la que aparece una procesión religiosa en la provincia de Kursk. El sentimiento religioso de la población rusa a finales del siglo XIX y principios del XX hizo germinar sectas místicas.

LOS *KHLYSTY* DANZARINES

Entre las muchas sectas que surgieron en la Rusia zarista aparecen algunas de fanático misticismo. Entre ellas figura la de los *khlysty* o flagelantes, cuyos miembros comulgaban con Dios azotándose el cuerpo y bailando danzas rituales, en las que entraban en éxtasis místico. En esto se asemejaban a los *derviches*, secta musulmana fundada por Abd al-Qadir al-Yilani en el siglo XIV. Los *derviches* giróvagos son conocidos por sus danzas en estado de trance.

Así lo interpretó la zarina Alexandra, quien convenció a su esposo de que tal vez Rasputín representara la última posibilidad de salvar al zarevich Alexis, aquejado de hemofilia. Nicolás II, también preocupado por la vida de su hijo y heredero, no opuso mayor resistencia y mandó llamar al «hacedor de milagros» a su corte.

Al cabo de dos años de su llegada a San Petersburgo, para asombro de todos y, principalmente, de los zares, Rasputín había logrado aliviar los males del niño hemofílico e incluso salvarlo en ocasiones de la muerte. Los médicos de la corte no daban crédito a lo que veían ni tampoco podían explicar cómo aquel hombre había conseguido algo que le había sido negado a la ciencia médica.

EL PODER DEL DEMONIO

La derrota en la guerra ruso-japonesa de 1905 y los fracasos militares en el curso de la Primera Guerra Mundial, que había estallado en 1914,

LA TERRIBLE AGONÍA DEL MONSTRUO

Probablemente a Rasputín le resultó sospechoso que Yussupov lo invitara a cenar en su palacio de la Moika, sobre todo porque a la cena también estaban invitados Purishkiévich y el gran duque Dimitri. Pero se sentía tan seguro de sus fuerzas y de su poder que aceptó. La noche del 29 de diciembre de 1916, Grigori Rasputín acudió al palacio de Yussupov y, aparentemente confiado, comió y bebió.

Para desesperación de sus asesinos, el pastel envenenado con una fuerte dosis de cianuro no parecía hacerle efecto alguno. Yussupov vertió entonces más veneno en el vaso, que tampoco afectó a Rasputín. El monje seguía extrañamente tranquilo, riendo, comiendo y be-

biendo, como si su organismo fuese invulnerable a la acción letal de cualquier veneno. Esto debió de pensar el príncipe cuando sacó su revólver y le disparó.

Rasputín cayó herido y, enseguida, creyéndolo muerto, él y sus cómplices lo llevaron a los sótanos del palacio.

«Rasputín estaba muerto —escribiría más tarde Yussupov—. Gotas de sangre corrían por la herida y caían sobre las baldosas de granito. Bruscamente su ojo izquierdo se entreabrió... y los dos ojos de Rasputín, que se volvieron extrañamente verdes y fijos, como los de una serpiente, me atravesaron con una mirada diabólica llena de odio...».

El monje se incorporó con alguna dificultad e intentó estrangular al príncipe, mientras lanzaba un terrorífico grito que atemorizó a sus

atacantes. En ese momento, la puerta se abrió y Rasputín huyó. El diputado Purishkiévich corrió tras él y le disparó hasta cuatro veces antes de que cayera en la nieve. Pero Rasputín no moría y empezaron a golpearle con un garrote hasta partirle el cráneo. Después, lo arrojaron a las heladas aguas del Neva.

Cuando hallaron su cadáver flotando en el río, observaron algo sorprendente. No había muerto a causa del veneno, ni de los disparos, ni de los golpes en el cráneo, sino ahogado.

El enorme poder y la influencia hipnótica ejercidos por Grigori Rasputín sobre quienes lo rodeaban, así como su portentosa resistencia frente a la muerte, siguen constituyendo un misterio y un desafío para la ciencia.

---

pusieron a Rusia en una difícil situación. La crisis económica y la agitación social, agravada por las dificultades de abastecimiento tras la entrada de Turquía en el conflicto, crecían sin que el zar Nicolás II ni su gobierno encontraran soluciones posibles.

Fotografía de Grigori Rasputín. El papel cada vez más relevante de Rasputín sobre las decisiones del zar Nicolás II en el declive de su mandato condujo a algunos políticos a urdir un plan para acabar con la vida del monje a fin de reorientar el rumbo del país.

Tras la derrota rusa y las pérdidas de Polonia y Lituania en 1915, la influencia de Rasputín en los asuntos de Estado fue directa. A través de la zarina, Rasputín hizo nombrar, en febrero de 1916, presidente del Consejo a Stürmer y ministro del Interior a Protopopov, ambos pertenecientes a su círculo íntimo y con quienes practicaba sesiones de espiritismo.

La intrusión de Rasputín fue considerada intolerable por algunos grupos políticos, que denunciaron la situación por boca de Rodzianko, presidente de la Duma, el Parlamento ruso. También en palacio creció el malestar. El mariscal Voiéikov y la zarina madre intentaron convencer a Nicolás II de las nefastas consecuencias que la influencia de Rasputín acarreaban a Rusia. Pero el zar siguió apoyándolo y la situación se hizo insostenible.

Un grupo de allegados al zar, encabezado por el gran duque Dimitri Pavlotitch y un diputado llamado Purishkiévich, llegó a la conclusión de que sólo la muerte del maligno personaje podía abrir el camino a una nueva política del régimen. No eran pocos los que, además, pensaban que Rasputín era un espía de los alemanes y que en realidad buscaba la ruina de la madre Rusia. Así fue como surgió y se trató la idea de asesinar al *starets*. El joven príncipe Félix Yussupov se arrogó el derecho de llevarla a cabo y, en una cena con varios invitados conspiradores, acabó con la vida del taumaturgo, quien, al parecer, resistió el efecto del veneno y de varios disparos y murió al fin ahogado en el río Neva.

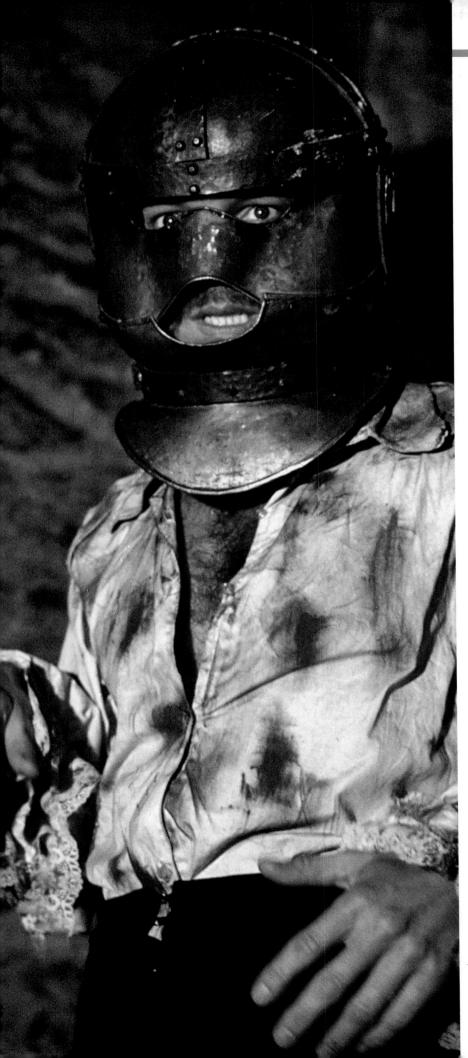

PERSONAJES IMPROBABLES

*L*a memoria, al guardar vestigios
de una existencia que acaso no tuvieron,
hace de ciertos personajes bellas para-
dojas poéticas. Son como el eco de una
metáfora que las narraciones orales
primero y las escritas más tarde han
repetido para dar forma a visiones de
realidades que no por intangibles son
ajenas a la historia del espíritu humano.

Estos personajes de improbable vida
se presentan acorazados detrás de sus
nombres que, como Matusalén, Homero,
el rey Arturo o Fulcanelli, entre otros,
son el continente de sus sentimientos
y de sus acciones singulares. La materia
de estos personajes son las palabras,
por eso viven de la memoria y de la
narración de sus vidas. El territorio que
habitan pertenece al país de las voces
que construyen las ilusiones, las que
forjan la escritura y los muchos mundos
de la imaginación. La duda sobre su
existencia los hace más reales si cabe,
porque el recuerdo que han dejado,
y que surca como un cometa los siglos,
es palpable. Es así como la virtualidad
de sus biografías los hace inmutables
y al mismo tiempo los humaniza.

89

Fotograma de *La máscara de hierro* (1976),
de Mike Newell.

MATUSALÉN Y EL LABERINTO DE LA GENEALOGÍA

El nombre de Matusalén evoca al hombre de más larga vida en la tradición judeocristiana. De sus casi mil años de existencia sólo se tienen noticias a través de los textos bíblicos, que lo señalan como uno de los profetas anteriores al Diluvio y de la estirpe de Caín.

Sobre la vida y los hechos de Matusalén poco se sabe, salvo que vivió 969 años según la *Versión de los Setenta* y los escritos de los masoretas, doctores judíos encargados de fijar los textos sagrados. La versión samaritana del Pentateuco reduce sus años de vida a 720. De una u otra forma, la extraordinaria longevidad de este hombre, que trasciende lo creíble, está estrechamente vinculada a la tradición cultural del antiguo Oriente, cuyo objetivo era exaltar la vida de quienes, por sus cualidades morales, sus acciones o su poder, habían ocupado un lugar importante en la historia de sus pueblos. En este sentido, la tradición bíblica es generosa con la pervivencia de sus patriarcas antediluvianos y algo menos con los posteriores al Diluvio hasta Moisés.

LA ESTIRPE DE CAÍN

Matusalén es la forma castellana que, a través del griego Matusala, deriva del nombre hebreo Metuselaj, que al parecer significa «hombre de Selaj», con el que se designa a este patriarca antediluviano de tan larga vida.

De acuerdo con el libro bíblico del Génesis, la existencia de Matusalén corresponde a los tiempos míticos de la evolución de la huma-

Pintura de Piero della Francesca en la iglesia de San Francisco de Arezzo. En ella aparece Set, quien engendró a Enós a los 105 años de vida.

nidad. En dicho libro, Matusalén aparece nombrado en las listas genealógicas de los capítulos 4 y 5, correspondientes a las tradiciones yahvista y sacerdotal o elhoísta. La primera lista lo vincula a la estirpe de Caín, quien después de ser condenado por Yahvé a errar por el asesinato de Abel, se estableció en el país de Nod, donde conoció a su mujer, «la cual concibió y dio a luz a Enoc». Enoc fue el padre de Irad, éste de Mejuyael, y Mejuyael de Metusael, es decir, de Matusalén. Este último, por su parte, fue el padre de Lámek, cuyo hijo más destacado fue Noé.

ABUELO DE NOÉ Y ANTEPASADO DE JESÚS

La genealogía sacerdotal introduce una variante sustancial al señalar como fundador de la estirpe no a Caín sino a Set, el hijo que Adán y Eva tuvieron tras el asesinato de Abel y el des-

LONGEVIDAD SUMERIA

La Lista Real sumeria señala que, después del Diluvio, la realeza descendió nuevamente del Cielo y se instaló en la ciudad de Kish, fundando las dinastías históricas. Sobre ellas señala que la dinastía de Kish tuvo veintitrés reyes que gobernaron un total de 2 410 años, y que la dinastía de Uruk tuvo doce soberanos, entre ellos el mítico Gilgamesh, que reinaron durante 2 310 años. La constatación arqueológica de la existencia de algunos de estos reyes indica la tendencia a la idealización de hechos reales en los escritos antiguos, generalmente de carácter sagrado y fundacional, como es el caso de la Biblia.

LOS OTROS MATUSALÉN DE LA BIBLIA

Los patriarcas antediluvianos vivieron en general centenares de años, pero sólo unos pocos superaron los 900 y ninguno llegó a los 1 000. En este grupo encabezado por Matusalén, que vivió 969 años, están su abuelo Yared, que llegó a los 962 y su nieto Noé, que alcanzó los 950; siguen luego Adán, con 930, su hijo Set, con 912, el nieto de éste Cainán, con 910, y su hijo Enós, con 905 años. Si, como parece, la larga vida que se atribuye a los primeros hombres era un recurso literario para exaltar sus cualidades, mucho debieron de hacer, aunque nada haya quedado de ello, salvo su extraordinaria longevidad.

La larga genealogía de Matusalén está salpicada por personajes de gran relevancia dentro del cristianismo, como por ejemplo su nieto Noé, que aparece representado en esta ilustración de un volumen de la Biblioteca Riccardiana de Florencia. Noé alcanzó los 950 años de edad.

tierro de Caín. De acuerdo con esta lista, Set habría engendrado a Enós, pero los nombres siguientes de la lista no coinciden hasta llegar a Enoc, quien aparece como hijo de Yéred y no de Caín y como padre de Matusalén y no su bisabuelo, como en la genealogía yahvista.

«Era Enoc de sesenta y cinco años cuando engendró a Matusalén» y vivió, trescientos años más «y engendró hijos e hijas». Por su parte, «Era Matusalén de ciento ochenta y siete años cuando engendró a Lamec; vivió, después de engendrar a Lamec, setecientos ochenta y dos años, y engendró hijos e hijas. Fueron todos los días de Matusalén novecientos sesenta y nueve años, y murió» (Gén. 5, 25-27).

De acuerdo con el Génesis, Matusalén fue el abuelo de Noé, ya que éste fue engendrado por su hijo Lamec cuando tenía ciento ochenta y dos años. Pero más viejo era aún Noé cuando engendró a sus hijos Sem, Cam y Jafet, ya que tenía quinientos años, y cien más cuando se produjo el Diluvio.

Las divergencias genealógicas responden al carácter de las diferentes tradiciones en las que se inspiran. Así, la yahvista, localizada en Judá y redactada en su mayor parte en tiempos de Salomón, recoge vestigios arcaicos y tiene una concepción más espontánea y «mundana» de la narración, no así la sacerdotal, donde prevale-

Vitral de la catedral de Milán en el que aparecen representados Sem y Jafet, a quienes Noé engendró superados los quinientos años de edad. Sem y Jafet fueron los encargados, junto a su hermano Cam y las diferentes esposas de Noé, de repoblar la Tierra tras el gran Diluvio.

cen un tono moral y la intención de poner el acento en la larga distancia que separa al hombre de Dios.

Por tanto es lógico el interés de esta tradición de desvincular la estirpe que dará origen al pueblo elegido, de la surgida de Caín, marcada por el fratricidio y la condena divina.

Esta distinción mantiene su importancia cuando reaparece en el Nuevo Testamento. Lucas, en su Evangelio (Lc. 3, 23-38), opta por la genealogía de tradición sacerdotal, puesto que indica la de Jesús a partir de José, si bien éste era sólo su padre putativo.

Al contrario que el evangelista Mateo, Lucas no sólo establece el vínculo con la casa de David, sino con el primer hombre, Adán, a través de la estirpe de Set, Enoc y Matusalén, con el propósito de universalizar su carácter humano a través de una línea sucesoria originalmente limpia de sangre.

Pintura de Alberto Durero en la que aparece representado Matusalén (Palacio de los Uffizi, Florencia). De entre todos los patriarcas antediluvianos, que habitaron la Tierra hace centenares de años, Matusalén fue el más longevo, al alcanzar los 969 años de edad.

La imprecisa biografía de Homero

Homero, poeta épico griego del siglo IX a.C., es el más grande de todos los tiempos. Su nombre y su obra han alcanzado la gloria y alimentado mitos, narraciones y leyendas a través de los siglos sin que hayan perdido su fuerza original. Sin embargo, permanecen rodeados de una aureola de incertidumbre.

La iconografía grecorromana ha consagrado el noble rostro barbado de un anciano ciego como el de Homero. Esta es la imagen que ha atribuido la tradición al poeta que escribió la *Ilíada* y la *Odisea*, dos poemas épicos cuyo vigor lírico y narrativo permanece fresco desde hace miles de años. Alrededor del poeta y de su obra gira lo que se ha dado en llamar la «cuestión homérica», que atañe a su existencia real y a la autoría de los dos grandes poemas de la épica griega.

Aunque nada se sabe de la vida de Homero, varias ciudades de la antigua Grecia, como Colofón, Quinas, Esmirna, Eos, Cymera, se han

La *Apoteosis de Homero*, pintura de Jean-Auguste-Dominique Ingres (1827, Museo del Louvre, París). Durante siglos se aceptó sin reparos la existencia del poeta griego, pero a partir del siglo XVIII ésta fue puesta en duda por algunos estudiosos que consideraban su nombre un simple seudónimo.

proclamado cunas del rapsoda. Hay una tradición que le atribuye la condición de jonio nacido en Esmirna, según afirma también el investigador Georg Finsler basándose en criterios lingüísticos. Se dice así mismo que habría vivido en Quíos y muerto en Ío.

La afirmación de Herodoto, padre de la historia, de que Homero había vivido a mediados del siglo IX a.C. nunca ha podido ser rechazada.

Apoteosis de Homero. Relieve datado en el siglo II a.C. en el que se exalta al poeta griego. Según algunos de los detractores de su existencia, la obra cumbre de Homero, *La Ilíada*, podría ser en realidad una simple recopilación de poemas antiguos de autores diversos.

LA CÓLERA DE AQUILES

«Diosa, canta del pélida Aquiles la cólera desastrosa que asoló con infinitos males a los aqueos y sumió en la mansión de Hades a tantas fuertes almas del héroes, que sirvieron de pasto a los perros y a todas las aves de rapiña. Y el designio de Zeus se cumplía así desde que una querella hubo de desunir al Atrida, rey de los hombres, y al divino Aquiles» (la *Ilíada*, canto I).

¿UNA OBRA COLECTIVA?

Los análisis literarios modernos han determinado numerosas incongruencias que hacen suponer que estos poemas experimentaron numerosas fusiones, arreglos e interpolaciones que han modificado las formas originales de concepción y composición. Pero aunque no han llegado hasta el presente sin alteraciones, lo importante es que se ha podido fijar en cada uno de ellos núcleos temáticos atribuibles a un poeta alrededor de los cuales se organizaron otros episodios y poemas, muy probablemente de épocas y poetas distintos.

De acuerdo con esta teoría, para algunos investigadores de la historia literaria, el poeta mayor sería aquel que ideó los temas centrales, la cólera de Aquiles en el caso de la *Ilíada* y el regreso de Odiseo, o Ulises, en el de la *Odisea*.

Para otros sería aquel que compiló, organizó y acomodó alrededor de los temas centrales diversas composiciones que culminaron en los dos monumentales poemas épicos. En ambos casos, dicho poeta genial podría haber sido Homero.

Busto de Homero conservado en la actualidad en el Museo Capitolino de Roma.
La polémica sobre la autoría de la *Odisea* y la *Ilíada* ya surgió en la Antigüedad, por obra de los alejandrinos Jenón y Helánico.

Vaso de cerámica en el que aparecen jugando a los dados durante la guerra de Troya Áyax y Aquiles. Este último fue el personaje central de una de las cumbres indiscutibles de la literatura griega, la *Ilíada*, cuyos 15.690 versos se consideran una obra maestra literaria.

diosa Tetis sumergió en ellos a su hijo Aquiles, aunque dejó sin mojar el talón por el que lo sujetaba. Del mismo modo que Aquiles, también a Homero creyeron descubrirle un punto débil al negarle la paternidad de la *Ilíada* y de la *Odisea*. Los primeros en hacerlo fueron los alejandrinos Jenón y Helánico, llamados «corizontes» o separadores. Adujeron que Homero no era el autor de la *Odisea*, porque la composición de ésta difiere de la que ofrece la *Ilíada*.

Esta duda ha persistido durante siglos, aunque la crítica moderna ha sido unánime al aceptar que Homero bien podría haber sido el autor de ambas obras en distintos momentos de su trayectoria poética.

Esto explicaría la proximidad de la composición y el tono de la *Ilíada* a la tradición oral, de la que Homero habría tomado y reunido varias historias, y la estructura de la *Odisea* afín a las formas narrativas.

Esa fue la creencia general hasta que, en 1670, el abate francés François Hédelin d'Aubignac publicó sus *Conjeturas académicas*, en las que ponía en duda la existencia de Homero. Basándose en la desigual composición de la *Ilíada*, concluyó que este poema era una fusión de varios poemas muy antiguos y de distintas épocas recogidos y cantados por rapsodas.

La misma tesis de un Homero como simple seudónimo colectivo fue sostenida un siglo más tarde por el alemán Friedrich August Wolf en *Prolegomena ad Homerum*, obra publicada en 1795. Wolf negaba la existencia de Homero, basándose en que ignoraba la escritura, sin la cual era imposible la transmisión de poemas de esa extensión. Sin embargo, estudios posteriores, basados en indicios arqueológicos e históricos más o menos fiables, han acabado por aceptar la existencia de Homero como un rapsoda errante, e incluso su icono de anciano ciego.

EL TALÓN DE HOMERO

Las aguas del río Estigia volvían invulnerables a quienes se bañaban en ellas. Con este fin, la

LA GLORIA DE HOMERO

Independientemente de su constatación histórica, la existencia de Homero se funda en su imperecedera gloria y ésta, a su vez, en el genio que lo movió a dar sentido y unidad a las vivencias individuales y colectivas, ya fuesen anteriores o contemporáneas a él, pero que tratan de lo esencial del alma humana. Si Homero ya fue considerado en la Antigüedad modelo de poetas es porque sus creaciones revelan el sistema de pensamiento y de conducta del hombre occidental.

En las ciudades griegas del siglo VII a.C., la *Ilíada* y la *Odisea* se recitaban en las ágoras evocando su nombre. Un siglo más tarde seguían concitando el fervor y la admiración de rapsodas y poetas, que dieron muestra de admiración al recitarlo en las fiestas Panateneas. En el V a.C., el culto siglo de Pericles, era estudiado y comentado por poetas y filósofos, entre ellos Platón. Siguió luego Aristóteles y, ya en tiempos de los romanos, fue la ineludible referencia de Virgilio en *La Eneida*.

ARTURO, EL SUPUESTO REY DE CAMELOT

En la Britania de los siglos V y VI, asolada por los sajones y fragmentada en infinidad de pequeños reinos, Arturo gobernó el de Camelot. El relato de su vida y la historia de su reinado se basan más en la pura leyenda que en los anales históricos.

El año 407, después de más de tres siglos de ocupación, la última legión romana abandonó las islas Británicas. Liberados del dominio imperial de Roma, los pueblos celtas formaron numerosos reinos, que no tardaron en enfrentarse entre sí. Mientras tanto, las incursiones anglosajonas aumentaron su frecuencia y derivaron en conquistas que fueron arrinconando a los nativos. Con el tiempo, las islas se dividieron en tres grandes dominios, el del sur, convertido en Inglaterra por los anglosajones; el del norte, donde los celtas formaron Escocia, y el del oeste, donde los britanos conformaron el país de Gales.

En este contexto, según las crónicas, un jefe celta llamado Constantino fundó un pequeño reino cerca de Gales. Su heredero no logró suce-

Fotograma de la película *Excalibur*, dirigida por John Boorman en el año 1981. La rica imaginería fantástica del reino de Camelot ha seducido a muchos cineastas.

Fotograma de la película *El primer caballero*, realizada por Jerry Zucker en 1995, en el que aparece la célebre mesa en torno a la cual se congregaba la orden de la Mesa Redonda.

derle, pues fue asesinado por un rival llamado Vortiger o Guthrigen, quien se proclamó rey mientras la viuda de Constantino y sus otros dos hijos, Aurelius y Uther, conseguían huir. Confiado en pacificar el reino, Vortiger selló un pacto con un jefe sajón llamado Hengist. Durante el festín celebrado en el castillo de Vortiger en Stonehenge, próximo al templo de los druidas, los sajones asesinaron a traición a casi todos los caballeros galeses. Vortiger consiguió huir a las montañas, donde se organizó y logró reagrupar las fuerzas del reino. Sin embargo, un mago lla-

mado Merlín, que le había ayudado en su propósito, le advirtió que sería destronado por los hijos de Constantino para vengar el asesinato de su hermano. Así sucedió, y primero Aurelius y después Uther se coronaron reyes.

Uther Pendragón pactó la paz con el poderoso duque de Cornualles. Con el propósito de sellar el acuerdo, Cornualles acudió al castillo de Uther acompañado de su esposa Ingraine. Uther quedó prendado de la bellísima mujer y con la ayuda de Merlín la poseyó en el castillo de Tintagel, cuyas ruinas aún se conservan cerca de Cornualles. Fruto de esta unión nació, según la leyenda, Arturo, quien, con la tutela de Merlín, fue educado por un noble llamado Héctor.

EL GUERRERO DE EXCALIBUR

El origen y la muerte del rey Arturo nunca han podido ser aclarados. Según la leyenda, fue coronado rey después de arrancar la espada Excalibur clavada en una roca, en la que una inscripción decía: «Aquel que fuere capaz de arrancarme de este sitio será, por derecho de nacimiento, rey de toda Bretaña».

De acuerdo con la *Historia de los bretones*, escrita en el 826 por el historiador Nennius, Arturo era un jefe guerrero. Probablemente era un antiguo oficial romano, con el suficiente conocimiento del arte de la guerra como para lograr el respeto de los díscolos señores celtas. Éstos necesitaban aliarse, tras la negativa experiencia del rey Guthrigen el año 449, cuando pretendió unirse a los sajones y fue traicionado por ellos. Según Nennius, Arturo, o Artús, habría logrado aglutinar a su alrededor a los jefes celtas hacia el año 456, aunque esta fecha es discutible si se considera que Guthrigen o Vortiger, siguiendo el relato de las crónicas, tras reconquistar el reino había sido destronado por Aurelius y Uther y éste, a su vez, no engendró a Arturo hasta después de haberse coronado tras la muerte de su hermano.

Fotograma de la película *El primer caballero*, de Jerry Zucker, sobre el mito de la Tabla Redonda.

La Tabla Redonda y el Santo Grial, miniatura perteneciente al libro *Lancelot du Lac* (1470, Biblioteca Nacional, París).

LA SAGA ARTÚRICA

El principio de la saga de leyendas artúricas se atribuye a la *Historia Regum Britanniae*, de Godofredo de Monmouth, quien habría recogido una tradición oral. A partir de esta obra, un clérigo inglés llamado Wace escribió en 1155 el *Roman de Brut*, donde por primera vez menciona la Mesa Redonda. Wace ejerció una gran influencia en autores como Thomas, Laya- mon y Chrétien de Troyes. La obra artúrica de Chrétien de Troyes, a su vez, encontró continuidad y culminación en la llamada *Vulgata-Lancelot*, recopilación realizada en 1230 por un autor que se ocupó de borrar toda huella de su nombre, y que consta de cinco partes, *Historia del Santo Grial, Merlín, Lanzarote, Demanda del Grial y Muerte del rey Arturo*. El conjunto de las tres últimas conforma el famoso *Lanzarote en prosa*.

EL TRÁGICO FINAL

El último gran acto de la historia de Arturo tiene lugar en la batalla de Salebieres o Salisbury, que los *Anales galeses* denominan de Camlann y fechan en el año 529. En ella, Arturo y su hijo Mordret acaban el uno con el otro, y sólo logra sobrevivir el caballero Bohort. A sir Bors, como le llaman los ingleses, encarga el agonizante Arturo que arroje la espada Excalibur al lago, en el cual reside el hada Viviana, la Dama del Lago.

Nennius escribe que, guiados por Arturo, los celtas combatieron contra los invasores bárbaros hasta la gran victoria de Badon Hill. Esta batalla tuvo lugar, según los *Anales galeses*, en el año 518. Acaso el libro de mayor importancia documental sobre los hechos relativos a Arturo sea la *Historia Regum Britanniae*, escrita por el obispo galés de Saint-Asaph Godofredo de Monmouth entre 1130 y 1136 y en la que también se alude a Merlín. Esta obra tuvo una gran influencia, tanto en la literatura artúrica como en los historiadores ingleses que, hasta el siglo XIV, consideraron ciertos los hechos narrados en ella.

Arturo, con su esposa Ginebra y sus caballeros, con quienes instituyó la Orden de la Mesa Redonda, se instaló en Camelot. Al parecer, después de expulsar a los sajones hasta el continente, Arturo tuvo un reinado pacífico y sin mayores contratiempos. Pero todo tiene su fin y el del reino de Camelot estuvo provocado por el incesto de Arturo y su hermanastra Morgana, del que nació su hijo Mordret, y el adulterio de Ginebra con Lancelot, el más querido de los caballeros del rey. La combinación de ambos hechos desencadenó la destrucción de Camelot.

JUAN VIII O LA PAPISA JUANA

Entre los años 855 y 858 ocupó el solio pontificio el papa Juan VIII el Angelical, bajo cuyo hábito se escondía una mujer. La Iglesia no empezó a negar la existencia de la papisa Juana hasta el siglo XVI, cuando, al parecer, alteró el orden sucesorio.

Ilustración de la *Crónica bizantina* (s. XIV) de Juan Skylitzes en la que se representa el desembarco de los sarracenos en Creta. Durante su pontificado, la papisa Juana se mostró especialmente eficiente en su lucha contra la agresión sarracena a la península Itálica.

La papisa Juana es uno de esos personajes que cobran vida por su carácter esencialmente transgresor de las normas sociales, religiosas o políticas de una época. La transgresión los define y sitúa en el tiempo y el espacio; se tornan históricos en la misma medida en que se les niega su historicidad.

Los siglos del Medioevo europeo no fueron oscuros pero tampoco apacibles; fueron tiempos vigorosos de reacomodamiento y redefinición de los sistemas de pensamiento y valores de una civilización que, con la caída del Imperio Romano, había perdido su más sólida referencia. En este contexto, la existencia de la papisa Juana en el solio pontificio aparece como algo tan fantástico como probable.

De acuerdo con las crónicas medievales, Juana habría nacido el año 822 en Ingelheim, población alemana próxima a Maguncia. Dado que a las mujeres les estaba vedado estudiar, se travistió de hombre y, haciéndose llamar Juan el Inglés, accedió a numerosos monasterios, como el francés de Saint-Germain-des-Prés, y viajó a Atenas, donde adquirió una notable cultura.

Bartolomeo Sacchi, llamado *Il Platina*, humanista, secretario del papa Sixto IV y bibliotecario del Vaticano, escribió en 1479 una *Vida de los papas* en la que, refiriéndose a Juan VIII y citando a Martín de Troppau, afirma: «Se dice que llegó al Papado por artes diabólicas, ya que siendo mujer, se disfrazó de hombre y fue con su compañero —un hombre instruido— a Atenas, y realizó tales progresos en sabiduría bajo los doctores que allí había que, al llegar a Roma, encontró pocos que pudieran igualarla, y mucho menos sobrepasarla, incluso en el

TRONOS Y ATRIBUTOS

Hasta el siglo XVI, la existencia de una papisa no fue puesta en duda por la Iglesia católica desde el punto de vista histórico. Incluso parece ser que el hecho determinó una costumbre ceremonial para evitar una nueva intrusión femenina en el solio pontificio. Entre los años 1000 y 1513, un religioso se encargaba de verificar los atributos masculinos de los papas haciéndolos sentar en un trono de pórfido perforado. La Iglesia ha negado siempre que existiese esta costumbre, pero en el Museo del Louvre de París puede verse un espléndido sillón de pórfido que, según dicen, se utilizaba para tal menester.

EL MITO RESUCITADO

En 1886 se publicó en Grecia una novela titulada *La papisa Juana*. La reacción de la Iglesia ortodoxa fue tan inmediata como radical. El libro fue prohibido y su autor, Emmanuel Royidis, excomulgado. Sin embargo, la novela fue traducida a otros idiomas y, gracias a sus cualidades literarias, dio fama a Royidis. La prensa católica europea, y en particular la francesa, trató el personaje de Juan VIII el Angelical como un recurso literario sacado del folclore de la Iglesia. En Grecia, el libro no fue reeditado hasta el año 1920. Lawrence Durrell, en el prólogo de la versión inglesa del libro de Royidis, se pregunta y contesta: «¿Existió en realidad la papisa Juana? La situación está admirablemente resumida por *Il Platina* y por el hecho de que se sintió obligado a incluir a Juana en las *Vidas de los Papas*».

conocimiento de las Escrituras...». Al parecer, esta mujer travestida de hombre se ganó el respeto de los obispos e hizo una brillante carrera en la curia, que la llevó primero al cardenalato y, al morir el papa León IV en 855, a la silla de Pedro.

PONTÍFICES SIN CRÓNICA

Juana asumió el gobierno de la Iglesia con el nombre de Juan VIII el Angelical. Al parecer, según la *Crónica de papas y emperadores*, que escribió en el siglo XIII el sacerdote dominico Martín de Troppau, este papa desempeñó con gran acierto su cometido, en particular en la lua contra los sarracenos, que asediaban la península Itálica.

La papisa Juana según un naipe de tarot del siglo XVIII (Biblioteca Nacional, París). El pontificado de esta enigmática papisa, que había asumido su cargo al frente de la Iglesia bajo el nombre de Juan VIII el Angelical, se vio truncado al dar a luz y perecer en el parto.

Miniatura perteneciente al *Decamerón* (s. XV) de Boccaccio (Biblioteca Nacional, París). En ella se ilustra el momento en el que la papisa dio a luz en el transcurso de una procesión, en abril del año 858.

Tal vez nada hubiese ocurrido si, en abril de 858, Juan VIII el Angelical no hubiese dado a luz a un niño mientras asistía a una procesión.

La historia oficial de la Iglesia católica recoge como el sucesor de León IV en el 855 a Benedicto III. Sin embargo, este Papa no aparece en las versiones más antiguas del *Liber pontificalis* y casi no hay referencia de él, excepto que «fue víctima de un antipapa», Anastasio III, y que, por expreso deseo suyo, Benedicto no fue inhumado en la basílica de San Pedro.

PONTÍFICES HOMÓNIMOS

Un nuevo elemento de confusión lo plantea el también papa Juan VIII, que gobernó la Iglesia entre 872 y 882. Sus modales afeminados y su debilidad política llevaron al vulgo a llamarle «papisa», aspecto que podría resultar demasiado burdo para tomarlo en serio. Por otro lado, hay documentos fehacientes de que este sumo pontífice destacó por su energía contra los sarracenos y su valentía al coronar emperador a Carlos el Calvo, rey de los francos, a pesar de la oposición y las intrigas políticas, que desembocaron en su envenenamiento. No parece que el papa Juan VIII el Angelical, sucesor de León IV, y el Juan VIII, sucesor de Adriano II, tuvieran nada en común. Antes bien, la papisa Juana parece travestirse tras dos figuras, la legendaria de Juan VIII el Angelical y la histórica de Benedicto III.

97

La Llorona, el lamento de los espíritus

El lastimero llanto y la visión fantasmal de este personaje legendario llenaron de inquietud a las ciudades y los pueblos de México, Costa Rica y otros países de Mesoamérica. Desde el siglo XVI, su identidad criolla está íntimamente vinculada a la mitología indígena.

El triste lamento de La Llorona hace tiempo que ha dejado de oírse, y sin embargo, durante siglos sobrecogió a quienes lo escucharon. Convertida en tema principal de emocionados relatos, la historia cautivó el ánimo de varias generaciones, y pervivió que el fragor industrial del siglo XX fue tapando progresivamente el llanto, su causa y la narración.

En la mayoría de los extraños personajes que cobran vida en el folclore de los pueblos es difícil precisar tanto su origen como las causas de su drama. El personaje de La Llorona no escapa a estas características y son varias las historias que confluyen en ella y la hacen aparecer en distintas épocas y lugares, aunque siempre

Recreación de la fantasmagórica figura de La Llorona. Su leyenda, cimentanda en el folclore de los pueblos índigenas americanos, se reavivó a la llegada de los conquistadores.

Vista de la ciudad de México con la catedral al fondo, según una litografía anónima de 1885.

llama la atención de las gentes con su triste y prolongado gemido.

La más antigua leyenda criolla de La Llorona se remonta al siglo XVI. Se cuenta que en la ciudad de México, recién fundada por los españoles sobre las ruinas de Tenochtitlán, la capital de los aztecas, cierta noche de plenilunio los habitantes despertaron al oír un triste lamento por las calles. Durante las primeras noches, los

OTRAS VERSIONES

Los mexicanos cuentan así mismo otras historias. Una de ellas hace de La Llorona una hermosa muchacha que murió en vísperas de su boda. Al ver ella el desconsuelo de su prometido, dicen que no pudo soportar tanta aflicción y, gimiendo, volvía cada noche, vestida de novia, a darle a su amado la corona de flores blancas que había preparado para el día del enlace. Según otras narraciones, La Llorona es una esposa que murió en ausencia de su marido y vuelve cada noche para darle el último beso. También podría ser una joven madre que murió y no se resignaba a la orfandad de sus hijos, o una esposa injustamente asesinada a causa de los celos de su marido. Todas estas narraciones tienen en común el dolor causado por un error o por algún infortunio personal.

como si flotara sobre el empedrado de las calles, se dirigía a orillas del lago Texcoco y allí se perdía de vista, como si desapareciera en la bruma lacustre. Algunos de los hombres que consiguieron verla de cerca fueron incapaces de describirla y sólo podían hablar del extraño temor que les producía. Nadie pudo saber de dónde venía ni tampoco cuál era la causa de su pena, por lo que pronto se la llamó La Llorona.

EL FANTASMA DEL DOLOR

Al igual que la capital y otros pueblos y ciudades de México, también en algunos pueblos de Costa Rica La Llorona hacía oír su lamento. De acuerdo con el decir popular costarricense, se trataba del alma en pena de una hermosa

vecinos se lamentaron y acaso rogaron por la aflicción que parecía sentir aquella que así lloraba. Sin embargo, a poco que continuaron oyéndose los largos lamentos nocturnos, algunos corazones se llenaron de inquietud.

Una noche, cuando las calles se vaciaron tras el toque de campanas de la catedral, o *de queda*, algunos hombres salieron, no sin cierto atávico temor, a ver, y acaso a consolar, a quien lloraba. Apenas llegada la medianoche, la vieron. Una mujer, vestida de blanco y el rostro cubierto con un espeso velo, vagaba por las calles profiriendo lastimeros gemidos hasta que llegaba a la Plaza Mayor y allí se arrodillaba, vuelta hacia el este, y profería un último y profundo lamento. Después se erguía y con lento y silencioso paso,

Detalle del *Lienzo de Tlaxcala* en el que aparece Hernán Cortés en compañía de su célebre amante, la «Malinche». Una de las versiones acerca del misterio de La Llorona asegura que ésta es en realidad el espectro de la propia «Malinche», que se lamenta hondamente por la traición a su pueblo que cometió al alinearse junto a Cortés.

EL LLANTO DE LA DIOSA CIHUACÓATL

De acuerdo con la *Historia general de las cosas de Nueva España*, de fray Bernardino de Sahagún, la diosa Cihuacóatl se «aparecía muchas veces como una señora compuesta con unos atavíos como se usan en palacio; decían también que de noche voceaba y bramaba al aire... Los atavíos de esta mujer eran blancos, y los cabellos los tocaba de manera que tenía como unos cornezuelos cruzados sobre la frente». El llanto de esta diosa fue una de las señales que auguraron entre los aztecas la llegada de los españoles y la destrucción de la civilización local. «Hijos míos, amados hijos del Anáhuac, vuestra destrucción está próxima... a dónde iréis... a dónde os podré llevar para que escapéis a tan funesto destino... hijos míos, estáis a punto de perderos», lloraba la diosa.

muchacha campesina. Al parecer, la joven fue tomada al servicio de una rica familia de San José, donde hizo gala imitando en gestos, y en su sencillez, los modos de vestir de las señoritas de la ciudad. Exaltada su belleza, no tardó en hallar amigas y en conocer a un jovencito de cierta alcurnia, que la sedujo. A escondidas de su familia, regresó a su pueblo y dio a luz una niña, que arrojó enseguida al río. El recuerdo de su criminal acto la torturó hasta hacerla enloquecer y comenzó a vagar junto al río en busca del cuerpecito de su hija mientras profería angustiosos gemidos. Ni siquiera su probable muerte dio fin a la búsqueda, y su fantasma siguió llorando por las calles de los pueblos y las orillas de los ríos.

LA MÁSCARA DE HIERRO, EL PRECIO DE UN SECRETO

Durante el reinado del Rey Sol hubo en la cárcel de la Bastilla un misterioso prisionero, cuyo rostro, cubierto por una máscara, nadie vio jamás. Tampoco se lo llamó por su nombre. Su identidad y la causa que lo llevó a ese estado siguen siendo un misterio.

LA VIDA DEL ENIGMÁTICO PRISIONERO

Cuenta Voltaire en *El siglo de Luis XIV* que el desconocido reo era «de estatura superior a la común, joven y de la más bella y fina estampa». Añade, así mismo, que siempre recibió un trato deferente y que el ministro Louvois mantuvo una entrevista con él antes de su traslado desde la isla Margarita a la Bastilla. Ya en la prisión parisina, «no se le negaba nada de lo que pedía. Su mayor gusto era por la ropa de una fineza extraordinaria y por los encajes. Tocaba la guitarra. Se le daba la mejor comida y el alcaide rara vez se sentaba delante de él».

En 1751, el filósofo Voltaire publicó un importante libro con el título de *El siglo de Luis XIV*. Uno de sus apartados estaba dedicado a un misterioso preso de rostro cubierto por una máscara, que había muerto en la Bastilla y que había sido enterrado, en 1703, en el cementerio parisino de San Pablo, bajo el nombre falso de Marchioli. A causa de su carácter díscolo y de su pensamiento insobornable, Voltaire había ido a parar varias veces a la cárcel de la Bastilla, donde otros presos más antiguos le hablaron de

Fotograma perteneciente a la película *La máscara de hierro*, dirigida por Mike Newell en 1976. Las extrañas condiciones en que fue recluído el preso enmascarado de la Bastilla hizo volar la imaginación del célebre escritor Alexandre Dumas, quien lo convirtió en un hermanastro de Luix XIV en una de sus novelas.

aquel prisionero. El desgraciado individuo había existido, pero su verdadera identidad y el motivo por el que había sido encarcelado en aquellas condiciones eran un secreto de Estado.

Ya en el siglo XIX, Alexandre Dumas, autor entre otros famosos libros de aventuras de *Los tres mosqueteros*, se ocupó del asunto. En *El vizconde de Bragelonne*, Dumas padre retomó la historia del misterioso preso denunciada por Voltaire, y dio alas a la leyenda. El hombre de la máscara de hierro era, según la novela, un hermanastro de Luis XIV nacido de las relaciones extraconyugales de Ana de Austria con el conde Buckingham. A partir de entonces, la imaginación popular atribuyó numerosas identidades al reo secreto, convirtiéndolo ora en otro hijo clandestino de Ana de Austria y Jules Mazarino, secretario y sucesor del intrigante cardenal Richelieu como ministro del Rey Sol; ora en un hijo bastardo de Carlos II de Inglaterra. Cada una de estas versiones y otras que se añadieron con el tiempo contribuían a abonar el mito y a acrecentar más aún el misterio alrededor de un prisionero a quien nadie nombraba.

EL ROSTRO DE LA VERDAD

Las preguntas sobre la causa de las extremas precauciones que se adoptaron para mantener oculta la identidad de Dauger y el alcance de los secretos que habían motivado dichas medidas han quedado sin respuesta. Las investigaciones modernas han podido reconstruir la vida de Eustaquio Dauger y verificar que no había nada en ella que lo relacionara con Luis XIV y su entorno familiar, lo cual no deja de ahondar el misterio y hace suponer que el rostro mismo del infortunado prisionero (¿o prisionera?) era el de la verdad.

Luis XIII en compañía del cardenal Richelieu, según un cuadro de Jean Alaux (Museo del Louvre, París). Las continuas intrigas que asediaban a las monarquías europeas en el siglo XVIII hacen pensar que el hombre enmascarado podría haber sido una amenaza para el Rey Sol, motivo por el cual habría sido encarcelado.

JUEGO DE ELIMINACIÓN

En 1665, un antiguo mosquetero del rey y hombre de confianza del ministro Louvois, llamado Benigno de Saint-Mars, tenía a su cargo la prisión alpina de Pignerol, donde se hallan varios presos famosos. Entre ellos figuraban Fouquet, antiguo ministro de finanzas condenado a cadena perpetua por corrupción y que murió en 1680, y el duque de Lauzun, mariscal del rey condenado por su participación en intrigas amorosas, que fue puesto en libertad antes de 1681. También estaban encarcelados en Pignerol un monje charlatán que decía haber hallado la piedra filosofal y había sido acusado de seducir a algunas doncellas de alcurnia; un oficial llamado Dubreuil, condenado por espionaje; un tal Matthioli, sobrino del duque de Mantua, que había intentado estafar al rey; La Rivière, lacayo de Fouquet, y un joven cortesano de nombre Eustaquio Dauger.

Entre estos hombres se hallaba el misterioso preso. En 1691, Saint-Mars fue trasladado al fuerte de Exilles y se llevó con él a dos de estos prisioneros. Seis años más tarde Saint-Mars fue nombrado gobernador de la isla Margarita, frente a Cannes, adonde sólo uno de los dos misteriosos prisioneros lo acompañó.

De acuerdo con las investigaciones, no podía tratarse del monje alquimista, ni de Matthioli ni Dubreuil, ya que el primero había muerto en Pignerol poco después de 1691, y los otros fueron trasladados a Santa Margarita en 1694, donde el italiano murió poco después. Resulta fácil deducir entonces que «los dos de la torre de abajo» eran La Rivière y Eustaquio Dauger. Sin embargo, el viejo servidor de Fouquet murió en 1686 y cuando en 1698 Saint-Mars llevó consigo a sus peligrosos prisioneros sobrevivientes, dejó a Dubreuil, que iba con el rostro descubierto, en el fuerte del Lyon, y al otro, que llevaba el rostro cubierto con una máscara de terciopelo con articulaciones de hierro, lo encerró en la Bastilla.

El célebre filósofo Voltaire, retratado por Charon durante su estancia en prisión. Él fue el primero en dar cuenta de la existencia del hombre de la máscara de hierro a la opinión pública a través de un fragmento de su obra *El siglo de Luis XIV*, en la que narraba sus vivencias en la prisión de la Bastilla.

EL HOMBRE SIN NOMBRE

Según la documentación hallada, el ministro Louvois encargó en 1669 a Saint-Mars, su hombre de confianza, la custodia del joven Eustaquio Dauger. Sólo en esa ocasión lo llamó por su nombre y en adelante lo hizo como «el prisionero de la torre de abajo» o «vuestro antiguo prisionero».
Aunque el ministro murió en 1691, sus estrictas órdenes de mantener la identidad del prisionero en secreto y en el más absoluto aislamiento, se cumplieron hasta el final.

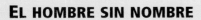

FULCANELLI, EL SABIO OCULTO

La figura del misterioso Fulcanelli suscita las más asombrosas especulaciones y mueve a las más diversas conjeturas, tanto sobre su verdadera identidad como sobre los conocimientos que reveló. Seguramente es una de las grandes leyendas del siglo XX.

Las décadas de 1920 y 1930 representaron en Francia el paradigma de los llamados «años locos». La sociedad europea vivía entonces, como consecuencia de la Primera Guerra Mundial, el acceso de la mujer al mundo del trabajo, la liberalización de las costumbres y cierta despreocupada, casi compulsiva, euforia con la que se pretendía alejar los fantasmas del horror y la destrucción bélicos. Eran momentos en que se gestaban profundos cambios traídos por los vientos de la Revolución rusa y surgían los grandes movimientos ideológicos, cuyo choque no tardaría en producirse, para dar lugar al mayor conflicto bélico de la historia de la humanidad, que fue precedido, además, por un desastroso *crack* económico.

En estas circunstancias históricas, en que se buscaban nuevos caminos y respuestas para los problemas que habían angustiado y angustiaban al hombre moderno, se publicaron en 1926

Vista de la portada occidental de la catedral parisina de Notre Dame, cuya estructura originaria se completó entre los años 1155 y 1250. Fulcanelli creyó ver en ella secretos alquímicos.

trescientos ejemplares, lujosamente editados, de un libro que causó una conmoción que trascendía los círculos de gentes aficionadas a las ciencias ocultas. El título del libro era *El misterio de las catedrales* y lo había escrito un tal Fulcanelli. Tres años más tarde, otra vez este autor volvió a sorprender al público, en esta ocasión con un nuevo e inquietante libro titulado *Las moradas filosofales*.

Fulcanelli sostenía que las catedrales góticas, como las de Notre Dame de París y Chartres, y los grandes castillos medievales habían sido construidos, desde la organización del plano y la configuración de los volúmenes y espacios hasta la elección de los materiales, siguiendo el orden secreto instituido por los grandes maestros alquimistas. Ambos libros revelaban que su autor se basaba en un gran conocimiento de

EL EXTRAÑO MONSIEUR BERGIER

Jacques Bergier era un científico francés de alto nivel y en 1937, cuando supuestamente entrevistó a Fulcanelli, ayudante del físico nuclear francés André Helbronner. Bergier se hizo famoso años más tarde junto a Louis Pauwells, con quien compartió la autoría de dos obras de gran impacto popular, *El retorno de los brujos* y *La rebelión de los magos*. En este último incluyó su entrevista con el presunto Fulcanelli.

Cubierta del libro *El espionaje científico*, de Jacques Bergier. Este científico francés aseguró haberse entrevistado con el misterioso Fulcanelli e incluso publicó sus palabras en *La rebelión de los magos*.

PLANETAS, METALES Y CATEDRALES

Fulcanelli explicaba que los siete medallones de la imagen de la Virgen situada en la fachada de Notre Dame correspondían a otros tantos astros vinculados con los metales esenciales de la alquimia. Estos metales eran el oro (Sol), la plata (Luna), el mercurio (Mercurio), el plomo (Saturno), el estaño (Júpiter), el cobre (Venus) y el hierro (Marte), a partir de los cuales los alquimistas podían obtener oro siguiendo las secretas instrucciones dispuestas, paradójicamente, en el pórtico de la famosa catedral parisina.

la historia del arte y un evidente rigor formal en la exposición para sentar la teoría de que los monumentales templos cristianos contenían los símbolos correspondientes al código alquímico secreto, que sólo los iniciados podían descifrar.

EL MAESTRO INVISIBLE

Los dos sorprendentes e intelectualmente sólidos libros superaron enseguida el ámbito esotérico y llamaron la atención de muchos artistas, científicos, eruditos y personas libres de prejuicios. Pero, además de las cuestiones que planteaban, las obras incluían otra no menos trivial: la identidad de su autor.

Hacia 1920, en la despreocupada sociedad parisina de la época proliferaban los grupúsculos esotéricos, en los cuales la charlatanería no estaba ausente y las más disparatadas conjeturas explicaban la razón y la sinrazón del hombre en el cosmos. En uno de estos grupos tuvo su origen la fama de Fulcanelli. Por entonces,

Ilustración de Jean-Julien Champagne para la obra de Fulcanelli *El misterio de las catedrales*, en la que el enigmático autor articulaba su teoría acerca de la secreta participación de maestros alquimistas en el diseño de algunos de los templos más célebres de la arquitectura gótica.

Núcleo antiguo de la ciudad francesa de Carcasona, dispuesto en torno del castillo condal construido en el siglo XII. Fulcanelli señaló la existencia de una orden secreta de alquimistas tras esta edificación.

Eugène Canseliet, un joven bohemio veinteañero, y Jean-Julien Champagne, un maduro y juerguista pintor, compartían la pasión del ocultismo. Fueron ellos los portavoces de las enseñanzas de un viejo maestro alquimista que vivía oculto en París sin querer ver ni recibir a nadie. Ellos eran el único contacto que mantenía con el mundo, aunque nadie supo dónde ni cuándo se reunían con el maestro.

La originalidad de las enseñanzas de Fulcanelli pronto le dio fama en los círculos esotéricos, para lo que su anonimato parecía un

CIENCIA FICCIÓN

Se llegó a pensar incluso que Fulcanelli pudiera ser Joseph-Henri Rosny, conocido autor de novelas de ciencia ficción, la más popular de las cuales era *La guerra del fuego*. Hasta 1909, los hermanos Rosny, Joseph-Henri y Justin-Boex, habían firmado con el seudónimo de J.H. sus obras de evocación prehistórica o tema científico, pero eso era lo único «misterioso» de sus vidas. Joseph-Henri Rosny, a pesar de ser un hombre muy instruido y poseedor de un estilo preciso y vigoroso que se aproximaba al de Fulcanelli, llevaba una vida lo bastante transparente como para que fuese tomado por éste.

elemento más de aval de sus enseñanzas. De hecho, los ocultistas hacían de Fulcanelli un celoso secreto. Sin embargo, él no pareció estar de acuerdo con esta postura, y en 1926 decidió saltar la frontera endogámica del esoterismo. Ese año entregó a sus discípulos Canseliet y Champagne el original de la obra *El misterio de las catedrales*. Canseliet escribió un prólogo de presentación y Champagne incluyó treinta y seis ilustraciones.

DOS OBRAS EN BUSCA DE AUTOR

La limitadísima aunque lujosa edición causó un gran impacto en el público, que, como es lógico suponer, quiso conocer quién era su autor. Entonces, el misterio sobre su persona surgió y se extendió con notable velocidad para fraguar una de las leyendas del siglo XX. Al principio se especuló con la posibilidad de una farsa de sus presuntos discípulos. Pero Canseliet no estaba dotado intelectualmente para elaborar un texto del rigor de *El misterio de las catedrales*

Interior de la catedral de Notre Dame de París.
En su obra *El misterio de las catedrales*, Fulcanelli sostenía que la construcción de éste y de otros templos y construcciones góticas respondía a los preceptos de maestros de la alquimia, que salpicaron estas edificaciones de símbolos encriptados.

ni del siguiente, *Las moradas filosofales*, cuyo autor hace gala de una extraordinaria erudición. Tampoco lo estaba el pintor Champagne, cuyo carácter lo inclinaba más hacia los goces cotidianos que hacia la reflexión, aunque en su juventud podría haber viajado y conocido las catedrales y los castillos objeto de estudio del misterioso maestro Fulcanelli.

Tras descartarse que Canseliet y Champagne se ocultaran tras el seudónimo de Fulcanelli, la atención se centró en algunos ocultistas que gozaban de cierto prestigio en los ambientes de prácticas esotéricas. Entre los nombres detrás de los cuales se creyó en algún momento que estaba Fulcanelli figuraban los del Doctor Jaubert, Jolivet Castelot, Pierre Dujols, así como los de Auriger y Faugerons. Sin embargo, casi enseguida fueron descartados porque ni las cualidades personales de ninguno de ellos ni sus conocimientos respondían al contenido y la visión de las obras de Fulcanelli.

Canseliet y Champagne no contribuyeron a despejar las dudas sobre la identidad de Fulcanelli, cuando lo describieron como un aristócrata de mediana edad, culto, refinado y dueño de una gran fortuna, cuyos conocimientos y experiencias lo habían situado a las puertas de la gran meta de los alquimistas: la piedra filosofal y el elixir de la eterna juventud.

ALQUIMIA NUCLEAR

La desconocida personalidad de Fulcanelli aún dio un giro más a la intriga que suscitaba su nombre cuando, al parecer hacia 1937, fue entrevistado por el científico francés Jacques Bergier. Aunque éste no lo identifica explícitamente, a lo largo de su entrevista da a entender que se trata de Fulcanelli, quien habla con tanta anticipación

como soltura sobre experimentos atómicos y los peligros que supone para la humanidad el uso bélico de la energía nuclear. El anónimo interlocutor dice a Bergier que «los explosivos atómicos pueden fabricarse con sólo unos gramos de metal y, sin embargo, arrasar ciudades enteras», tal como sucedió ocho años más tarde con las poblaciones japonesas de Hiroshima y Nagasaki.

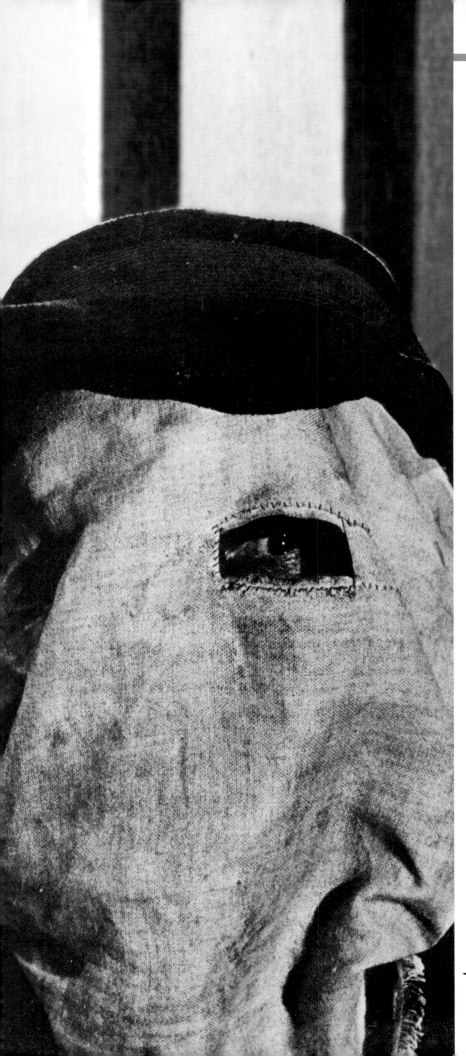

PERSONAJES MARGINALES

*E*l desconocido origen o el misterioso destino, así como la naturaleza de su condición, trazan la excepcionalidad de unos seres controvertidos para la sociedad. En la vida de algunos de estos personajes, como las criaturas salvajes o las presuntamente inmortales, entran en juego muchos factores que cuestionan o relativizan el alcance de los conocimientos científicos y, en consecuencia, obstaculizan una explicación racional acerca de su existencia.

En la vida de otros, los elementos que entrañan su rareza corresponden a una naturaleza física, cuya singularidad alimenta la fantasía con maravillas y monstruos; a la incertidumbre sobre el nacimiento o la muerte a causa de trampas de la memoria que borran toda huella del pasado; y, finalmente, a la comisión de un crimen, o acaso a la simple sospecha de éste.

Todos estos personajes, desde los niños salvajes hasta el inmortal Saint-Germain, y desde el monstruoso Merrick hasta el desgraciado Gaspar Hauser, están abocados a un final trágico, tal vez porque su mera existencia resulta insoportable para la sociedad.

Fotograma de *El hombre elefante* (1980), de David Lynch.

VLAD IV DE VALAQUIA, ENTRE LA REALIDAD Y LA LEYENDA

En 1456, Vlad Tepes se convirtió en príncipe de Valaquia con el nombre de Vlad IV. El sadismo y la obsesión por la sangre convirtieron a este oscuro noble, con el paso del tiempo, en un referente clásico del paroxismo al que puede llegar el odio de un hombre hacia sus enemigos.

Uno de los mitos más arraigados de la cultura occidental en la era moderna es el del vampiro. Revitalizado por la célebre novela del escritor irlandés Bram Stoker, sus orígenes se remontan a las más viejas tradiciones de la humanidad, si bien su historia exige una parada obligada en la biografía de un enigmático pero real príncipe rumano, Vlad Tepes.

MUERTE Y LEYENDA

Se dice que en su última contienda, Vlad Tepes planeó vestirse de turco para atacar a las filas enemigas desde dentro. A fin de comprobar la efectividad de su disfraz, el príncipe se acercó a sus propios soldados, quienes se lanzaron sobre él de inmediato, matándolo primero y cortándole la cabeza después. Su cabeza fue lanzada al campamento turco y al comprobar que pertenecía a su máximo enemigo, la llevaron a Constantinopla ensartada en una estaca a modo de trofeo. Pero los acólitos de Vlad nunca aceptaron la muerte de su príncipe, lo que dio lugar a una leyenda que Bram Stoker utilizó en su novela.

Retrato de Vlad IV realizado en el siglo XVI (Kunsthistorisches Museum, Viena). Este príncipe de Valaquia empalaba a sus enemigos y brindaba con su sangre en el transcurso de sus sanguinarias campañas militares, motivo por el cual se ganó el sobrenombre de Vlad el Empalador.

Vlad IV, conocido también como Vlad el Empalador, nació alrededor del año 1431 en Schässburg, cerca de Valaquia, antiguo principado danubiano situado en los Cárpatos. Fue uno de los tres hijos legítimos del no menos célebre Vlad Dracul, príncipe de Valaquia y miembro de la Orden del Dragón. Esta orden, en la cual ingresó Vlad por concesión de Segismundo de Luxemburgo en el año 1431, tenía como emblema una serpiente alada, símbolo del diablo en la cultura folclórica rumana, y en sus filas se encontraba una larga estirpe de fieros guerreros.

Vlad Tepes vivió una infancia traumática, hecho que sin duda resultó determinante a la hora de conformar su sádica personalidad. A la temprana edad de trece años fue entregado como rehén a los turcos por su propio padre. Durante su cautiverio, el joven Vlad fue adies-

UNA CENA SANGRIENTA

Al parecer, el príncipe Vlad acostumbraba cenar tras una victoria rodeado de sus víctimas agonizantes, muchas de ellas empaladas, y en ocasiones no dudaba en mojar su pan en la sangre de sus opositores antes de comerlo. Se cuenta que en una ocasión, mientras ponía en práctica tan repugnante costumbre, un noble invitado a su mesa se llevó la mano a la nariz en un gesto de repulsión. Tepes, considerando su gesto una grave falta de respeto, no dudó en ordenar que fuera empalado de inmediato, pero en una estaca mucho más alta de lo habitual. Poniendo de manifiesto su macabro sentido del humor, y mientras observaba cómo el noble iba resbalando estaca abajo en busca de la muerte, el príncipe dijo a su invitado que había decidido ensartarlo en las alturas para evitarle la pestilencia de los cadáveres en torno a los que se había celebrado la cena.

trado en las artes de la guerra, pero tras la muerte de su padre desertó de las filas turcas y reunió su propio ejército. En 1456 vio cumplido su sueño al convertirse en príncipe de Valaquia, y en honor de su padre recibió el título de Drácula, es decir, hijo de Dracul.

Fue entonces cuando empezó a forjarse la leyenda sobre el sadismo de Vlad Tepes, a quien se atribuyen más de cien mil muertes entre 1456 y 1462, período de su reinado. Los detalles que han trascendido a través de documentos y grabados de la época ponen de manifiesto la falta de escrúpulos con la que Vlad Tepes ejecutaba a sus enemigos. Así, era generalizada la práctica del empalamiento, consistente en ensartar los cuerpos moribundos de los opositores al príncipe en altas estacas de madera. También se practicaban la incineración y el desollamiento de los prisioneros, torturas todas ellas con las que Vlad Tepes parecía disfrutar sobremanera.

Grabado en el que aparece Drácula en compañía de una joven. El mito del no-muerto sediento de sangre humana, reavivado por la célebre novela del escritor irlandés Bram Stoker, se cimentaba en la leyenda verídica de un sanguinario príncipe que habitó la región de Valaquia en el siglo XV.

El actor Bela Lugosi caracterizado como Drácula.

DRÁCULA VERSUS LUGOSI

El actor de origen húngaro Bela Lugosi (1882-1956) encarnó por primera vez en el cine el personaje de Drácula en la película homónima de Tod Browning, realizada en 1931. Sus repetidas interpretaciones de este personaje en diferentes películas hicieron de él una persona taciturna y malhumorada, y llegaron incluso a mermar su salud. Lugosi acabaría su carrera teniendo que aceptar papeles secundarios en películas de bajo presupuesto.

EL DECLIVE DE VLAD EL EMPALADOR

Pero la brutal ofensiva turca llevada acabo en 1462 contra los disidentes de Valaquia obligó a Vlad Tepes a huir a Hungría. Una vez allí pidió asilo al rey húngaro, quien lejos de atender sus peticiones lo encarceló durante doce años alegando falsas acusaciones. Pero ni siquiera durante su cautiverio logró Vlad Tepes reprimir sus impulsos sádicos, y al parecer sobornaba a menudo a sus carceleros para conseguir aves a las que desplumaba sin piedad.

La fortuna volvió a sonreírle en 1475, cuando el rey de Hungría puso a su disposición un ejército a fin de recuperar para su reino el territorio de Valaquia. Un año más tarde, en noviembre de 1476, Vlad Tepes volvía a hacerse con el control de su reino.

CAGLIOSTRO, EL DIVINO MAGO

Giuseppe Balsamo, conde de Cagliostro, fue en pleno siglo XVIII uno de los embaucadores más atrayentes que alternaron en las cortes de toda Europa. Pero la estafa acabó con el propio estafador y dejó tras de sí una larga estela de misterio.

El conde de Cagliostro era, según el testimonio de un contemporáneo, un hombre de «estatura más bien baja, bastante gordo, con la tez olivácea, el cuello muy corto, el rostro redondo y adornado con dos grandes ojos salientes y una nariz ancha y respingona. Tenía todo el aspecto exterior y los avíos de un charlatán y causaba sensación, sobre todo entre las damas, apenas entraba en un salón». Dicho de otro modo, Cagliostro tenía la apariencia de un farsante, que no se preocupaba en disimular porque en ello radicaba su poder de fascinación.

El conde de Cagliostro vivió peligrosamente del timo y acabó sus días en la cárcel y loco, pero antes de que eso ocurriera realizó numerosas investigaciones que fueron muy valoradas por los esotéricos.

Dos siglos después de su muerte, no son pocos los aficionados a las ciencias ocultas que se preguntan quién fue ese inquietante hombre que fundó la masonería egipcia y creó las reglas de su liturgia.

Grabado satírico inglés en el que se representa al conde de Cagliostro hablando ante la logia de Londres.

LE COMTE
DE CAGLIOSTRO

Retrato de Giuseppe Balsamo, conde de Cagliostro, el célebre curandero, que se ganó el favor del público.

EL HIJO DEL TENDERO SICILIANO

Giuseppe Balsamo nació en 1743 en la ciudad siciliana de Palermo. Hijo de un tendero, desde niño mostró una fuerte inclinación por el disimulo y el delito. Expulsado a los doce años del seminario donde estudiaba a causa de pequeñas sustracciones, entró al servicio de un boticario del convento de la Misericordia. En él mostró un gran interés por las fórmulas magistrales, pero nuevamente fue expulsado cuando cambió los nombres de las diferentes santas de

UN ERROR FATAL

Cagliostro, que seguía practicando la magia y la prestidigitación, cometió un error. El 22 de agosto de 1786 fue arrestado bajo la acusación de haber robado un collar de María Antonieta. Al cabo de unas semanas se supo que era inocente, pero aun así permaneció detenido en la Bastilla durante un año y al final fue expulsado de Francia. Marchó inmediatamente a Roma, donde, traicionado por Serafina, la Inquisición lo acusó de prácticas satánicas y lo envió a la cárcel del castillo de San León, donde murió en 1795. Aún en la actualidad existen muchas dudas sobre las verdaderas causas de su muerte.

LA MASONERÍA EGIPCIA

Según ciertas leyendas, probablemente inventadas por alguna antigua logia, la masonería tiene sus orígenes en Hiram o Juram de Tiro, el constructor del Templo de Salomón en Jerusalén, de acuerdo con el texto bíblico. Según datos históricos, la masonería *operativa*, es decir, la realmente vinculada a la actividad constructiva de edificios, surge de las corporaciones de constructores en el siglo XIV. A mediados del siglo XVIII, se multiplicaron las logias masónicas en Europa incorporando cada una nuevos ritos ceremoniales. En ese contexto, Cagliostro fundó la masonería egipcia o rito de Menfis y acentuó la jerarquización de su estructura, cuya cabeza es el Gran Copto.

una jaculatoria por los de las prostitutas conocidas de los monjes.

Siendo todavía un adolescente, Giuseppe Balsamo abandonó Palermo y su casa natal para instalarse en Nápoles. En esta ciudad puede decirse que inició su carrera de timador asumiendo los papeles de retratista de turistas, falsificador de cuadros y documentos de identidad, proxeneta y prestidigitador. Como consecuencia de un error en esta última actividad, Giuseppe Balsamo se vio obligado a abandonar apresuradamente Nápoles y se instaló en Roma.

ALESSANDRO Y SERAFINA

En la Ciudad Eterna aumentó considerablemente su repertorio de embustes, entre ellos el del «agua de la eterna juventud», pero a los veinte años seguía siendo un tramposo de poca monta. Fue en esa época cuando conoció a una hermosa muchacha llamada Lorenza Feliciani, con quien se casó. Su joven y bella esposa no sólo era igual de inescrupulosa que él, sino también más ambiciosa. Esta hija del pueblo convenció a su marido de que diera lustre a su nombre con un título nobiliario. Entonces se produjo el segundo nacimiento del pícaro de Giuseppe Balsamo, con el nombre de Alessandro, conde de Cagliostro. Como correspondía a la mujer de un conde, ella dejó a un lado su Lorenza y se convirtió en Serafina, al tiempo que cambiaba su vestuario y el de su marido por otros de mayor lustre.

La primera plaza donde el falso conde de Cagliostro sentó sus reales y practicó sus timos entre gente de alta alcurnia fue Madrid. Después, aristócratas de Londres, Ruán y París se rindieron a los encantos de la divina Serafina y a los trucos del conde de Cagliostro. Las grandes ciudades se sucedieron, al tiempo que se engrosaba el peculio de la pareja. Sin embargo, Cagliostro debió dar un golpe de timón a su carrera de estafador profesional ante la posibilidad de ir a parar a la cárcel.

Damas consultando las cábalas del conde de Cagliostro antes de escoger un número de la lotería, según un grabado del siglo XVIII conservado en el Museo Carnavalet de París. El codicioso curandero se sirvió de la ingenuidad de gran parte de la aristocracia europea para llevar a cabo sus ardides en compañía de su esposa Lorenza, luego Serafina.

DE TIMADOR A MAESTRE

Con la complicidad de Serafina, Cagliostro estudió las posibilidades del ocultismo y la alquimia. Al cabo de un tiempo, constatando la difusión que por entonces tenían las logias masónicas, apareció en sociedad convertido en el Gran Copto de Asia y África. Su nueva historia personal era la de hijo de un destronado rey de Trebisonda que había sido criado por un califa de La Meca, quien lo inició en los secretos saberes del islam, el mazdeísmo y el hinduismo. Decía haber aprendido la oculta ciencia de los derviches danzarines y de los coptos egipcios, y accedido a los secretos de la alquimia en Damasco y en castillos ocultos de los Caballeros de Malta.

Hacia 1770, tras una temporada en una logia masónica, Cagliostro fundó una logia de la llamada masonería egipcia, para la que redactó sus reglas, dotándola de una rígida estructura de jerarquía piramidal. La idea de Cagliostro fue bien acogida. Nunca había creado un timo tan rentable y a la vez tan seguro. Pero el conde de Cagliostro no parecía darse cuenta de que, con la ayuda de sus acólitos Magneval y Saint-Costard, había creado una simbología nueva y una mística masónica original que se adaptaban perfectamente a las ideas liberales de la época.

LA TERRIBLE MUTACIÓN DE JOSEPH MERRICK

Desde la más remota antigüedad han existido seres cuya apariencia parece contradecir su naturaleza humana. Son llamados monstruos y aunque en tiempos remotos se los creía de origen divino, en el presente se sabe que son fruto de graves mutaciones genéticas o patológicas. Éste es el inquietante caso de Joseph Merrick.

En la mitología de las grandes culturas son frecuentes los seres que combinan rasgos humanos y bestiales, como el centauro, que es mitad caballo y mitad hombre; el minotauro, en el que un cuerpo humano es rematado por una cabeza de toro; la esfinge, cuyo cuerpo de león lleva una cabeza humana o, entre muchos otros, el sátiro, representado con cabeza de hombre y cuerpo de macho cabrío. Las gentes de los pueblos mesopotámicos, griegos y romanos, por ejemplo, veían en los hombres o las mujeres

El actor John Hurt caracterizado como Joseph Merrick en la adaptación cinematográfica del caso del hombre elefante.

Fotograma de *El hombre elefante*, de David Lynch, una emotiva recreación de la vida de Joseph Merrick.

deformes unas criaturas divinas que infundían tanto temor como devoción.

La Edad Media europea fue propensa a los seres monstruosos y, además de los populares bestiarios, no son pocos los relatos, como el de Marco Polo, que hablan de seres fabulosos. Es probable que muchos de ellos fueran producto de la imaginación, el temor supersticioso y la ignorancia, pero también cabe la posibilidad de que alguno de esos seres mitad humano, mitad animal o con monstruosas deformidades que han alimentado las fantasías populares, haya

existido realmente. Algunos cronistas españoles de los tiempos de la conquista de América cuentan haber visto mujeres con pies de ave y en ciertos grabados medievales aparecen mujeres sin cabeza.

El doctor Frederick Treves, quien lo rescató de una feria y lo atendió a partir de 1886, hizo de Joseph Merrick una descarnada descripción de sus características físicas. Independientemente de la repugnancia que sus malformaciones y protuberancias de la piel podían provocar, Joseph Merrick era también una criatura capaz de inspirar una gran ternura a quien lo tratara. Su gran sensibilidad acababa por hacer su presencia conmovedora y, si no atractiva, al menos tolerable para quienes eran capaces de ver más allá de su dramática fealdad física.

EL ACÉFALO DE VICHY

En 1933, un médico francés que firma simplemente como doctor Therre publica un folleto en el que da cuenta de un acéfalo, es decir, un ser humano sin cabeza. El folleto de Therre se titulaba *El descabezado de tipo simiesco de la*

EL HOMBRE ELEFANTE

Joseph Merrick quizá sea el caso más conocido de hombre-monstruo. La excepcional historia de este hombre que nació sano en Leicester y sufrió una terrible enfermedad degenerativa fue conocida en todo el mundo cuando, en 1980, el director de cine David Lynch realizó la película *El hombre elefante*, basada en ella.

Lynch llevó al cine con exquisito tacto el caso clínico de Joseph Merrick, evitando tanto el efectismo como el melodrama. A la sobria factura del filme contribuyó la fotografía en blanco y negro de Freddie Francis.

EL RETRATO DE UN ENFERMO

El doctor Frederick Treves escribió un minucioso retrato de Joseph Merrick, el hombre elefante, llamado así por su gigantesca y deformada cabeza, cuya circunferencia era similar a la «cintura de una persona normal». Treves informa que «una enorme masa ósea se proyectaba sobre su frente, mientras de la parte posterior de la cabeza le colgaba una bolsa esponjosa, cuya piel parecía cubierta de pequeños hongos». Indica que la protuberancia ósea de la frente casi le cubría los ojos.

Otra excrecencia ósea le deformaba la mandíbula y la boca, al tiempo que la nariz semejaba un trozo de carne informe, como las bolsas de piel que le colgaban de la espalda y llegaban hasta la mitad de las piernas, que eran «pesadas, hidrópicas y groseramente deformes». Acerca de sus brazos, Treves informa de que el derecho «era enorme y a la vez deforme; la mano, grande y torpe, una especie de aleta o de remo más que una mano». Sorprendentemente, el otro brazo con su mano eran normales y «con una piel fina y una mano tan delicada que una mujer se la hubiera envidiado».

cas del resto de la anatomía de aquella criatura hicieron pensar al doctor Therre que podría tratarse del resultado de una relación zoofílica.

Descartada la relación incestuosa con el padre, tanto por las vehementes negativas de éste y de la muchacha como por las comprobaciones ginecológicas realizadas por una matrona, las relaciones sexuales con un simio parecían ser la causa más evidente. Abonó esta teoría el hecho de que el mono objeto de la relación zoofílica muriese durante la ausencia de la muchacha, probablemente a consecuencia de una crisis de angustia. Pero tampoco esta explicación satisfacía al doctor Therre, dado que la medicina de su época ya rechazaba la posibilidad de gestación de un híbrido de dos especies diferentes. Sin embargo, veinticinco años antes, en 1872, había nacido en Laos una mujer-mono llamada Krao, con el cuerpo cubierto de pelos y que durante muchos años fue una de las atracciones del circo Barnum & Bailey.

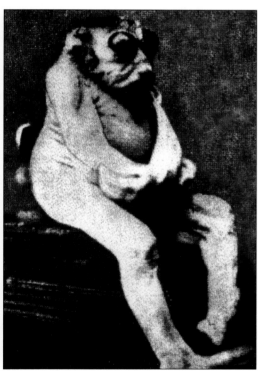

LA PESADILLA DE LA DEFORMIDAD

En 1931, Irving Thalberg, uno de los magnates de la Metro Goldwyn Mayer propuso al gran director de cine fantástico Tod Browning un singular proyecto: la realización de una película que fuera «lo más terrorífica posible». Browning decidió que en este caso no recurriría a ningún tema extraido de la literatura. Un año más tarde filmó una indiscutible obra maestra, objeto de culto de los surrealistas, *Freaks* (*La parada de los monstruos*). Los personajes son auténticos seres deformes: mujeres barbudas, enanos, hombres sin piernas ni brazos, hermanas siamesas... Por primera vez en su historia, el cine miraba al monstruo con ternura.

Imagen de un archivo médico de finales del siglo XIX donde aparece una persona afectada de una extraña enfermedad muy similar a la que sufrió Joseph Merrick.

maternidad del hospital de Vichy y en él informaba del parto de una extraña criatura ocurrido el 6 de enero de 1897. Ese día, una muchacha adolescente había dado a luz un hijo hermafrodita, con el cráneo a la altura de unos grandes ojos redondos y, consecuentemente, sin cerebro. La criatura, que apenas sobrevivió unos pocos minutos, tenía el tórax y las extremidades largas semejantes a las de un simio.

En un principio, y teniendo en cuenta la carencia de cerebro, se pensó que podía tratarse de un caso de acefalia, pero las características simies-

Detalle de una miniatura del siglo XIII en la que aparece un ser sin cabeza. Los seres malformados han despertado desde los albores de la historia la curiosidad y el morbo del público, pero sólo en los últimos tiempos se ha tratado de dar una explicación científica a su apariencia.

KASPAR HAUSER O EL HOMBRE SIN IDENTIDAD

La figura de Kaspar Hauser es controvertida tanto por la forma en que se dio a conocer en Alemania en 1828 y de comportarse más tarde, como por su asesinato y las supuestas causas. Nunca podrá saberse si fue un impostor o una desgraciada víctima de intrigas palaciegas.

Un día de diciembre de 1833, Kaspar Hauser fue apuñalado por un desconocido mientras paseaba por un parque de la ciudad alemana de Ansbach. Poco antes, Estefanía de Beauharnais, viuda del gran duque Carlos de Baden, había reconocido al misterioso joven que se hacía lla-

Fotograma perteneciente a la película *El enigma de Gaspar Hauser*, dirigida por Werner Herzog en el año 1974, sobre el enigmático salvaje.

CADA UNO PARA SÍ Y DIOS CONTRA TODOS

La radical soledad del ser humano es evocada en el título original de la película que Werner Herzog realizó en 1974 sobre Kaspar Hauser, *Jeder für sich und Gott gegen alle* (Cada uno para sí y Dios contra todos). Con música de Albinoni, Mozart, Pachabel y Di Lasso, y un antiguo enfermo mental, Bruno S., como actor protagonista, Herzog dibuja la peripecia vital de un hombre que sueña con paisajes que nunca ha visto y que desborda energía espiritual sin medida ni cauce. Hauser, exhibido como fenómeno de feria y finalmente asesinado, paradójicamente tampoco encontró fortuna en el cine, ya que Herzog careció aquí de la inspiración necesaria.
El enigma de Gaspar Hauser, título con el que se presentó la película en muchos países, tuvo una especie de segunda parte. Herzog filmó *Stroszek* en 1977, recuperando el personaje de Hauser en un contexto contemporáneo.

mar Kaspar Hauser como uno de los hijos de Carlos de Baden, que supuestamente murieron y desaparecieron a poco de nacer.

Tanto el brutal asesinato como el desconocimiento de su autor y del móvil, amén de la súbita aparición del misterioso joven, cinco años antes, en una calle de Nuremberg, con una carta como única credencial, han alimentado las más diversas conjeturas sobre la identidad y condición de Kaspar Hauser.

LAS INTRIGAS DE PALACIO

En 1806, tras la derrota de Prusia, las tropas imperiales francesas dominaban Europa central. El margraviato de Baden fue convertido, con el consentimiento del margrave Carlos Federico, en gran ducado e integrado en la Confederación del Rin. Para sellar la alianza, Napoleón casó a su hija adoptiva Estefanía de Beauharnais con el gran duque Carlos. Sin embargo, la madrastra del gran duque, la condesa de Hochberg, tenía aspiraciones para su propia descendencia, por lo que intrigó desde el principio para alcanzar su objetivo.

El 29 de septiembre de 1812, Estefanía dio a luz un niño que murió a los quince días y fue enterrado sin que ella pudiera ver el cadáver. Con un segundo hijo nacido al año siguiente sucedió lo mismo. El recién nacido fue halla-

Detalle de *La coronación*, de Jacques-Louis David (Museo del Louvre, París). Estefanía de Beauharnais, la supuesta madre de Kaspar Hauser, era a su vez hija adoptiva de Napoleón Bonaparte.

diecisiete años, a ese cuartel, «donde había servido su padre», quien, decía la madre, ya había muerto. El escrito del campesino aclaraba que era pobre y que tenía diez hijos a los que le costaba mucho mantener. La madre que lo había entregado al campesino añadía que «era muy desgraciada y que no podía quedarse con él».

Ante la imposibilidad de hacerle hablar, el capitán condujo al muchacho a la policía de Nuremberg, donde el comisario llamó a un médico y al alcalde de la ciudad. El muchacho, aunque podía escribir con dificultad su propio nombre, parecía ignorar todo acerca de lo que veía y oía, dando muestras de gran asombro o de temor ante las cosas más cotidianas, como el fuego o la música.

Aunque parecía no saber hablar, en las semanas siguientes Kaspar Hauser empezó a pro-

do muerto, mientras la nodriza se encontraba sumida en un profundo y sospechoso sueño.

Así fue como Carlos, que murió en 1819, y Estefanía quedaron sin descendencia y, a raíz de este hecho, el gran ducado, que desde la caída de Napoleón, cuatro años antes, integraba la Confederación Germánica, pasó a ser gobernado por Leopoldo de Baden, hijo de la condesa de Hochberg.

EL ENIGMA DE KASPAR HAUSER

Nadie conocía a Kaspar Hauser ni se sabía nada de él cuando, el 26 de mayo de 1828, apareció agotado en una calle de Nuremberg. Era un adolescente asustado y tembloroso, que sólo sabía gruñir. En sus manos llevaba un sobre dirigido al capitán Wessnich, oficial del sexto regimiento de caballería de guarnición en la ciudad.

Llevado el extraño muchacho al cuartel, Wessnich comprobó que la carta incluía las notas del misterioso personaje que lo había abandonado en la ciudad y de la madre del niño. Supo el oficial que el muchacho se llamaba Kaspar Hauser y que había nacido el 30 de abril de 1812; también que el 7 de octubre de ese mismo año la desconocida madre lo había dejado al cuidado del también desconocido campesino con el encargo de llevarlo, cuando cumpliese

Plaza del mercado de Nuremberg según un grabado del año 1840 en el que puede distinguirse la iglesia de Nuestra Señora.

nunciar algunas palabras y a dar muestras de un progreso sorprendentemente rápido. El médico, el alcalde y otros funcionarios se preguntaban si era un enfermo mental, un impostor o la víctima de un horrible secuestro.

UN SINIESTRO CAUTIVERIO

El muchacho demostró inteligencia y capacidad de aprendizaje. Aunque sabía escribir al menos su nombre, no dejó de causar asombro que al principio sólo se expresara con soni-

DUDAS PARA LA CONTROVERSIA

Si bien la gran duquesa Estefanía reconoció como hijo suyo a Kaspar Hauser, no son pocas las dudas sobre su verdadera identidad. Por un lado, los especialistas concluyen que el reconocimiento materno bien pudo ser causa de una «profunda frustración». Por otro, hay contradicciones y otros indicios en el personaje que hacen suponer que se trataba de un impostor o un enfermo mental. En cualquier caso, su asesinato dejó abierto un gran interrogante.

EL ENIGMA, SILENCIADO

En 1833, la gran duquesa Estefanía, cediendo a la presión de la opinión pública y también a sus íntimas inquietudes, aceptó entrevistarse primero con Stanhope, tutor del muchacho, y después viajar de incógnito a Ansbach, para observarlo personalmente. Al parecer, Estefanía advirtió rasgos y gestos de familia en Kaspar Hauser y admitió que podía ser su hijo.

El reconocimiento de Kaspar Hauser como hijo de Carlos de Baden y Estefanía tenía graves consecuencias dinásticas y políticas, ya que deslegitimaba el título de gran duque que en aquellos momentos ostentaba Leopoldo. Pero la controvertida decisión de la gran duquesa Estefanía quedó neutralizada cuando en diciembre de 1833 Kaspar Hauser fue apuñalado por un agresor desconocido en un jardín público de Ansbach.

dole en sus manos el sobre dirigido al capitán Wessnich. El relato del horrendo cautiverio del muchacho causó una honda impresión en quienes lo escucharon.

UNA POLÉMICA INVESTIGACIÓN

Cuando se disiparon las dudas sobre su posible impostura, el alcalde de Nuremberg, Binder, tomó partido público por el muchacho, exigiendo a otras instancias que se investigara sobre el caso. En un bando de la alcaldía firmado el 28 de julio de 1828, y publicado en todos los diarios de la ciudad bávara, se denunciaba que a aquel desgraciado muchacho «se le ha privado, a sabiendas de sus padres, de su libertad, de su fortuna, incluso quizás de las ventajas de un nacimiento noble».

En ese bando, el alcalde Binder avanzaba la sospecha de que el «crimen fue cometido en una época en que el niño podía hablar y ya se le habían inculcado los elementos de una buena educación, que brilla a veces en él como una estrella en la noche oscura».

Por esta y por otras razones, el alcalde de Nuremberg encarecía a las autoridades civiles, militares, policiales y judiciales que realizasen una seria investigación para «descubrir al malhechor y a sus cómplices y darles el castigo que se merecen», y restituir al muchacho sus «derechos indiscutibles».

Enterado el gobierno del contenido del bando, se apresuró a secuestrar los ejemplares de los periódicos, al considerar que sus conclusiones eran demasiado apresuradas y acaso peligrosas. Sin embargo, no fue posible evitar que la noticia se difundiera rápidamente. La prensa sensacionalista no tardó en vincular el caso de Kaspar Hauser con las extrañas desapariciones de los recién nacidos hijos de Carlos de Baden y Estefanía.

Estefanía de Beauharnais, gran duquesa de Baden, creyó hasta el momento de su muerte que sus dos hijos habían fallecido poco después de haber dado a luz. Años más tarde, la aparición de Kaspar Hauser en las calles de Nuremberg puso en tela de juicio este argumento, desvelando lo que podría haber sido una conjura en contra de la duquesa.

dos guturales y gritos. También resultó asombroso que al cabo de unas pocas semanas vocalizara algunas palabras y que, sobre todo, fuese así mismo capaz de *contar* algunos detalles de su pasado.

Kaspar Hauser recordó que había vivido mucho tiempo en una habitación oscura, probablemente un sótano, de suelo de tierra, y durmiendo sobre un montón de paja. Su pobre alimento le era dado durante la noche, sin que pudiera ver nunca a sus captores. Kaspar Hauser pudo contar que no hacía mucho había entrado en su prisión un hombre vestido de negro y con el rostro cubierto por una máscara. Este hombre misterioso le enseñó a caminar y a escribir su nombre. Cuando ya lo hubo conseguido, lo vistió, lo sacó y lo llevó hasta la calle de Nuremberg donde lo habían encontrado, deján-

EL SR. HAUSER Y EL DR. FEUERBACH

Al médico alemán del siglo XIX Anselm von Feuerbach debemos uno de los más brillantes estudios sobre el famoso hombre sin identidad de Nuremberg, su *Kaspar Hauser, un delito contra el alma del hombre*, no publicado en lengua española hasta 1997. Feuerbach comienza declarando que Hauser fue víctima de dos delitos tipificados en el código penal bávaro de la época: detención ilegal y aban-

dono. Sin embargo, alega que el mayor delito que se cometió contra él, fue un delito contra el alma humana, el de «separar a un ser humano del resto de los mortales y de la naturaleza», el de «privarle de sustento espiritual y dificultar su acceso a un destino humano». Feuerbach concluye su estudio declarando que Kaspar Hauser no era un autista, ni un deficiente mental, sino un ser «desusado y único en su especie» que no encajaba con ninguno de los moldes humanos admitidos.

IV

CREACIONES INSÓLITAS

Detalle de un bajorrelieve de la Huaca del Dragón, en la ciudad de Chanchan (Perú).

CREACIONES INSÓLITAS

A lo largo de la dilatada historia de la humanidad, el hombre ha volcado sus energías en trabajos de muy diversa índole. Pero desde la construcción de las imponentes pirámides del Antiguo Egipto hasta la invención de los autómatas como réplicas fidedignas del ser humano, se han distinguido del resto de trabajos físicos y mentales aquellos en los que el hombre ha intentado entrar en contacto con fuerzas desconocidas, en ocasiones de rasgos divinos y en otras simples energías en estado bruto.

El diseño de máquinas extraordinarias, el desarrollo de extraños poderes mentales o la construcción de monumentales edificaciones han sido tres de las formas en las que el hombre ha tratado de consumar esta aproximación a lo oculto. En algunas ocasiones, estas insólitas creaciones se han convertido en verdaderos enigmas al haber cumplido en mayor o menor medida su cometido: poner al hombre en contacto con lo insólito, con lo desconocido.

1

2

3

4

1. Silueta de la gran pirámide de Keops
2. Sesión de hipnotismo
3. Cabeza reducida jíbara. Museo del Banco Central. Quito, Ecuador.
4. Sarcófago de una mujer. Museo Egipcio de la Ciudad del Vaticano.
5. Templo de las Inscripciones de Palenque (México).

5

ENIGMAS DE LA ARQUITECTURA

*E*ntre el legado arquitectónico de la Antigüedad, una serie de construcciones trascienden la categoría de maravillas de la humanidad para convertirse en verdaderos enigmas por resolver. Santuarios como el de Stonehenge desprenden, más allá de su innegable valor artístico, un aroma a espiritualidad; nos hacen partícipes del intento de establecer un nexo entre el mundo terrenal y el elevado mundo de los dioses por parte de quienes lo erigieron siglos atrás. Y es que si las paredes de estos enigmas de la arquitectura pudieran ser dotadas del don de la palabra, nos hablarían del esfuerzo que miles de personas realizaron para lograr erigirlos, así como del profundo significado que tuvieron en el seno de la cultura que los construyó.

Aunque las diferentes investigaciones han conseguido descubrir los secretos de muchas de estas magnas obras de la arquitectura, algunas permanecen envueltas en un halo de misterio, y sólo está a nuestro alcance hacer especulaciones sobre su utilidad o sobre la forma en que fueron construidas.

Templo del Gran Jaguar. Tikal, Guatemala.

LOS MONOLITOS DE STONEHENGE

Situado en las proximidades de la ciudad inglesa de Salisbury, el conjunto megalítico de Stonehenge se supone que es uno de los más antiguos centros de culto religioso de la humanidad. Con 3 000 años de historia a sus espaldas, las claves sobre su utilidad y su significado aún continúan siendo objetivo de polémica.

Mencionada ya en la *Historia regnum Britanniae*, de Geoffroy de Monmouth, que data del año 1136, la construcción de Stonehenge se atribuyó durante siglos a los celtas, que habrían erigido el complejo megalítico para la celebración

El gran círculo de piedras del supuesto monumento al Sol, levantado en el II milenio a.C., en Stonehenge, Gran Bretaña.

de los rituales druídicos. Sin embargo, con el paso del tiempo se ha demostrado que el monumento, tal como lo conocemos en la actualidad, es la culminación de sucesivas aportaciones a una construcción original que se remontaría aproximadamente al 3300 a.C.

UN SOFISTICADO OBSERVATORIO ASTRONÓMICO

Una de las teorías más contrastadas sobre el origen de Stonehenge es la formulada por el científico Gerald Hawkins y el astrofísico Fred Hoyle, quienes en 1961 afirmaron que no era tan sólo una sepultura, como se había creído tradicionalmente, sino que cumplía también las funciones de un preciso observatorio astronómico.

Para respaldar su teoría, los dos investigadores demostraron la forma en que, desplazando piedras por las distintas perforaciones de los círculos concéntricos o tomando como referencia los megalitos para observar determinados ángulos del firmamento, el monumento permitía prever sin error los ciclos del Sol y de la Luna o definir los solsticios y los equinoccios.

Sin embargo, sus argumentos fueron acogidos con cierto escepticismo por la comunidad arqueológica, y este divorcio entre arqueólogos y astrónomos no hizo sino contribuir a que el enigma del complejo megalítico de Stonehenge continúe sin resolver.

UNA TITÁNICA TAREA DE CONSTRUCCIÓN

La construcción del complejo de Stonehenge es un verdadero enigma, mayor incluso que el que gira en torno al uso que tuvo el monumento en su día. Los primeros interrogantes surgen al examinar la naturaleza de las distintas piedras que lo componen, y que provienen todas ellas de ubicaciones distintas. Mientras que algunas proceden de Avenbury, a apenas 20 kilómetros del emplazamiento del complejo, otras, las llamadas *bluestones* (piedras azules) se transportaron desde 385 kilómetros de distancia, una tarea sin duda colosal, pero no imposible para los constructores, que requirió el trabajo de hasta mil personas para mover cada bloque.

Pero dejando a un lado la cuestión relativa a las materias primas, otro de los puntos sobre la construcción de Stonehenge que encierra un

OCÉANO ATLÁNTICO

ESCOCIA

IRLANDA

MAR DEL NORTE

GALES

INGLATERRA

STONEHENGE

Londres

FRANCIA

LA AYUDA DE LOS ATLANTES

La fidelidad al plano original de Stonehenge con la que se llevaron a cabo las aportaciones al monumento a lo largo del tiempo nos induce a pensar que el arquitecto original del complejo debió de ser alguien muy avanzado a su época. Esta figura enigmática, aún hoy envuelta en el misterio, ha dado pie a numerosas teorías, como la de quienes han querido ver en él a un ser extraterrestre. Otros prefieren pensar que fueron los atlantes quienes sentaron las bases de Stone-

henge, y para respaldar tal teoría apelan a una singular inscripción en uno de los bloques del conjunto megalítico. Esta inscripción, que representa un extraño puñal, habría sido tallada en la piedra por los atlantes según los defensores de esta hipótesis.

Sin embargo, con el tiempo se ha determinado que el origen de dicha inscripción podría ser micénico, lo cual, por otra parte, constituye también un misterio dado que no existen pruebas definitivas de expediciones micénicas a Inglaterra y que la identificación tipológica del insólito puñal es incierta.

gran misterio es el de la distribución de las piedras, es decir, el diseño espacial del complejo. Con una precisión casi matemática, el monumento se encuentra inscrito en un círculo de unos 98 metros de diámetro, 4 de ancho y un foso de entre 1,5 y 2 metros de profundidad. En su interior hay otros tres anillos concéntricos, todos ellos delimitados por agujeros en los que se han encontrado restos óseos calcinados. Al término del cuarto anillo se alza la parte monumental del complejo, con dos círculos de piedras completos en los que se inscriben otros dos círculos con forma de media luna. Sin duda, tan complicada y concienzuda disposición ha de estar perfectamente estructurada en un plan cuidado al detalle. Lo que parece más extraño es que, en las diferentes modificaciones sufridas por el complejo a lo largo del tiempo, el plan original de construcción siempre fue respeta-

El pintor británico John Constable aportó en esta acuarela su visión romántica de Stonehenge.

do, consumándose finalmente el monumento tal como habría sido proyectado en un principio. A partir del 2100 a.C. se inició la reconstrucción del monumento y se erigieron diversos círculos de piedras y estructuras en herradura en subsiguientes remodelaciones.

Las preguntas al respecto de la construcción de Stonehenge son muchas y la mayoría no ha recibido respuesta. ¿Cómo consiguieron llevar monolitos de más de 50 toneladas desde más de 200 kilómetros de distancia? ¿Quién y con qué finalidad pudo trazar el detallado plano del complejo en el año 3300 a.C.? Desde las disparatadas conjeturas de quienes han querido ver en él un «aeropuerto» de naves espaciales hasta las de quienes lo han considerado un generador de energía, son numerosas las vías de investigación que han pretendido resolver el enigma sobre la utilidad del complejo de Stonehenge.

El actual conjunto arqueológico de Stonehenge, formado por dos grandes círculos de construcciones de piedra, fue construido en dos etapas, entre 3300 a.C. y 1700 a.C.

LA CRÍPTICA OBRA DEL FARAÓN KEOPS

La majestuosa figura de la pirámide de Keops se recorta contra el cielo de la meseta de Gizeh, desafiando a los arqueólogos y los investigadores. Son muchas las preguntas sin respuesta que se ocultan tras los enigmáticos muros de este monumento, al que los griegos ya elevaron en su día a la categoría de «maravilla del mundo».

Desde que fuera visitada en la Antigüedad por historiadores de la talla de Herodoto hasta su disección a golpe de dinamita a finales del siglo XIX, la pirámide de Keops no ha dejado de fascinar a la humanidad. Sin embargo, pese a los esfuerzos realizados por hombres de todos los tiempos, no se han encontrado explicaciones concluyentes sobre la fecha de su construcción ni sobre el uso al que estaba destinada.

Esta ilustración del siglo XIX muestra los trabajos de exploración en el interior de la pirámide de Keops llevados a cabo por el militar británico Richard H. Vyse.

EL PROBLEMA DE LAS FECHAS

La primera controversia sobre la pirámide de Keops se refiere a la fecha de su construcción. La teoría más difundida es la que acepta la cronología establecida por el historiador griego Herodoto en una de sus crónicas, y que sitúa la construcción de la pirámide en la IV Dinastía del Imperio Antiguo. Para Herodoto, el faraón Keops fue el segundo de esta dinastía, y su reinado se extendió del 2589 al 2566 a.C. Pero en el mismo II Libro de la *Historia* donde Herodoto

EXPERTOS MATEMÁTICOS

Algunos datos numéricos extraídos de las medidas de la pirámide son sorprendentes, aunque la credibilidad de dichos cálculos se ha cuestionado a menudo.

Los estudios de los británicos John Taylor y Charles P. Smyth arrojaron que dividiendo la suma de los cuatro lados por el doble de la altura de la pirámide se obtenía el número π, mientras que el egiptólogo británico Sir Flinders Petrie afirmó que en las medidas de las paredes norte y sur de la pirámide tan sólo existía un mínimo error de una décima de milímetro por metro.

ofrece estos datos, el historiador confiesa que sus fuentes no son fiables, lo cual resta credibilidad a su cronología.

Sin embargo, a finales del siglo XIX, las investigaciones realizadas en la pirámide por el militar británico Richard H. Vyse dieron la razón a Herodoto. En su búsqueda de una cámara secreta anexa a la descubierta por Davidson en 1765, Vyse no dudó en utilizar dinamita para abrirse camino por el interior de la pirámide, y entre febrero y mayo de 1837 descubrió tres estancias ocultas. En una de ellas dio con un cartucho en el que figuraba el nombre de Keops, lo que confirmaba la teoría de Herodoto según la cual el

La silueta de la Gran Pirámide se yergue altiva en el horizonte al atardecer. La excepcional construcción se levantó en Gizeh, en la orilla occidental del Nilo, durante el mandato del faraón Keops. Este faraón fue el segundo de la IV dinastía, en el siglo XXVI a.C.

¿CON QUÉ FINALIDAD SE CONSTRUYÓ LA PIRÁMIDE DE KEOPS?

Aunque tradicionalmente se ha considerado que las pirámides del Antiguo Egipto son monumentos funerarios, un dato significativo parece contradecir esta teoría: nunca se han encontrado cadáveres en el interior de las pirámides. La egiptología tradicional responde a este hecho alegando que todas las pirámides han sufrido saqueos a lo largo del tiempo, pero algunas de las tumbas descubiertas por la arqueología moderna se encontraban fuertemente protegidas del asedio y aun así no se ha encontrado en ellas ningún resto funerario.

La pirámide de Keops no es una excepción, lo que ha abierto un amplio debate sobre la utilidad de este monumento en el Antiguo Egipto. Las teorías formuladas, a cuál más fantasiosa, van desde las que proponen que la pirámide fue un templo o una biblioteca en clave del saber humano, hasta las más disparatadas, que la consideran un reactor nuclear, un aeropuerto de naves espaciales o un generador de energía. También hay quien afirma que el monumento es obra de una raza extraterrestre que habría vivido en la Tierra antes que el hombre, y quien prefiere atribuir su construcción a los supervivientes del cataclismo que acabó con la Atlántida.

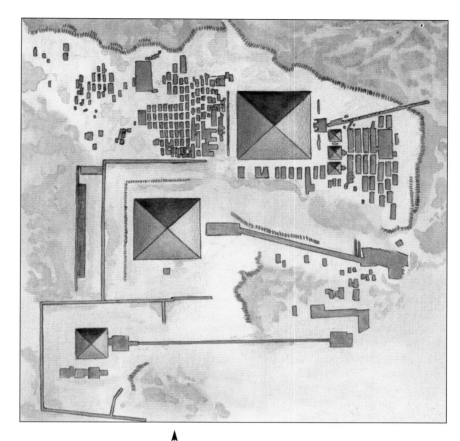

Entre 2600 y 2500 a.C. se levantó en Gizeh una necrópolis compuesta de mastabas, pirámides, templos y una ciudad para albergar obreros, sacerdotes y funcionarios. Las pirámides de Keops, Kefrén y Micerinos dominaban el conjunto.

La orientación del monumento, que parece alineado según los puntos cardinales, reviste así mismo un gran misterio al margen de que de este hecho pueda deducirse que la pirámide era un observatorio, como algunos han propuesto; lo que sí parece fuera de toda duda es que los constructores de la pirámide de Keops poseían un buen conocimiento de las matemáticas, la geometría y la astronomía.

monumento se había erigido durante el reinado de dicho faraón.

Pero los hallazgos de H. Vyse no tardaron en ser cuestionados por eminentes egiptólogos, que acusaban al británico de haberse equivocado al transcribir el nombre del cartucho.

También han sido objeto de debate los medios utilizados para levantar una obra de tan enormes dimensiones. Herodoto afirma en sus crónicas que en su construcción trabajaron más de cien mil hombres, y aunque esta estimación es exagerada, no menos de cinco mil trabajadores debieron intervenir en los trabajos de la Gran Pirámide. Además de la fuerza bruta, rampas, trineos y otros artilugios se supone que se empleó algún tipo de máquinas rudimentarias. Se especula también con la posibilidad de que los egipcios inventaran una técnica capaz de deslizar las rocas, lo que explicaría cómo se transportaron miles de bloques de piedra.

Las obras del historiador griego del siglo V a.C. Herodoto, que visitó el Nilo en varias ocasiones, son una importante fuente para el estudio del Antiguo Egipto.

LOS MOÁIS DE LA ISLA DE RAPA NUI

En sus escasos 117 kilómetros cuadrados de extensión, la isla chilena de Pascua encierra desde hace siglos innumerables enigmas. Tal vez el más indescifrable de todos ellos sea el de los moáis, las imponentes efigies de piedra cuyo significado y funcionalidad aún no han sido descifrados.

El 5 de abril de 1722, día de la Pascua de Resurrección, el explorador holandés Jakob Roggeveen desembarcaba por vez primera en una pequeña isla de origen volcánico situada en el océano Pacífico, al oeste de la costa chilena. Por la fecha de su descubrimiento, la isla recibió el nombre de Pascua. Sin embargo, la población polinesia que había habitado la isla durante siglos se negó a aceptar esta denominación y siguió llamándola Rapa Nui, su nombre polinesio original.

Coronando la cabeza de este moai puede verse el característico *pukao* o sombrero cilíndrico de piedra roja. Este tipo de moai, levantado sobre una gran plataforma, tenía una función funeraria.

LOS MOÁIS, GUARDIANES DE PIEDRA

Poco se sabe de la civilización que habitó la isla de Rapa Nui antes de la llegada de Roggeveen en el siglo XVIII. Son muchas las investigaciones llevadas a cabo para dar respuesta a este interrogante, y de todas ellas se extrae la conclusión de que los primeros pobladores de la isla fueron polinesios, y no sudamericanos como se pretendió durante algún tiempo. Estos habi-

Impresionante hilera de moáis que representan enigmáticos seres humanos. Estas esculturas monumentales fueron talladas sobre piedra en las pendientes del volcán Rano Raraku.

tantes primigenios debieron de llegar a Pascua, procedentes de las islas Marquesas, hacia el siglo IV d.C., dejando a lo largo de los siglos innumerables huellas que nos permiten rastrear sus orígenes y costumbres. Los imponentes moáis son, sin lugar a dudas, su principal vestigio.

LA FUNCIÓN DE LAS EFIGIES

A lo largo y ancho de la isla de Pascua se han contabilizado alrededor de seiscientos moáis,

EXTRAÑOS VISITANTES

El testimonio de los mestizos descendientes de los habitantes originarios de Rapa Nui señala que los moáis son representaciones de los ancestros de la isla, seres muy poderosos que algunas líneas de investigación han querido emparentar con los mantras. La forma en que se describe a estas deidades, a las que tradicionalmente se atribuyen poderes mentales, ha dado pie a disparatadas teorías según las cuales estos ancestros eran seres extraterrestres. La misión de estos visitantes habría sido transmitir a los habitantes de la isla de Pascua sus avanzados conocimientos, entre ellos probablemente la escritura y el complicado proceso de construcción y transporte de los moáis. Aunque estas hipótesis carecen de rigor, el hecho de tratarse de representaciones de visitantes del espacio justificaría la aparente desproporción de los cuerpos de los moáis.

más sin terminar. De hasta 21 metros de altura, estas estatuas representan cuerpos enteros con grandes cabezas de piedra, adornadas con ojos de coral blanco y, en ocasiones, coronadas por sombreros de toba roja, los *pukao*.

Algunos investigadores han propuesto que la función de estas efigies era la de defender la isla de posibles ataques, pero rebate esta teoría el hecho de que la totalidad de los moáis se erigieron de espaldas al mar, es decir, mirando al interior de la isla.

MONUMENTOS FUNERARIOS

Otra hipótesis apunta que podría tratarse de monumentos funerarios, teoría que respalda el hallazgo de tumbas en los denominados *ahus*, enormes plataformas de piedra semienterradas

algunos de los cuales podrían tener 2 800 años de antigüedad, y las laderas del volcán Rano Raraku, de donde se extraía la toba para su construcción, se alzan al menos doscientas estatuas

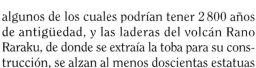

Grabado del siglo XVIII que muestra a los científicos que acompañaron al explorador holandés Jakob Roggeveen.

sobre las cuales se yerguen algunos moáis. Estos moáis de supuesta función funeraria y puestos en pie sobre los *ahus* tienen otra peculiaridad: todos ellos llevan sobre la cabeza unos sombreros cilíndricos fabricados en piedra roja, denominados *pukaos*.

ESCRITURA PRIMITIVA

Una segunda categoría de moáis, que comprende las estatuas no cimentadas sobre *ahus*, se caracteriza por las inscripciones grabadas sobre su superficie. Dichas inscripciones, junto al hallazgo de unas tablillas de madera llamadas rongo-rongos, atestiguan la existencia de un sistema pictórico de escritura que habrían utilizado en la Antigüedad los habitantes de Rapa Nui. Al no existir pruebas fehacientes de que algún otro pueblo polinesio conociera la escritura pictórica, queda fuera de toda duda que los pascuenses alcanzaron un alto grado de desarrollo a lo largo de toda su historia.

EL PROBLEMA DEL TRANSPORTE

La forma en que los enormes moáis de piedra fueron transportados hasta 15 kilómetros de distancia y después puestos en pie es otro de los misterios de la isla de Rapa Nui. Su traslado desde la cantera del volcán Rano Raraku hasta el emplazamiento final se realizaba probablemente con trineos, donde los moáis eran colocados boca abajo. Respecto a la forma en que las estatuas eran puestas en pie, parece fuera de toda duda que los pascuenses se servían de cuerdas y troncos, utilizando estos últimos a modo de palancas. Sin embargo, aunque se ha demostrado que con estas herramientas es posible poner en pie bloques de piedra de varias toneladas de peso, se ignora cómo eran coronados los moáis, una vez derechos, con sus grandes sombreros.

TIKAL, LA CIUDAD ABANDONADA

En la ciudad de Tikal, también llamada Ciudad de las Voces de los Espíritus, perdida en medio de la selva tropical, encontramos los vestigios de una civilización que poseía unos avanzados conocimientos matemáticos y astronómicos, y erigía magníficos templos y pirámides. ¿Por qué extraña razón fue abandonada la colosal capital del mundo maya?

La selva guatemalteca de El Petén, que se extiende desde el estado mexicano de Chiapas hasta la frontera con Belice, con una extensión de más de 30 000 kilómetros cuadrados, es uno de los epicentros de la actividad arqueológica en Latinoamérica. Escondida entre la frondosa vegetación de esta selva tropical se halla la ciudad que durante años fue la capital del imperio maya, Tikal.

Grabado de Charnay, realizado en el siglo XIX, que muestra un templo erigido en la cima de un montículo. Como se puede observar, la vegetación invade su interior.

LA GRAN CAPITAL MAYA

Con más de tres mil construcciones en su haber, uno de los puntales de la arquitectura de Tikal lo constituyen sus seis templos piramidales, que alcanzan hasta 70 metros de altura. Los templos primero y segundo, conocidos como Templo del Jaguar Gigante y Templo de las Máscaras, respectivamente, están situados en la gran pla-

En primer término, el Templo II o de las Máscaras. Al fondo, a la izquierda, puede verse el Templo III, y a la derecha el Templo IV, todos ellos en el yacimiento arqueológico de Tikal.

za central de la ciudad, epicentro de Tikal y, por extensión, de todo el imperio maya. A su alrededor se levantan dos de las acrópolis de Tikal, en las que se han encontrado fabulosos restos arqueológicos, entre ellos mascarones, estelas y altares de sacrificios.

En el espectacular conjunto monumental de Tikal destaca así mismo el observatorio que, lo mismo que otros emplazamientos mayas, pone de manifiesto los avanzados conocimientos matemáticos y astronómicos que poseía este pueblo. Así, desde este observatorio era posible

ALGUNAS LUCES Y MUCHAS SOMBRAS

Aunque hace ya más de mil años que la ciudad de Tikal fue abandonada por quienes la levantaron hacia el siglo IV d.C., aún hoy se siguen practicando en sus inmediaciones las típicas celebraciones rituales mayas. Es el caso de los solsticios y los equinoccios, que congregan en la actualidad a gran parte de la población indígena de la zona. La respuesta por parte de los dioses a estos rituales se ha querido emparentar en los últimos tiempos con los numerosos supuestos avistamientos de ovnis registrados en Tikal, ya que la tradición de los dioses mayas llegados de las estrellas concuerda con la aparición de grandes objetos luminosos por encima del manto de vegetación de la selva de El Petén. Algunas descabelladas teorías seudocientíficas apuntan incluso a que la plaza central de la ciudad de Tikal es en realidad una gran pista de aterrizaje para naves extraterrestres.

Otras teorías han justificado el abandono de las ciudades mayas por una invasión extranjera o como fruto de una rebelión campesina, hipótesis esta última respaldada por el hallazgo de estatuillas mutiladas de soberanos mayas en la zona; pero ambas teorías pierden fuerza por no existir huellas de violencia en los restos.

Frente a teorías más probables, como la que apunta a un progresivo agotamiento del suelo, coexisten disparatadas hipótesis según las cuales el pueblo maya habría migrado en naves espaciales hacia otros planetas. En cualquier caso, el misterioso abandono de las ciudades mayas continúa rodeado de misterio, y las ruinas de la otrora próspera y avanzada ciudad de Tikal siguen esperando en silencio a que el misterioso episodio del éxodo de sus habitantes cobre sentido algún día a ojos de la arqueología.

predecir con gran exactitud numerosos fenómenos astronómicos, a través de los cuales se articulaba el preciso calendario maya.

EL ENIGMÁTICO ABANDONO DE TIKAL

Habida cuenta de la magnificencia de la ciudad de Tikal, parece imposible que tanto ésta como otras muchas ciudades mayas fueran abandonadas de improviso por sus habitantes. El primer indicio del abandono precipitado de la ciudad de Tikal se halla en la interrupción de las obras en curso. La población disminuye a un ritmo creciente a partir de ese momento (se llegó a dividir por diez en el caso de Tikal) y en un cortísimo espacio de tiempo.

Sobre este éxodo maya, que se prolongó a lo largo del siglo IX, se han formulado innumerables teorías, unas más afortunadas que otras, pero ninguna de ellas ha sido suficientemente contrastada para ser aceptada como la versión oficial de lo sucedido. Una primera categoría agrupa todas las teorías que señalan a diferentes fenómenos naturales como causa del abandono. Pero el examen de los restos arqueológicos de la zona ha ido desmintiendo la posibilidad de que se produjera un seísmo en la época maya o de que una epidemia devastara la población.

Templo I o del Gran Jaguar. Una impresionante y empinada escalera, cuyos peldaños ha borrado el paso del tiempo, daba acceso a su interior, en la parte más elevada.

En el Parque Nacional de Tikal, en el departamento guatemalteco de El Petén, las pirámides mayas sobresalen entre la espesura de una selva en la cual las lluvias son muy frecuentes.

LAS RAÍCES DE GUATEMALA

La ciudad de Tikal fue fundada el 1 de septiembre del 317 d.C. Fue la ciudad más populosa de la civilización maya, por delante de Copán, Palenque y Uxmal, y ocupa alrededor de 10 km² de extensión. Pero la magnificencia de Tikal no se debe sólo al hecho de ser el mayor enclave arqueológico del mundo, sino a la singular habilidad arquitectónica con la que fue proyectada. En la actualidad, el gran centro arqueológico de la cultura maya es conocido como Parque Nacional de Tikal y fue declarado por la Unesco en 1979 bien cultural-natural del patrimonio mundial.

LA GRAN METRÓPOLI DE TIAHUANACO

Entre los años 800 a.C. y 1000 d.C. vivió su apogeo el imperio de Tiahuanaco, bajo cuyos auspicios se levantó la ciudad homónima. Por su proximidad a las enigmáticas llanuras de Nazca y por sus extrañas construcciones, esta ciudad es uno de los misterios más insondables del legado precolombino.

La cultura de Tiahuanaco floreció a orillas del lago Titicaca. En la actualidad, la región está habitada por los aymara que cruzan los 8 300 km² del lago en embarcaciones de totora.

Cuando los españoles llegaron a Tiahuanaco, preguntaron a la población local sobre la antigüedad de la magnífica ciudad que acababan de descubrir. La única respuesta que recibieron fue que la metrópoli había sido erigida en tan sólo una noche por una raza de gigantes. Ya

El templo de Calasasaya en cuyo interior se descubrió el monolito Ponce, de 3 metros de altura, que representaba a un hombre tihuanaquense con los brazos en el pecho.

desde este temprano y enigmático testimonio, la ciudad de Tiahuanaco se ha visto rodeada de un halo de misterio.

UNA CULTURA PREINCAICA DIFERENTE

De entre las culturas preincaicas, la de Tiahuanaco fue sin duda una de las más avanzadas. Surgida en la meseta del Collao, a orillas del lago Titicaca, conoció su esplendor entre los años 800

de ruinas situado a mayor altitud de todo el continente americano. Flanqueado por montañas de hasta 6 000 metros al este y el oeste, este enclave precolombino de 420 hectáreas de superficie está salpicado de magníficos monumentos que son el testimonio de la cultura preincaica de Tiahuanaco.

Se considera que el amplio uso de la piedra en la construcción de la ciudad estaba destinado a concretar físicamente la gran estructura de poder de la que hacía gala la urbe, en la que

a.C. y 1000 d.C., rindió culto al Sol y tuvo su epicentro en la ciudad de Tiahuanaco. Desde ella se articuló todo un sistema de caminos que la comunicaban con las poblaciones tiahuanaquenses, y se erigieron en sus inmediaciones numerosos edificios administrativos.

El carácter distintivo que ha diferenciado a Tiahuanaco de las restantes culturas preincaicas, como la de Chavín o la de Paracas, reside la existencia de construcciones monolíticas en sus ciudades. De todas ellas, la más característica es, sin lugar a dudas, la Puerta del Sol, acerca de la cual se han llevado a cabo innumerables estudios.

LA METRÓPOLI DE LAS ALTURAS

A 3 840 metros de altura y a 20 kilómetros de distancia de la orilla sur del lago Titicaca, se alza la majestuosa ciudad de Tiahuanaco, el conjunto

La Puerta del Sol es un inmenso monolito de andesita de 3 m de altura por 4,75 m de anchura. Se supone que tiene un peso de unas 10 t. En el friso está representado el dios Viracocha.

Detalle de la parte superior del monolito Ponce, al que por la actitud del hombre al que representa se llamó popularmente «El fraile». Sus formas macizas y geométricas son características de la cultura de Tiahuanaco.

EL MISTERIO DE LOS GIGANTES

El testimonio indígena que atribuye la construcción de Tiahuanaco a una raza extinguida de gigantes se antoja disparatado, pero en él podríamos hallar la respuesta a uno de los enigmas que pesan sobre la ciudad: la forma en que los grandes monolitos de andesita y piedra arenisca se transportaron, salvando largas distancias, hasta su ubicación actual. Otro mito indígena propone que fue un misterioso mago quien se encargó de trasladar estas rocas por el aire utilizando una trompeta, pero ante la inaceptabilidad de esta teoría, varios estudios han demostrado que el uso de cuerdas y tablas habría permitido desplazar bloques de varias toneladas de peso. Otra vía de transporte posible podría haber sido el lago Titicaca. A este enigma se añade además el precipitado abandono de la ciudad por sus pobladores, extraño suceso que se repetirá en otras culturas precolombinas de Latinoamérica.
La hipótesis más plausible sobre el abandono de la meseta lo atribuye a una larga sequía.

encontramos edificios de grandes proporciones junto a construcciones de tipo menor. De entre estos edificios cabe destacar la pirámide cuadrada de Acapana, de 210 metros de lado y muy deteriorada en la actualidad por la rapiña de los saqueadores. Todo el recinto aparece salpicado de esculturas monolíticas de hasta 5 metros de altura. También reviste interés el conjunto de edificaciones de Calasasaya, prácticamente cuadradas, de 135 por 130 metros de lado. Precisamente en una de sus esquinas se encuentra la Puerta del Sol, la construcción tiahuanaquense más característica.

Los estudios sobre Tiahuanaco han desvelado que se trataba de un centro administrativo y espiritual muy bien estructurado, con distintos barrios destinados a los diferentes grupos sociales. Tanto es así, que la disposición de Tiahuanaco se imitaría en la construcción de ciudades andinas posteriores.

LA MÍTICA TORRE DE BABEL

Según el relato bíblico del Génesis, los descendientes de Noé iniciaron en la Antigüedad la construcción de una torre de colosales dimensiones en un intento de unir el cielo con la tierra. Su construcción fue abortada por acción divina, pero la leyenda de tan singular edificación sigue viva en la actualidad con el debate abierto sobre su emplazamiento.

Aunque la identificación de leyendas bíblicas con realidades históricas y evidencias arqueológicas ha sido siempre una práctica poco reconocida y ha arrojado escasos resultados a lo largo de la historia, el caso de la torre de Babel ha sido objeto de innumerables estudios en los que se ha tratado de demarcar geográficamente su ubicación. Este hecho certifica la fascinación del hombre por esta enigmática construcción,

La torre de Babel bien pudo ser un zigurat como el de Heftete. Los restos arqueológicos de este gran zigurat, construido entre los milenios II y I a.C., se hallan cerca de Susa, en Irán.

La palabra Babel tiene su origen en la hebrea *balal* que significa «confusión». El episodio bíblico de la construcción de la torre aparece en este vitral de la catedral de Milán.

EL EXTRAÑO FENÓMENO DE LA CONFUSIÓN DE LAS LENGUAS

La versión que ofrece la Biblia sobre el episodio de la torre de Babel nos habla de un reino, Babilonia, al que el afán de fama y prosperidad impulsó a emprender una obra de titánicas dimensiones que, al pretender tender un puente entre la tierra y el cielo, constituía un verdadero desafío a la magnificencia divina.

Las represalias de Yahvé, destinadas tanto a detener la construcción de la torre como a humillar a los osados babilonios, se materializaron en el célebre episodio de la confusión de las lenguas. En él, y por acción divina, los centenares de obreros que trabajaban en la torre de Babel dejaron de entenderse en su lengua habitual; con ello se desencadenaron un caos y una confusión tales que provocaron el éxodo de los babilonios en todas direcciones y dejaron la obra a medio construir.

El fenómeno de la confusión de lenguas fue la manera mítica en que la humanidad reconocía los peligros de la ambición.

cuya primera referencia se encuentra en las páginas del Génesis.

LOS ZIGURATS DE BABILONIA

Las torres escalonadas, conocidas como zigurats, son sin duda las construcciones más emblemáticas de la arquitectura mesopotámica. De gran espectacularidad, son muchos los monumentos de esta naturaleza desperdigados a lo largo y ancho de Mesopotamia, un territorio que fue ocupado por las civilizaciones sumeria y aca-

LA TORRE DE BABEL SEGÚN LA BIBLIA

Toda la tierra tenía una la lengua y usaba las mismas palabras. Los hombres en su travesía hacia oriente dieron con una llanura en la región de Senaar y en ella se establecieron. Y se dijeron los unos a los otros: «Hagamos ladrillos y cozámoslos al fuego». [...] Luego dijeron: «Vamos, edifiquemos una ciudad y una torre cuya cúspide llegue al cielo. Hagámonos así famosos y no nos dispersemos más sobre la faz de la tierra». Mas Yahvé descendió para ver la ciudad y la torre que los hombres estaban levantando y dijo: «He aquí que todos forman un solo pueblo y hablan todos una sola lengua, siendo éste el comienzo de sus empresas. Nada les impedirá que lleven a cabo todo lo que se propongan. Pues bien, bajemos y allí mismo confundamos su lengua de modo que no puedan entenderse unos con otros». Así Yahvé los dispersó por toda la superficie de la tierra y abandonaron la construcción de la ciudad. Por ello se la llamó Babel, porque fue allí donde confundió Yahvé las lenguas de todos los habitantes de la tierra y los dispersó por toda su superficie. (Génesis, 11.)

Se sabe que esta torre, que se empezó a construir durante el reinado de Nabucodonosor, aún estaba siendo edificada cuando Babilonia fue tomada por los persas en el año 539. Destruida de inmediato por los invasores, la suerte de la *Etemen-anki* no mejoró a partir de entonces, y la reconstrucción ordenada por Alejandro Magno no se llegó a realizar

Los restos de la colosal torre acabaron destinándose a la construcción de nuevos edificios, y sus ruinas quedaron borradas para siempre de la historia de la humanidad.

Jan Brueghel (1568-1625), pintor flamenco llamado Brueghel de Velours, se hizo eco del relato bíblico sobre la torre de Babel en este óleo que se conserva en el Kunsthistorisches Museum de Viena.

dia, y por el imperio babilónico. Si bien no se conserva resto alguno en la actualidad, en la ciudad de Babilonia existió una de estas construcciones conocida como *Etemen-anki*, que significa «casa fundamento del cielo y de la tierra». De 90 metros de lado por 90 de altura, se trataba de un zigurat de siete pisos de adobes, recubiertos todos ellos por una capa de ladrillos policromados de distintos colores según los pisos. Han sido muchos los investigadores que han querido ver en este zigurat la legendaria torre de Babel. Esta teoría es respaldada por una inscripción datada entre los años 625 y 605 a.C. en la que se estipula que la cúspide de la *Etemen-anki* debía alcanzar el cielo, dato que se correspondería con la finalidad que se le da a la torre de Babel en la Biblia.

Las crónicas del historiador griego Herodoto también dan consistencia a la hipótesis según la cual el gran zigurat de Babilonia habría sido la torre de Babel, al establecer, alrededor del año 460 a.C., que el zigurat babilónico era un nexo de unión entre el elevado mundo de los dioses y el mundo terrenal de los hombres.

LA CATEDRAL DE CHARTRES

La catedral de Chartres se considera una de las tres joyas de la arquitectura gótica francesa, junto con los templos de Reims y Amiens. Esta imponente construcción, con 2 600 m² de vidrieras, sobresale así mismo por varios enigmas sobre su construcción, que en ocasiones se remontan a los lejanos tiempos de los druidas.

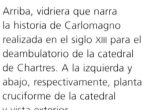

Arriba, vidriera que narra la historia de Carlomagno realizada en el siglo XIII para el deambulatorio de la catedral de Chartres. A la izquierda y abajo, respectivamente, planta cruciforme de la catedral y vista exterior.

El terreno sobre el que se yergue la catedral de Chartres ha sido testigo de excepción, a lo largo de los siglos, de muchos episodios de la historia de Occidente. Los druidas celtas descubrieron en el lugar aguas y energías curativas, y

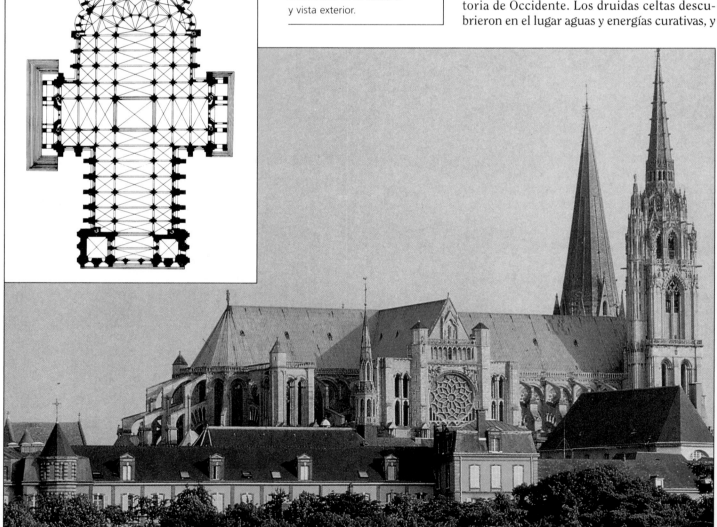

CHARTRES Y LA CONSTELACIÓN DE VIRGO

Según la teoría enunciada por el investigador Louis Charpentier en su libro *El misterio de la catedral* publicado en *Chartres*, de 1969, los templarios, con la construcción de la catedral, pretendieron representar en el suelo la constelación de Virgo.

Este objetivo respondía a una tradición milenaria según la cual, para controlar las energías cósmicas, los seres humanos imitaban lo que había en los cielos.

Dando por válida esta teoría, por otra parte extensiva a algunas maravillas arquitectónicas de la categoría de las pirámides de Gizeh, supuestamente emparentadas con el cinturón de Orión, se daría respuesta a enigmas como el de la orientación de la planta del templo de Chartres.

erigieron en sus inmediaciones un templo pagano y un pozo. Siglos más tarde, los templarios construyeron la actual catedral siguiendo unos extraños postulados arquitectónicos.

LAS *SERPIENTES* SUBTERRÁNEAS DE CHARTRES

Uno de los primeros asentamientos de los que se tiene constancia en la zona de Chartres es el de la tribu celta de los *carnutos*. Este pueblo, cuyos integrantes eran conocidos como «los guardianes de la piedra», se percató de las fuerzas subterráneas que fluían en el subsuelo del lugar. Más adelante, los druidas galos llamaron *wuivres* (serpientes) a estos flujos e intentaron canalizar su poder con fines terapéuticos y espirituales.

El secreto de las corrientes telúricas se fue transmitiendo de generación en generación y culminó con la construcción de un profundo pozo en el mismo lugar donde hoy se hallan los cimientos de la cripta de la catedral. De 33 metros de profundidad, el pozo estaba situado en el interior de un templo pagano.

Por lo que respecta a los templos cristianos, son un total de cinco las catedrales erigidas en Chartres a lo largo de los siglos antes de la edificación actual, y todas ellas fueron destruidas por otros tantos incendios. Tras el último incendio, el sabio y arquitecto Fulbert de Chartres se encargó de la reconstrucción parcial del templo, en la que configuró en gran medida la disposición actual de la catedral.

Los sólidos arbotantes de la catedral de Chartres constituyen uno de sus signos más característicos. La observación de esta fantástica obra arquitectónica dio pie a todo tipo de especulaciones, más o menos parapsicológicas, respecto a su construcción.

LA INFLUENCIA DE LOS TEMPLARIOS

Los templarios desempeñaron un papel crucial en la configuración de la catedral de Chartres, condensando en su plano toda la sabiduría recogida en sus viajes a Jerusalén. De hecho, algunos afirman que fueron los templarios quienes introdujeron el estilo gótico en Europa, lo cual, de ser cierto, no sería más que el conjunto de enseñanzas recogidas en la legendaria Arca de la Alianza de Moisés, supuestamente hallada por la Orden del Temple en el siglo XII. Sea o no cierto, de lo sí que tenemos constancia es de que, en el año 1118, san Bernardo de Claraval envió a Tierra Santa a nueve caballeros en busca de los secretos del templo de Salomón.

Pero más allá de tales especulaciones, la relación entre la Orden del Temple y la catedral de

EL VELO DE LA VIRGEN

Como bastión de la cristiandad, la catedral de Chartres guarda celosamente varias reliquias de gran valor.

La más importante es sin duda «el velo de la Virgen», un trozo de una camisa que la Virgen María, a la que está consagrado el templo, habría llevado en el tiempo de su embarazo. El misterio rodea a este pedazo de tela desde que, el año 911, la reliquia fue utilizada como bandera para rechazar un ataque normando a la población de Chartres. Mucho más tarde, en el año 1194, uno de los incendios que arrasaron la catedral dejó intacto el velo entre los escombros, convirtiéndolo en uno de los más enigmáticos tesoros de la catedral.

EL MAESTRO FULBERT DE CHARTRES

Fulbert de Chartres nació a mediados del siglo X en la ciudad de Reims, donde se encargó de su educación Gerbert d'Aurillac, el futuro papa Silvestre II. En su juventud se trasladó a Chartres donde se dedicó a la enseñanza de las más diversas materias como gramática, aritmética, astronomía, medicina y música. Su sabiduría era tan asombrosa que sus contemporáneos le llamaban el «venerable Sócrates». A los 50 años fue nombrado obispo de la ciudad que le acogió. Fulbert mantuvo, asimismo, relaciones diplomáticas con hombres poderosos de la época como Canuto el Grande.

Grabado del siglo XVIII que corresponde a un caballero templario. El Arca de la Alianza representada en el pórtico de los Iniciados llevó a suponer una vinculación entre la Orden del Temple y la catedral de Chartres.

Nave central de la catedral de Chartres. Esta basílica fue erigida en un breve período de tiempo gracias a la contribución económica de los estamentos civiles y religiosos de la ciudad, así como la de notables miembros de la corte como la madre del rey Luis IX.

La orientación del templo en dirección noreste es otro de sus interrogantes, ya que contradice los cánones arquitectónicos según los cuales las iglesias se orientaban hacia Palestina, es decir, hacia el este. Algunos investigadores han propuesto que esta orientación podría responder a la voluntad de cimentar el templo atendiendo a las corrientes de agua subterráneas, lo que, por otra parte, no deja de constituir un misterio.

En el interior de la catedral cabe destacar la magnificencia de las vidrieras, sin duda su signo más distintivo, y que están muy adelantadas técnicamente a otros trabajos en vidrio de la época. Encontramos así mismo referencias a temas astrológicos impropios en un templo de la cristiandad, y en contraste con este dato son notorias las ausencias en la decoración de algunos episodios cristianos fundamentales. Así mismo resulta inquietante el dibujo del laberinto incrustado en el enlosado de la nave, y que algunos investigadores han relacionado con el recorrido de las corrientes telúricas que serpentean bajo los cimientos de la catedral.

CHARTRES, UN MODELO SINGULAR DE LA ARQUITECTURA GÓTICA

En cualquier caso, el estilo que imprimió el arquitecto Fulbert de Chartres a su obra maestra se convirtió inmediatamente en canon para la arquitectura gótica religiosa. Mientras la catedral aún estaba en construcción fue ya objeto de elogios, empezando a ejercer influencia entre otros arquitectos.

En el modelo de Chartres, prodigioso por su claridad y equilibrio, se inspiraron posteriormente los constructores de las catedrales de Reims y de Amiens.

Chartres es evidente en el llamado «pórtico de los Iniciados», en una de cuyas columnas se puede observar un altorrelieve en el que se distingue el Arca de la Alianza transportada en carro por un hombre cubierto con un velo. Este pórtico alimenta la teoría de que los templarios encontraron el Arca de la Alianza en el curso de sus expediciones, hallazgo que podía haber ejercido alguna influencia en los cánones arquitectónicos de la magnífica catedral.

PECULIARIDADES EN EL DISEÑO DE CHARTRES

El enigma que envuelve la construcción de Chartres se remonta al mismo plano de la catedral, que se elaboró conforme a las proporciones del número áureo, o bien, como sucede en el caso de la nave y el crucero, basándose en las escalas musicales.

ENIGMAS DE LA TECNOLOGÍA

*N*o hace falta ser demasiado experto en tecnología para comprender que descubrimientos como la técnica del embalsamamiento o el mecanismo de la llamada pila de Bagdad debieron de ser realizados por culturas muy avanzadas. La magnitud de estos hechos ha propiciado todo tipo de suposiciones y creencias carentes de rigor científico: visitas de seres extraterrestres, fenómenos paranormales... Sin embargo, cabe recordar a los escépticos que la inteligencia no es patrimonio del hombre moderno y que en el pasado fue capaz de realizar los inventos más extraordinarios, siempre ligados a las necesidades cotidianas.

No hubo confabulaciones ni intrigas llegadas del más allá, fue en el pensamiento humano donde se fraguaron los monstruos tecnológicos más sorprendentes, que impregnaron toda su red de emociones con los principios físicos más elementales. Como consecuencia, el legado de nuestros antepasados es una prueba irrefutable del poder de la mente humana a través de los tiempos.

Altorrelieve de la huaca del Dragón, Sipán, Perú.

EL EMBALSAMAMIENTO EGIPCIO

El buen estado de conservación de las momias ha permitido a los investigadores conocer mejor el Antiguo Egipto. La impecable técnica de los embalsamadores alcanzó una fase muy cercana a la perfección. Hasta una época relativamente reciente, el trabajo de estos profesionales fue un enigma que fascinó a muchas generaciones.

cuanto habitaba a ambas orillas del Nilo, sus despojos han desvelado, por ejemplo, que pasó los últimos años de su vida aquejado de artritis y deformaciones en la columna vertebral. Pero, sobre todo, queda constancia de su empeño por perpetuar su memoria: construcciones, esculturas, templos... todo cuanto pudiera hablar de la prosperidad de su reinado. Este logro alcanzó su máxima expresión después de su muerte. De acuerdo con el culto a los muertos y a la muerte del pueblo egipcio, se exaltaría e inmortalizaría la figura del dios monarca a tenor de la creencia en el más allá y en una vida futura de ultratumba.

RITUAL Y TÉCNICA DEL EMBALSAMAMIENTO

El fallecimiento de un ser querido en una familia de cierto rango obligaba a sus mujeres a manifestar su dolor por la ciudad, embadurnadas sus cabezas con barro y a veces también el rostro. Debían ataviarse con un vestido largo y ceñido con un cinturón, dejando el pecho al descubierto, en el que se daban golpes. Paralelamente dis-

El sepulcro perdura, es intemporal; la casa y el palacio es morada transitoria. El sentido de la eternidad es el punto de partida para comprender por qué los egipcios conservaban los cadáveres, con el proceso previo de preparación escrupulosa para la vida eterna. Se embalsamaba para evitar su corrupción y garantizar la vida eterna. La conservación de los muertos se basa en la idea de la inmortalidad del alma.

Después de más de 3 000 años, el cadáver del más célebre y poderoso de los faraones egipcios, Ramsés II (1301-1235), yace incorrupto en una sala del Museo Egipcio de El Cairo. El estudio de su momia ha permitido reconstruir buena parte de su vida. Faraón, dueño absoluto de

Sarcófago de la XXII dinastía, perteneciente a una mujer, conservado en el Museo Egipcio de la Ciudad del Vaticano. El cuerpo, considerado como el soporte privilegiado del alma, debía conservarse en perfectas condiciones para poder acceder a la vida eterna.

CADÁVERES MOMIFICADOS

No muy lejos de la tumba de Ramsés II se ha encontrado una necrópolis de 10 000 momias en magnífico estado de conservación que descansan en un laberinto interminable de cámaras mortuorias excavadas en pleno desierto. Los cadáveres, que datan de hace 2 400 años, pertenecen probablemente a la clase privilegiada de la época helenística, instaurada en Egipto por Alejandro Magno y precisamente cuando el arte del embalsamamiento había alcanzado su más alto grado de perfección. Muchas de estas momias están recubiertas de una pátina de oro o teñidas de vivísimos colores, y llevan engarces con piedras preciosas y todo tipo de joyas. Las restantes momias constituyen así mismo una inagotable fuente de información para los arqueólogos.

CON LA BENDICIÓN DE ANUBIS

Anubis, divinidad que era representada con cabeza de chacal, siempre estaba presente en el ritual del embalsamamiento y en los entierros. Hijo de Osiris y de su hermana Neftis, fue abandonado al nacer y recogido y criado por Isis, hermana y esposa de Osiris. Anubis la ayudó a recuperar e inhumar los restos del cuerpo de su padre adoptivo, asesinado y descuartizado por Seth. Según la mitología, Isis reconstruyó los pedazos distribuidos por toda la tierra de Egipto y formó con ellos la primera momia.

currían los hombres, también desnudos de cintura para arriba, autoflagelándose. Este rito era el paso previo al embalsamamiento.

En primer lugar, los maestros embalsamadores ofrecían a la familia las diferentes posibilidades de pintura sobre la momia y sus correspondientes precios. Una vez tomada la decisión, los embalsamadores empezaban su trabajo.

Después de extraer el cerebro por las fosas nasales, practicaban una incisión en el costado con una piedra cortante de Etiopía para sacar las vísceras, las lavaban y las ponían en remojo en vino de palma y luego en aromas pulverizados. Posteriormente llenaban la cavidad abdominal con mirra pura molida, canela y otros perfumes, y cosían la sutura. El cuerpo quedaba así listo para ser embalsamado durante setenta días en una solución de sosa. Transcurrido este tiempo exacto, se lavaba el cadáver y se enrollaba con fajas cortadas de una pieza de cárbaso que quedaban pegadas a la piel con una especie de cola. El proceso concluía con la colocación del cadáver, por parte de la familia, en una caja de madera con forma humana.

EL VIAJE AL MÁS ALLÁ

Para evitar una posible profanación, las momias de los faraones se depositaban en un sarcófago metálico y éste en la tumba. Junto al cadáver se colocaban vestidos, algunas de sus posesiones y suculentos manjares. A partir del Imperio Medio se impuso la costumbre de dejar junto a él el *Libro de los Muertos*, que contenía las normas que debía seguir en el tránsito hacia la otra vida y varios consejos para afrontar el juicio de Osiris.

Según los egipcios, la muerte separaba el cuerpo y el alma del difunto. Esta última, antes de llegar a la mansión de Osiris, había de superar un encuentro con cuarenta y dos demonios, que la juzgarían en un tribunal, cada uno por

Pintura sobre madera que representa al dios chacal, Anubis. En su calidad de señor de los muertos, este dios, patrón de los embalsamadores, era el encargado de conducir las almas a su última residencia.

La tumba de Tutankamón en su cámara funeraria. La muerte de lord Carnarvon a causa de una enfermedad infecciosa producida por la picadura de un mosquito dio pábulo a la leyenda de la «maldición del faraón».

una falta determinada. Para terminar, una balanza dictaminaría su destino. Una vez concluido el juicio, el cuerpo y el alma volvían a unirse eternamente. Esto no sería posible si el cuerpo estuviera corrupto o putrefacto, de ahí la importancia del embalsamamiento y la momificación de los cadáveres. La creencia, al principio aplicable sólo a los faraones y las personas de la nobleza, fue arraigando poco a poco en el pueblo, hasta acabar por generalizarse.

En las tumbas de los faraones se han encontrado también perfumes, bálsamos, kol para sombra de ojos, cejas de origen mineral, polvo de henna para colorear el cabello, barro del Nilo para mascarillas faciales y otros usos medicinales. Incluso algunos de esos perfumes se utilizaban en el proceso de embalsamamiento de los cuerpos: por ejemplo, el *kyphi*, una sustancia sagrada elaborada con mirra, ciprés, canela, enebro, miel y uvas pasas maceradas en vino. También el azafrán, tan apreciado por la reina Cleopatra (69-30 a.C.) para su embellecimiento, formó parte del ritual en ceremonias fúnebres por sus virtudes aromáticas. De nuevo, un elemento, esta vez el perfume, perseguía el propósito de perpetuar la memoria del difunto. Los egipcios conocían hasta cuatrocientos productos procedentes de sustancias vegetales que constituían la farmacopea egipcia y cuyas técnicas de extracción y destilación dominaban.

La práctica del embalsamamiento y la momificación convirtió a los egipcios en privilegiados conocedores del cuerpo humano y hábiles maestros en medicina y química.

LAS HUACAS, PROTECTORAS DE CUERPOS Y ALMAS

Existe en Perú un curioso inventario catastral de conservación de las más de seis mil huacas o tumbas de la civilización mochica descubiertas y su estado de conservación. Este legado arqueológico ofrece nuevas pistas sobre los rituales ancestrales de los indígenas, capaces de conservar intactos los cuerpos tras la muerte.

Detalle de un relieve pintado de vivos colores, perteneciente a la huaca del Brujo, situada en la costa norte peruana, cerca de la ciudad de Trujillo.

Historia, magia, fe y cultura se dan la mano en el valle del río Lambayeque, al norte de Perú, donde en 1987 se encontró el yacimiento arqueológico de Sipán, formado por restos de tres pirámides de ladrillo de barro erosionadas. Este hallazgo científico fue sólo la primera de las huellas trazadas por el hombre a lo largo de 700 años (siglos I-VII), durante los cuales se forjó la cultura mochica. A partir de este lugar, conocido también con el nombre de Huaca Cortada, el hombre ha recreado una historia más espiritual que mundana.

Antes incluso de que los arqueólogos descubrieran las tumbas de Sipán, ya se conocía su existencia, porque algunas habían sufrido el saqueo de pícaros y curiosos. De no haber mediado la investigación científica, buena parte de este legado histórico se habría perdido entre la incuria del hombre y la acción del tiempo.

LA HUACA COMO VÍA ESPIRITUAL
Para los antiguos mochicas, una huaca era algo más que una pirámide funeraria. Una huaca

podía hallarse tanto en las fuerzas naturales y en las almas como en las cosas inanimadas, encarnada en cualquier criatura o parapetada en un objeto, al que confería entonces un carácter extraordinario. Designaba, por tanto, a los dioses, sus templos y a todo lo sobrenatural, además de los sepulcros de los antiguos indios del norte de Perú.

Su creencia en el más allá se convertiría en uno de los rasgos de identidad del pueblo mochica. De ahí la profusa creación de símbolos religiosos e ídolos. Sus representaciones son tantas como fenómenos naturales existían en su particular universo: piedras, montañas, ríos, árboles... A ellos los fieles dirigían sus plegarias y ofrendas, muchas veces en forma de sacrificios humanos, sobre todo niños. Pero las hua-

LA MALDICIÓN RECAE SOBRE EL HOMBRE

Los mochicas vivieron en la costa norte del actual Perú y en los valles de Woche, Viru y Chicana, en los siglos VIII y VII a.C. Al igual que la cultura egipcia, la mochica puso un gran empeño en conservar la integridad de sus cadáveres. De ahí la leyenda que nació alrededor de las tumbas profanadas, aunque fuera con fines científicos. En las regiones de Perú donde se han encontrado huacas corren de boca en boca historias espeluznantes sobre la suerte de arqueólogos y otras personas que osaron quebrantar una huaca. Sin embargo, la explicación científica de los efectos negativos sobre la salud de algunos de ellos es la inhalación de gases tóxicos.

Detalle de un relieve de la cultura mochica hallado en el interior de la huaca Luna. Esta huaca está ubicada, como muchas otras, cerca de Trujillo, al norte de Perú.

cas más soberbias son los templos piramidales donde celebraban sus ritos. Ahí están las huacas del Sol y de la Luna de Moche, en las proximidades del río Moche, en el Cerro Blanco, que hoy constituyen una verdadera joya arqueológica. Para hacerse una idea de la abundancia de huacas, baste con decir que buena parte de las construcciones domésticas realizadas a principios del siglo XX en la zona se levantaron a partir de la tierra procedente de las huacas, que se convirtieron en hornos para fabricar adobes y ladrillos.

LA CONSERVACIÓN DE LOS CUERPOS

Las huacas son el medio más directo para obtener información de la cultura mochica, pero no la única. Las pinturas de los muros de los antiguos templos y la pintura de sus cerámicas son un buen escaparate de los ritos ceremoniales de los mochicas.

En el yacimiento de Sipán se han hallado tocados, mantos, cinturones, cálices, bastones y otros objetos relacionados con los sacrificios y las ceremonias. Hoy, los arqueólogos deducen que seguramente las escenas que describen las

vasijas corresponden a hechos reales y que los personajes de sus frescos pudieron ser enterrados en este lugar.

Todo esto no sólo significa que los sacrificios humanos fueron auténticos, sino también que junto al cuerpo de los gobernantes de Sipán fueron sepultados sus guardianes, sirvientes, concubinas y esposas, amén de un sinfín de posesiones materiales.

Todos los cuerpos se han mantenido durante muchos años en un estado de conservación casi perfecto, que ha permitido a los científicos deducir que los mochicas utilizaban técnicas de embalsamamiento similares a las de los antiguos egipcios.

La fórmula utilizada sigue siendo tan desconocida como las implicaciones mágicas ligadas a las huacas. El celo con que los predecesores de los actuales peruanos custodiaban sus impecables huacas dio origen a una leyenda a mediados del siglo XVI, cuando los conquistadores españoles suscitaron todo tipo de desconfianzas y conjeturas.

Con tal de mantener a salvo su idiosincrasia, los indígenas idearon un modo de purificación,

TAQUI ONKOY, LA DANZA ENFERMA

En tiempos de la colonización española se decía que ciertas huacas se reencarnaron en algunos indígenas que, en estado de éxtasis, iniciaban una especie de «danza enferma» o *taqui onkoy* amenazadora para quienes sucumbieran al cristianismo de los españoles. Hoy se sabe que no era sino la expresión de todas las enfermedades y epidemias que azotaron a la población indígena a lo largo del siglo XVI. El caso es que la huaca resucitada suscitaba el fervor de los indios, que la llevaban a un lugar sagrado para rendirle culto y ofrecerle sacrificios, algunos el de su propia vida. La respuesta del clero consistió en reprimir con violencia a los indígenas destruyendo cuantas huacas encontraban. Sólo es un exponente más de «las campañas de extirpación de idolatrías» que emprendieron los conquistadores españoles.

a base de ayuno, sobre todo si el alimento era de procedencia española, y abstinencia sexual. Pronto comenzó a extenderse el rumor de que las huacas, furiosas por no recibir más sacrificios rituales, habían resucitado cual almas en pena, enflaquecidas y hambrientas. Todas se habían unido para invocar la ayuda de las huacas mayores y luchar contra el conquistador Francisco Pizarro y los españoles.

La huaca del Sol es una enorme pirámide de adobe que se halla en las proximidades del río Moche. Según las creencias de los mochicas, los espíritus de los incas muertos vagaban en las montañas nevadas, lugares donde se celebraban ceremonias.

137

LA TUMBA DE PALENQUE Y LA HIBERNACIÓN

Desde que en 1949 el arqueólogo mexicano Alberto Ruz Lhuillier descubrió en Palenque una tumba real maya, las teorías sobre los conocimientos tecnológicos de esta antigua cultura precolombina se multiplicaron. Una de ellas, basada en la posición del cadáver, afirma que los mayas ya conocían el procedimiento de la hibernación.

En el siglo XVIII se iniciaron las excavaciones arqueológicas en la ciudad mexicana de Palenque, en el estado de Chiapas, cuyo nombre maya pudo ser *Nachan*, «casa de serpientes». En 1785 se descubrieron unas ruinas arquitectónicas mayas, en cuyas paredes aparecen ins-

Relieve realizado sobre estuco que representa a un alto dignatario eclesiástico portador de una ofrenda a los dioses. Pertenece al yacimiento arqueológico de Palenque.

cripciones jeroglíficas que, seguramente, relatan escenas mitológicas.

El arqueólogo danés Franz Blom fue uno de los más destacados investigadores del pasado de México, y en particular de la zona de Palenque. Sus estudios de campo, en la década de 1920, contaron siempre con el respaldo del gobierno mexicano. En 1933, Miguel Ángel Fernández, arqueólogo mexicano, tomó el testigo. Aunque la muerte le sorprendió en 1945, hasta esa fecha ya contaba en su haber con importantes hallazgos: la lápida de los 96 glifos y las lápidas del Escriba y el Orador, entre otras. Pero quizás quien mayor empeño puso en la arqueología mexicana fue el arqueólogo Alberto Ruz Lhuillier, descubridor, en 1949, de la tumba de Palenque, con el propósito de «presentar un cuadro cultural e histórico lo más completo posible de la vida indígena que tuvo como marco la región de Palenque, desde sus orígenes más remotos hasta las actuales supervivencias».

Tocaba a su fin la década de 1940 cuando en la cálida ciudad de Palenque se descubrió una

Interior en forma de mastaba de la tumba del templo de las Inscripciones de Palenque. Allí se encontraron los supuestos restos de Paccal el Grande.

cripta en el interior de una pirámide que contenía una especie de embarcación de piedra con bajorrelieves, entre ellos una figura humana y varios símbolos indescifrables en su vestimenta. El conjunto arqueológico aún reservaba otra sorpresa a los arqueólogos descubridores: bajo la laja había un sepulcro un tanto desarraigado, cuyos huesos podrían pertenecer al rey Paccal el Grande (615-683 d.C.) y cuyos trazos en bajorrelieve podrían señalar la suerte del soberano desde su muerte hasta la negrura del infierno. La tumba, conocida con el nombre de Escudo Solar, es la más importante que se conoce de la época maya.

EN ESPERA DE UNA NUEVA VIDA

La verdadera identidad de este enterramiento es aún un misterio. Para descifrarlo, los antropólogos han seguido varias pistas: el cadáver cumple la costumbre mexicana de colocar el cuerpo en posición fetal, simulando un grado de humedad similar al del vientre materno. Incluso el interior del sarcófago rojo se asemeja a una matriz. Todo ello responde a la concepción de la muerte y la eternidad de esta cultura, según la cual el hombre, al morir, vuelve al útero materno.

Atendiendo ciertos indicios, algunos investigadores han llegado a la conclusión de que esta gran matriz funeraria debió de mantener un nivel de temperatura muy inferior a la existente en el exterior, capaz de conservar el cadáver incorrupto durante muchos años. Esta teoría, aún en ciernes, si algún día puede ser respaldada con suficientes argumentos científicos, nos pondría ante el descubrimiento de un rudimentario método de hibernación por parte de los mayas. Se explicaría así el retorno al útero materno como la esperanza de volver a la vida con el paso del tiempo.

No obstante, aún es pronto para sacar conclusiones, sobre todo si se tiene en cuenta que

El tema de la hibernación como medio para alcanzar la inmortalidad está presente en la novela del maestro de la ciencia ficción Arthur C. Clarke *2001, una odisea del espacio*, que fue llevada al cine en 1968 por el realizador estadounidense Stanley Kubrick.

EL VIEJO SUEÑO DE LA INMORTALIDAD

El estado de hibernación, más propio de otros mamíferos que del hombre, despierta mayor fascinación desde que en derminados círculos se propagó el rumor de que tanto el creador Walt Disney como el multimillonario Howard Hughes podrían estar hibernados. Quienes se encargaron de amortajar los cuerpos piensan que la congelación permitirá en el futuro la resurrección del hombre con la ayuda de la tecnología. La hibernación es así mismo una solución a la que han recurrido los creadores de la ciencia ficción para resolver más de un problema. Por ejemplo, en *2001, una odisea del espacio*, Arthur C. Clarke se sirve de ella para permitir una larga vida a las tripulaciones de las astronaves.

la batalla más dura que ha tenido que librar el descubrimiento de Palenque ha sido contra la frivolidad y el sensacionalismo que a menudo se deriva de cualquier hallazgo arqueológico. Palenque ha despertado la imaginación de los investigadores proclives a los fenómenos extraños y mágicos. Para ellos, estas construcciones revelan un conocimiento astrológico y matemático imposible, rayano en lo arcano, por lo que, en su opinión, sólo podrían ser producto de una intervención extraterrestre.

EL MISTERIOSO TEMPLO XX

En Palenque o en sus alrededore existen otras tumbas milenarias. En la década de 1990 se supo, por ejemplo, que los cimientos del llamado Templo XX se asientan sobre una tumba rectangular de 3,65 metros de longitud y una puerta sellada por un par de losas. Aunque su interior está aún por explorar, no han pasado inadvertidos los dibujos que adornan sus paredes o la cantidad de objetos que encierra la tumba, entre ellos un fragmento de cráneo humano.

El majestuoso templo de las Inscripciones es una de las joyas arqueológicas de la cultura maya, que todavía desvela sorpresas, a medida que conocemos más sobre ella.

LA REDUCCIÓN DE CABEZAS DE LOS JÍBAROS

En la cuenca de los afluentes ecuatoriales del Alto Amazonas, unos 20 000 individuos asisten al crepúsculo de una sociedad guerrera y muy astuta que se empeña en aferrarse a su pasado. Son los jíbaros, una tribu de siniestra reputación, cazadores de cabezas humanas, cuyo tamaño reducen mediante un complicado proceso nunca revelado.

Hubo un tiempo en que la sola mención de los jíbaros provocaba el inmediato sobresalto de los conquistadores europeos, no sólo por lo que habían oído sino porque muchos de ellos toparon sin remedio con una práctica tan insólita como increíble: decapitaban al enemigo vencido en el combate y a continuación reducían la cabeza hasta conseguir que su tamaño fuera menor que el de un puño.

Los *shuar*, popularmente conocidos como jíbaros, son un pueblo en vías de extinción que habita en la selva ecuatoriana en estado primitivo. Practican la poligamia y los rituales mágicos, y acceden al mundo etéreo de sus antepasados con ayuda de unas páginas, escritas en

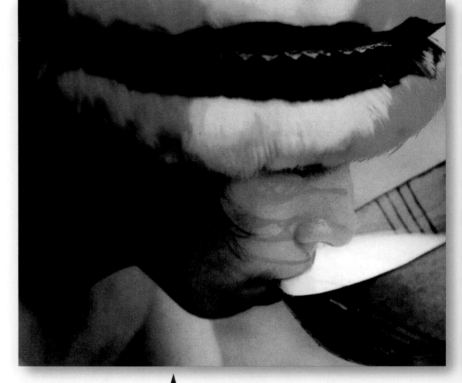

Los *shuar* o jíbaros consumen una bebida llamada chicha que elaboran las mujeres masticando las raíces de la mandioca y dejándolas fermentar luego por obra de la saliva.

forma de diario, llamadas *ayahuasca*. Es una de las pocas tribus que han conseguido mantenerse al margen de la intromisión europea.

Con tal de preservar su dignidad guerrera, el jíbaro es capaz de emprender una lucha a muerte contra miembros de su propio clan. Cualquier excusa es válida para saciar su instinto sanguinario. Aunque pequeño, el poblado de los jíbaros está liderado por un jefe y el nexo de unión es la familia. Viven agrupados en una casa grande que, a su vez, se divide en dos alas: una para las mujeres y otra para los hombres. Tienen como eterno enemigo a la tribu vecina: los *achuaras*. Se baraja la posibilidad de que aún hoy sigan reduciendo cabezas, a pesar de que el peso de las severas leyes ecuatorianas y peruanas recae sobre ellos.

UN BREBAJE DE FÓRMULA DESCONOCIDA

Los jíbaros son un pueblo guerrero y se enorgullecen de ello. Tanto es así que el líder del grupo se elige en función del número de trofeos conseguidos o, lo que es lo mismo, de cabezas humanas reducidas que exhiba, colgadas del cuello, en las fiestas tradicionales. De esta gui-

Cabeza reducida siguiendo los rituales mágicos de la tribu de los jíbaros y a la cual se le dio la categoría de trofeo. Se conserva en el Museo del Banco Central de Quito, Ecuador.

CEREMONIAS MACABRAS

La decapitación no es exclusiva de los jíbaros, ni tampoco los rituales sangrientos con el enemigo, que se repiten en el transcurso de la historia en unos y otros rincones del planeta. Los griegos convertían a sus prisioneros de guerra en esclavos y los espartanos organizaban «partidas de caza» contra sus siervos ilotas para entrenar a los soldados adolescentes. Aciago era también el destino de los cautivos españoles e indígenas aliados de Hernán Cortes, a quienes los aztecas reservaban un ritual tan espeluznante como meticuloso. Los sacerdotes les emplumaban el cuerpo y luego eran obligados a bailar frente a sus dioses hasta que llegaba el momento de arrancarles el corazón en el altar. Empujaban el cadáver por una gran escalinata y posteriormente le cortaban las extremidades y las preparaban para el banquete. Existen documentos que confirman también la decapitación de prisioneros cristianos

por algunas tribus de Brasil, en una ceremonia que se inicia con la depilación de todo el cuerpo, para después agasajarles con bellas mujeres hasta que llega la fiesta. Entonces, el cautivo ha de beber y bailar antes de que el guerrero que lo ha capturado le parta el cráneo y le corte después la cabeza y las manos. Su cadáver servirá de suculento manjar a los guerreros.

En esta ilustración procedente del Códice Borbónico se muestra la realización de un sacrificio azteca. Se puede ver la escalinata ritual.

Han sido seis días de intenso trabajo, con un resultado perfecto. Pero ¿cuál es el secreto de la excelencia de esta práctica mágica? Los jíbaros lo custodian con sumo celo, y la ciencia contemporánea no ha conseguido descubrir los ingredientes que constituyen el brebaje.

HAY QUE AHUYENTAR LA IRA DE LOS ESPÍRITUS MALIGNOS

La reducción de cabezas siempre ha despertado curiosidad en el resto del mundo, por lo que este pueblo ideó en el siglo XIX un insólito trueque que les permitiera salir de su penuria económica: cabezas reducidas a cambio de objetos y armas. Muchos de los preciados trofeos de los jíbaros pasaron así a manos de coleccionistas y museos europeos. Paralelamente, emergió un tráfico de falsos *tsantsa* que en la actualidad aún da sus últimos coletazos.

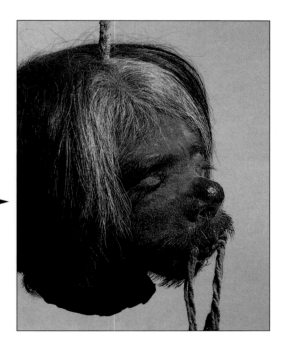

Según la leyenda, quien posee un tsantsa o cabeza embalsamada y reducida, adquiere poderes sobrenaturales y está a salvo de los malos espíritus. Cabeza conservada en el Museo del Banco Central de Quito, Ecuador.

sa su espíritu se engrandece, pero el ritual tiene, además, una segunda intención: el alma del muerto (*muisak*) se desvanece para siempre y nunca podrá vengar su crimen.

El proceso de encerrar el alma en la propia cabeza es largo y complejo, y está cargado de conjuros y fórmulas mágicas. Nada puede retener al muerto en esta tierra, por eso, como medida precautoria, se cosen los párpados para que jamás pueda ver. Su piel se tiñe de negro para sumir su conciencia en la más absoluta oscuridad. Antes han extirpado los huesos del cráneo. Los dientes y ojos son una ofrenda a las anacondas de los ríos. Después de pelar la cabeza recién cortada y condimentarla con una extraña pócima, la introducen en agua hirviendo en un caldero. Esta macabra operación continúa con una incisión vertical en la parte superior de la cabeza por la que se extrae el contenido. El paso final consiste en cubrirla con un manto de tierra y piedras calientes. Al cabo de un tiempo, la calavera presenta una réplica del rostro del enemigo del tamaño de un puño.

Se amortaja la cabeza yacente (*tsantsa*) con una tela y queda guardada en una vasija de barro.

ESQUIVOS Y DÉSPOTAS

La magia y la superstición impregnan la vida cotidiana del pueblo jíbaro, cuyas mujeres no son más que esclavas que se ocupan de las tareas más duras y sobre las que el varón ejerce el derecho de vida y muerte. Su estirpe suscita terror. Ellos mismos esquivan la presencia de otros hombres y en particular el más mínimo contacto con la civilización. Con los años, ha ido desplazándose cada vez más hacia el interior de la selva, dejando atrás las riberas de los ríos, en permanente búsqueda de un lugar donde poder salvaguardar su cultura.

El enigma de la máquina Enigma

La máquina Enigma, fue uno de los más potentes aparatos criptográficos que tanto contribuyeron al nacimiento del cálculo electrónico. El ejército alemán supo sacar un buen partido de ella durante la Segunda Guerra Mundial para codificar los mensajes bélicos. Pero como otros muchos enigmas, también el de la máquina Enigma dejó de serlo.

En la Alemania de 1939, todo parecía preparado para la embestida: una tropa motivada y suficientemente entrenada, un líder enardecido y un proyecto bien estudiado. Sin embargo, los estrategas enemigos, que no tenían la más mínima duda al respecto, desconocían la otra gran baza con que contaba el ejército alemán: un dispositivo que garantizaba la confidencialidad de sus mensajes.

En él, lo más ambicioso era la máquina Enigma, fabricada por la compañía Heimsoeth & Rinke, que utilizaron las fuerzas aéreas y marinas. Este ingenio permitía cifrar en clave el código Morse de los mensajes radiofónicos, que a menudo eran misivas cotidianas, noticias para los soldados, etc. El sistema era muy sim-

El ingenio codificador Enigma se alojaba en una caja de madera fácilmente transportable y tenía en su parte delantera un teclado similar al de una máquina de escribir de la época.

El auge de las comunicaciones por radio durante la Segunda Guerra Mundial trajo consigo la necesidad de codificar los mensajes para que no pudieran ser descifrados por el enemigo.

ple, pero su alcance durante la contienda ensalzó la categoría de la máquina hasta convertirla casi en un mito. El invento de la máquina Enigma, en 1919, fue realizado por el holandés Hugo Alejandro Koch, que vendió su patente al ingeniero alemán Arthur Scherbius, y éste, a su

EL ESQUELETO DE LA MÁQUINA ENIGMA

La máquina usada por el éjercito alemán constaba de las siguientes piezas:

- Un tablero de conexiones que podía contener de 0 a 13 cables duales.
- Tres grandes rotores secuenciales, ordenados de izquierda a derecha, que conectaban entre sí veintiséis puntos de entrada a otros veintiséis puntos de salida, colocados en las caras opuestas de un disco.

- Veintiséis incisiones en la periferia de los rotores, que permitían al operador especificar su posición inicial.
- Un anillo móvil en cada uno de los rotores, que asociaba un número (del anillo) a una letra del rotor que tenía a su izquierda.
- Un semirrotor reflector (que realmente no se movía), que servía para asegurar que las entradas y salidas quedaran sobre los puntos de contacto decuados.

Los rotores reemplazaban una letra del mensaje por otra. El segundo rotor sólo se movía cuando el primero hubiese rotado 26 veces, y lo mismo hacía el tercero cuando el anterior había girado el mismo número de posiciones.

El alfabeto de Enigma era, por tanto múltiple pero no indescifrable: en un mismo mensaje, la misma letra podía ser sustituida por varias, pero nunca una letra podía ser codificada consigo misma.

El ejército alemán, por otra parte, complicó aún más la máquina, esta vez ya con fines exclusivamente militares. Con este objetivo se cambiaron los rotores, los anillos móviles y, sobre todo, el tablero de conexiones.

AVISO A LAS TROPAS

En los mensajes que emitía la máquina Enigma, por regla general la primera parte estaba en texto sin cifrar y contenía el remitente, el receptor, la fecha y la hora.

Además, estaba estructurado en varias partes para dificultar aún más su interpretación.

Por lo común no se superaban las doscientas palabras, aunque a veces era difícil cumplir esta norma. Veamos un típico ejemplo de texto descifrado, de los muchos que circularon durante la Segunda Guerra Mundial.

Por orden del Comandante en Jefe:
En el caso de ataques franceses, improbables en estos momentos, a las fortificaciones del oeste, éstas deben defenderse a toda costa, aun cuando las fuerzas del enemigo sean numérica-mente superiores.
Comandantes y tropas deben estar imbuidos del honor de esta tarea.
De acuerdo con lo anterior, sólo yo tengo el derecho de autorizar que las fortificaciones se abandonen parcial o totalmente.

Me reservo el derecho de hacer cambios a la orden OKH/Gen/St/D/h 1. Abt. Nr. 3321/38 GKDos de Julio de 1938.

El Comandante en Jefe del Ejército.

El bien pertrechado ejército alemán y su proverbial marcialidad contaba en la retaguardia con un excelente plantel de científicos y técnicos, como los que hicieron posible la portentosa máquina Enigma.

vez, se la ofreció al personal de inteligencia alemana en 1928. Jamás pudo imaginar su inventor el destino que aguardaba a la máquina.

La idea no era nueva. Ya en el siglo IV a.C., el romano Eneas Tácito describía unas máquinas mecánicas a partir de anillos y cilindros que servían para cifrar mensajes. El sistema de Enigma era similar, también muy simple, demasiado quizás para afrontar la misión que le había asignado el ejército alemán. Desde 1933, la Enigma se convirtió en la vía de comunicación privilegiada de las informaciones secretas y el espionaje del ejército alemán. Aunque el enemigo secuestrase una máquina Enigma y fuera capaz

de ponerla en marcha, su código permanecería indescifrable.

EL CÓDIGO SECRETO MEJOR GUARDADO

Los alemanes confiaban en que la Enigma, cuyo aspecto era similar a una máquina de escribir pesada, era suficientemente segura para enviar sus mensajes cotidianos que se transmitían por radio, usando el código Morse. Cometieron un grave error. Desde hacía tiempo, un grupo de criptógrafos polacos codificaba cada uno de los mensajes internos de las tropas enemigas y se lo hicieron saber a sus aliados en una reunión de emergencia. En vano recibió el nombre del secreto mejor guardado de la última contienda mundial, después de la bomba atómica.

Es verdad que el código de la máquina Enigma fue complicándose, pero pudo ser finalmente puesto al descubierto, gracias a unas máquinas llamadas «bombas» que simulaban el sistema de Enigma y que empezaron a funcionar el día anterior al desembarco de Normandía. Este hecho resultaba nimio frente a la venganza que tenían reservada los franceses y británicos.

UN COLOSO CONTRA LA ENIGMA

Colossus, una máquina electrónica construida por los matemáticos Alan Turing y Gordon Newman y sus colaboradores del Bletchley Research Establishment británico, donde se reunieron las mentes aliadas más privilegiadas, ayudó a descifrar el código Enigma de los alemanes. El contenido revelado por Colossus marcó desde entonces el rumbo del conflicto.

Su creación se había llevado a cabo en el más absoluto secreto en Bletchley Park. Allí convivían maestros de ajedrez, matemáticos y lingüistas de todo el Reino Unido, aunque la mayoría eran de la Universidad de Cambridge. Entre

Las tropas aliadas, que aparecen aquí durante el desembarco de Normandía, consiguieron finalmente descifrar el código de Enigma y crear su propio ingenio codificador, el Colossus.

ellos estaba Ian Fleming, que después se hizo famoso como autor de la serie de novelas protagonizada por James Bond.

El código secreto de Enigma se convirtió en un libro abierto para los aliados, pero había que actuar con precaución, aunque contaran con el privilegio de conocer las debilidades de Enigma. La prensa británica, así como sus investigadores, afirmaban que sin el trabajo del Bletchley Research la guerra habría durado dos años más. Se consiguió salvar vidas, pero además el fruto de su trabajo, Colossus, marcó un hito en la evolución de las máquinas. Para los británicos, fue la primera computadora del mundo.

La máquina Enigma continúa siendo un símbolo en el mundo de la criptografía y objeto de culto para los fanáticos de las matemáticas, pero con la perspectiva del tiempo puede decirse que una de las equivocaciones del ejército alemán fue pensar que su máquina no tendría rival. ¡Demasiada soberbia cuando había tanto en juego!

Las acciones de espionaje y contraespionaje de los ejércitos durante la Segunda Guerra Mundial inspiraron a Ian Fleming para crear su personaje de James Bond, el agente 007.

UN CEREBRO PRIVILEGIADO EN UN ESPÍRITU DÉBIL

Una sola mente prodigiosa, aunque atormentada, pudo más que la implacable fuerza del ejército alemán. La vida del matemático británico Alan Turing estuvo marcada por su participación en el servicio de inteligencia británico durante la Segunda Guerra Mundial, el rechazo de la sociedad más puritana a causa de su homosexualidad y su trágico suicidio. Por sus profundos conocimientos criptográficos, fue designado, junto a otros nueve académicos, para descifrar el código Enigma de los alemanes. Para él se convirtió en una tarea apasionante, sobre todo cuando se vieron obligados a construir, bajo la supervisión de Turing, una computadora electrónica de nombre Colossus. Ante el temor de un inminente ataque alemán, su compleja personalidad le llevó a transformar sus ahorros en lingotes de plata, que después enterraría en varios puntos del bosque. Para su desgracia, cuando concluyó el conflicto, Turing no encontró ni una sola de las piezas escondidas.

ENIGMAS DE LA MENTE

*L*os misterios de la mente continúan
siendo insondables, alimentando
suposiciones, casi siempre irracionales,
sobre seres imaginarios, espíritus,
fantasmas y experiencias insólitas.
Aunque la mejor manera de afrontarlos
sea la objetividad y el rigor científico,
también deben respetarse unas creencias
que forman parte del acervo cultural de
muchas sociedades. Los supuestos
fenómenos sobrenaturales todavía hoy
confunden al mundo, aunque la ciencia
puede desenmascararlos uno a uno
con una verdad inequívoca y probada.
¿Por qué entonces continúan vivos
los mitos de la mente?

Mucho se ha hablado de la fascinación
que despierta lo desconocido, lo
paranormal, sin duda alguna mucho
más seductor que toparse con una
verdad prosaica que desmoronaría
todo entusiasmo. Para la psicología,
el fanatismo de lo paranormal responde
a un mecanismo de defensa ante
la angustia vital del hombre. En la
actualidad ya es posible descorrer el velo
del engaño, la superchería y el fraude,
pero aún cuesta desprenderse de ese halo
de ilusión y delirio que siempre ha
necesitado el hombre para contrarrestar
los embates de la a veces dura realidad.

Como una luz titubeante en la oscuridad, la ciencia
trata de desentrañar los misterios de la mente.

PREMONICIONES Y PRESAGIOS

Junto a las profecías religiosas que relatan los textos del Antiguo Testamento o del Corán, existen también otras premoniciones que nada tienen que ver con lo divino, sino con supuestos fenómenos paranormales que salpican la vida cotidiana, surgidos de los recovecos más oscuros y menos comprensibles de la mente humana.

Retrato de Michel de Nostradamus en una miniatura del siglo XVI. Su popularidad como astrólogo ha hecho olvidar que también fue un eminente e innovador médico.

L os seres capaces de tener premoniciones han existido en todas las épocas y lugares. En la antigua Roma encontramos dos categorías de profetas: augures y arúspices. Los primeros, bien organizados, eran los adivinos oficiales que tenían encomendada la misión de dar a conocer la voluntad de los dioses. Llevaban un bastón encorvado para definir el espacio, en la tierra o en el cielo, e interpretar las señales que llegaban de arriba: desde los truenos, hasta las indicaciones del vuelo de las aves. Cualquier acto público que se pretendiera celebrar en Roma debía ser consultado antes a los augures, aunque con el paso del tiempo llegó a convertirse en una mera formalidad. De rango inferior eran los arúspices, considerados embaucadores y locuaces, que hacían sus presagios a partir de las entrañas y las vísceras de los animales.

EL SIGLO XX VISTO DESDE EL SIGLO XVI

«La desechada llegará al trono / Se sabrá que sus enemigos eran conspiradores / Su época triunfará como jamás antes otra / Morirá a los setenta, en el tercer año del siglo.» Con estos versos, un médico francés del siglo XVI, Michel

EL RELATO DE ERYL

Resultan muy inquietantes las posibles premoniciones de la pequeña aldea minera de Aberfan, en el país de Gales, en 1966. El 21 de octubre de ese año, la aldea quedó sepultada a causa de una tormenta de polvo de carbón. Un día antes, Eryl, una niña galesa de nueve años, comunicó a su madre que había soñado que, al llegar a la escuela, el edificio había desaparecido: «Una cosa negra la había aplastado». Al día siguiente fue a la escuela de Aberfan, y medio millón de toneladas de carbón de desecho se deslizaron sobre el pueblo minero, matando a Eryl y a 139 personas más, la mayoría menores de edad. El psiquiatra que trabajó en la zona, Jean Barker, recogió más de sesenta relatos de personas que habían presentido la catástrofe.

de Nostre-Dame, más conocido como Nostradamus, predijo la suerte de la reina Isabel I, que murió en el año de su setenta aniversario (tenía 69 años y 6 meses), en 1903. Anunció también que antes de que acabara el siglo XX estallaría una brutal guerra mundial y que en 1999 el planeta alcanzaría el grado más alto de destrucción. A este hombre le cabe el honor de haberse convertido en el profeta más insigne de todos los tiempos, aunque sus predicciones admiten

El conocimiento de lo por venir fue perseguido desde la Antigüedad, como muestra este mosaico romano en el que aparecen dos personas consultando a una adivina.

males que cuentan con numerosos testimonios y también con adeptos incondicionales. Una de las premoniciones más populares de los últimos siglos fue el naufragio del transatlántico británico *Titanic*. La premonición surgió, al parecer, de la mente del escritor estadounidense Morgan Robertson, quien catorce años antes había anticipado el acontecimiento en su novela *Futilidad*. En efecto, esta novela se escribió en 1898, nueve años antes de que se construyera el *Titanic*. Las coincidencias entre ficción y realidad son extraordinarias. El escritor mantuvo durante el resto de su vida que la producción de su obra fue posible gracias a la intervención de un espíritu que le orientaba.

Los investigadores expertos en fenómenos paranormales estudian con mucha cautela estos y otros supuestos casos de premonición, que se prestan a diversas interpretaciones.

una ambigüedad extraordinaria e innumerables interpretaciones.

Merece la pena indagar su biografía para conocer de cerca cómo es posible la forja de un profeta. Michel de Nostre-Dame nació el 14 de diciembre de 1503 en el seno de una familia judía, pero recibió educación católica. Adoptó su sobrenombre en su etapa de estudiante destacado en la Facultad de Medicina de Montpellier. Con sólo dieciocho años ideó un tratamiento capaz de contrarrestar una epidemia que ya había causado la muerte de tres personas. Mientras tanto, Nostradamus iba fortaleciendo sus supuestas dotes para la clarividencia. Profundizó en cada uno de los misterios que encierra la astrología, se especializó en conocimientos ocultos y divulgó sus primeras predicciones por Francia, Córcega e Italia.

En 1555 se publicó una primera recopilación en diez volúmenes en verso de premoniciones que cubren un período de siete siglos. Su autenticidad podría estar velada, según los científicos, por su peculiar y hábil presentación en forma de adivinanzas y referencias simbólicas, muy difíciles de interpretar. Pero él se justificaba diciendo que así esquivaba posibles acusaciones de brujería. Entre sus visiones, se cuenta el destino final del rey Enrique II de Francia, a causa de una reyerta con el capitán de su guardia Montgomery, la irrupción de Hitler en la historia y hasta su propia muerte, acaecida el 2 de julio de 1566: «Me encontrarán muerto cerca de mi cama y de mi banco once años después de escribir esta predicción».

El escritor estadounidense Morgan Robertson predijo, como un nuevo Nostradamus, el hundimiento del *Titanic* en su novela *Futilidad*, protagonizada por un gran transatlántico llamado *Titán*.

Cubierta de la primera edición de las *Centurias astrológicas* de Michel de Nostradamus, datada en 1555. Esta obra es una referencia clásica cuando se habla de premoniciones.

¿CASUALIDAD O VERDADERA ANTICIPACIÓN?

Las visiones psíquicas, los vaticinios, las premoniciones, en fin, son fenómenos paranor-

EL DESTINO ESCRITO EN ALGUNA PARTE

Existen en la India las llamadas *Bibliotecas del Destino*, que custodian el devenir de cada uno de los habitantes del planeta. Cada una de las doce estancias, repartidas por distintas ciudades, alberga miles de hojas de palma escritas hace 5 000 años con unos trazos minúsculos y codificados. Lógicamente, ningún lego podría interpretar estos textos, porque para ello es preciso un don divino especial que pasa de padres a hijos. Desde el momento de su origen, los dioses depositaron en un santón de la India toda la sabiduría que encierran las *Bibliotecas del Destino*, y de él la fueron heredando las generaciones venideras.

LAS CURACIONES INEXPLICABLES

El milagro de la fe ha sido siempre la última esperanza para los desahuciados de la medicina convencional. Según las estadísticas, una de cada cien mil enfermedades remite espontáneamente. La ciencia aún no ha encontrado la respuesta al fenómeno. ¿Existe alguna fuerza oculta en la mente capaz de sanar?

El escritor y pacifista austríaco Stefan Zweig (1881-1942) recibió el aplauso de sus lectores cuando en 1931 defendió en su obra *La curación por el espíritu* que desde hace milenios la medicina se ha ejercido con un carácter religioso y sagrado. Aunque reconocía los avances científicos de su época, afirmaba que muchas enfermedades se escapaban a la medicina positiva, sobre todo las que estaban relacionadas con las pulsiones, el ánimo, la conducta, las histerias y las sanaciones inexplicables. El autor tomaba como referencia a los que él consideraba «tres personalidades que, cada cual por caminos diferentes e inclusos opuestos, han practicado sobre cientos de personas el principio de la curación por el espíritu»: Franz Anton Mesmer, mediante la sugestión de la voluntad; Mary Baker Eddy, a través del éxtasis; y Sigmund Freud, por el conocimiento del yo y el inconsciente.

Pero el abanico de posibilidades de las curaciones inexplicables es mucho más amplio, desde la quiroterapia, que propugna la eliminación del dolor por la imposición de manos, hasta la cirugía fantasma, que no derrama ni una gota de sangre y no tiene necesidad de bisturí. En cuanto a sus autores, abundan tanto las personas humildes que creen poseer un don divino como los charlatanes más astutos que han sabido sacar buen provecho de la fe incondicional y el fanatismo del pueblo.

DEL CHAMÁN AL MÉDICO

El hombre primitivo, cuando no encontraba una causa lógica a su mal, deducía que era un castigo de los espíritus y, por tanto, había que suplicarles clemencia y entregarles ofrendas. En las tribus más antiguas, el médico, el chamán y el líder religioso se funden en la misma persona, que en ocasiones es, además, el jefe de la comunidad. La medicina, por tanto, se ejerce acompañada de ritos y ceremonias, ya que está íntimamente vinculada al chamanismo y la superchería. Desde las épocas más remotas de la cultura griega la medicina científica ha tenido que convivir con la medicina ritual y mágica de videntes y seudomédicos que ejercen el curanderismo por medio de ritos purificatorios. La gran excepción sería Hipócrates (460 a.C.- 380 a.C.), que ya ejercía una medicina técnica

El valle brasileño del Amanecer, a 50 km de Brasilia, es un centro de espiritismo donde los médiums afirman curar a los enfermos. Allí se adora por igual al dios Viracocha y a la Virgen María, en un curioso caso de sincretismo religioso.

en su época y, probablemente, previno una epidemia en Grecia, para la cual prescribió un tratamiento profiláctico.

En el marco de las culturas primitivas, la enfermedad se entiende como una mancha provocada por una fuerza sobrenatural destructora, que se expande progresivamente y es muy contagiosa, incluso a través de la mirada o la palabra. Para contrarrestarla, sólo cabe la purificación a través del fuego y el agua, por ablución o inmersión en una corriente. Los científicos reconocen que la fe en las curaciones milagrosas se debe a que, hasta la actualidad, la medicina oficial no tiene respuesta para algunas enfermedades. En las medicinas alternativas intervienen el cosmos, los astros, la energía universal y los poderes paranormales que se atribuyen quienes practican este tipo de sanación. Los que creen en el don de curar, aseguran que toman la energía creativa del universo y aprenden a utilizarla con fines curativos.

LA IGLESIA CATÓLICA, ENTRE LA RACIONALIDAD Y EL DOGMA

Las supuestas curaciones milagrosas ocurridas en Fátima y Lourdes han dado origen a la marea de peregrinos que cada año llega a las grutas con el anhelo de encontrar cura. La Iglesia cató-

lica, aunque temerosa de la superchería y el espectáculo que podría empañar la fe del creyente, no tardó en reconocer la autenticidad de las apariciones, pero con las curaciones mostró una mayor cautela.

La Iglesia reconoce que entre el 13 de mayo y el 13 de octubre de 1917, tres niños de 7 a 10 años vieron en Fátima a la Virgen María. El misterio de estas apariciones se ensalzó con el anuncio de los tres secretos revelados por la Virgen y confiados al Papa. En Lourdes, la primera curación eucarística se remonta a 1880, cuando una mujer de 38 años, Josephine André, vio cómo su lado izquierdo paralizado recupe-

La fama milagrosa de la Virgen de Lourdes convirtió su santuario en lugar de peregrinación de enfermos que deseaban ser curados de sus dolencias. En la foto aparece la celebración en 1958 del quincuagésimo aniversario de las apariciones.

raba movilidad inmediatamente después de comulgar delante de la gruta donde celebraba la acción de gracias un 20 de agosto. En el registro quedaron anotadas las siguientes palabras: «Hemiplejía incompleta del lado izquierdo desde hace seis meses. Brazo completamente inmóvil. Ha venido a Lourdes con una gran confianza. Comunión en la Gruta. Ha sentido la necesidad de arrodillarse durante la misa y de extender sus brazos para orar. Entonces se ha dado cuenta de que su brazo izquierdo estaba libre».

De los más de cinco mil casos registrados en Lourdes, la Iglesia sólo ha reconocido como milagros unos sesenta.

BRUNO GRÖNING, EL SANADOR ESPIRITUAL

El alemán Bruno Gröning (1906-1959) irrumpió en la historia poco después de la Segunda Guerra Mundial, con su país derrotado y dividido en dos, prometiendo curar espiritualmente sin pedir dinero ni ninguna otra recompensa. Miles, decenas de miles de personas pedían su ayuda.

Gröning era el cuarto de los siete hijos nacidos en el seno de una humilde familia de obreros alemana. Abandonó los estudios siendo aún muy niño y, después de ejercer varios oficios, fue enrolado en las filas del ejército alemán, lo que le permitió ser testigo de excepción de los horrores de la guerra. En 1945 regresó a Alemania Occidental como refugiado, momento en el que inició su andadura como curandero, al principio de manera callada y en círculos muy reducidos. Pero a principios de 1949, en la pequeña ciudad de Herford, en Westfalia, curó una atrofia muscular a un niño de nueve años postrado en cama. En un informe, su padre, un ingeniero de prestigio, lo describe con las siguientes palabras: «Después de que actuase el señor Gröning, la circulación en las piernas se puso en funcionamiento, empezando desde los muslos. En mi hijo se podía ver exactamente la entrada de la corriente sanguínea, que se abría camino a través de las venas estrechas. Luego, mi hijo tenía las piernas y los pies calientes». Dicen que poco más tarde, el niño corría y subía las escaleras.

Desde entonces, sus supuestas dotes corrieron de boca en boca. Curaba incluso en masa. Le bastaba con mirar, realizar unos pocos gestos y pronunciar alguna palabra. Sin embargo, sus poderes fueron puestos en entredicho.

EL RELAJANTE SUEÑO HIPNÓTICO

El cerebro aún guarda algunos secretos sobre el funcionamiento de sus profundos mecanismos cognitivos. Uno de ellos es la hipnosis, un estado alterado de la conciencia, que nada tiene que ver con lo mágico o lo sobrenatural, y que incluso está aceptada por buena parte de la medicina oficial.

Durante la Primera Guerra Mundial, los ejércitos no podían permitirse el lujo de que sus soldados siguieran cayendo en una extraña enfermedad que se dio en llamar neurosis de guerra y que les impedía combatir. Dos psiquiatras británicos, Wingfield y Hadfield, experimentaron con ellos una técnica de hipnosis, que consistía en hacer volver a sus mentes los acontecimientos que les indujeron al trauma. Los resultados fueron espectaculares: casi todos recobraban su ánimo para continuar la lucha.

Por supuesto, la hipnosis no era una ciencia nueva, pero desde entonces empezó a ser reconocida oficialmente por la medicina y la psicología. La inducción del sueño hipnótico era ya conocida por los curanderos del Antiguo Egipto y así ha quedado registrado en los papiros, que muestran detalles de cómo los hipnotizadores de la época unían la filosofía hermética con los conocimientos de astronomía. También el pueblo inca adaptó una zona de los anfiteatros situados a poniente de los grandes templos para practicar la hipnosis.

En el siglo XVIII, Franz Anton Mesmer, médico alemán nacido en 1734, la daba a conocer en

La oscilación de un péndulo ante los ojos del sujeto es una de las maneras más conocidas de inducir el llamado «sueño hipnótico». Médicos de todo el mundo se decantan hoy por la inclusión de la hipnosis en sus terapias.

A finales del siglo XIX, la práctica del hipnotismo oscilaba entre la parapsicología y el mero espectáculo, como es el caso de esta sesión de hipnotismo en un salón de la alta sociedad inglesa hacia 1850.

Occidente, y fue en 1843 cuando el cirujano escocés James Braid introdujo la palabra hipnotismo, en un intento de desvelar la esencia del sonambulismo y el magnetismo. En la década de 1880, el padre del psicoanálisis, Sigmund Freud, concedió un puesto de honor a la hipnosis en el ámbito de la psicología moderna. Primero hubo de despojarla de cualquier carácter esotérico que pudiera perturbarla. Su empeño era demostrar la relación evidente entre la hipnosis y los estados de vigilia y sueño. El estudio de la sugestión se convirtió en centro de su atención, sobre todo por su potencial terapéutico. El interés de la sugestión hipnótica como método terapéutico se extendió, además, a personas sanas con las que experimentó más tarde.

FANTASÍAS INDUCIDAS

Al otro lado de la ciencia se sitúan quienes han utilizado la hipnosis como mero espectáculo. La oleada de recuerdos de abducciones por extraterrestres y de experiencias paranormales de todo tipo a consecuencia de la regresión hipnótica restan crédito a la hipnosis. En estado hipnótico, la persona responde a los estímulos que le dirige el hipnotizador o los suyos propios en caso de autohipnosis. Lo peor es que en esta disciplina abundan personajes carentes de ética y prejuicios que aprovechan el dominio de la mente de un paciente para arrastrarlo a todo tipo de creencias.

En la década de 1980, en el Reino Unido se multiplicaron las denuncias judiciales de hijos contra sus padres por abusos sexuales desvelados mediante tratamiento con hipnosis. La controversia se atizó con otros casos similares ocurridos en Estados Unidos, con gentes que,

LA SANTA DE CABORA

Entre finales del siglo XIX y principios del XX, vivió una mujer mexicana apodada la Santa de Cabora, que decía curar mediante la sugestión y la hipnosis. A Teresa Urrea —este era su verdadero nombre— se le atribuía cierta categoría sobrenatural que la puso al frente de un movimiento mesiánico. Desde él impulsó la rebelión y el desafío del pueblo al ejercito federal. Nació así un nuevo culto, de nombre *teresismo*, en honor del nombre de pila de la extraña mujer, que recorrió el país, pregonando todo tipo de despropósitos y calumnias contra el gobierno y el clero. Según ella, no hacía más que difundir un mensaje mariano. En 1892, Teresa Urrea, la santa de Caboira, fue encarcelada y desterrada a Estados Unidos.

sometidas a hipnosis, creían rememorar escenas espeluznantes de agresiones sexuales en el hogar. Se trataba de los llamados «falsos recuerdos». Hipnotizador y paciente se enzarzan en un diálogo salpicado de imágenes y acontecimientos que el sujeto toma como propios, a veces incluso con más fuerza que otros recuerdos verdaderos. Richard Ofshe, profesor de sociopsicología de la Universidad de Berkeley, es autor de un duro alegato contra el movimiento de «recuperación de la memoria» titulado *Haciendo monstruos: Memorias falsas, psicoterapia e histeria sexual*. La obra, que recopila innumerables evidencias sobre la construcción de falsos recuerdos, mereció el premio Pulitzer.

En el inconsciente reside la memoria de las experiencias que nuestro consciente olvida y, por tanto, en él moran los traumas, los temores y los recuerdos que repercuten en el estado anímico actual.

Los ojos del hipnotizador desempeñan un importante papel en la sesión hipnótica. En este ingenuo grabado del siglo XIX, un pintor hipnotiza a su modelo.

Estas experiencias vuelven a hacerse patentes con la misma intensidad, pero no sólo de modo negativo. ¿Por qué no aprovechar mejor tanto la sabiduría como los hechos positivos que puede almacenar el inconsciente?

ELIMINAR EL DOLOR, LA ÚLTIMA FRONTERA

La técnica orientada a la eliminación del dolor es una interesante vertiente de la hipnosis. Parte de la idea de que la intensidad del dolor es subjetiva, de ahí que esta técnica pueda modificar la reacción ante el estímulo del dolor. En la década de 1990, un grupo de investigadores estadounidenses encontró una nueva utilidad terapéutica a la hipnosis: la reducción del dolor que experimentan quienes son sometidos a intervenciones quirúrgicas.

Franz Anton Mesmer (1734-1815) con una paciente. El doctor Mesmer introdujo un sistema de curación conocido como mesmerismo que, a pesar de sus teorías sobre el magnetismo, se basaba en la sugestión y abrió el camino a las técnicas hipnóticas.

LAS TERAPIAS HIPNÓTICAS

«La mente inconsciente es muy brillante. El inconsciente es mucho más listo, sensato y rápido. Entiende mejor», decía Milton Erickson, uno de los fundadores de la hipnosis moderna. Víctima de la poliomielitis desde niño, este médico británico experimentó durante toda su vida con técnicas de autohipnosis para aliviar sus dolores. En la actualidad, la hipnosis se utiliza para:

- El tratamiento de las alteraciones del sueño.
- El control del estrés.
- Los trastornos alimentarios, como la bulimia y la anorexia.
- El tratamiento de adicciones como el tabaco.
- El control de algunas fobias.
- El incremento de la autoestima y confianza en uno mismo.
- El alivio de algunas dolencias.
- La resolución de traumas psíquicos y emocionales.
- La ayuda a la concentración y en problemas de aprendizaje.

TELEQUINESIA Y TELEPATÍA

La telequinesia es la capacidad de mover objetos a distancia con el poder de la mente, en tanto que la telepatía es la facultad que permite a dos personas comunicarse extrasensorialmente a distancia. Uno y otro fenómeno pertenecen al campo de la parapsicología. La ciencia siempre se ha mostrado muy escéptica respecto a ellos.

En una conferencia que dio durante un seminario de parapsicología, el fisiólogo australiano sir John Carew Eccles (1903-1997), premio nobel de medicina en 1963, pronunció estas palabras: «Si quieren ver un verdadero acto de psicoquinesis, contemplen las proezas de la mente sobre la materia que se realizan en el cerebro. Es asombroso que, con cada pensamiento, la mente sea capaz de mover los átomos de hidrógeno, carbono, oxígeno y otras partículas de las células del cerebro. Parece que

DE LO ESPIRITUAL AL ESPECTÁCULO DE MASAS

En la década de 1970 saltó a la popularidad Uri Geller, un mago capaz de doblar cucharas y detener relojes mediante el pensamiento. Su propio agente, Yasha Katz, reconoció en 1978 que el psíquico israelí utilizaba trucos y cómplices en sus actuaciones. Sirva como ejemplo su fracaso mediático en 1973, cuando quiso hacer una demostración en la revista *Time* sin saber que actuaba nada más y nada menos que ante el osado mago James Randi. Éste, no conforme con reproducir una por una sus habilidades, afirmó que el mérito de Uri Geller se reducía a «unas manos rápidas y psicología».

Las supuestas demostraciones de fenómenos telequinésicos tuvieron mucha aceptación a finales del siglo XIX. Los grabados de la época, como éste coloreado a mano, mostraban misteriosas levitaciones de muebles y otros objetos.

Los shows televisivos de la década de 1970 incluían entre sus atracciones las actuaciones del mago israelí Uri Geller. Normalmente iban precedidas de una entrevista a fin de rodear de un halo «científico» sus experimentos.

nada está más alejado de un pensamiento, carente de sustancia, que la sólida materia gris cerebral. Todo el truco se consigue sin ninguna vinculación aparente.» Su escepticismo ha sido compartido por otros muchos científicos, que ponen en tela de juicio la telequinesia, es decir, la facultad de mover objetos por medio de supuestos poderes psíquicos o mentales.

Los defensores y practicantes de la telequinesia afirman, en cambio, que esta técnica o don, que requiere la presencia de un médium, permite mover un objeto de hasta medio kilogramo de peso a una velocidad de 30 cm/seg sin que haya aceleración. El año 1909, la húngara Stanislawa Tomczyk hizo creer a medio mundo que podía levantar unas tijeras con la ayuda de su mente. Científicamente, sus prácticas eran inexplicables, lo cual aumentaba todavía más la confusión y la perplejidad de los testigos.

¿EMBAUCADORES O ELEGIDOS?

Es bastante habitual que los parapsicólogos pidan la asistencia de un público para poner en

FENÓMENOS DE MATERIALIZACIÓN

En 1913, el médico Albert von Schrenck-Notzing publicó en Munich *Phenomena of Materialization*, una obra en la que estudia los fenómenos paranormales de efectos físicos, entre ellos la telequinesia. El libro, cuya publicación coincidía con el retorno de los brujos que se produjo en las primeras décadas del siglo XX, recogía los testimonios y las proezas de médiums como Stanislawa Tomczyk o los populares hermanos Schneider.

La biografía de estos dos últimos ha trascendido debido a su nacimiento en Austria, en el mismo pueblo que Adolf Hitler, muy próximo a la frontera bávara. De hecho, uno de ellos tuvo la misma ama de cría que el dirigente nacionalsocialista, por cierto gran aficionado a las ciencias ocultas.

práctica sus supuestos poderes paranormales. Sin público, sin testigos, sin cámaras que los difundan, algunos de estos fenómenos perderían su razón de ser. Pero, al menos de momento, la parapsicología cuenta en todo el mundo con millones de simpatizantes que piden información esotérica y adivinatoria. Quienes abogan por las teorías paranormales, encuentran la explicación a estos hechos en la mente humana, que, de manera consciente o inconsciente, se relaciona con la materia.

El fenómeno de la telequinesia acaparó la atención de la primera sociedad de parapsicología que se fundó en el Reino Unido a finales del siglo XIX. Para sus experimentos, el grupo de investigadores utilizaba un dado que se volcaba contra una pared o una caja que se movía mecánicamente. En sus conclusiones, se obser-

La posibilidad de flotar en el aire ha seducido desde siempre a la humanidad. Kellar fue uno de los muchos magos de inicios del siglo XX que prometía la levitación a sus creyentes.

vó que existía una relación entre la sugestión mental de los sujetos para lograr que una cara concreta cayera boca arriba y el número de veces en que esto ocurría. A estas alturas se ha demostrado también que es falsa la afirmación de que el transporte de las estatuas de la isla de Pascua hasta su emplazamiento se realizase mediante telequinesia.

COMUNICARSE A DISTANCIA

Una variante de estos fenómenos paranormales sería la telepatía, gracias a la cual dos personas (emisor y receptor) se comunican extrasensorialmente. Los contactos telepáticos hacen posible que una persona envíe un mensaje a otra, lejana en la distancia, y que la segunda identifique inmediatamente quién ha enviado la señal y cúal es su mensaje.

Los expertos en parapsicología no dudan de que la telepatía sigue un método muy simple, basado en la visualización de la persona a quien debe llegar el mensaje (recordando su rostro, sus ademanes, su perfume, etc., e imaginándola junto a ella). Cuanto más perfecta sea la imagen que el emisor se forje de esta persona, mejor será el resultado. Una buena concentración hará el resto. El inconsciente emitirá la señal, que recibirá la conciencia cósmica y de ésta llegará a Dios que se encargará de que el comunicado llegue a su destino. Como en el caso de la telequinesia, en esta práctica el alma y la voluntad desempeñan un papel decisivo. Lógicamente, este delirante proceso no puede ser tomado en serio por la ciencia.

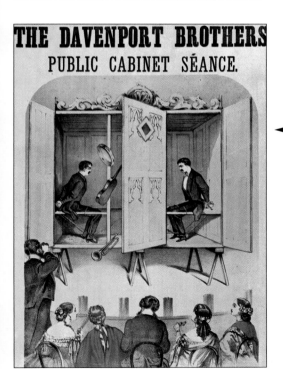

Los hermanos Davenport popularizaron en el siglo XIX un número de circo basado en la telepatía. Encerrados atados en dos cabinas de madera, eran capaces de comunicarse una serie de consignas para desatarse sin necesidad de pronunciar una sola palabra.

153

LAS PRIVILEGIADAS MENTES DE LOS NIÑOS PRODIGIO

Su mente está bajo sospecha. La resolución de cálculos complicadísimos, la demostración de una memoria portentosa y su insólita madurez a edades muy tempranas en actividades artísticas, literarias o científicas han llevado a pensar que estos niños podrían ser la reencarnación de seres prodigiosos.

¿Por qué existen los niños prodigio? ¿Es posible que un niño sepa interpretar una pieza musical la primera vez que se sienta ante un piano? Han sido muchas las teorías que, al amparo de las más antiguas religiones del mundo, han recurrido a la filosofía de la reencarnación para explicar este gran enigma de la mente humana. Según estas teorías, el alma se manifestaría en un ciclo de continuadas existencias que se materializan en la vida terrenal.

La existencia de niños que poseen conocimientos sobre temas que requieren toda una vida de aprendizaje y práctica ha abierto un polémico debate entre la ciencia y la parapsicología. Los científicos zanjan la cuestión diciendo que los niños prodigio gozan de un talento natural

Blaise Pascal a los veinticinco años en la colina francesa de Puy de Dôme el 19 de septiembre de 1648. Allí realizó el famoso experimento de los «tubos de Torricelli» en torno a la gravedad y la presión del aire. Pascal había dado muestras desde la infancia de su portentoso talento.

extraordinario. La parapsicología, por su parte, aboga por la reencarnación. Lo cierto es que el misterio se acrecienta al comprobar que existen seres humanos con un retraso mental que compensan con unas facultades inconscientes envidiables, sobre todo la hiperestesia o sensibilidad excesiva.

LA COSECHA DE UNA ANTIGUA SIEMBRA

Es bien sabido que Franz Liszt daba recitales desde los ocho años de edad, y que Franz Schubert compuso a los trece años su *Lamentación de Agar*. La lista de niños prodigio, entre los que se cuentan Mozart, Beethoven, Weber o Tiziano, es larga y, a juzgar por sus

Wolfgang Amadeus Mozart, el más popular de los niños prodigio de la historia, a los catorce años según un óleo del pintor italiano Salvario Dalla Rosa. A los cuatro años era capaz de interpretar melodías al clave, y. antes de cumplir diez años ya había ofrecido conciertos en las principales capitales de Europa.

bagaje que se le supondría a un ser reencarnado, se pierde en el mismo momento de nacer y se recupera una vez que el cuerpo físico es abandonado por el alma después de vivir una existencia. Quienes así piensan aducen otra razón espiritual: vitalmente, sería desastroso para el nuevo cerebro de un niño que pudiera acceder a una memoria de vidas anteriores, cuajada de errores y algunas experiencias no demasiado gratas. Si así fuera, retrasaría su evolución moral. Sin embargo, es evidente la contradicción en este razonamiento, ya que a renglón seguido se postulan los positivos resultados de la regresión en la memoria extracerebral.

EL AMBIENTE Y EL ESFUERZO

Para desentrañar tanto misterio, nada mejor que invocar el nombre de la ciencia. Ésta ha descubierto que la mente humana es más flexible y capaz de lo que se cree. Algunos psicólogos, como el norteamericano Burrhus Frederic Skinner (1904-1990), exponente destacado del llamado conductismo radical, afirman que la conducta humana está controlada por estímulos significativos del ambiente.

Su tesis abona la idea de que la genialidad del niño, su comportamiento extraordinario, no provienen del más allá, sino de un programa inteligente basado en un reforzamiento inusual. De acuerdo con esta teoría, la inteligencia es un conjunto de habilidades útiles que se adquieren desde la infancia y a lo largo de toda una vida y que cambian según el entorno. Tampoco se puede olvidar la variable genética de la inteligencia, que marcará sin duda la velocidad del aprendizaje.

TRÍO DE ASES

- Francia, 1639. Blaise Pascal (1623-1662) sorprendió a los científicos con la formulación del teorema de Pascal, uno de los pilares básicos de la geometría. Tenía dieciséis años y su especulación sobre algunas materias sobrepasaba la comprensión humana. A los diecinueve años inventó la primera máquina de calcular mecánica.
- Austria, 1761. Wolfgang Amadeus Mozart (1756-1791) interpretó ante su padre seis

tríos en el papel de segundo violín, sin ningún ensayo previo. A los seis años, el gran genio de la música ofreció numerosos conciertos en las cortes europeas.
- La Habana, 1901. José Raúl Capablanca, nacido en 1885, a los cuatro años de edad quiso emular a su padre, que jugaba al ajedrez con un coronel español. Comenzó a mover sin ningún titubeo cada una de las piezas del tablero de acuerdo con las reglas del juego, que, por supuesto, para él eran desconocidas.

nombres, irrefutable. De acuerdo con la concepción esotérica de los niños prodigio, todos estos hombres no harían sino disfrutar del destino que ellos mismos forjaron en existencias anteriores. Y, siguiendo la teoría de la reencarnación, su mente prodigiosa sería el premio a una vida excepcional y la consecuencia del progreso natural del espíritu. Así pues, las sucesivas reencarnaciones constituyen una nueva ocasión de alcanzar un grado superior de inteligencia, voluntad y amor y también de reparar agravios. Si esto es así, ¿por qué, entonces, no recordamos nuestras existencias anteriores?

Para justificar esta «amnesia», las teorías que abogan por la reencarnación consideran que el conocimiento del pasado, todo el pretendido

Franz Liszt a los veinte años. Este compositor y pianista húngaro fue un niño prodigio que a la edad de catorce años compuso una ópera, *Don Sanche ou Le Château d'amour.*

LAS INSÓLITAS FACULTADES DE LOS MÉDIUMS

La supuesta capacidad de percibir los mensajes del más allá es un misterio que ha acompañado al ser humano a lo largo de la historia, aunque fue en el siglo XIX cuando la difusión del movimiento espiritista hizo que la figura del médium fuera admirada y temida al mismo tiempo.

Cuentan quienes le vieron una fría tarde de diciembre del año 1868 que el escocés Daniel Dunglass Home, de treinta y cinco años, considerado más tarde el mayor médium de todos los tiempos, entró en estado de trance y comenzó a elevarse por los aires. Salió por la ventana de la sala y regresó a la casa por la ventana del salón contiguo. Para mayor asombro de los presentes, repitió la escena una y otra vez.

Ya a la edad de cuatro años, los habitantes de Currie, su localidad natal, muy próxima a Edimburgo, le atribuían ciertos poderes paranormales, supuestamente heredados de su madre, también conocida por sus dotes premonitorias. Al quedar huérfano a edad muy temprana, buena parte de su infancia transcurrió en Estados Unidos junto a su tía. Con sólo trece años anunció la muerte de un amigo que, al parecer, falleció tres días más tarde. Los fenómenos extraños que ocurrían a su alrededor se fueron sucediendo, por lo que su tía, mujer muy supersticiosa, decidió echarlo de casa, acusándolo de estar poseído por el diablo.

Pronto el mito del médium Dunglass Home empezó a ser conocido y admirado tanto en Estados Unidos como en Europa, un hecho al que sin duda contribuyó su carácter atento, encantador y elegante. Napoleón III y su espo-

Según testigos presenciales, el 16 de diciembre de 1868 Dunglass Home se elevó en el aire y cruzó una ventana.

sa Eugenia de Montijo, el zar de Rusia o el rey de Baviera fueron tan sólo algunos de sus admiradores. Hasta el novelista ruso Lev Tolstoi tuvo ocasión de asistir a alguna de sus sesiones. No obstante, sus prácticas provocaron la cólera de las autoridades religiosas en Italia.

¿UNA VIDA SOBRENATURAL?

En 1862, Home publicó un ensayo titulado *Revelaciones sobre mi vida sobrenatural*. En él explicaba con detalle su capacidad para volar, así como otras habilidades: elevar objetos y desplazarlos, conseguir que el suelo vibrara, la levitación, la clarividencia, la telequinesia e incluso la elongación del cuerpo. Hizo creer a su público que podía cambiar las dimensiones y la forma de su cuerpo a voluntad: aumentar su estatura en 30 centímetros, ensanchar su pecho, estirar los músculos del torso, contraerse, desfigurar su rostro, etc. Al respecto, relataba un periódico de la época: «En una de las sesiones se tumbó entre dos hombres, tocando su cabe-

LEVITACIONES

A principios del siglo XX, el profesor francés Olivier Leroy, de la Universidad de París, recogía en su estudio *La Lévitation* más de doscientos casos de santos que, según las fuentes de la tradición, se elevaban en el espacio sin intervención de agentes físicos conocidos. Entre ellos se encuentran, por ejemplo, santo Domingo (1170-1221), que levitó mientras rezaba en un monasterio de frailes benedictinos. También el beato José de Cupertino, nacido en 1603, alcanzó, en trance místico, la parte superior del altar mayor de una iglesia de la ciudad de Asís. Pero los santos a los que se atribuyen levitaciones fueron muchos más: Teresa de Jesús, Pedro de Alcántara, Francisco de Asís o Tomás de Aquino. Sus casos pertenecen a esa zona franca de la mente situada entre la realidad y la fe.

za con la de uno de ellos y sus pies con los del otro. Su cuerpo se alargó por los extremos, empujando a sus colaboradores que quedaron separados unos 2,10 metros. Luego, empezó a levitar y balancearse en el aire, hasta quedar recostado en un sofá volante».

Tan singulares dotes llegaron a desconcertar a científicos como sir Williams Crookes, un ilustre químico que investigó las prácticas del médium durante años sin que consiguiera hallar una explicación racional. Crookes señala en sus escritos que, junto a sus éxitos, hubo también muchos intentos fallidos, si bien reconoce que poseía una misteriosa fuerza psíquica. Esta fuerza psíquica, que hoy conocemos en mayor profundidad, ha puesto de relieve que los supuestos poderes de muchos médiums se sustentan en una poderosa personalidad capaz de sugestionar a su predispuesto auditorio.

El espiritismo y la ostentación de supuestos poderes comenzó a convertirse en rutina a medida que avanzaba el siglo XIX. Fue ese siglo una época proclive al ocultismo y a la superchería, sobre todo cuando, en la década de 1850, los rumores sobre hechos extraordinarios en la famosa casa de los Fox, en Hydesville, se convirtieron en el germen del movimiento espiritista.

CUANDO LOS MÉDIUMS LEVITAN

Una de las capacidades más sorprendentes que se atribuyen a los médiums es la levitación. De acuerdo con los textos sagrados de la antigua India, el poder de levitación estaba reservado a los dioses, los héroes mitológicos y también

La mesa que oscila como respuesta a las preguntas de los médiums es uno de los episodios más conocidos de la práctica espiritista.

Dunglass Home, el mayor médium de todos los tiempos, nació en Currie, localidad escocesa cercana a Edimburgo, en 1833 y murió en 1886 a causa de la tuberculosis.

algunos mortales sabios y virtuosos, capaces de desafiar la ley de la gravedad. Pero no eran hombres comunes, sino seres que se sumían durante un largo período de tiempo en un letargo místico, de ayuno y ascetismo.

Encontramos casos de levitación, por ejemplo, en la obra *Shen Hsien Chuan*, escrita en China en el siglo IV de la era cristiana. En ella se relata la historia de Liu An, quien, tras ingerir cierto elixir elaborado por un monje taoísta, comenzó a volar sin poder evitarlo. Por su parte, en sus estudios, los árabes llegaron a la conclusión de que la Gran Pirámide fue obra de unos sacerdotes que levitaban.

MENSAJE DESDE EL MÁS ALLÁ

La tuberculosis, que le perseguía desde niño, puso fin a la vida del médium Dunglass Home en 1886. En el epitafio de su tumba, en el cementerio parisino de Saint-Germain-en-Laye, se puede leer: «Daniel Dunglass Home. Nacido a la vida terrestre cerca de Edimburgo el 20 de marzo de 1833. Nacido a la vida espiritual el 21 de junio de 1886. A otro corresponde distinguir los espíritus».

157

EL FENÓMENO DE LOS ESTIGMAS

El estigma es la huella o marca que, según la tradición católica, ha quedado impresa de manera sobrenatural en el cuerpo de algunos santos que entraron en éxtasis, como símbolo y recuerdo de la participación de sus almas en la pasión de Cristo. Pero los estigmas también pueden ser la manifestación de procesos patológicos.

EL SINGULAR PADRE PÍO

El 23 de setiembre de 1968 se extinguía la vida de Francesco Forgione, un franciscano que llegó a convertirse en un personaje muy popular en su país, Italia, donde se le conocía como Padre Pío. Y no era para menos ya que desde 1918, año en el que, según se dice, se reprodujeron en su cuerpo cinco llagas de Cristo, el religioso no dejó de sorprender a sus contemporáneos.
El cuerpo de Forgione podía tanto emanar a veces un penetrante olor a jazmín, como tener el don de la ubicuidad. Además era capaz de leer el pensamiento en la mente de las personas. Los médicos examinaron en numerosas ocasionesa Forgione pero aún no se ha podido saber qué enfermedad padecía.

El del estigma es quizás el fenómeno más extraordinario del misticismo. Para la Iglesia, el primer estigmatizado fue Jesucristo, con las cinco llagas de la crucifixión. Desde entonces se han repetido los fenómenos de transverberación en la comunidad religiosa. El cuerpo de los estigmatizados se cubre de llagas, las mismas sufridas por Cristo en la Cruz: en el costado, en las manos, en los pies, más la herida en la frente causada por la corona de espinas. A veces son heridas dolorosas que sangran abundantemente.

ALGUNOS CUERPOS ESTIGMATIZADOS

Sería imposible nombrar a todos los santos y religiosos que al parecer fueron estigmatizados, aparte de que no todos ellos han gozado del mismo predicamento. Los estigmas de Francisco de Asís tuvieron testigos de excepción, como el papa Alejandro IV. Su fe y su vida ejemplar le llevaron a una fortísima identificación con Cristo crucificado, por lo que la relación espiritual se hizo presente en la carne, reproduciéndose en ella las llagas de la Pasión.

A mediados de septiembre de 1124, Francisco de Asís, después de recorrer en misiones populares la Europa mediterránea y el norte de África, se retiró para meditar y ayunar en el monte Alverno, en la región italiana de Toscana. A su regreso llevaba impresas en su cuerpo heridas y llagas parecidas a las de Cristo en la Cruz.

En el óleo *La Trinidad* de El Greco, conservado en el Museo del Prado de Madrid, aparecen los cinco estigmas de Cristo, en las manos, en los pies y en el costado.

tas como sus virtudes, según anticipó ella misma doce años antes de su muerte. Otra santa italiana, Catalina de Siena (1347-1380), confesó a su director espiritual, el padre dominico Raimundo Tomaso, que en el transcurso de un éxtasis se le había aparecido Cristo para abrirle el costado y arrebatarle el corazón. Así mismo, se dice que la santa se alimentó exclusivamente de la hostia sagrada durante años.

En su anhelo por alcanzar el éxtasis, ese estado del alma que les permite la unión mística con Dios mediante la contemplación, la oración y el amor, muchos religiosos han creído ser víctimas de fenómenos sobrecogedores, entre ellos la pérdida absoluta de los sentidos. El éxtasis en los conventos a veces se reduce a la visión de un ángel, pero en la mayoría de los casos, se trata de una experiencia dolorosa. Se habla así de personas que al ingerir la hostia sagrada quedaban estigmatizadas, llenándose su boca de sangre.

Un día y medio después de fallecer, encontraron en el corazón de la santa Verónica de Giuliani (1660-1727) unos grabados en los que se podían apreciar hasta veinticuatro figuras, entre ellas una cruz latina y algunas letras, tan-

El pintor italiano Giulio Clovio sugirió en el siglo XVI la forma en que se envolvió a *Cristo con el Santo Sudario*, en el cual quedarían impresas sus huellas.

EL ESTIGMATIZADO, UNA ESPECIE DE ELEGIDO

Algunos investigadores que se han aproximado al mundo de los estigmas han encontrado un importante componente de sugestión mental.

EL MISTERIO DEL SANTO SUDARIO

El Santo Sudario de Turín o Sábana Santa es una pieza fina de lino de cuatro metros que presenta una imagen humana y las marcas de un hombre crucificado, coronado con espinas, azotado y con el costado atravesado de una lanzada. Las impresiones del lienzo corresponden al episodio de la Pasión de Cristo transmitida por la tradición católica, lo cual ha llevado a pensar que el manto pudo haber sido utilizado para envolver el cuerpo de Cristo después de que el miembro del sanedrín judío, José de Arimatea, lo bajara de la Cruz.
Desde 1898, científicos y médicos de todo el mundo han estudiado y analizado el Santo Sudario y a partir

de los rasgos de la imagen, las características físicas y químicas, los restos de sangre, etc. En 1988, las pruebas de laboratorio revelaron que el origen del sudario era posterior al siglo XIV. Diez años más tarde, una delegación de científicos que se trasladó a Turín para participar en un congreso insistió en la autenticidad de la Sábana Santa. Otros científicos israelíes basaron sus estudios en la presencia de polen y huellas de plantas que sólo crecen en Israel, Jordania y el desierto del Sinaí, Egipto, para confirmar que el manto de Turín procede de Tierra Santa.
Aunque la controversia continúa viva, la ciencia mantiene que se trata de una reliquia falsificada en la Edad Media.
Paralelamente, en la ciudad andaluza de Jaén se guarda la reliquia del Santo Rostro o paño con que la Verónica limpió la cara de Cristo.

LA VOZ CRÍTICA DE STAHELIN

Aunque la jerarquía eclesiástica valora y evalúa la producción de estigmas para beatificar o santificar a sus miembros más destacados, en el seno de la Iglesia se levantan voces discordantes porque no creen que sea este el camino más adecuado para transmitir el mensaje divino a los fieles de nuestro tiempo. En 1949, el jesuita español Carlos María Stahelin Saavedra afirmaba que «los fenómenos maravillosos (apariciones, estigmas, mensajes, etc.) admiten todos ellos una múltiple interpretación causal, ya que pueden tener su origen en Dios, en el demonio, en las fuerzas psíquicas naturales o en el fraude más o menos consciente».

El inquietante rostro de Teresa Neumann mostrando sus estigmas. De esta campesina bávara nacida en 1898 se decía que estuvo treinta y seis años sin comer. En 1939 el gobierno alemán decidió retirarle la cartilla de racionamiento dado el nulo uso que hacía de ella.

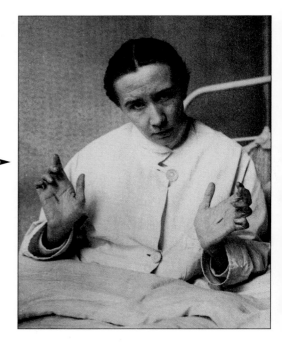

La estigmatización ha sido un tema recurrente en el cine de terror. En 1999, Rupert Wainwright dirigió *Stigmata*, con Patricia Arquette como protagonista.

su vasta y exquisita literatura, Teresa de Jesús describió en más de una ocasión su unión mística con Dios, la íntima identificación de su alma con el espíritu divino, de su esencia humana con un principio sagrado y universal.

La Iglesia católica ha aceptado como estigmas debidos a la intervención divina un total de más de trescientos casos. Los siglos XIV a XVI fueron ricos en este tipo de fenómenos que empezaron a descender en número a partir del siglo XVII. En el siglo XIX la cifra de estigmatizados cristianos abarcó sólo veinte casos y en el siglo XX esa cifra se redujo a un único caso reconocido por la Iglesia, el de Francesco Forgione. Los característicos éxtasis que acompañaron a los estigmatizados en el pasado parecen también remitir. En la historia de los estigmatizados abundan los religiosos, tanto hombres como mujeres, y muchos de ellos alcanzaron el reconocimiento como beatos o santos.

Los más críticos atribuyen la razón de este fenómeno al fanatismo oculto detrás de la razón. Varios informes médicos hablan de trastornos de origen nervioso y endocrino. Se sospecha, por ejemplo, que Teresa de Jesús, la más insigne estigmatizada de la historia del catolicismo, pudo sufrir un cuadro de epilepsia, que se manifestaba a menudo en forma de desmayos, convulsiones y parálisis de algunos miembros.

En las actas de canonización de la monja mística de Ávila consta que al expirar, el 4 de octubre de 1582, una paloma blanca salió de su boca. Los estigmas de esta santa son tan célebres como lo es también la leyenda sobre su exhumación en 1700: su cuerpo se mantenía incorrupto y rezumaba un bálsamo de aroma muy suave. En

ESTIGMAS POCO MÍSTICOS

El aspecto normal de la piel humana puede alterarse por el efecto de enfermedades como hemocromatitis o simplemente como efecto de la ingestión de diversos medicamentos. Un tipo relativamente común de estigma es el constituido por el grupo de los angiomas. Los angiomas son tumores benignos que afectan a las estructuras vasculares.

Se localizan tanto en la piel como debajo de ella y producen una coloración rojiza o púrpura. Dos angiomas de aspecto muy llamativo son las denominadas "manchas de vino de Oporto", que pueden aparecer en los recién nacidos, y las "arañas vasculares", de color rojo brillante con una zona central violácea, que suelen desarrollarse en la piel de enfermos de cirrosis hepática.

SENDAS MISTERIOSAS

Tormenta registrada sobre el Triángulo de las Bermudas en 1987.

SENDAS MISTERIOSAS

El hombre ha tratado siempre y por todos los medios de encontrar una explicación a cuanto ocurre a su alrededor. En respuesta a esta necesidad, los diferentes fenómenos climatológicos, astronómicos y geológicos han recibido innumerables lecturas por parte de casi todas las culturas que pueblan o han poblado nuestro planeta. Además, en los últimos siglos, el increíble desarrollo de la ciencia ha permitido una gran aproximación a la verdad última de todos estos fenómenos, lo cual ha llevado al ser humano a acariciar el sueño primordial de comprender cuanto ocurre en el mundo.

Pero aún existen episodios de nuestra historia y lugares de nuestra geografía que no responden a las mismas leyes que presuntamente dirigen el resto del universo. La suma de estos hechos inexplicables conforma una historia dentro de la historia que no se rige ni por los postulados de la razón ni por los de la todopoderosa ciencia.

1. Imagen de un meteorito entrando en la atmósfera terrestre.
2. Uno de los tripulantes de la aeronave Apolo XI paseando por la superficie lunar.
3. El zar Nicolas II rodeado de su familia.
4. Mapa del *Atlas* del cartógrafo Gerard Mercator.
5. Exterior de la basílica de Guadalupe, México.

GEOGRAFÍAS CRÍPTICAS

*C*iertas zonas geográficas del planeta son el escenario de fenómenos de difícil comprensión. Las leyes naturales experimentan extrañísimas transformaciones, en ocasiones repentinas, que anulan la lógica de los presupuestos científicos por los cuales debieran regirse. El «triángulo de las Bermudas», el «triángulo del Diablo» en el mar Mediterráneo o el «mar del Diablo» de Japón son ejemplos de lugares concretos donde desaparecen barcos, aviones y submarinos sin que ningún fenómeno meteorológico justifique el hecho de que se esfumen sin dejar rastro.

En otras ocasiones, las localizaciones más recónditas ocultan fabulosas sorpresas. En las proximidades de Yonaguni, nombre de una isla japonesa, se encuentran las ruinas de una ciudad sumergida perteneciente a una cultura remota, anterior a las del Antiguo Egipto y Mesopotamia, en la que los arqueólogos creen haber hallado los vestigios más antiguos de la humanidad. La taiga de Tunguska es otro de esos lugares escenario de sucesos incomprensibles. En 1908 cayó en ella un objeto de naturaleza desconocida, que arrasó miles de hectáreas de bosque de esta zona deshabitada de Siberia.

La geografía de la Luna fue objeto de numerosas especulaciones hasta una época muy reciente.

El «triángulo de las Bermudas»

El denominado «triángulo de las Bermudas», con una superficie total de 3 900 000 km², tiene por vértices la ciudad de Miami, en Florida, las playas de Arecibo, en Puerto Rico, y las islas Bermudas, y su área abarca la totalidad del mar de los Sargazos. Su extensión se corresponde con las coordenadas de 55°O a 85°O y de 30°N a 40°N.

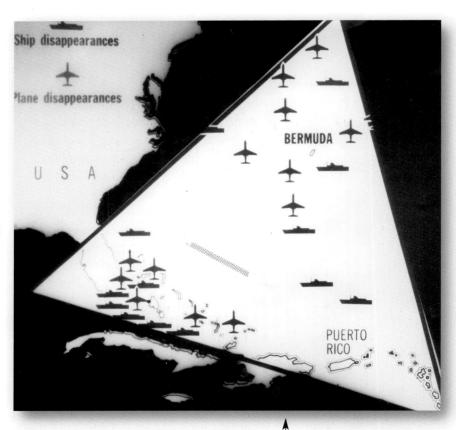

Ubicación aproximada del triángulo de las Bermudas; los vértices que conforman esta enigmática demarcación, en la que se han venido produciendo extrañas desapariciones por espacio de décadas, se encuentran en Florida, Puerto Rico y las islas Bermudas.

UN SUCESO CÍCLICO

En un estudio realizado por la prestigiosa compañía estadounidense Bell fueron examinados cuidadosamente, y con la ayuda de un avanzado programa informático, los numerosos fenómenos inexplicables observados en el «triángulo de las Bermudas», así como en otras zonas en las que se han registrado misteriosas desapariciones de tripulaciones y de sus naves. La única conclusión que se extrajo de tal estudio fue la de que estos fenómenos se sucedían cíclicamente.

Sin obstáculos y con el cielo despejado, a partir de finales de la década de 1940, un gran número de personas han ido desapareciendo en un área concreta del mar Caribe, junto con los aviones y las embarcaciones que las transportaban. El fenómeno ha merecido la atención de la comunidad científica, que busca respuesta a este intrigante misterio.

En 1964, el periodista estadounidense Vicente Gaddis empleó por primera vez la expresión «triángulo de las Bermudas» para designar la región próxima a las costas de Florida, de las islas Bermudas y de Costa Rica, en las que centenares de aviones y barcos, con toda su tripulación, parecieron volatilizarse sin razón aparente. Las hipótesis que se barajan para explicar estos fenómenos van desde las más delirantes, que defienden actuaciones de extraterrestres interesados en nuestros ingenios tecnológicos —que capturarían a fin de estudiarlos—, hasta las que afirman que se trata de distorsiones espaciotemporales que absorben los barcos como si de agujeros negros se tratase.

Según el escritor francés Jacques Bergier, autor junto con Louis Pauwels del libro de gran éxito popular *El retorno de los brujos*, en el «triángulo de las Bermudas» existe una alteración gravitatoria que provoca una perturbación en las fuerzas del magnetismo terrestre. Al igual que en otros lugares en los que se producen desapariciones inexplicables de embarcaciones, en estas zonas se encontrarían lo que él llama las «puertas inducidas», unas aberturas que conducen hacia ciertos agujeros cósmicos, equivalentes terráqueos de los existentes en el universo. Bergier considera que estos umbrales pueden ser atravesados en ambos sentidos. Es decir, los barcos y aviones que cruzaron imprudentemente la zona podrían haber sido absorbidos por ella y, de la misma manera, algunos podrían haber vuelto.

A diferencia de otros autores que se han ocupado del enigmático triángulo, Bergier afirma

EL S.O.S. DEL TENIENTE CHARLES TAYLOR

El 5 de diciembre de 1945, el teniente de la US Navy Charles Taylor, que había despegado en su avión torpedero de la base aeronaval de Fort Lauderdale (Florida), informó a la torre de control que estaba perdido y que no era capaz de distinguir la superficie del océano. En el comunicado previo a la interrupción de la comunicación por radio, el oficial, conminado por la torre a que se dirigiera al oeste, respondió: «No sabemos dónde está el oeste. Todo parece falso, extraño. No estamos seguros de ningún rumbo. Incluso el océano no parece el mismo de siempre».

El hidroavión *Martin Mariner* fue enviado en busca del avión y de los otros cuatro torpederos que le acompañaban, pero todos los aparatos desaparecieron sin dejar rastro. La marina estadounidense estudió lo sucedido sin poder ofrecer a los familiares de los veintisiete soldados ninguna explicación. Este fue el único caso de desaparición en el que se pidió ayuda, todos los demás se produjeron sin previo aviso.

que no todos los desaparecidos se han esfumado para siempre, sino que unos pocos han logrado regresar sanos. Su relato incoherente de los hechos impidió que se les diera crédito.

EL PROYECTO POLYMODE

Aunque la mayor parte de las desapariciones mejor documentadas se produjeron a partir de 1945, existen algunos casos anteriores. En 1918, el navío estadounidense *Cyclop*, con 308 tripulantes a bordo, entre los cuales estaba el cónsul general Alfred Gottschalk, se desvaneció a plena luz del día sin causa aparente. Hasta la actualidad, el mar se ha cobrado en esa área más de

Cartel promocional de la película *El final de la cuenta atrás*, dirigida en el año 1980 por Don Taylor, en la cual un avanzado portaviones estadounidense era enviado atrás en el tiempo al atravesar las aguas del triángulo de las Bermudas.

En *Triángulo Diabólico de las Bermudas*, película dirigida por René Cardona Jr. en 1978, las víctimas de la actividad paranormal del triángulo son los asistentes a un crucero por el Caribe. En sus títulos de crédito aparece una lista de centenares de embarcaciones desaparecidas en su demarcación. Como cabeza de reparto figuraba John Huston.

mil vidas. Entre 1945 y 1975, fueron treinta y siete aviones, cincuenta barcos y un submarino atómico los que se desaparecieron sin dejar rastro. Las autoridades ignoraron los naufragios hasta que, en 1978, un grupo internacional de expertos, presidido por científicos soviéticos y estadounidenses, puso en marcha el Proyecto Polymode para aclarar las diversas hipótesis formuladas. Unos sostenían que las ondas infrasónicas eran las responsables, y otros lo achacaban a fenómenos del magma y del magnetismo terráqueo. Ninguna de las dos teorías obtuvo confirmación.

Otra tercera e interesante teoría, defendida por científicos ajenos al Polymode, partía de la premisa de que el globo terráqueo se había configurado en veinte triángulos a partir de asteroides que giraban aglomerados en un mismo centro de gravedad. El «triángulo de las Bermudas» sería uno de ellos. Según este razonamiento, el lugar de unión de los vértices de los triángulos presenta fenómenos atmosféricos específicos que serían los determinantes de las catástrofes marinas. La ventaja de esta teoría era que explicaba por qué otras zonas muy distantes del planeta como, el «mar del Diablo», frente a las costas de Japón, o el «triángulo del Diablo» en el mar Mediterráneo, registraban los mismos sucesos.

Pese a los esfuerzos de los científicos por dotar de una argumentación sólida y definitiva los hechos ocurridos en tan repetidas ocasiones, nos encontramos con que ninguno puede explicar de forma rigurosa el extraño fenómeno.

TUNGUSKA, LA OTRA HIROSHIMA

En el verano de 1908, una terrible explosión sobrecogió a los habitantes de la meseta central siberiana. La estepa ardía. Una inmensa columna de fuego surcó la noche. No hubo víctimas, pero ardieron centenares de kilómetros de tierra sin que se haya podido precisar el origen de tan extraño acontecimiento.

La colisión de un meteorito contra la Tierra podría explicar los extraños sucesos acontecidos en junio de 1908 junto al río Tunguska. Al entrar en la atmósfera terrestre, la resistencia del aire provoca la incandescencia de los meteoritos, lo que origina sus características estelas luminosas.

El insólito fenómeno se produjo en las cercanías de río Tunguska (Siberia central), a unos 800 km al norte del lago Baikal, el 30 de junio de 1908. La localización concreta de la taiga devastada es 60° 55' de longitud norte y 101° 57' de latitud este. Las vibraciones de los sucesivos estallidos fueron registradas en observatorios situados hasta cinco mil kilómetros de distancia del epicentro, entre ellos el Observatorio Sismográfico de Jena (Alemania), que se encuentra a 5 184 km de distancia, y otros aún más lejanos (en Washington y Java), que interpretaron que las vibraciones obtenidas por sus aparatos indicaban un movimiento sísmico de gran intensidad.

Muchos testigos se vieron cegados por una luz incandescente y tuvieron que protegerse el rostro, ya que contemplar el haz de forma directa les hubiera producido quemaduras en el rostro. A 600 kilómetros al sur, las ráfagas de viento caliente arrancaron las puertas y ventanas de la estación de ferrocarril transiberiano del distrito de Kansk. Los pasajeros salieron despedidos de sus camas y asientos, y fueron arrojados violentamente del tren en que viajaban. A lo largo de su recorrido, grandes extensiones de bosques ardían en los alrededores de Tomsk y se convirtieron en enormes hogueras de centenares de kilómetros.

LAS PRIMERAS HIPÓTESIS

La primera investigación científica, encabezada por el geólogo soviético Leonid A. Kulik, se realizó en 1921 a propuesta de la Academia de Ciencias de Moscú. La Rusia zarista jamás se ocupó de investigar un hecho que había ocurrido en el lejano y atrasado territorio de los tunguses. Kulik reunió recortes de periódico de la época y numerosas descripciones de testigos, que coincidían en afirmar que una llamarada

METEORITOS Y CABEZAS DURAS

Cuando en 1790 el físico alemán Ernst Chladni se atrevió a defender ante la Academia de Ciencias de París sus teorías sobre la caída de meteoritos a la Tierra, Antoine Lavoisier (1743-1794), padre de la química moderna y descubridor del oxígeno, se levantó indignado e interpeló a sus colegas: «¿Qué dice este hombre? ¿Que caen piedras del cielo sobre la Tierra? Es una locura mantener semejante teoría». Sin embargo, nada más ajeno a la realidad. Se calcula que la atmósfera terrestre recibe el impacto de entre diez mil y cien mil de estas «piedras» cada segundo. Afortunadamente, la mayoría de ellas se desintegran sin producir daños.

EL PÁNICO DE UN TESTIGO

Cuando en la década de 1920 los científicos rusos se propusieron aclarar el enigma de Tunguska, una de las principales vías de investigación seguidas fue interrogar a quienes presenciaron este fénomeno inexplicable. Algunos relatos de lo sucedido fueron publicados por la prensa de la época. «De pronto —explicaba uno de los testigos—, el cielo se abrió en dos y por encima del bosque toda la parte norte pareció que se cubría de fuego. Sentí entonces un gran calor, como si mi camisa estuviese ardiendo. Quise quitármela y tirarla, pero en ese preciso momento se produjo una explosión y se oyó un enorme estruendo. La tierra temblaba, y cuando caí al suelo me cubrí la cabeza porque temía que las piedras pudieran golpearme. Por último, cuando el cielo se abrió, sopló del norte, por entre las cabañas, un viento caliente como el de un cañón.»

Sobre este mapa aparece descrita la trayectoria del objeto que sembró el pánico en la cuenca del río Tunguska, así como la onda expansiva resultante de su colisión contra el suelo de la estepa siberiana.

Paisaje característico de la taiga siberiana, en las inmediaciones de Khabarovsk. La naturaleza árida de su suelo hizo que las llamas arrasaran una amplia franja de terreno cuando tuvo lugar la colisión del supuesto meteorito.

procedente del río Yenisei surcó el cielo hasta estrellarse contra la inhóspitas tierras siberianas. Tras la onda expansiva, se produjo el descomunal incendio. Poco más pudo averiguar.

Seis años más tarde, en 1927, Kulik se hizo acompañar de un superviviente y consiguió localizar los restos del bosque calcinado de Tunguska. Concluyó que el motivo de tan extraño acontecimiento era un meteorito de gran tamaño que se había estrellado en algún lugar de la región pantanosa próxima al río Tunguska.

En dos posteriores expediciones a la zona, la última de ellas realizada en 1938, el geólogo no pudo hallar resto alguno del mencionado meteorito que confirmara su teoría. Esta falta de evidencia material, unida al hecho de que tampoco se observó ningún cráter de impacto en el lugar, llevó a pensar al doctor Carl Sagan, científico y divulgador estadounidense, que fue un cometa helado del tamaño de un campo de fútbol, y no un meteorito, el que golpeó la Tierra produciendo los incendios de Tunguska.

¿NAVES ESPACIALES SOBRE TUNGUSKA?

Algunos años más tarde, en 1946, agotadas las esperanzas de hallar los restos del supuesto meteorito, las especulaciones se dirigieron hacia otro terreno. Se habló entonces de la caída de un trozo de antimateria e incluso de un agujero negro que habría atravesado Siberia para salir luego por el otro lado, en el Atlántico Norte. Sin embargo fue Alexander Kazantsev, ingeniero soviético experto en armamento, quien conmocionó a la opinión pública al formular la teoría de que la devastación se debía a una explosión nuclear extraterrestre.

Fotografías del bosque devastado a cinco kilómetros del «punto cero» veintiún años después del acontecimiento, reflejaban un espectáculo de árboles derribados en dirección opuesta al impacto. Un meteorito, un cometa, la caída de un trozo de antimateria o quizás el impacto de una nave extraterrestre se barajaron como las más probables causas. Pero, sea como fuere, el extraño suceso de Tunguska aún no ha encontrado explicación.

167

AGUAS TENEBROSAS EN EL PACÍFICO

A pocos kilómetros de las costas japonesas existe un punto donde las aguas supuestamente engullen barcos y aviones sin que medie una explicación satisfactoria del motivo de este fenómeno. Declarada «área peligrosa» por las autoridades japonesas en 1955, su fama de lugar siniestro supera, al menos oficialmente, a la del «triángulo de las Bermudas».

El llamado «mar del Diablo» es una zona del océano Pacífico cercana al sureste de Japón, entre este país y la isla Marcus, donde existen enormes fosas marinas y una gran actividad volcánica. Los maremotos y el *tsunami* —una ola causada por la erupción de un cráter submarino que puede superar los treinta metros de altura— no explican suficientemente todos los enigmas de las desapariciones de barcos y aviones en la zona. Los pescadores esquivaban, ya en la Antigüedad, las aguas del «mar del Diablo», convencidos de que no regresarían a tierra si osaban surcarlo con sus frágiles embarcaciones. Las explicaciones de los antiguos pescadores nipones apuntaban a que en esta zona habitaban seres endemoniados y monstruos satánicos que hundían los barcos con la finalidad de apoderarse de ellos.

En efecto, numerosos barcos han desaparecido en sus aguas a causa de la erupción de volcanes submarinos o de repentinas e inexplica-

Brújula del siglo XIX. Al parecer, las enigmáticas aguas del «mar del Diablo», como ocurre también con las del triángulo de las Bermudas, desafían la lógica de este y de otros instrumentos de navegación.

El combate entre la furia desbocada del mar y el hombre aparece fielmente representado en *La ola*, una de las *Treinta y seis vistas del Monte Fuji* del pintor japonés del siglo XVIII Katsushija Hokusai.

bles marejadas. La explicación oficial no va más allá, como tampoco aclara por qué, además de los barcos, son muchos los aviones tragados por el triángulo. Sólo durante los cuatro primeros años de la década de 1950 desaparecieron sin dejar rastro nueve naves con varios cientos de personas a bordo. Su exhaustiva búsqueda por mar y aire fue infructuosa. No se encontró ni la más mínima huella, ni siquiera una mancha de aceite que ofreciera alguna evidencia del naufragio. En su estudio *Invisible Residents,* Ivan T. Sanderson incluye el «mar del Diablo» entre las doce zonas en las que continuamente se producen fenómenos semejantes.

UNA SUCESIÓN DE DESAPARICIONES
En 1952, el gobierno japonés, alarmado por la cadena de accidentes, organizó una expedición en la que varios científicos se propusieron determinar las causas de estos extrañísimos sucesos. El 24 de septiembre de ese año, el *Kaiyo Maru* zarpó rumbo al temido «mar del Diablo» con la misión de recabar los datos necesarios para esclarecer, de una vez por todas, el motivo de tan inexplicable misterio. Las conclusiones de los investigadores nunca pudieron conocerse: el buque desapareció con todos y cada uno de los científicos que pretendían arrebatar al mar su secreto.

El 14 de marzo de 1966 se produjo otra inexplicable desaparición. El carguero *Valiente* había zarpado de las costas de Singapur la semana anterior con destino a Danang, en Vietnam del Sur. Su cometido era transportar diversos materiales para las tropas de la aviación estadouni-

BRÚJULAS MÁGICAS

Brújulas, calaminas y bitácoras son diferentes términos utilizados por los navegantes para designar un mismo instrumento de orientación indispensable. Antiguamente se consideraba que poseían virtudes mágicas porque permitían a los barcos alejarse de la costa, hasta perderla de vista, con la seguridad de retornar al punto de origen siguiendo el rumbo contrario al de partida. Los chinos conocían las propiedades de la aguja imantada, pero fueron los árabes quienes la emplearon por primera vez en funciones de orientación marítima. Hacia el año 1200 era de uso común en el Mediterráneo, aunque se cree que ya era utilizada en el siglo X. Se atribuye a Amalfi Flavio Gioja la idea de colocar bajo la guía una rosa náutica.

pero las autoridades nunca los tomaron en serio. El caso es que, en 1967, tres tripulaciones de barcos mercantes observaron bajo las aguas del «mar del Diablo» unas bandas de luminosidad fosforescente que se desplazaban bajo la superficie. Desde un foco central giratorio, las bandas en forma de rueda irradiaban una luz perceptible por los marineros que se encontraban en cubierta y que, atónitos, contemplaban el vistoso espectáculo. Ninguno pudo confirmar el origen de tan extraño fenómeno.

Pero puede existir, sin embargo, una explicación científica para este fenómeno. Se trataría de bancos de peces luminiscentes (*Kryptophanaron* en su denominación latina), que se

dense, que jamás llegaron a su destino. Durante la última conexión radiofónica, nada hacía sospechar el trágico desenlace del carguero. La VII Flota de los Estados Unidos y varias patrullas salieron, sin éxito, en su búsqueda. No hubo rescate posible de la embarcación, que desapareció sin dejar rastro.

En el lugar de la desaparición del carguero *Valiente*, por muy extraño que pueda parecer, algunos hombres presenciaron un raro efecto luminoso a pocos metros de la superficie, en forma de ruedas fosforescentes. Algunos pensaron que podía tratarse de submarinos, pero esta hipótesis fue rechazada. En 1965, cerca de las costas de Melbourne, Australia, se habían observado unos fenómenos similares y, sin embargo, la zona donde habían tenido lugar era inaccesible para este tipo de embarcaciones o para cualquier otra conocida. Por lo tanto, se imponía tomar otro camino para explicar el caso.

EN BUSCA DE EXPLICACIONES

Algunas hipótesis apuntaban a la existencia de OSNIS (Objetos Submarinos No Identificados),

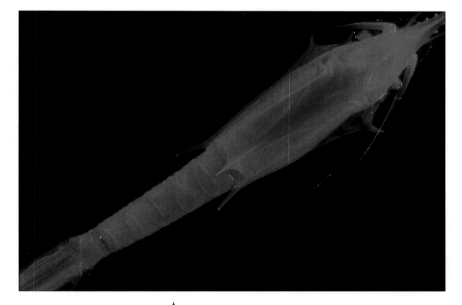

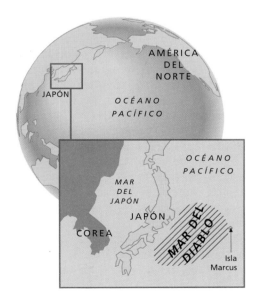

La existencia en sus aguas de un banco de peces luminiscentes podría dar explicación a las misteriosas fluorescencias emitidas por el «mar del Diablo», y que causaron el pánico durante siglos a los marinos que las presenciaron.

reúnen de vez en cuando en gran número. Esta especie posee una región próxima al ojo, de color blanco, que contiene numerosas bacterias fotolumínicas, que habrían sido las que confundieron a los marineros.

También se dieron casos contrastados por numerosos testigos de unos sucesos luminosos incomprensibles que, en este caso, no flotaban a pocos metros de la superficie, sino que descendían del cielo a las aguas. Difícilmente podía sostenerse aquí la explicación de los peces *Kryptophanaron*. En 1975, mientras la lancha costera *Diligence* auxiliaba a un carguero en llamas y su radio enmudecía repentinamente, los tripulantes afirmaron que habían visto descender unas misteriosas luces verdes a las que las investigaciones posteriores, realizadas por el ejército estadounidense, no pudieron encontrar explicación racional alguna.

Aún desconocemos a ciencia cierta el motivo de las desapariciones de los navegantes y sus barcos o qué son, en realidad, las bandas de luces submarinas.

169

EL MISTERIOSO PAISAJE DE LA LUNA

Cráteres y surcos, elevados picos y valles componen la superficie lunar. Su aspecto polvoriento, a causa de las numerosas capas de ceniza de antiguas erupciones volcánicas y del impacto de millones de meteoritos, oculta en su imperfecta belleza multitud de misterios por descubrir.

Múltiples mitos han pretendido, a lo largo de los tiempos, explicar el origen de los astros. En el caso de la Luna, son muchos los pueblos que han asociado este satélite con una figura femenina. Los indígenas chibchas tenían una antigua leyenda en la que se narraba el amor y la paciencia con los que el dios Bochica, que había habitado en la meseta de Cundinamarca (actual Bogotá), enseñaba a los suyos el cultivo de la tierra y las celebraciones solares. Su hermosa esposa Chía no era igual de benefactora que su marido. Celosa de su protagonismo, provocó el desbordamiento del río Funza que anegó las tierras de labranza. Muy enojado, Bochica la convirtió entonces en la Luna para que con su res-

Representación del Sol y la Luna según un grabado del *Atalante Fugiens*. Resultan incontables los mitos y leyendas que las culturas antiguas han consagrado a estos dos astros, fruto de la eterna fascinación que han despertado en los hombres.

En esta imagen lunar pueden apreciarse algunos de los detalles que configuran la orografía del satélite.

CICATRICES LUNARES

La topografía de la Luna tampoco pasa desapercibida en otras culturas. La tribu centroafricana de los nbonga-ambo cuenta que antiguamente el Sol y la Luna solían almorzar juntos como un matrimonio bien avenido. Cierto día, la Luna dejó que se le quemaran unos higadillos que había puesto al fuego. Enojado con ella, el Sol exclamó colérico: «¡Me has ofendido!» Y en castigo le quemó la cara. Así explican los nbonga-ambo las cicatrices de la Luna.

plandor restaurara parte del mal causado al proporcionar luminosidad a los indígenas por las noches. Para los griegos, en cambio, lejos de ser una malvada, la Luna tomó la forma de una bella diosa llamada Selene. La diosa tenía por atributo un carro de plata con el que surcaba los cielos para anunciar la llegada de la noche.

El Génesis señala la creación del Sol y la Luna en el cuarto día: «Hizo, pues, Dios dos grandes lumbreras: la lumbrera mayor, para que presidiese el día; y la lumbrera menor, para presidir la noche, e hizo las estrellas. Y colocólas en el firmamento, para que resplandeciesen sobre la tierra y presidiesen el día y la noche, y separasen la luz de las tinieblas. Y vio Dios que la cosa era buena» (Gn, 1, 16-20).

DEL MITO A LA CIENCIA

En tiempos mucho más recientes, Herbert George Wells (1866-1946), el conocido escritor británico, padre de la ciencia ficción, imaginó en su novela *El primer hombre en la Luna* —mucho antes de que Neil Armstrong pusiera el primer pie en ella— que el satélite era una esfera hueca habitada en su interior por selenitas. Con ello, la concepción de la Luna perdió sus exclusivos atributos de mito fundacional para centrarse en los aspectos de anticipación científica. No obstante, la fascinación que tradicionalmente había despertado no decayó por ello, ni siquiera cuando los proféticos escritos de Wells y sus seguidores se hicieron realidad con el advenimiento de las exploraciones espaciales.

Gracias a ellas sabemos hoy que el relieve lunar lo componen «mares», extensas planicies que quedaron inundadas por lava, que cubrió los cráteres preexistentes, poco después de su formación, y «continentes», regiones de aspecto desolado con cadenas de montañas de picos superiores a los 8 000 m de altitud. Su caótica superficie está salpicada de cráteres de origen meteórico. Al carecer de atmósfera que desintegre con la fricción los meteoritos, éstos impactan en la Luna sin encontrar ninguna resistencia a su paso. Los cráteres de mayores dimensiones —denominados circos— pueden superar los 100 km de diámetro. Copérnico y Tycho son los más conocidos. El relieve presenta así mismo hendiduras, crestas, surcos y cerros, que configuran el primer paisaje sideral recorrido por el hombre.

LO QUE OCULTA LA LUNA

En 1879, la Real Sociedad Astronómica británica envió una insólita circular en la que expresaba

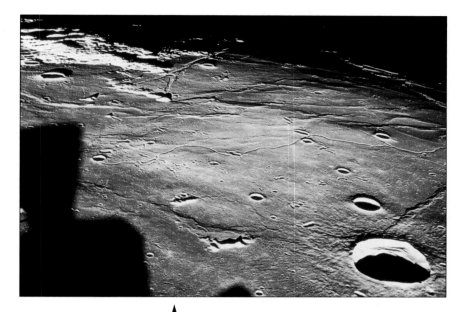

En esta imagen de la superficie lunar, tomada por la aeronave estadounidense *Apolo XI*, pueden distinguirse algunos de sus cráteres. Hay quien ha querido ver en ellos algo más que las marcas del impacto de un meteorito, y algunos observadores han llegado a asegurar haber visto luz que emanaba de ellos.

su deseo de que le fueran remitidas observaciones anómalas del satélite lunar. Dos millones de misivas respondieron a los requerimientos de la institución. Las cartas relataban, principalmente, el avistamiento de luces en el interior de los cráteres y el de explosiones volcánicas. El éxito de la convocatoria fue una verdadera sorpresa, pero lo que más impresionó a los miembros de la Real Sociedad Astronómica fue que ninguno de los testimonios era teóricamente imposible.

De hecho, en 1787, William Herschel, el descubridor de Urano, afirmó haber visto tres volcanes en la superficie lunar. A pesar de que la mayor parte de sus colegas juzgaron su hallazgo como un cadáver geológico, Herschel insistía: «Los he detectado en diferentes lugares. Dos de ellos están casi apagados, o bien en proceso de entrar en erupción, lo cual tal vez se produzca en la próxima lunación. El tercero muestra una erupción actual de fuego y materias luminosas». No se equivocaba. Las misiones Apolo confirmaron su descubrimiento.

Uno de los tripulantes de la aeronave *Apolo XI* paseando por la superficie lunar. Si bien el paseo del hombre por la Luna fue retransmitido en su mayor parte por televisión, son muchos los enigmas que rodean la breve estancia en el satélite de los astronautas de la NASA.

EL IMPACTO DE UN COMETA EN EL SIGLO XII

Es muy probable que un cometa se estrellara en el pasado contra la superficie lunar. Abundando en esta tesis, se cuenta que cinco monjes británicos afirmaron bajo juramento a Gervasio de Canterbury —autor de unas crónicas políticas consideradas fidedignas por los historiadores actuales— haber visto, el 25 de junio de 1178, un impacto sobre la superficie lunar. Los astrónomos Derral Mulholland y Odile Calame han calculado que si un cometa se estrellara en el satélite se correspondería con la descripción hecha por los monjes. Por otro lado, el astrónomo y geólogo Jack Hartung ha localizado un cráter muy pequeño y reciente en la región que los monjes señalaron al hermano Gervasio de Canterbury.

En 1968, la NASA publicó una lista de incidentes, desde entonces conocida como LTP, siglas de «Lunar Transient Phenomena», a fin de prever cualquier posible inconveniente a los

La simbólica primera huella del hombre sobre la Luna no logró disipar las dudas de los escépticos sobre el éxito de la misión de los astronautas estadounidenses.

rumor según el cual, en el transcurso de la famosa retransmisión del alunizaje, la NASA habría interrumpido la comunicación momentáneamente al exclamar Armstrong, tomando por el brazo a su compañero: «¿Qué era eso? ¿Qué diablos era eso? Eso es todo lo que quiero saber».

El comandante Armstrong habría advertido en aquel instante las huellas de lo que a su parecer era un carro de combate. Se supone que susurró aquellas palabras, incrédulo ante lo que estaban viendo sus ojos, aunque probablemente consciente de que tanto la audiencia como la base de Houston escuchaban sus emocionadas palabras. En aquel momento se cortó la comunicación, fallo que algunos atribuyen a un deseo deliberado de la NASA de censurar lo que podría haberse interpretado como una alusión a la vida extraterrestre.

astronautas que un año después llegaron a nuestro satélite. Entre noviembre de 1940 y octubre de 1967, el registro documentó 597 casos de unas extrañas luces blancas, rojizas y azuladas que permanecían sobre la superficie lunar durante unos segundos o varios días sin que ninguno de los expertos encontrara explicación alguna al fenómeno.

¿QUÉ DIABLOS ERA ESO?

Más allá del primer telescopio de Galileo, la verdadera exploración de la Luna empezó a realizarse a partir de la puesta en órbita de ingenios soviéticos y, a continuación, a través de la visita de la misión Apolo XI, en 1969. El 20 de julio de ese año los astronautas estadounidenses Armstrong y Aldrin fueron los dos primeros hombres en pisar la Luna. Existe un

En este mapa aparecen representados los relieves más destacados de cuantos configuran la geografía lunar. Alguno de ellos es lo bastante grande como para poder ser avistado desde la Tierra sin necesidad de telescopio.

MAR DEL FRÍO

MAR DE LAS LLUVIAS

MAR DE LA SERENIDAD

MAR DE LAS CRISIS

OCÉANO DE LAS TORMENTAS

MAR DE LA TRANQUILIDAD

Lugar del alunizaje del Apolo XI: primer hombre en la Luna

MAR DE LA FECUNDIDAD

MAR NÉCTAR

MAR DE LAS HUMEDADES

MAR DE LAS NIEBLAS

NUESTRO SATÉLITE

La Luna es el más grande de los satélites del sistema solar; tiene una dimensión de 3 476 km de diámetro y circunvala la Tierra a una distancia media de 380 000 km en 27 días, 7 horas y 43 minutos. Su gravedad es una sexta parte de la terrestre y

su temperatura varía considerablemente: de unos +110 °C por el día, desciende hasta −150 °C durante la noche.
La capa polvorienta de la superficie está compuesta por meteoritos y cenizas volcánicas. Las rocas más antiguas que se han hallado tienen 4 600 millones de años de antigüedad.

Don Wilson reproduce en su libro *Our Mysterious Spaceship Moon* (Nuestra misteriosa nave espacial lunar) otros tantos diálogos en los que los astronautas hablan de la presencia de extraños objetos voladores sobre sus cabezas durante el vuelo y una vez realizado el alunizaje, pero nadie se ha pronunciado al respecto. Sin embargo, las autoridades científicas no niegan que las misiones Apolo XI, XIV, XV y XVII dejaron mensajes grabados con las voces de más de setenta jefes de Estado. Incluso se dice que dejaron una placa con un mensaje de Nixon.

CARTOGRAFÍAS VISIONARIAS

¿Puede la mente ver más allá que los ojos? Hasta que las sucesivas exploraciones recorrieron el globo descubriendo uno por uno territorios hasta entonces inexplorados, el mundo conocido —desde el punto de vista de la cultura occidental— se reducía a Europa y una pequeña parte de África y Asia. Los marinos no se atrevían a perder de vista el litoral, temerosos de no hallar luego el camino de regreso o que las aguas hicieran zozobrar sus naves.

Las primeras cartas de navegación, trazadas sobre rudimentarios pergaminos, señalaban los puertos más importantes, sin mucho más valor que el indicativo. A partir de la Baja Edad Media se ajustaron progresivamente a las dimensiones y proporciones reales, aunque nunca lo suficiente, dada la complejidad de los cálculos matemáticos necesarios para su determinación.

Un reducido número de cartógrafos elaboró mapas cuya asombrosa precisión desconcierta a los investigadores. Piri Reis, Oronteus Finaeus e Ibn Ben Zara, entre otros, trazaron rumbos y coordenadas de vastos territorios desconocidos, detallando con rigor la posición y topografía de diversas costas. No es fácil encontrar a este hecho una explicación racional. En una célebre cita, Leonardo da Vinci afirmaba: «Inteligencia más imaginación es igual a profecía», pero la exactitud con que estos visionarios describieron mares, océanos, islas y demás accidentes geográficos supera con mucho cualquier intuición imaginable.

173

Trabajos cartográficos según un grabado del siglo XVIII conservado en la actualidad en la Biblioteca Nacional de París.

LAS TIERRAS QUE PIRI REIS CARTOGRAFIÓ SIN VERLAS

Un mapamundi que permaneció cuatro siglos oculto conmocionó a las autoridades científicas a raíz de su descubrimiento en 1929 en el palacio Topkapi de Estambul. Su autor, el cartógrafo Piri Reis, había dibujado antes del año 1523 y con total precisión matemática, los contornos de la Antártida, un continente aún por descubrir.

Vista de la Antártida tomada desde un satélite.
Los contornos de este remoto continente, descubierto formalmente en 1820, fueron representados con absoluta precisión por Piri Reis.

El capitán turco Piri Reis es conocido por una extensa obra cartográfica de gran calidad. A ella pertenece el volumen *Kitab-i Bahriye* (Libro de materias marítimas), un atlas náutico del Mediterráneo trazado sobre piel de gacela alrededor del año 1525 y dedicado a Solimán el Magnífico, aunque es especialmente relevante por un mapamundi fragmentado en varias piezas fechado con anterioridad al 930 de la Hégira (1523 de la era cristiana) del que él mismo se sentía particularmente orgulloso: «Un mapa de esta clase no lo posee nadie hoy en día», afirmaba Reis.

Este mapamundi, perdido durante siglos, fue hallado casualmente en 1929 durante un inventario efectuado por B. Halil Eldem, director del Museo Nacional Turco, en el palacio Topkapi, sede del futuro museo de antigüedades Topkapi Sarayi de Estambul. El mapa se convirtió en una de las piezas más codiciadas de la colección y atrajo a importantes bibliotecas extranjeras, que expresaron su deseo de realizar un facsímil

(entre ellas la Biblioteca Nacional de Berlín, en donde se conserva uno de ellos). Sin embargo, pronto volvió a caer en el olvido, hasta que en 1956 un oficial de la Marina turca remitió una copia al ingeniero jefe de la Oficina Hidrográfica de la Marina de Estados Unidos. Éste, a su vez, se la mostró a su amigo Arlington H. Mallery, especialista en mapas antiguos. Mallery quedó asombrado. Descubrió cómo el mapa recogía, con precisión pasmosa, no sólo las zonas del Mediterráneo y el mar Muerto —mucho mejor conocidas por cartógrafos y navegantes de la época por ser las más transitadas—, sino también las costas del Nuevo Mundo, aún inexplorado en el momento en que Piri Reis llevó a cabo su descripción cartográfica.

UN PUNTO DE VISTA IMPOSIBLE

Pero la sorpresa no quedó ahí. La mayor de todas fue constatar que Piri Reis había representado la Antártida, un continente totalmente desconocido en el siglo XVI, y que, además de sus contornos, había dibujado la topografía con plena exactitud: cadenas de montañas, picos, lagos, ríos y altiplanicies. Para contrastar su parecer, Mallery requirió la opinión del padre jesuita Daniel L. Linehan, director del observatorio astronómico de Weston y apasionado investigador de la Antártida, que no sólo confirmó sus sospechas, sino que señaló que el mapa de Piri

UN HOMBRE SINGULAR

Piri Reis, nacido en Gallípoli (Turquía) en 1465, fue uno de los navegantes más entendidos de su tiempo. Sobrino y discípulo del pirata Kemal Reis, con quien navegó desde los doce años, fue un hombre de gran cultura que hablaba con fluidez turco, griego, español, portugués y árabe. Participó en la

guerra contra Venecia (1499-1502) y luchó contra los mamelucos de Rodas y Egipto (1523). Por orden del sultán sitió Gibraltar, pero aceptó el soborno que le ofrecieron sus rehenes. Al negarse a dar explicaciones sobre su actitud, el gobernador de Egipto Alí Bajá ordenó su detención y lo condenó a muerte. Murió decapitado en el cadalso el año 1554.

¿UTILIZÓ PIRI REIS MAPAS DE COLÓN?

Algunos investigadores contemplan la posibilidad de que Piri Reis se sirviera de los mapas realizados por Cristóbal Colón en sus travesías, a fin de justificar la exactitud de la cartografía del navegante turco.

Avalando esta teoría, parece que el propio Piri Reis, contemporáneo de Cristóbal Colón, reconoció haberse servido para el trazado de las costas e islas del mar de las Antillas de un mapa proporcionado por un esclavo español que había navegado con el descubridor de América a su regreso a Europa en el año 1511, en su tercer viaje. Si esto fuera cierto, su importancia sería capital, pues no se ha encontrado ningún mapa que haya pertenecido a Colón.

El mapa de Piri Reis sería el primer modelo conocido, inspirado en las cartas de navegación del descubridor. Quedarían por resolver, no obstante, dos problemas: el de su precisión y el de la inclusión de lugares desconocidos en la época.

Reis había reflejado una cadena montañosa que no fue explorada hasta 1952.

Posteriores observaciones científicas realizadas por Charles H. Hapgood con ayuda del matemático Richard W. Strachan fueron aún más lejos al afirmar que, dada su enorme precisión, la representación de la Antártida sólo pudo haberse efectuado desde una altura similar a la que alcanza un satélite artificial, un punto de vista de altura inviable para el siglo XVI.

Hapgood y Strachan aplicaron el siguiente proceso para desarrollar su teoría: elaboraron una rejilla de lectura y colocaron el mapamundi de Piri Reis sobre un globo terráqueo. Las comparaciones con fotografías modernas tomadas por satélites artificiales no dejaron lugar a

Carta de Juan de la Cosa, que data del 1500 y se conserva en el Museo Naval de Madrid. Fue la primera en representar las Indias Occidentales. Piri Reis fue más allá en sus trabajos al cartografiar un continente todavía sin descubrir.

dudas. Revelaron que tuvo que efectuar el trazado con una perspectiva semejante. Para que nos hagamos una idea, si una aeronave sobrevolara El Cairo y el piloto orientase su mirada hacia abajo en sentido vertical, observaría lo siguiente: un radio de 8 000 km perfectamente delimitado en el que, cuanto más nos alejemos del centro del cuadro, más desfigurados aparecerán los continentes y regiones del planeta. Amoldándose a la forma esférica de la Tierra, los continentes y masas de tierra más alejados del hipotético centro parece que se hunden.

Así sucede en el mapamundi de Piri Reis: la precisión topográfica se acompaña del mismo tipo de deformación. ¿Cómo pudo conseguirlo? Hapgood afirma que quien trazó los mapas conocía la navegación aérea o, en su defecto, la aerofotografía, porque sin una altura conveniente es imposible obtener tanta precisión con una deformación igual. Evidentemente, queda descartado que Piri Reis hubiera subido a un avión y menos aún a un satélite artificial para realizar el bosquejo del mapa o que se hubiera basado en fotografías aéreas. El cartógrafo dejó escrito que se había basado en veinte mapas de autores anteriores sin especificar y no hay motivos para dudar de su palabra. Pero entonces, ¿en qué mapas de técnica tan superior para el siglo XVI se había basado Piri Reis?

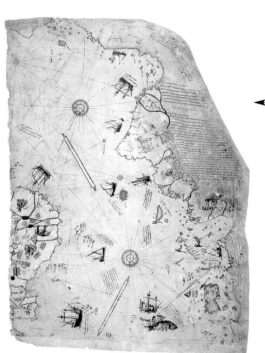

Carta del Atlántico levantada por Piri Reis y publicada en Gallípoli en el año 1513. En este trabajo cartográfico, Reis incorporó los hallazgos del primero de los viajes de Cristóbal Colón, lo cual hace sospechar que el cartógrafo visionario quizás se basó en los mapas del eminente descubridor.

LA ANTÁRTIDA SEGÚN ORONTEUS FINAEUS

Los contornos de la Antártida, último continente explorado, fueron trazados en 1531 por Oronteus Finaeus, un médico y matemático al servicio del rey de Francia. Su legado cartográfico, descubierto en el siglo XVIII, ofrece una increíble descripción del continente que fue copiada por los cartógrafos durante los siguientes doscientos años.

A lo largo del Renacimiento se produjo una lenta ruptura de la cosmovisión geográfica heredada de la época medieval. El descubrimiento de las cartas del astrónomo y geógrafo alejandrino Tolomeo (h. 90-168 d.C.) y el impacto social y cultural de los descubrimientos geográficos propiciaron que las monarquías europeas legitimaran sus dominios a través de unos mapas que reflejasen todos y cada uno de los territorios bajo su mando. Oronteus Finaeus dedicó *La sphère du Monde* (La esfera del mundo) a Enrique II en 1549, pero no sería una excepción, ya que en aquella época y, sobre todo, a partir del siglo XVII, todos los monarcas incorporaron cosmógrafos y cartógrafos a sus cortes. Éstos tenían la misión de describir los territo-

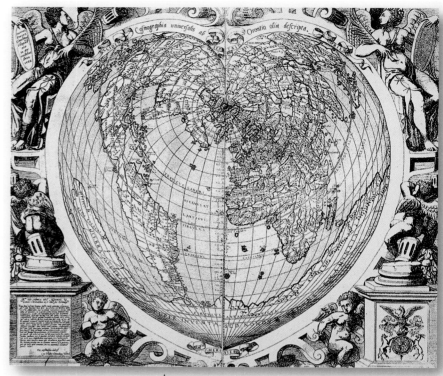

En este mapamundi del veneciano Giovanni Cimmerlino sobresale la forma de corazón con la que aparece representado el globo terráqueo.

rios, en un ejercicio de propaganda que configurara la identidad del Estado.

El período entre el descubrimiento del Nuevo Mundo por Cristóbal Colón (1492) y la primera circumnavegación de la Tierra, hazaña realizada por la expedición de Magallanes-Elcano (1552), fue el más excitante para las especulaciones de los cartógrafos. Cada descubrimiento requería un nuevo mapa que añadiese lo que le faltaba al de Tolomeo, cuyo reducido mapamundi contemplaba sólo Europa, Asia y el norte de África. España y Portugal mantenían en secreto sus descubrimientos, de manera que los cartógrafos extranjeros tenían que fiarse de rumores, de vagos detalles aportados por los marinos o confiar en que su imaginación no les jugara una mala pasada.

Desde antiguo, los cartógrafos suponían que debía de existir una masa terrestre en el polo sur que contrarrestara el peso del hemisferio norte. Gerardo Kremer Mercator (1512-1594), cartógrafo al servicio de Carlos V, había estimado en su mapa de 1569 que si la Tierra estaba en equilibrio, en el polo antártico tenía que existir un continente próximo al sur de Asia, América y la India para compensar el equilibrio de «las tierras altas». Incluso el astrónomo polaco Nicolás Copérnico (1473-1543) había sostenido mucho tiempo atrás en su obra *De revolu-*

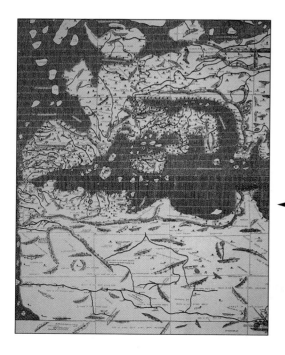

Fragmento de la región occidental del mapa de Al-Idrisi, datado en el año 1154. Este cartógrafo árabe, al igual que Piri Reis, se atrevió a representar la Antártida sobre un mapa con cuatro siglos de antelación a Oronteus Finaeus.

ORONTEUS FINAEUS Y EL TRASCENDENTAL NÚMERO η

Oroncio Fineo, Oroncé Finé u Oronteus Finaeus (1494-1555), nació en Briançon (Francia) y estudió en París y en el Colegio de Navarra, donde se licenció en medicina en 1522. Antes de obtener su título estuvo en prisión y volvió a ella pocos años después (1524) por motivos poco claros. Fue matemático, geómetra, constructor de instrumentos astronómicos y cartógrafo de la Corona francesa.

El monarca Francisco I le nombró profesor del Collège Royal de París, donde ejerció la docencia hasta su muerte.
En su obra *De rebus mathematicis*, publicada en 1556, aproximó el valor del número η, que determinó en 3,11/18.

tionis que, aunque la distribución de la tierra y el mar fuera irregular, estas irregularidades debían equilibrarse para que el centro del volumen terráqueo y el centro de la masa coincidieran. «No debemos asombrarnos de la existencia de unos antípodas», concluía Copérnico.

TODO CORAZÓN

Oronteus Finaeus es el creador de la proyección cordiforme, un tipo de proyección seudocónica que alcanzaría gran popularidad en el siglo XVI, aunque posteriormente fuera abandonada. Este tipo de mapa en forma de corazón, que se atribuyó erróneamente a Johannes Werner, sitúa el polo Sur en el centro.

Finaeus llamó «Terra Australis» (Tierra Austral) al continente imaginario que en 1531 incluyó en la base de este mapa en recuerdo de la «Terra Australis Incognita» que Tolomeo había dibujado en el siglo II.

A partir de la novedosa proyección de Finaeus, el mapa de la Antártida se convirtió en una constante en la representación cartográfica de las dos centurias y media siguientes; y eso a pesar de que, hasta la expedición del capitán James Cook (1728-1779) a finales del siglo XVIII, nadie pudo verificar su existencia. No obstante, debemos aclarar que Oronteus Finaeus no fue el primero en representar este continente aún por descubrir. Idrisi (alrededor de 1159) y Piri Reis (1523) se habían atrevido a dibujarlo, aunque no con tanto acierto. Otros afamados cartógrafos, como Juan de la Cosa en su mapamundi del año 1500, el portugués De Caneiro

Mapamundi realizado por Tolomeo. Las cartografías realizadas en la Antigüedad por este astrónomo y geógrafo alejandrino tuvieron una gran repercusión sobre el trabajo de Oronteus Finaeus.

(1502) o Vespuccio (1526), por el contrario, no lo reflejaron en sus respectivos mapas.

LA TIERRA AUSTRAL DESCONOCIDA

La «Terra Australis recer inventa» de Oronteus Finaeus (1531) fue, a diferencia de las representaciones de Idrisi y Piri Reis, la que mayor éxito tuvo en lo que se refiere a los demás continentes australes cartográficos. Fue copiado en innumerables ocasiones. Más tarde, el descubrimiento de Tierra del Fuego permitió a Gerardo Mercator (1512-1594) en 1538 y 1606, y a otros cartógrafos, incluir esta zona del globo. Hadji Ahmet lo hizo en 1559 y Ortelius la añadió en su carta de 1587, denominándola «Terra Australis nondum cognita».

En la Navidad de 1959, Charles H. Hapgood solicitó al jefe de la Sección Cartográfica de la Biblioteca del Congreso de Washington todos los portulanos y cartografías de que dispusiera. Allí encontró la carta de Oronteus Finaeus, un mapa casi perfecto del polo Sur fechado en el temprano año de 1531. Con un tamaño superior a los 14 107 637 km² que hoy se le calcula, lo más increíble del mapa era que la tierra austral aparecía completamente libre de hielos. Según los trabajos del almirante Richard Byrd, realizados durante su larga estancia en el polo Sur en 1949, aquel continente debió de atra-

BUACHE, UN VISIONARIO EN EL SIGLO DE LAS LUCES

Philippe Buache, geógrafo francés, publicó el año 1737 un mapa de la Antártida antes de que fuera oficialmente descubierta. El mapa detalla la topografía del continente con toda la precisión que se pueda imaginar. La factura es de gran calidad técnica, pero quizás lo más interesante sea que Buache ofrece una representación de la Antártida, al igual que la de Oronteus Finaeus, tal y como aparecería antes de que los hielos la cubrieran, miles de años atrás. Hasta el momento, el hecho no tiene explicación.

EL MAPA SECRETO DE JAMES COOK

El navegante británico James Cook, famoso por sus tres viajes por el océano Pacífico durante los cuales, además de la Antártida, descubrió Nueva Zelanda y las islas Sandwich (actuales islas Hawai), donde murió a manos de los indígenas, dispuso de un misterioso mapa de las tierras australes, antes de descubrirlas en 1773. Según la estudiosa Carla Polpettini, Cook poseía un mapa secreto, una carta de navegación portuguesa fechada en 1762 que le había proporcionado un marino de Manila. En ella se apreciaban parte de las costas australianas y el estrecho de Torres. Según contaba la leyenda, esas tierras desconocidas estaban habitadas por 150 millones de almas que disfrutaban de una riqueza superior a la de los colonos británicos en América.

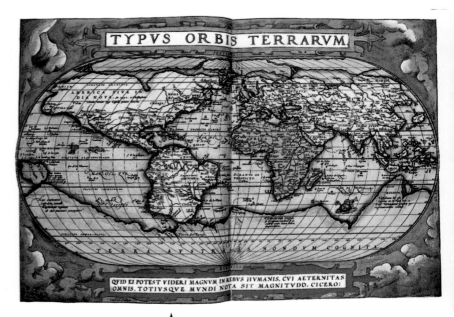

Mapamundi de Abraham Ortelius, extraído de su atlas *Typus orbis terrarum* del año 1570. Destacan las enormes dimensiones con las que aparece representado el continente austral.

vesar períodos de clima tropical y su última época cálida se remonta a unos 4 000 años a.C.

PREGUNTAS SIN RESPUESTA

Según las investigaciones realizadas por el profesor Hapgood, alguien perteneciente a una civi-

Mapa del Ártico contenido en el *Atlas* del cartógrafo Gerardo Mercator, datado en el año 1595.

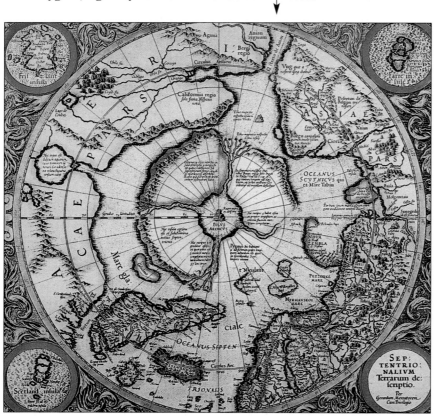

lización de miles de años de antigüedad cartografió sin hielos su superficie, para que posteriormente Finaeus lo tomara como modelo para trazar su mapa. Lo cierto es que los ríos señalados en el mapa están próximos a las costas del supercontinente antártico y ninguno de ellos aparece en el centro, lo cual reforzaría las tesis de Hapgood de que en ese lugar interior aún persistían las capas de hielo en el momento en que se realizó la proyección cordiforme. Sin embargo, una serie de elementos nos hacen dudar de que la interpretación de Hapgood sea la correcta. El primero, que el paralelo 80 fue confundido con el círculo antártico exagerando la escala. Por otro lado, la península de Palmer se omitió; y por último, la posición del polo ha sido trastocada.

Algunos científicos han rebatido con estos argumentos lo que, en su opinión, no es más que una concatenación de suposiciones del profesor Charles H. Hapgood para probar su tesis acerca del desprendimiento de la corteza terrestre, con las que explicaría sus teorías sobre la «edad de hielo». Sin embargo, existen otros muchos mapas proféticos, además de los de Hadji Ahmet, Dulcert, Piri Reis e Ibn Ben Zara, para los que la ciencia aún no ha encontrado respuestas. El mapa africano del portugués De Caneiro, el de Jorge Reinel de 1510, que muestra un océano Pacífico idéntico a las cartografías actuales, un mapa anónimo chino fechado en 1137 que fue realizado con la compleja trigonometría esférica (una rama de las matemáticas bastante reciente), el portulano de Andreu Benicasa de 1508 o el mapa de Zenón (1380) abren muchas incógnitas. Porque si Hapgood está equivocado, ¿cómo pudieron estos cartógrafos «profetizar» con tanto rigor la posición y topografía de tantos territorios inexplorados?

HISTORIAS EN LA NIEBLA

Historiadores y antropólogos han ido reconstruyendo a lo largo del tiempo, y a través de sus estudios e investigaciones, la narración fiel de los hechos que han conformado la historia de la humanidad. A fin de rellenar los huecos dejados por el legado del pasado, los investigadores han recurrido a tecnologías sofisticadas, con las que se han obtenido instantáneas fidedignas de momentos y lugares que de otra forma jamás habríamos podido observar.

Sin embargo, algunos momentos de nuestra historia aún permanecen en las sombras; los expertos sólo pueden formular teorías acerca de ellos, pero nunca lo bastante contrastadas como para desbancar al resto. Estos episodios de nuestro pasado tal vez sigan envueltos en la niebla por tiempo indefinido, y con ello seguirán fascinando al hombre generación tras generación.

179

Como las altas cimas, algunas verdades históricas son difíciles de alcanzar.

LAS VISIONES DEL INDIO JUAN DIEGO

La rápida evangelización de la población de México por los conquistadores españoles se debió en gran parte a un hecho insólito ocurrido en diciembre del año 1531: una Virgen de gran belleza se apareció a un indígena llamado Juan Diego en el cerro de Tepeyac.

La aparición de la Virgen de Guadalupe al indio Juan, ocurrida diez años después de la entrada en Tenochtitlán del conquistador Hernán Cortés, se recoge en el *Nican Mopohua*, un relato escrito en lengua náhuatl por el indígena Antonio Valeriano entre los años 1545 y 1550. Gracias a este popular relato conocemos en la actualidad la narración pormenorizada de los hechos de esta singular aparición mariana.

La beatificación del indio Juan en abril de 1990 por el papa Juan Pablo II fue la culminación de un culto que los mexicanos habían profesado durante siglos a este humilde indígena a quien se le apareció por tres veces la Virgen de Guadalupe. Nacido en el 1474 en la ciudad de

En este cuadro de Luis de Mena, datado en el siglo XVIII, aparece representada la Virgen de Guadalupe, uno de los iconos inconfundibles de la gran espiritualidad del pueblo mexicano.

Exterior de la basílica del santuario de Guadalupe, México, erigida entre 1695 y 1709, para la que se tomó como modelo la basílica del Pilar de Zaragoza.

Cuauhtitlán, a veinte kilómetros de Tenochtitlán (hoy México D.F.), Juan Diego se dedicó desde muy joven al trabajo de la tierra y la confección y venta de mantas.

Casado con la también indígena María Lucía y dueño de una pequeña percela de tierra, su evangelización se produjo entre los años 1524 y 1525, en los que Juan Diego recibió el bau-

UN PERSONAJE EN ENTREDICHO

Cuando el papa Juan Pablo II anunció su decisión de beatificar al indio Juan Diego, fueron muchas las voces que mostraron su desacuerdo ya que, alegaban, su existencia no estaba comprobada. Incluso en el mismo seno de la Iglesia católica, el propio ex abad de la Basílica de Guadalupe, monseñor Guillermo Schulenburg, abonó esta tesis. A fin de defender la existencia del presunto visionario, la Congregación Vaticana para las Causas de los Santos creó una comisión que investigara el he-cho. El presidente de esta comisión, Fidel González Hernández, expuso los resultados de la investigación, al tiempo que aportaba como pruebas 27 testimonios indígenas guadalupanos y 7 de origen indígena-español. Entre estos testimonios ocupó un lugar preferente el *Nican Mopohua*. Sin embargo, los que aún hoy ponen en entredicho la existencia de Juan Diego siguen llamando la atención sobre el hecho de que no se han encontrado documentos históricos relativos a los veinte años que siguieron a las supuestas apariciones en el cerro de Tepeyac.

viada con doradas vestimentas, envuelta en un gran resplandor. Tras identificarse como la Virgen María, la aparición le comunicó sus deseos de que se erigiera un templo para su veneración, deseo que el indio prometió cumplir inclinándose ante ella.

Ese mismo día, Juan Diego corrió a entrevistarse con el obispo de México fray Juan de Zumárraga. Éste no dio crédito al relato de la aparición y exigió más pruebas. El indio regresó abatido al cerro, y allí volvió a encontrarse a la Virgen, quien ratificó su deseo de que se levantara un templo en su honor. Juan prometió de nuevo a la Virgen que cumpliría su palabra, y al día siguiente regresó a la capital para hablar con el obispo, que en esta ocasión se mostró más crédulo, pero exigió a Juan una prueba que diera fe de la veracidad de su historia.

En su tercera visita al cerro, la Virgen de Guadalupe pidió a Juan que volviera esa misma noche acompañado del obispo, pero a su regre-

tismo de manos del franciscano Fray Toribio de Benavente. Ya con anterioridad a esta conversión, Juan había demostrado una profunda religiosidad y una clara propensión a la penitencia, pero su contacto con la cristiandad potenció aún más esta faceta mística. Esto lo demuestra el hecho de que Juan recorría con asiduidad veinte kilómetros para asistir a la catequesis y a la santa misa (tras el fallecimiento de su esposa se fue a vivir con su tío a una población más cercana a Tenochtitlán para reducir esta distancia). Fue precisamente durante el transcurso de uno de estos trayectos cuando se produjo la primera de las tres apariciones que cambiaron por completo la vida de este humilde indígena.

UNAS APARICIONES INEXPLICABLES

El día 9 de diciembre de 1531, a su paso por el cerro de Tepeyac, Juan Diego escuchó unos cantos de gran belleza que lo hicieron detenerse, y a continuación una voz lo llamó en lengua indígena con el cariñoso apelativo de «Juanito, Juan Dieguito». Ante la llamada, el indígena se apresuró a subir al cerro, desde el que pudo observar una imagen femenina de gran belleza ata-

Estatua en la que aparece representado el indio Juan y la Virgen de Guadalupe, en Parral, México.

so a casa, el indio encontró a su tío gravemente enfermo y no pudo cumplir la petición de la Virgen. Cuando Juan Diego salió en busca de un médico, volvió a aparecérsele la Virgen, que lo perdonó por no haber cumplido su palabra y le obsequió con la prueba que el obispo le exigía: un ramo de rosas de Castilla que Juan envolvió en su manto.

A su llegada a Tenochtitlán, Juan Diego desplegó ante el obispo su manto, y en su interior se descubrió, además de las flores, una imagen de la Virgen dibujada sobre la tela. Esta fue la prueba definitiva, ante la que el obispo, con lágrimas en los ojos, imploró perdón a la Virgen por su incredulidad y juró cumplir su deseo de construir un templo para su veneración.

EL *NICAN MOPOHUA*

El documento sobre el que se ha basado la creencia popular de la aparición de la Virgen de Guadalupe es el *Nican Mopohua* (Aquí se narra) de Antonio Valeriano. La tradición ha señalado esta obra como el «Evan-gelio de México» y a su autor, como el «evangelista de las apariciones». Valeriano, hombre de gran cultura, escribió la obra que hoy conocemos con las dos palabras que inician el relato, en papel de magüey, a imitación del utilizado en los códices aztecas.

LA SONRISA DE LA GIOCONDA

A lo largo de los últimos quinientos años de historia no ha existido una figura equiparable a la de Leonardo da Vinci, el más alto exponente de lo que dio en llamarse «hombre del Renacimiento». Entre los numerosos enigmas que esconde su vasto legado, el de la inescrutable sonrisa de la Gioconda es sin duda uno de los más populares.

El retrato titulado *Mona Lisa*, conocido popularmente como «la Gioconda» (la sonriente), se ha convertido en uno de los iconos indiscutibles del arte pictórico de todos los tiempos, una muestra de genio en estado puro que pocas veces se presta a la división de opiniones. La circunstancia de que se haya consumado como una imagen reconocible para la práctica totalidad de los hombres se debe en parte al sinuoso gesto que refleja la boca de la dama retratada, una media sonrisa sobre la que se han escrito miles

El lienzo de la Gioconda es sin duda uno de los mayores exponentes del arte pictórico mundial. El misterio de la sonrisa inescrutable de la modelo de Leonardo da Vinci pervive como uno de los muchos enigmas del mundo del arte.

LEONARDO DESCUBIERTO POR LA INFORMÁTICA

Los análisis informáticos a que se sometió el famoso cuadro de Leonardo da Vinci a finales del siglo XX dieron lugar a una nueva hipótesis sobre la misteriosa identidad de su protagonista. Los investigadores procedieron a la superposición de la *Mona Lisa* con el no menos célebre autorretrato a sanguina del propio Leonardo. Los extraordinarios resultados de dicha prueba, en la que ambos cuadros se fundieron a la perfección, dio lugar a la teoría de que el modelo seguido en la confección del retrato de la Gioconda fue el del propio Leonardo. Aún existe otro dato que parece corroborar esta hipótesis: el entrelazado de mimbre que adorna el escote de la Gioconda se llama *vinco* en italiano, lo que nos lleva a plantearnos la siguiente pregunta: ¿no esconderá este detalle un juego de palabras a través del cual Leonardo nos descubre que es él mismo quien se esconde tras la sonrisa de la Madonna da Vinco?

de páginas. Da la impresión de que, por muchas teorías que puedan formularse para justificar tal sonrisa, siempre habrá un halo de misterio rodeando a la Gioconda que nos mantendrá a años luz de su verdadera razón de ser.

EL FAVORITO DE DA VINCI

Aunque el legado de Leonardo da Vinci nos ha dejado muchas manifestaciones artísticas de primer orden, incluidos bocetos premonitorios de tecnologías que siglos más tarde se convertirían en una realidad, el propio pintor manifestó en su época una gran predilección por el retrato de la Gioconda. Se sabe que Leonardo llevaba consigo este cuadro en sus viajes, y que

LA SALA PRIVADA DE LA GIOCONDA

El afamado museo parisino del Louvre, donde se conserva el enigmático retrato de la Gioconda, entre otras obras de arte de primera magnitud, como la Venus de Milo, tomó en 2001 una sorprendente decisión. La dirección del museo acordó destinar una sala de 200 m² exclusivamente para la exhibición de la singular obra de Leonardo. El gran atractivo de este retrato para los visitantes del museo, que se agolpan frente a él día tras día completamente hechizados por su inescrutable sonrisa, motivó el cambio de su tradicional ubicación, un hecho que confirma una vez más a la Gioconda como uno de los cuadros que más han fascinado a la humanidad a lo largo de los siglos.

a menudo pasaba largas horas observándolo en busca de inspiración.

Pintado sobre un trozo de madera de pino en 1505, no se conserva ningún boceto previo del retrato de la Gioconda, hecho ciertamente insólito si se tiene en cuenta que Leonardo, como muchos otros pintores, solía realizar exhaustivos estudios previos a sus diferentes obras.

Otro de los enigmas que pesan sobre el retrato es el de la identidad de la joven que sirvió de modelo a Da Vinci, y son innumerables las teorías a este respecto. Mientras que muchos creen que el retrato no se basa en un único modelo, sino en la suma de varios, otra teoría apunta a que la modelo era hija de un fabricante de lanas florentino llamado Antonio Gherardini. A su muerte, la muchacha habría sido prometida al hijo menor de Lorenzo el Magnífico, pero al huir el clan de los Médicis ante la invasión francesa, la joven se habría quedado sola y embarazada. En tan adversas condiciones, la Gioconda habría aceptado desposarse con Francisco Giocondo, un hombre de mucha más edad que ella a quien debería su sobrenombre. En cualquier caso, esta no es más que una de las muchas teorías sobre la identidad de la misteriosa dama retratada por Leonardo.

El célebre autorretrato de Da Vinci es, para algunos estudiosos del artista renacentista, el modelo a partir del cual se realizó el no menos célebre retrato de la Gioconda. Así parece demostrarlo la superposición de ambos cuadros.

El lienzo de la Gioconda en el museo del Louvre. El museo parisino decidió destinar una sala entera, de 200 m², de sus instalaciones a la obra cumbre de Leonardo da Vinci.

EL PORQUÉ DE LA SINUOSA SONRISA DE LA GIOCONDA

Aunque las teorías sobre la inescrutable sonrisa de la Gioconda son innumerables, muchas de ellas establecen que la principal causa de su hechizo es la técnica pictórica utilizada por Leonardo en su composición, conocida como *sfumato*. Esta técnica permite fundir las sombras, lo cual confiere una cierta vaguedad a los contornos que explicaría la inconcreción de la mueca del retrato.

Sin embargo, existen otras hipótesis, como la propuesta por Margaret Livingstone, neuróloga de la Universidad de Harvard, que afirma que la sonrisa de la Gioconda aparece y desaparece frente a los ojos del observador a causa del funcionamiento del ojo humano.

Según esta teoría, al contemplar los ojos del retrato, su boca se encuentra en nuestro ángulo de visión periférica, el cual nos impide distinguir los detalles y sólo nos muestra las sombras del contorno. Pero cuando centramos nuestra mirada en la boca, las sombras desaparecen y obtenemos una imagen completamente distinta de la anterior.

Para un equipo de arqueólogos de la Universidad de Bradford, en cambio, la ambigua sonrisa de la Gioconda responde en realidad a un problema dental de la modelo, que habría sido Isabel de Aragón y de Castilla, hija de los Reyes Católicos. De esta forma, el intento de Da Vinci de ocultar la horrenda dentadura de su modelo explicaría la peculiar sonrisa que queda plasmada en el cuadro.

EL OSCURO ORIGEN DE LA MASONERÍA

En la Edad Media, los albañiles constructores de catedrales consituían gremios exclusivos y jerarquizados conocidos como logias, en los que se conservaban celosamente los conocimientos del oficio. La historia de estas primeras logias es sin duda la más enigmática de cuantas rodean al misterioso universo cerrado de la masonería.

Ilustración de época realizada por Jean Fouquet en la que aparece representado el proceso de edificación de una iglesia gótica. El origen de la masonería se remonta a los gremios de constructores de la Edad Media.

UN ANTIGUO JURAMENTO MASÓNICO DE INICIACIÓN

El siguiente juramento de iniciación es la transcripción de un manuscrito de 1696, conservado en un centro de documentación masónica de Edimburgo.

Juro por Dios y por San Juan, por la Escuadra y el Compás, que me someteré al juicio de todos, trabajaré al servicio de mi Maestro en la honorable Logia, desde el lunes por la mañana hasta el sábado, y que guardaré las llaves bajo pena de que me arranquen la lengua a través del mentón, y de que me entierren bajo las olas, allí donde ningún hombre sepa.

Con el ingreso en las logias de los denominados «masones aceptados», en la Inglaterra del siglo XVIII, se daba por concluida una primera fase en la historia de la masonería conocida como operativa, y en la que todos los integrantes de las logias estaban ligados a la actividad laboral de los constructores de edificios. A partir de este momento la masonería alcanzó una gran popularidad y se convirtió en una organización mucho más estructurada pero también más heterogénea. El espíritu original de la masonería debe buscarse, por tanto, en la Europa de las catedrales, y su historia está repleta de enigmas y misterios.

Aunque el debate sobre los orígenes de la masonería admite numerosas lecturas, parece generalizada la que sitúa los primeros focos de actividad masónica en las asociaciones de obreros de la construcción de la Edad Media. Era ésta la época de los gremios, corporaciones que agrupaban a todos los artesanos de un mismo oficio a fin de defender con mayor eficacia sus intereses y facilitar a su vez el control de la producción, y precisamente en los gremios de los canteros alemanes y de los constructores ingleses empezaron a gestarse los rasgos de la masonería. Lo que diferenciaba a estos gremios de los demás era su voluntad de convertir estas asociaciones en verdaderas hermandades, destinadas a preservar sus conocimientos transmitiéndolos de generación en generación.

Se establecía de esta forma una organización jerárquica en el seno de estos gremios, denominados logias. En ellos destacaba la figura del Gran Maestro, a cuyas órdenes se ponían una docena de albañiles repartidos en las categorías de maestros, compañeros y aprendices. El ingreso en una logia se hallaba supeditado a dos únicos requisitos: haber nacido libre y tener buenas costumbres.

En caso de cumplirse ambos, el aprendiz accedía al rito de iniciación, en el que le se asignaba un signo lapidario con el cual debía marcar todas sus obras. Estas características acabaron alejando a las logias de la definición al uso de gremio, lo cual supone el verdadero inicio de la masonería como tal.

EL DESARROLLO DE LAS CREENCIAS MASÓNICAS

Los constructores de catedrales y de otras grandes obras arquitectónicas eran requeridos en diferentes países, y sus vidas se caracterizaban por los continuos viajes a lo largo y ancho de la Europa medieval.

Estos viajes fueron determinantes a la hora de conformar los principios de los masones, fruto de su contacto con innumerables puntos de vista diferentes. Así, con el tiempo, se conformaron unos principios de claro signo humanista en el seno las logias, notorios en el hecho de que éstas admitían a hombres de distintas

En esta obra anónima datada en 1790 aparece representada la reunión de una logia masónica en Viena con un miembro de excepción en sus filas: el célebre compositor Wolfgang Amadeus Mozart.

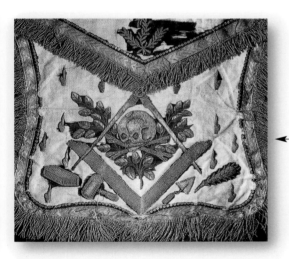

Mandil masónico español. La popularización de la masonería producida en el siglo XVIII acabó con una gran parte del secretismo en el que vivían inmersas las logias desde sus primeras épocas.

nacionalidades, credos y razas y todos ellos gozaban de igualdad de derechos.

Durante los siglos X, XII y XIV, se proyectaron numerosas obras arquitectónicas de grandes dimensiones en Escocia e Inglaterra, para cuya edificación era necesario importar las avanzadas técnicas de construcción aplicadas en el continente. Para ello llegaron a las islas Británicas varios constructores procedentes de Alemania que, además de aportar su sabiduría en materia de construcción, introdujeron la masonería operativa en Inglaterra y Escocia, donde no tardaron en surgir numerosas logias.

A principios del siglo XVIII, la construcción de catedrales comenzó a decaer a un fuerte ritmo, situación que supuso un duro revés para las logias masónicas.

Frente a esta evidente problemática, en 1717 las logias británicas constituyeron una Gran Logia en Londres, caracterizada por ser la primera en permitir el patrocinio de hombres ilustrados que no estaban directamente vinculados a los trabajos de la construcción, y que eran incorporados a la logia en concepto de *accepted masons* (masones aceptados). Aunque esta práctica iba en contra de la tradición, aseguraba la supervivencia de los ideales y prácticas masónicos, argumento que acabó imponiéndose a las reticencias iniciales y dio lugar a una nueva fase en la historia de los masones, conocida como masonería especulativa.

185

MASONES CÉLEBRES

La lista de personajes famosos de todos los tiempos a los que se atribuye su pertenencia a la masonería es inmensa.
Sólo por citar a unos cuantos, encontramos músicos como Wolfgang Amadeus Mozart, Franz Joseph Haydn o Hector Berlioz; escritores como Johann Wolfgang Goethe, Antonio Machado o Thomas Mann; políticos como Benito Juárez, Simón Bolivar, Georges Washington o Anwar el Sadat; y actores como Peter Sellers o Douglas Fairbanks.

LA DESAPARICIÓN DE ANASTASIA

En 1920, una joven internada en un psiquiátrico tras un intento fallido de suicidio confiaba a una enfermera su supuesta identidad: decía ser Anastasia, hija del último zar de Rusia, Nicolás II, y única superviviente de la masacre de Iekaterinburgo en la que pereció el resto de su familia. Con esta confesión se iniciaba una de las grandes controversias del siglo XX.

Tras ser obligado abdicar en 1917, el calvario del que fue último zar de Rusia, Nicolás II, y de su familia no había hecho sino empezar. Mientras la revolución bolchevique encabezada por Lenin borraba del nuevo mapa ruso los vestigios del zarismo, Nicolás, su esposa Alejandra, sus cuatro hijas Olga, Tatiana, María y Anastasia, y su hijo Alexei se hallaban confinados en la residencia de Ipatiev, en Iekaterinburgo, junto con

La ceremonia de canonización del zar Nicolás II, celebrada en Moscú en agosto del año 2000, estuvo envuelta en una árdua polémica, en la que los detractores del último de los Romanov lo tildaron de sádico y autoritario.

Fotografía en la que aparece retratado Nicolás II en compañía de sus hijos y su esposa. La revolución rusa se cobraría la vida de todos ellos, aunque en el caso de Anastasia, la duda sobre su paradero perduró durante décadas.

varios empleados que habían prestado sus servicios al zar durante su reinado.

Tras trece meses de cautiverio, la noche del 17 de julio de 1918 se produjo el trágico desenlace. Tras ser despertados en plena noche por los guardianes bolcheviques con la excusa de que debían posar para una fotografía, tanto el matrimonio Romanov como sus cinco hijos y sus fieles sirvientes fueron conducidos al sótano de la residencia. Una vez en ella, un pelotón de fusilamiento acabó con la vida de todos ellos, viéndose obligados a rematar a bayonetazos a algunas de las hijas de Nicolás II, cuyas joyas actuaron a modo de chalecos antibalas. Tras desvestir y rociar los cuerpos con ácido a fin de borrar sus facciones y volverlos irreconocibles, los nueve cadáveres fueron enterrados en una fosa común en un bosque siberiano a las afueras de Iekaterinburgo.

Este cruel suceso, conocido como la masacre de Iekaterinburgo, cayó en el olvido durante dos años, pero en 1920 la aparición de una muchacha que afirmaba ser la duquesa Anastasia reabrió la herida de la cruel ejecución de los últimos representantes del clan de los Romanov.

EL REGRESO DE ANASTASIA

La noche del 17 de febrero de 1920, un policía logró rescatar a una joven que intentaba suicidarse en las aguas de un canal de Berlín. En los primeros interrogatorios a los que fue sometida insistió en preservar su identidad y dio muestra de unos distinguidos modales, que parecían des-

Los restos mortales de Nicolás II y de su familia, hallados en el año 1979 en una fosa cercana a Iekaterinburgo, fueron sometidos a exhaustivos estudios a fin de desentrañar el misterio alrededor de la desaparición de la princesa Anastasia.

La familia Romanov fotografiada en 1918 durante su época de cautiverio en Iekaterinburgo. Tras una larga estancia en confinamiento, Nicolás II y su familia serían cruelmente asesinados en el episodio conocido como la matanza de Iekaterinburgo.

mentir la hipótesis de que tan sólo se trataba de una vagabunda. Internada en un psiquiátrico, se le diagnosticó una enfermedad mental de carácter depresivo y su caso pareció perder interés. Fue entonces cuando la propia muchacha confesó a una de sus enfermeras su verdadera identidad: se trataba ni más ni menos que de la gran duquesa Anastasia, hija del zar Nicolás II.

La historia ofrecida por la muchacha para explicar su liberación de la masacre de Iekaterinburgo se articulaba en torno a un soldado de nombre Chaikowski, el cual en el último momento se habría apiadado de la más joven de las

LA CONTROVERTIDA CANONIZACIÓN DE LOS ROMANOV

En el año 1996, algunos obispos de la Iglesia ortodoxa rusa sugirieron la canonización de Nicolás II, último zar de Rusia, y de toda su familia. Esta proposición provocó una enconada polémica en la que sus defensores arguyeron en favor de la canonización la horrible muerte los Romanov. Por su parte, los detractores de esta canonización,

básicamente sectores comunistas, hicieron hincapié en el sobrenombre de «el sanguinario» del que se hizo merecedor Nicolás II con motivo de los trágicos sucesos del «Domingo sangriento», en el que miles de trabajadores fueron acribillados por orden del zar. Finalmente se dio luz verde a la canonización, celebrada en una ceremonia en la que también fueron beatificados, a fin de apaciguar las iras de los sectores oponentes, 860 «mártires del comunismo».

hijas del zar salvándola de la matanza y llevándola a Bucarest de incógnito. Una vez allí la habría desposado, pero falleció poco tiempo después. Convertida en una desamparada viuda sin pasado, la presunta Anastasia habría vagado sin rumbo hasta el momento de su intento de suicidio en Berlín presa de la desesperación. La idea de mostrar a la joven a sus supuestos parientes, a fin de que éstos corroboraran sus palabras, no aportó ninguna luz; las opiniones de los diversos descendientes de los Romanov a los que fue presentada fueron contradictorias.

Si bien la nobleza rusa se había mostrado muy interesada en arrojar alguna luz sobre el testimonio de la joven, el torpe avance de las investigaciones acabó diluyendo este interés y, finalmente, tras adoptar el apellido Anderson, Anastasia se estableció en Estados Unidos en 1929. Fiel a su versión de los hechos hasta el día de su muerte, llegó a publicar un libro bajo el explícito título de *Yo soy Anastasia*. Por último, la ciencia fue la encargada de poner las cosas en su sitio y de determinar si la señora Anderson era o no una impostora...

EL VEREDICTO DE LA CIENCIA

Con el hallazgo en 1979 de la fosa en la que fuera enterrada la familia de Nicolás II, parecía ave-

Fotograma perteneciente a la película *Anastasia* (1956) de Anatole Litvak, protagonizada por Ingrid Bergman (en el centro) y Yul Brynner.

Manifestación en San Petersburgo, en 1905. Grabado de Achille Beltrame.

cinarse el final de la polémica sobre Anastasia. Años más tarde, en 1991, el régimen soviético ordenó la exhumación de los cadáveres, que sumaban un total de nueve. Otros dos cadáveres reducidos a cenizas fueron encontrados a escasa distancia de la fosa principal.

Si bien las pruebas de ADN a las que fueron sometidos estos restos a partir de 1997 no estuvieron exentas de controversia, al confrontarse la tesis norteamericana con la rusa, el fallo en

favor de esta última acabó por resolver el enigma oculto tras la masacre de Iekaterinburgo. Los restos de la fosa menor habrían pertenecido a Alexei y a su hermana María, mientras que los de la fosa principal corresponderían a los cuerpos del zar, su esposa, sus servidores y sus hijas Olga, Tatiana y... Anastasia.

Con este concluyente veredicto, la historia de Anastasia Anderson se convirtió en uno de los fraudes más sonados del siglo XX. El desenlace de su rocambolesca historia, sin embargo, no impidió que su trama alimentara obras literarias y adaptaciones cinematográficas.

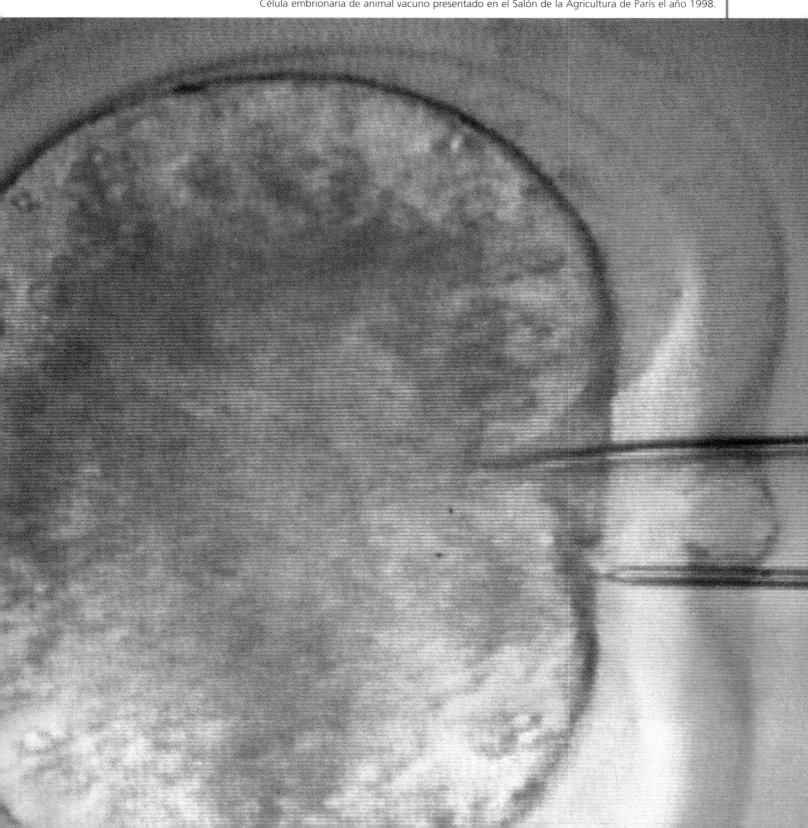

Célula embrionaria de animal vacuno presentado en el Salón de la Agricultura de París el año 1998.

A CIENCIA INCIERTA

La ciencia es el instrumento del que dispone el ser humano para comprender, utilizar e incluso dominar las fuerzas de la naturaleza. Sin embargo, la naturaleza aún encierra misterios en su seno que la comunidad científica no ha podido desentrañar. ¿Cómo pudo desaparecer todo un regimiento del ejército británico durante la Primera Guerra Mundial? ¿Dónde fue a parar la tripulación del buque *Mary Celeste*? Por otra parte, a pesar del aparente control que los científicos ejercen sobre las fuentes de energía, ésta se manifiesta una y otra vez incontrolable y provoca catástrofes tan sensibles como la de Chernobil.

Parece ser que el conocimiento que el hombre tiene del universo, una y otra vez se manifiesta quebradizo. Es imposible conseguir un control absoluto de la naturaleza, y menos aún explotarla indiscriminadamente. Debemos ser conscientes de que la naturaleza no es algo ajeno a nosotros y que conocerla no significa explotarla. La ciencia ya no es sinónimo de certeza y mucho menos cuando nos enfrentamos a un tema tan controvertido como es el de la reproducción clónica del ser humano. En este caso se trata del origen mismo de la vida, del concepto del ser. ¿Sabemos dónde están los límites del conocimiento?

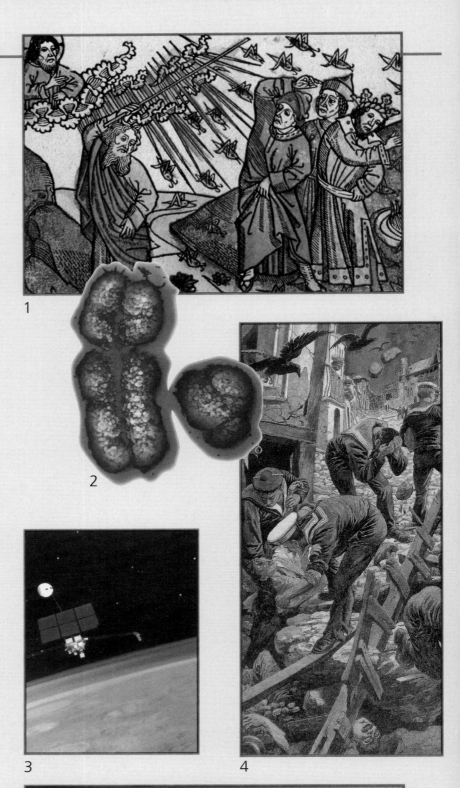

1. Grabado que representa una lluvia de insectos.
2. Par de cromosomas.
3. Imagen de la *Mars Observer*.
4. Tareas de rescate tras el seísmo de Messina en 1908.
5. Imagen del *Concorde*, avión supersónico que alcanzaba los 2300 km/h.

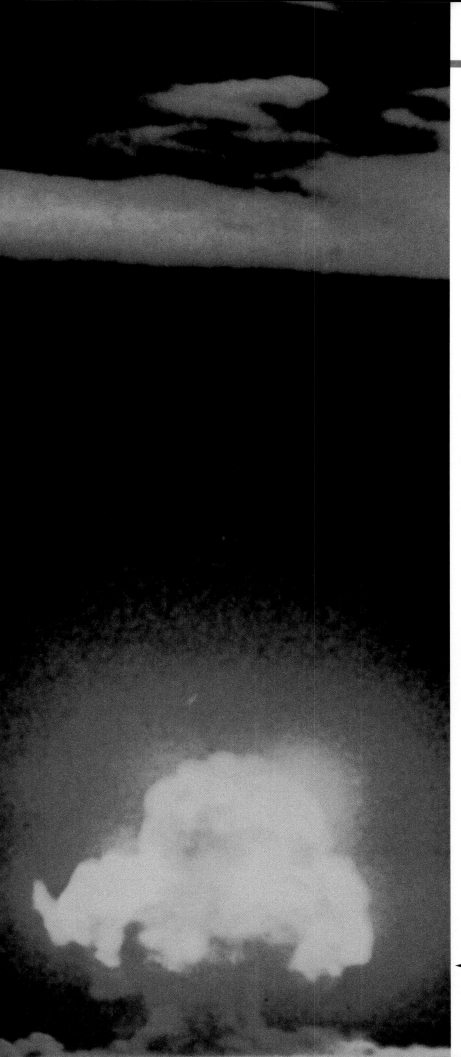

EXPERIMENTOS

La historia de la ciencia moderna se ha escrito a través de los éxitos y fracasos de los incontables experimentos que han contribuido a llevar a sus diferentes ramas hasta altas cotas de perfeccionamiento. Pero han sido siempre los éxitos los que han trascendido el secretismo de la recelosa comunidad científica, configurándose de esta forma una historia de la ciencia paralela a la generalmente aceptada y plagada de rotundos fracasos científicos que permanecen ocultos entre las sombras.

El perfeccionamiento de armas imposibles con las que decantar de modo decisivo el signo de una guerra o la búsqueda de formas de energía de alto rendimiento con que solventar el problema energético del planeta son cometidos que la ciencia persigue desde hace décadas. En contrapartida a la cuantiosa relación de éxitos científicos cosechados en estas materias, debe de existir por fuerza una larga lista de experimentos fallidos tras los que se esconden seguramente algunas de las historias más increíbles jamás contadas.

191

El de la bomba atómica es, sin lugar a dudas, uno de los experimentos mejor guardados y más controvertidos del siglo xx.

EL DÍA EN QUE SE ESTRELLÓ EL CONCORDE

El Concorde era considerado como el avión más seguro del planeta. Desde que en 1969 despegara por vez primera, jamás había sufrido un accidente. Pero el 25 de julio de 2000, un Concorde se estrellaba en los alrededores de París y con ello se ponía fin al mito del avión infalible. Las causas exactas del accidente aún se desconocen.

El 25 de julio, el avión supersónico *Concorde* se disponía a cubrir el recorrido de París a Nueva York, como de costumbre, en aproximadamente tres horas y media. Habían embarcado 109 pasajeros, 98 de los cuales eran de nacionalidad alemana. A los pocos minutos de su despegue, los parisinos vieron cómo el célebre avión supersónico ardía en el aire como un pájaro de fuego, tras despegar del aeropuerto Charles De Gaulle, y se estrellaba unos segundos después.

Inmediatamente se barajaron distintas hipótesis sobre las causas del accidente, pero el Ministerio de Transporte de Francia manifestó

Instante en que se inició el incendio de uno de los motores del *Concorde*, lo que provocó el trágico desenlace que acabó con la vida de la totalidad de su pasaje.

Vista aérea del área siniestrada por causa del accidente del *Concorde*, a las afueras de la zona urbana de Gonesse, en el norte de París.

que existían dudas sobre la interpretación de los hechos y que no era posible desentrañar las causas, por lo que se suspendía la licencia para volar de la mítica nave. Los investigadores apuntaron la posibilidad de que la pérdida de combustible pudiera haber provocado el incendio, al haber hecho arder los motores; las investiga-

DOBLES TURBINAS Y CIUDADES EN EL AIRE

En 2000, el ministerio de Comercio de Japón empezó a desarrollar un proyecto revolucionario basado en la construcción de un motor de doble turbina capaz de alcanzar los 3 000 kilómetros por hora. Los problemas a los que se enfrentaron los ingenieros aeronáuticos eran las elevadas temperaturas que producían las turbinas cuando alcanzaban el máximo de su potencia: a 3 000 kilómetros por hora se genera una temperatura de 1 700 °C. Con la ayuda de Mitsubishi y Kawasaki se probaron fuselajes que pudieran contener la doble turbina y aguantar las temperaturas infernales. El avión estaba diseñado para superar tres veces la barrera del sonido.

En 2001, la empresa Boeing anunció su propio proyecto de superavión. La empresa con sede en Seattle trabajaba en el desarrollo de un modelo que permitiría transportar a más de 700 personas en un vuelo: una auténtica miniciudad en el aire. En el nuevo diseño se planteaba la posibilidad de que hubiera zonas de descanso y cafeterías. A diferencia del proyecto del gobierno japonés, esta iniciativa privada surgió con la idea de abaratar precios y crear un consumo masivo de viajes. La recesión provocada por los atentados del 11 de setiembre de 2001 en Nueva York frenó el proyecto.

---

ciones revelaron, asimismo, que hubo problemas con el tren de aterrizaje en el momento de despegar. Sin embargo, la Oficina de Investigación de Accidentes (BEA) manifestó que era imposible determinar la relación entre estos hechos y el orden en que se produjeron.

HECHOS SORPRENDENTES Y CONTRADICTORIOS

Lo más extraño del caso es la información contenida en las cajas negras del *Concorde*; en una de ellas se demuestra que el primer motor que se incendió había sido reparado momentos antes de despegar por exigencia del comandante. Tampoco se sabe aún por qué el comandante no pudo aislar y apagar ese motor mediante el cortafuego, lo que hubiera evitado la propagación de las llamas al motor del ala izquierda, ya que, según se indicaba en la conversación mantenida por el comandante con la torre de control, el primero en arder fue el derecho.

Ante la gravedad de los hechos, la fiscal encargada de la instrucción del caso, Elisabeth Senot, acusó a la compañía aérea de homicidio involuntario. La investigación fue confiada a la GTA (Gendarmería de Transportes Aéreos). Más de doscientos gendarmes recogieron las declaraciones de los testigos, los controladores aéreos y los mecánicos que repararon el motor.

El *Concorde*, aeronave insignia de la aviación francobritánica, perdió su categoría de mito del aire con motivo del trágico accidente ocurrido el 25 de julio de 2000, que se cobró la vida de 113 personas.

Tras las manifestaciones realizadas por la fiscal Senot, todos los ojos se dirigieron hacia el equipo de técnicos que reparó en veinte minutos el motor dos y hacia las autoridades del aeropuerto Charles De Gaulle que autorizaron el despegue del *Concorde*. La sentencia condenó a la aerolínea a una indemnización multimillonaria, pero las causas exactas del accidente todavía no se podido precisar.

UN BRILLANTE HISTORIAL

En 1979, el avión francobritánico dio su primera vuelta al mundo, en la que tardó algo menos de treinta y dos horas, y en 1991 la nave más antigua de las catorce producidas fue desmontada pieza por pie y sometida a una exhaustiva revisión de más de 40 000 horas de trabajo, en que se revisó todo el *Concorde*. Hasta el año 2000 su trayectoria fue impecable, infalible, pero el conocimiento y la tecnología una y otra vez se manifiestan insuficientes y nos deparan sorpresas. En 2001 el *Concorde* reanudó su actividad comercial, pero en noviembre de 2003, el *Concorde* realizó su último viaje.

EL *CONCORDE* EN CIFRAS

Capacidad del avión:
100 pasajeros más la tripulación.
Velocidad de crucero:
2 150 kilómetros por hora.
Combustible:
Capacidad para almacenar 119 500 litros.

Peso:
92 080 kilogramos sin combustible.
Velocidad de despegue:
321 kilómetros por hora.
Tripulación:
Seis azafatas, dos pilotos y un técnico de vuelo, ataviados todos con uniformes diseñados por creadores de prestigio internacional.

UNA ENERGÍA DESCONTROLADA

Las teorías sobre la composición del átomo abrieron el camino para que, alrededor de 1940, empezara a perfilarse la posibilidad de obtener una energía de un poder inimaginable: la energía atómica. Pero este poder se ha mostrado incontrolable en ocasiones, como en el caso de la catástrofe de Chernobil. ¿Qué ocultan las grandes potencias?

El enorme presupuesto que requería la investigación del universo microfísico y los apuros de la Segunda Guerra Mundial provocaron que los avances científicos en materia nuclear dependieran en un principio del gobierno norteamericano. El resultado final fue la obtención, a partir de 1945, de una nueva generación de armas ofensivas con un poder destructivo como nunca antes había conocido el hombre: las armas atómicas.

El 16 de julio de 1945, EE UU realizó la primera prueba de una bomba atómica en Álamo Gordo, una zona desértica de Nuevo México. El 6 de agosto de ese mismo año tuvo lugar el bombardeo atómico de Hiroshima por un avión de EE UU, al cual sucedió el ataque a Nagasaki tres días después; ambas ciudades quedaron reducidas a un cementerio de escombros y hubo centenares de miles de víctimas mortales.

La bomba atómica dio la victoria a los aliados en la Segunda Guerra Mundial y condicionó el desarrollo de la segunda mitad del siglo XX. La tensión mundial necesitaba reducirse a una «guerra fría» ya que la humanidad se enfrentaba —y sigue enfrentándose— a su autodestrucción con un arma de un potencial destructor de carácter apocalíptico.

Todas las potencias mundiales se apresuraron a tener su propia bomba atómica. Así, en agosto de 1949 la Unión Soviética detonó su primera bomba, seguida del Reino Unido en 1952,

Explosión nuclear en aguas del Pacífico. Las pruebas nucleares que diferentes gobiernos realizan en parajes remotos del planeta suponen un grave problema para el equilibrio de sus ecosistemas.

y de Francia y China en 1960. A partir de la década de 1960 se intentó el uso pacífico de la energía nuclear, pero siguen manifestándose sus efectos nocivos tanto en el hombre como en su ecosistema.

CHERNOBIL, LA TRAGEDIA QUE PUDO SER EVITADA

En 1986 se produjo en la ciudad de Chernobil, en la Unión Soviética, el accidente más grave por el uso pacífico de la energía nuclear. La noche del 26 de abril, un reactor de la central nuclear desató la catástrofe; sólo dos minutos después de haberse producido una incontrolada generación de vapor en el núcleo del reactor, éste quedó fuera de control, superando en cien veces los máximos admitidos; estallaron por sobrepresión los conductos de alimentación y la coraza protectora de grafito del núcleo, lo cual produjo un pavoroso incendio y la expulsión al exterior de ocho toneladas de combustible radiactivo tras una doble explosión. Las consecuencias afectaron a un área de cinco millo-

Manifestación celebrada en abril de 1979 en contra del uso de la energía nuclear ante las puertas del Capitolio, en Washington. Esta protesta masiva congregó a más de 65.000 manifestantes.

$E = mc^2$, LA FÓRMULA GENIAL

La energía que se libera como consecuencia de una reacción nuclear, se puede obtener por el proceso de fisión nuclear, que se basa en la división de núcleos atómicos pesados, o bien por fusión nuclear, que consiste en la unión de núcleos atómicos muy ligeros. En las reacciones nucleares se libera una gran cantidad de energía debido a que parte de la masa de las partículas involucradas en el proceso se transforma directamente en energía. Lo anterior se puede explicar basándose en la relación entre masa y energía que Albert Einstein definió en su célebre fórmula $E = mc^2$.

la imposibilidad de mantener bajo control los efectos de la energía nuclear. La historia de estos accidentes comenzó en 1957, en la Unión Soviética, con una explosión en una planta de almacenamiento nuclear en Kishtim. En 1963, el submarino nuclear *Thresher* se hundió y se desintegró en las profundidades del océano atlántico a 300 kilómetros de Massachusetts, con 129 tripulantes. Dos años más tarde, la Comisión de Energía Atómica estadounidense realizó un experimento ambiental, en que produjo deliberadamente una nube radiactiva de baja intensidad sobre la ciudad de Los Ángeles.

nes de habitantes. Las brigadas especializadas afrontaron la heroica tarea de sofocar los incendios y neutralizar las fugas radiactivas; al menos treinta de sus integrantes murieron por exposición radiactiva letal.

El alcance del drama, inicialmente ocultado por la Unión Soviética, trascendió al propagarse la radiación por toda Europa. Al finalizar el siglo XX, la evaluación de víctimas totales por contaminación directa o por consecuencias indirectas de la catástrofe ascendía a más de 100 000 personas muertas o con pronóstico mortal debido a las afecciones contraídas a causa de la radiación y cerca de 300 000 aquejadas por distintos tipos de cáncer. Una vez más, la falta de transparencia en las investigaciones científicas controladas por los Estados convertía en pretendido enigma las causas de un accidente que, como muchos otros, podía haberse evitado.

UNA LARGA LISTA NEGRA

Además de las grandes desgracias de Hiroshima y Nagasaki, vinculadas a la guerra, existe una larga lista de hechos destructivos que revelan

En el centro y de izquierda a derecha, el embajador de EE UU en España y el ministro español Manuel Fraga Iribarne tras el histórico baño en Palomares en 1966.

Ruinas de la ciudad japonesa de Hiroshima, tras el ataque atómico sobre esta población.

EE UU rozó el drama nuclear en Pennsylvania, en 1979. Un escape radiactivo a través de los circuitos de refrigeración del reactor en la central nuclear de Three Mile Island produjo el más grave de los accidentes nucleares conocidos en el país, que obligó a desalojar toda la zona, aunque no hubo víctimas mortales.

En 1999, Japón sufrió su accidente nuclear más grave en la central de Tokaimura, a 140 kilómetros de Tokio. La central sufrió una reacción incontrolada durante varias horas.

EL SECRETO NUCLEAR ESPAÑOL

El 17 de enero de 1966 cayeron ante la costa de Palomares en Almería, unas bombas del avión B-52, procedente de la base estadounidense Symour Johnson, que transportaba material atómico. El accidente se produjo al colisionar el aparato contra un avión nodriza que le estaba suministrando combustible. Como consecuencia de la colisión cayeron cuatro bombas de hidrógeno, tres en tierra y una en el mar. De las tres primeras, dos se abrieron y liberaron uranio 235 y plutonio 239 altamente radiactivos. Hasta 1997, los documentos del Pentágono sobre este accidente estuvieron considerados *top secret*. Por su parte, el gobierno español ocultó el enterramiento de más de 5 000 bidones de tierra contaminada en el término de Palomares.

CONSTRUYENDO A ADÁN Y EVA

La posibilidad de crear seres humanos por clonación de genes levantó una ardua polémica social a finales del siglo XX. Más allá de la experimentación con animales, los primeros intentos de clonar seres humanos podrían haberse llevado a cabo secretamente en laboratorios. El progreso científico y la ética se encontraban enfrentados.

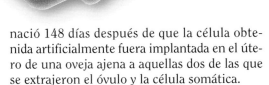

Para poder comprender la clonación es necesario distinguir entre varios conceptos que se suelen confundir: clonación reproductiva, clonación terapéutica y transgénesis. La clonación reproductiva consiste en obtener seres vivos idénticos en cuanto a caracteres genéticos. El método para la clonación es el siguiente: se retira el núcleo de un óvulo no fecundado y se sustituye por el núcleo de una célula somática de un organismo adulto, bien sea masculino o femenino, configurándose así una nueva célula, el cigoto, que es implantado en un útero donde el cigoto dará lugar al embrión y posteriormente al feto. Este fue el método utilizado para obtener la primera oveja clónica, Dolly, que

Los cromosomas del sexo, Y y X. La clonación genética, factible gracias a los avances científicos del siglo XX, ha suscitado una enconada polémica entre científicos.

Jean-Paul Renard, responsable de la clonación de la ternera Margarita, fue uno de los primeros en dar la voz de alerta sobre los peligros del proceso de clonación.

nació 148 días después de que la célula obtenida artificialmente fuera implantada en el útero de una oveja ajena a aquellas dos de las que se extrajeron el óvulo y la célula somática.

La clonación terapéutica pretende, con fines curativos, generar tejidos y en el futuro, si fuese posible, crear «órganos a medida» con la misma información genética de aquella persona que los necesitara, lo cual eliminaría el riesgo de los rechazos. En el caso de una persona con el hígado dañado, se podrían crear embriones clónicos a partir de una célula suya, y a partir de estos embriones clónicos sería posible cultivar las células necesarias para la obtención del hígado nuevo, destruyendo después el embrión. Esta diferencia nos hace distinguir entre la clonación *de* seres vivos y la clonación *en* seres vivos, es decir, entre la generación de un nuevo ser genéticamente idéntico o la aplicación de técnicas de clonación en seres vivos destinadas a la generación de células.

Por último, es necesario distinguir la transgénesis de los dos tipos de clonación anteriores. La transgénesis no consiste en obtener un ser vivo genéticamente idéntico a partir de las técnicas comentadas, sino en «diseñar» a ese ser vivo a partir de la manipulación (y no la reproducción) de la información genética conocida. Esta técnica transgénica consiste en la alteración de la información genética; si se conoce cómo opera el ADN para transmitir cierta información (por ejemplo, el color de los ojos), modificando esa información se puede alterar lo que en principio establecía el programa genético. Estas técnicas pueden evitar enfermedades hereditarias como el cáncer y producir grandes descubrimientos gracias a la reciente lectura del genoma humano. Ya ha sido desarrollado el primer primate transgénico obtenido mediante

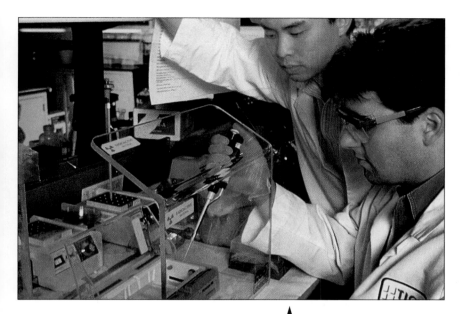

esta técnica, ANDi, desarrollado por científicos de la Universidad de Oregón, en EE UU.

El Proyecto Genoma ha permitido desentrañar el genoma humano.

UN NUEVO ESCENARIO BIOLÓGICO

Hasta tiempos muy recientes se pensaba que el origen de la vida se producía en el momento en el que se creaba una nueva célula a partir de la fertilización de un óvulo por parte de un espermatozoide, es decir, el momento de la concepción se definía por la fusión de dos gametos (masculino y femenino), pero a partir de ahora estos conceptos se tambalean, porque la vida puede originarse no por la aparición de una nueva célula generada por el óvulo y el espermatozoide, sino porque esa nueva célula que dará lugar al feto puede surgir a partir de un óvulo que asimila la información genética de una célula adulta extraída de otro adulto y que es implantada en ese óvulo. Además, hay que considerar que la clonación puede generarse a partir de dos células procedentes de un ser del sexo femeni-

Una secuencia de ADN (ácido desoxirribonucleico).

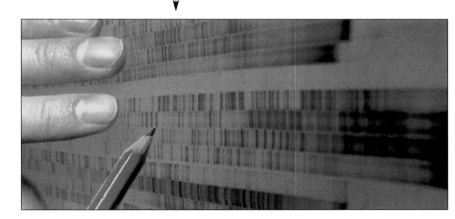

no, por lo que también se tambalean los conceptos de padre y madre biológicos.

Otro problema que plantea la clonación es el riesgo de las mutaciones que puede generar. Para empezar, toda especie viviente es susceptible de sufrir mutaciones genéticas, que no necesariamente son perjudiciales para la especie, sino que contribuyen a su propagación al adaptarse al ambiente. Pero cuando hablamos de clonar seres vivos, corremos el riesgo de generar esos seres monstruosos de los que habla la ciencia ficción si la información genética no desarrolla su programa correctamente o si se pierde parte de dicha información en el proceso de la clonación, lo cual no es improbable, ya que la información genética en la que se basa la técnica parte del núcleo de una célula adulta, que contiene ADN viejo, y el ADN es un elemento que posee regiones que se deterioran y se debilitan con el envejecimiento.

EL MISTERIO DE LOS CLONES HUMANOS

Científicos del Instituto Nacional de Investigaciones Agronómicas de Francia descubrieron en el primer estudio detallado sobre la fisiología de un animal clonado (un ternero clonado

CLONES EN LA SOMBRA

No es descabellado pensar que existen ya clones humanos o, sin duda alguna, serios proyectos de clonación, como indica el doctor Panayiotis Zavos, de la Universidad norteamericana de Kentucky. Zavos afirma que pronto estará listo el primer embrión humano clónico para ser implantado en un útero. Según Zavos, esta labor podría llevarse a cabo en un país mediterráneo que no quiso precisar, donde

seguramente exista un vacío legal respecto a las técnicas reproductivas.
Este científico justifica su determinación de clonar seres humanos alegando que antes o después alguien llevará a cabo el experimento, y que es preferible que se realice con unos controles muy rigurosos. Además Panayiotis Zavos comenta que ya hay numerosos proyectos en todo el mundo a punto de desarrollarse, a falta únicamente del apoyo económico.

a partir de células del oído de una vaca adulta) trastornos genéticos causados por el uso de células de un animal adulto. El director del grupo, Dr. Jean-Paul Renard, advirtió en las conclusiones de la investigación que esos resultados debían ser tenidos en cuenta en los debates acerca de la clonación de seres humanos. Para clonar el ternero se usó una célula de un animal adulto, que debió ser reprogramada para actuar como una célula embrionaria, haciéndola desconocer las instrucciones precisas de su ADN. Por ello, no es sorprendente que no funcione correctamente en todos los casos, y que se produzcan aberraciones genéticas.

En cualquier caso, como señalan algunos científicos, la clonación humana se producirá antes o después, ya que habrá personas que dis-

Cuatro conceptos básicos sobre la clonación

ADN. Es una molécula de ácido desoxirribonucleico que contiene una larguísima hebra de cuatro subunidades o bases, llamadas adenina, citosina, guanina y timina, que se unen a manera de collar, engarzadas mediante moléculas de azúcar y fosfato, y forman una estructura llamada de doble hélice, en la que las dos bandas originadas interaccionan. El apareamiento específico de bases es uno de los mecanismos de copia del material genético.

A diferencia de muchos animales, la información genética contenida en el ADN y su herencia da lugar a un programa muy poco preciso; más bien constituye una serie de potencialidades cambiantes que actúan sobre el individuo, al igual que el medio ambiente. De manera más intensa que cualquier otra especie, el ser humano es el pro-ducto de una constante interacción entre el medio ambiente y el programa genético. Como curiosidad, podemos apuntar que si toda la cadena de ADN de un cuerpo humano fuera puesta en fila, cubriría más de 600 veces la distancia de ida y vuelta entre nuestro planeta y el Sol (entre el Sol y la Tierra hay unos 149 600 000 kilómetros).

Gen. Es la unidad elemental de la información genética contenida en los cromosomas. Una levadura tiene aproximadamente 6 000 genes que informan su desarrollo, mientras que el hombre ronda los 34 000 genes. El hombre comparte con los primates el 98 % de la información genética y tiene aproximadamente la misma cantidad de genes que un ratón.

Genoma. Es el programa genético completo de un organismo.

Proyecto Genoma Humano. Proyecto que comenzó en 1988 para completar la lectura del genoma del hombre. En 1990 fue impulsado por el Instituto Nacional de la Salud de EE UU, y quedó configurado como un consorcio internacional, cuyos objetivos eran la creación de mapas genéticos y la secuenciación del ADN humano. En 1998, Celera Genomics, empresa privada, abordó el proyecto de manera independiente. En 2001 se presentó el mapa completo del genoma humano, al que los científicos han llamado «el borrador genético del hombre».

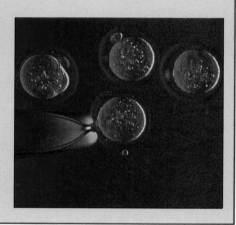

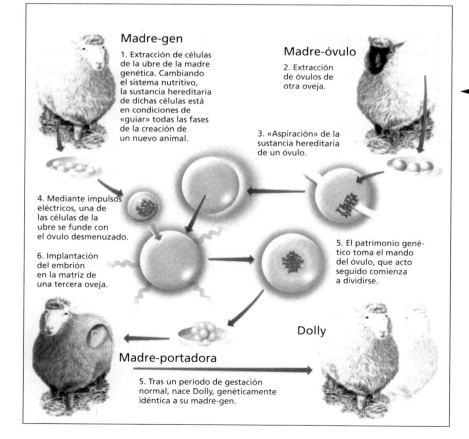

Madre-gen

1. Extracción de células de la ubre de la madre genética. Cambiando el sistema nutritivo, la sustancia hereditaria de dichas células está en condiciones de «guiar» todas las fases de la creación de un nuevo animal.

Madre-óvulo

2. Extracción de óvulos de otra oveja.

3. «Aspiración» de la sustancia hereditaria de un óvulo.

4. Mediante impulsos eléctricos, una de las células de la ubre se funde con el óvulo desmenuzado.

5. El patrimonio genético toma el mando del óvulo, que acto seguido comienza a dividirse.

6. Implantación del embrión en la matriz de una tercera oveja.

Dolly

Madre-portadora

5. Tras un período de gestación normal, nace Dolly, genéticamente idéntica a su madre-gen.

Inoculación de genes extraños en un óvulo fecundado. La manipulación genética permite alterar la composición del genoma humano hasta límites insospechados.

Esquema del proceso de clonación de la oveja Dolly (el primer animal clónico del mundo) en el que, a partir de una célula mamaria de oveja adulta, se obtuvo una oveja clónica genéticamente idéntica a su antecesora.

pongan de los medios necesarios y estimen que el progreso científico está más allá de cualquier consideración moral. Por tanto, antes o después nos tendremos que enfrentar a un caso de clonación humana. Otros científicos estiman que acabaremos acostumbrándonos a la clonación de personas, sobre todo en aquellos casos en los que el integrante masculino de una pareja sea estéril. Estos científicos consideran que una vez estemos acostumbrados a la clonación dejaremos de entenderla como un conflicto ético, tal como ha sucedido con la fecundación *in vitro*. En la actualidad, la legislación británica permite la investigación de la clonación sin fines reproductivos, siempre y cuando esté vigilada por una comisión científica.

DESAPARICIONES

La inmensidad de las aguas del mar, los horizontes desdibujados en el aire y hasta la misma tierra que pisamos ocultan misterios aparentemente insolubles. Como si de un juego de magia cósmico se tratara, a veces la naturaleza pone a prueba nuestra agudeza mental, escamotea ante nuestros ojos las pruebas y abre un interrogante tras una nebulosa.

Algunos de estos misterios hicieron volar la imaginación de los contemporáneos. Este es el caso de la tripulación del Mary Celeste, *un ejemplo clásico de desaparición, que revivió en la memoria de muchos los antiguos relatos que hablaban de barcos fantasma. La clave de otros enigmas es, sin embargo, fácil de encontrar, ya que se halla, apenas disimulada, tras pequeñas o grandes miserias humanas: el miedo al deshonor (el batallón Norfolk) o la lucha por el poder entre potencias enemigas (los aviones Grumman).*

Como en otros casos de misterios habidos en el ámbito de la ciencia, es el ser humano, al cabo, quien desea ver fantasía donde sólo hay realidad, y es también el ser humano quien echa tierra sobre la siempre diáfana verdad de la historia.

El inmenso mar guarda muchos enigmas de desapariciones en sus aguas.

MARY CELESTE, EL BARCO SIN TRIPULACIÓN

El 5 de diciembre de 1872, los tripulantes de la nave británica Dei Gratia *avistaron al este de las islas Azores un barco que parecía ir a la deriva. Se trataba de un velero, de nombre* Mary Celeste, *que parecía haber sido abandonado a su suerte por su tripulación, de la que no se encontró ninguna señal.*

El avistamiento del *Mary Celeste* sin un alma a bordo no fue sino la culminación de una larga lista de enigmas asociados a esta nave y a sus distintas tripulaciones prácticamente desde el momento de su construcción, en 1860, en unos astilleros de Nueva Escocia. Todos estos misterios acabaron por elevar al *Mary Celeste* a la categoría de barco maldito, y su leyenda se ganó un lugar preeminente entre las historias en la niebla de la navegación.

LOS PRIMEROS SÍNTOMAS

El *Amazon*, nombre con el que fue bautizado originalmente el barco que más tarde sería conocido como *Mary Celeste*, fue botado en 1861, y ya en su primera travesía, bajo el mando del capitán John Nutting Parker, sufrió un accidente y fue devuelto a astilleros. Tras su reparación, las desgracias no tardaron en cebarse de nuevo sobre él, y en el transcurso de su primera travesía transoceánica colisionó con un bergantín en el estrecho de Dover. El bergantín corrió peor suerte y se hundió, pero los desperfectos del *Amazon* le costaron el cargo al tercero de sus capitanes desde que la nave abandonara los astilleros de Joshua Dewis.

La leyenda negra en torno al navío es una realidad a estas alturas de la historia, y tras sufrir otro accidente en la isla de Cape Breton, Nueva

Grabado del siglo XIX que muestra la fantasmagórica aparición del *Mary Celeste* navegando a la deriva.

Escocia, prácticamente se pierde la pista del *Amazon*, que es vendido en varias ocasiones. Se vuelve a tener constancia de él cuando es adquirido por el consorcio de armadores neoyorquino J. H. Winchester & Co., que realiza importantes modificaciones en la nave y la rebautiza con el nombre de *Mary Celeste*.

El mando del barco se confía al oficial británico Benjamin Spooner Briggs, a cuyas órdenes la nave se ve envuelta en el último de sus enigmas: el que acabó con la desaparición de su tripulación y la dejó a la deriva en mitad del océano Atlántico.

LA ÚLTIMA TRAVESÍA DEL BARCO MALDITO

El *Mary Celeste* abandonó el muelle 44 del puerto de Nueva York el día 5 de noviembre de 1872 para no regresar. Durante todo aquel mes de noviembre realizó con normalidad sus travesías y se demostró la competencia del equipo for-

BRIGGS, ASESINADO O ASESINO

En la época de la desaparición de la tripulación del *Mary Celeste* circularon dos versiones contradictorias de los hechos. Se decía que la tripulación, ebria de alcohol, había asesinado al capitán Briggs y a su familia antes de darse a la fuga. Por otra parte, otros se inclinaban a pensar en una posible alianza secreta entre Briggs y Morehouse a fin de hacerse ambos con la cuantiosa recompensa por el rescate del velero. Según esta segunda hipótesis, Briggs habría matado a la tripulación y se habría fugado junto a su familia justo a tiempo para que Morehouse diese con la nave abandonada y consiguiera la recompensa por su rescate, a compartir con el prófugo capitán del *Mary Celeste*.

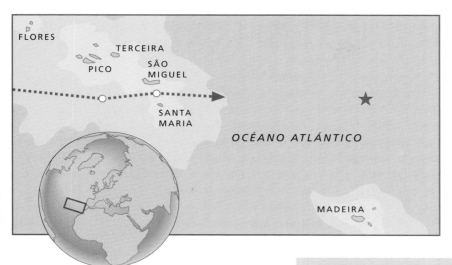

que la nave respondía al nombre de *Mary Celeste*, subieron a ella para conocer la suerte de la tripulación. Cuál no sería su sorpresa al encontrarla completamente desierta... La tripulación había desaparecido.

Tras el desconcierto inicial, se procedió a estudiar el estado en que se encontraba el *Mary Celeste*. Aunque algunos de sus camarotes estaban parcialmente anegados, el velero se hallaba en perfectas condiciones y repleto de provisiones, por lo que fue imposible determinar el motivo de su evacuación. Sólo el mar conoce la verdad sobre el *Mary Celeste* y sobre muchos otros navíos desaparecidos misteriosamente en los mares y océanos del planeta.

mado por el capitan Briggs y los oficiales Richardson y Gilling; pero el enigma no tardaría en cernirse de nuevo sobre la nave en la fatídica fecha del 5 de diciembre de 1872, que sería recordada durante mucho tiempo.

Ese día, alrededor de la una del mediodía, el timonel del barco británico *Dei Gratia*, que transportaba queroseno con destino a Gibraltar, dio la señal de alerta al avistar un velero que navegaba a ocho kilómetros a estribor. Sus velas parecían estar en malas condiciones, por lo que el capitán David Reed Morehouse dio de inmediato la orden de acudir en su socorro. Poco después, a escasos 400 metros de la nave en peligro, se intentó establecer una comunicación con sus tripulantes por medio de un megáfono, pero no se recibió respuesta alguna. Morehouse tomó entonces la decisión de enviar al velero a tres de sus hombres, quienes, tras determinar

EL DIABLO AL TIMÓN

La fascinación de la gente por el misterio sin resolver del *Mary Celeste* ha hecho proliferar a lo largo del tiempo las más variadas teorías para explicar el abandono de la embarcación. Algunas de estas hipótesis, como la que apunta a la existencia de un pulpo de monstruosas dimensiones que habría engullido a los malogrados tripulantes del velero, resultan especialmente pintorescas por su carácter surrealista.

Este es el caso de la hipótesis que sugiere que el *Mary Celeste* habría emprendido su última travesía con un polizón escondido en sus bodegas: nada menos que un peligroso psicópata que había vendido su alma al diablo para que lo librara de la cárcel. Mientras el velero surcaba el Atlántico, Satanás se habría presentado en persona para cobrar su tributo al prófugo, y su fantasmagórica aparición habría provocado el abandono de la nave.

El último en despedirse del *Mary Celeste* habría sido el capitán Benjamin Briggs, quien tras saltar al mar presa de la locura, vio cómo su velero se alejaba con un siniestro personaje al timón: Satanás.

Detalle de un grabado en el que aparecen miembros de la tripulación del buque *Dei Gratia* abordando el misterioso *Mary Celeste*. No se encontró a ningún tripulante, vivo o muerto, en su interior.

Albert G. Richardson, primer oficial del *Mary Celeste* en la travesía que concluiría con la misteriosa desaparición de todos sus tripulantes.

Cuando aún estaba la opinión pública conmocionada por la noticia del *Mary Celeste*, a finales del mes de abril de 1880 salió a la luz la desaparición del barco de entrenamiento estadounidense *Atlanta* en el área marítima de las Azores. La travesía del *Atlanta* se había iniciado en enero de ese mismo año con el propósito de llegar al puerto británico de Portsmouth a primeros de marzo. En él viajaban más de 300 cadetes que recibían instrucción. Alertadas las autoridades británicas del retraso en llegar a puerto del barco, enviaron en su búsqueda el vapor *Salams* de la Marina Real, que regresó sin noticias al cabo de unos días. Más tarde partió en misión de reconocimiento el buque de guerra *Avon* con igual resultado.

LA LEYENDA DEL BATALLÓN NORFOLK

Durante la Primera Guerra Mundial se produjo la supuesta desaparición masiva más famosa de todos los tiempos. A principios de agosto de 1915, el quinto regimiento británico Norfolk, que se dirigía a la ciudad turca de Gallípoli para entrar en combate contra las tropas turcas aliadas del ejército alemán, pareció esfumarse y nunca más se supo de él.

Tropas griegas escoltan a prisioneros turcos en el transcurso de la dura ofensiva de estos últimos contra la zona del Cáucaso, en el marco de la Primera Guerra Mundial.

El ejército ruso apenas podía contener la presión turca en la zona del Cáucaso a comienzos de 1915. Pidió ayuda urgente a los británicos. Los fuertes turcos del estrecho de los Dardanelos fueron bombardeados por la fuerza naval británica en febrero de 1915, pero no se logró aniquilar al enemigo turco. La ofensiva continuó en abril y agosto del mismo año, meses en los que se produjeron dos desembarcos de tropas aliadas en la península de Gallípoli.

En el desembarco de agosto de 1915, el regimiento británico Norfolk encabezaba el ataque al interior del territorio turco. El día doce de aquel mismo mes era un día claro y despejado, sin nubes en el cielo, lo que permitía a las tropas aliadas, distribuidas en varias colinas, ver los movimientos de sus compañeros. La marcha del regimiento británico era seguida desde una cima próxima por el cuerpo de soldados anzacs, formado por expedicionarios australianos y neozelandeses.

A través de los prismáticos, los observadores anzacs vieron perplejos cómo una extraña nube de origen inexplicable se cernía de pronto sobre el regimiento Norfolk. Era de grandes dimensiones y su forma se asemejaba a la de un cigarro puro. Su rumbo era el mismo que el seguido por las tropas británicas, la cota 60 del macizo de Sari Bair. El espectáculo que contemplaron los testigos de este suceso fue sorprendente. Lo que parecía ser una nube descendió lentamente hasta casi rozar el suelo, y a continuación se arrastró hacia los soldados británicos hasta que los cubrió por completo.

VISTOS Y NO VISTOS

La nube era tan densa, que los soldados australianos no pudieron ver lo que le ocurrió al regimiento Norfolk durante los escasos minutos que lo envolvió la espesa neblina. Transcurrido ese tiempo, con la misma suavidad con la que había

LOS VALEROSOS ANZACS

Los anzacs, las divisiones militares de Australia y Nueva Zelanda, desembarcaron en el estrecho de los Dardanelos el 25 de abril de 1915. Los batallones estaban formados por 330 000 voluntarios y aunque murieron 60 000 hombres y dos terceras partes resultaron heridos, el fervor popular convirtió esta dramática fecha en el día de la Fiesta Nacional de Australia. Cada 25 de abril se rinde homenaje a los miles de australianos caídos en todas las guerras. Es un día de orgullo, en el cual se conmemora el valor de las fuerzas anzacs, que lograron mantener durante ocho meses el control en la zona hasta que recibieron la orden de retirada.

DESAPARICIÓN EN LA NIEVE

Sucedió en Canadá, en el otoño del año 1930. Un pequeño poblado esquimal vivía a orillas del lago Angikimi, en la bahía de Hudson, a 500 kilómetros al noreste de la ciudad canadiense de Churchill. Al lugar llegaban cazadores y traficantes de pieles, vivían y negociaban con los nativos y nunca se conoció altercado grave entre los visitantes y las gentes del poblado.

Cuando aquel otoño se acercaron de nuevo comerciantes a esta zona ártica, descubrieron que la aldea estaba completamente vacía. No encontraron a ninguno de sus habitantes en las tiendas, pero lo curioso del hecho era que se conservaba comida de tan sólo unos días atrás, y las labores de costura estaban a medio hacer, como indicaban las agujas de hueso clavadas en los tejidos. Los comerciantes pensaron en una marcha precipitada, y se acercaron al lago para comprobar si habían utilizado las canoas para el intempestivo viaje, pero, para su sorpresa, las vieron amarradas en la orilla. La situación se repitió cuando acudieron al recinto donde guardaban los trineos y los perros de tiro. Los siete animales habían muerto de hambre, atados a los árboles y con extrañas mordeduras por todo el cuerpo, y los trineos estaban intactos.

El último suceso que aumentó la incertidumbre fue el hallazgo de una tumba. Las costumbres funerarias esquimales obligan a dejar al fallecido sobre el suelo y cubrirlo de piedras, y en aquella sepultura, en cambio, las piedras estaban dispuestas alrededor y no encima del túmulo mortuorio. Jamás se volvió a ver a ninguno de los habitantes del poblado esquimal.

Como en todas las sepulturas esquimales, en esta de Cumberland (Canadá) el difunto aparece cubierto de piedras y orientado en sentido contrario al mar.

y unos 60 metros de ancho, y era tan compacta que podía reflejar los rayos del sol. Parecía que escondiera tras su cubierta nebulosa centenares de espejos reflectantes.

Cuando los soldados anzacs bajaron a inspeccionar el lugar del incidente, comprobaron que estaba desierto. No había huella alguna de los soldados. Las tropas turcas confirmaron la versión australiana: ellos tampoco volvieron a ver al quinto regimiento Norfolk. El gobierno británico no aceptó la fantástica explicación de la desaparición del regimiento, y exigió a Turquía una repuesta satisfactoria. El gobierno de Ankara insistió en que desconocía el paradero de los soldados británicos, ya que en aquella operación no se habían hecho prisioneros del ejército aliado.

LA INCÓGNITA QUEDA DESVELADA

Hay ocasiones en las que se crea una leyenda para encubrir un hecho histórico real, y es que, en la realidad, en el desembarco de los Dardanelos el ejército turco fue muy superior al aliado. A los soldados británicos les fue imposible cumplir la misión de conquistar Constantinopla y llegaron a rozar el ridículo, ya que sólo consiguieron avanzar unos kilómetros desde las cabezas de playa.

De un ejército de 410 000 hombres, formado por británicos, australianos, neozelandeses y soldados de otros países de la Commonwealth, la mitad murieron en los combates. La contundente derrota y el elevado número de bajas indignaron a las islas compatriotas, Australia y Nueva Zelanda, que tacharon de incompetentes a los mandos del ejército británico.

A fin de echar tierra sobre la penosa actuación de las tropas británicas en el conflicto, se puso en pie la leyenda del batallón desaparecido.

descendido, la nube se elevó de nuevo. En el cielo, inmóviles, la esperaban un grupo de pequeñas nubes de forma esférica perfecta. Una vez reunida con sus compañeras, se alejaron en dirección contraria a la del viento reinante. La singular nube medía supuestamente 200 metros de largo

Dos miembros de los anzacs, cuerpo del ejército de Australia y Nueva Zelanda que protagonizó una heroica resistencia en el estrecho de los Dardanelos.

El enigma de los aviones Grumman

Cinco aviones Grumman Avenger *de Estados Unidos, conocidos como la Patrulla 19, desaparecieron misteriosamente en diciembre de 1945 mientras realizaban un vuelo rutinario de entrenamiento cerca de la base aeronaval de Fort Lauderdale, en Florida. El hidroavión que partió al rescate de la flotilla, el* Martin Mariner, *también desapareció sin causa aparente.*

El incidente se produjo el 5 de diciembre de 1945 en la zona del Triángulo de las Bermudas. Los cinco *Avenger* partieron a las 14:00 horas de Fort Lauderdale, mandados por el teniente Charles Taylor, con dirección a la isla de Bimini. Una hora más tarde, una vez realizadas las maniobras de adiestramiento, la torre de control de la base aeronaval se puso en contacto con la patrulla aérea para facilitarle las instrucciones de aterrizaje.

Lo que debía ser una comunicación rutinaria, se transformó en una extraña sorpresa. El teniente Taylor, profundamente alterado, comunicaba la pérdida del rumbo y la posición de la escuadrilla: «No podemos estar seguros de ninguna dirección, ni siquiera el océano tiene un aspecto normal». La torre les ordenó que reo-

Escuadrilla de aviones *Grumman* en pleno vuelo. Los *Grumman* fueron los cazas navales más utilizados en el Pacífico en el transcurso de la Segunda Guerra Mundial, y su intervención fue crucial en batallas tan célebres como la de Midway.

rientaran el vuelo en dirección oeste, pero les fue imposible; los aviones habían dejado atrás el último espacio de tierra avistado, una pequeña isla, y estaban entrando «en agua blanca».

La excitación creció en Fort Lauderdale al detectar que el potente transmisor de la base era incapaz de establecer contacto con ninguno de los cinco aviones, aunque podían oír las conversaciones que mantenían entre sí los tripulantes. Los diálogos de los pilotos dejaron perplejos a sus compañeros en Florida. La patrulla

«NO VENGAN A BUSCARME»

El periodista estadounidense Arti Ford recibió una sorprendente información de un radioaficionado, días después de la desaparición de la Patrulla 19. El individuo aseguraba que había recibido un mensaje del teniente Taylor que decía: «No

vengan a buscarme... parece que son del espacio exterior». Ford no creyó la extraordinaria revelación del radioaficionado, conocedor de la dificultad que tiene para un operador inexperto comunicarse con un avión en vuelo.
Pero en 1974 los *Avenger* volvieron a ser tema de actualidad. El periodista declaró en un programa

de la televisión estadounidense que había tenido acceso de forma parcial a un informe oficial que se había elaborado por presión de los familiares. Este documento secreto incluía la frase «No vengan a buscarme...», que coincidía en parte con la que el radioaficionado había escuchado al teniente al mando de la flotilla aérea.

VÍCTIMAS DE UN MAR DEVORADOR

En el mar de las Bermudas son frecuentes los vientos huracanados y las corrientes turbulentas. Estos fenómenos se producen de forma inesperada y desvían los navíos cientos de kilómetros de su rumbo. Ésta es la razón por la que no se encuentran restos de los naufragios en la zona conocida como Triángulo de las Bermudas.

Supuestamente, en esta zona han desaparecido más de cien barcos y aviones a lo largo de los años, pero estos accidentes no son tan frecuentes como nos han hecho creer. Todos los días aviones civiles y militares atraviesan la región sin sufrir ningún contratiempo. Muchas de las naves perdidas se recuperarán cuando se perfeccionen las técnicas de inmersión. ¿Fueron los aviones *Grumman* víctimas del fatídico triángulo?

sobrevolado Florida y se encontraban sobre el golfo de México a 360 kilómetros al noreste de la base. Sus suposiciones eran erróneas. La maniobra dirigió los *Grumman* a mar abierto, dejaron atrás la costa de Florida y volaron en dirección opuesta, hacia el este.

Un hidroavión bimotor *Martin Mariner*, con trece tripulantes a bordo, inició el dispositivo de rescate. Por desgracia, pocas horas después de comenzar el rastreo, se perdió el contacto con la nave y hubo que darla por perdida. En la base cundió el pánico: se habían perdido catorce hombres en la primera misión y ahora otros trece, y la cercanía del final de la Segunda Guerra Mundial no hacía pensar que se tratara de un ataque enemigo.

había despegado con unas condiciones de vuelo inmejorables. Brillaba el sol, la temperatura era de 18 °C, en el cielo sólo se veían algunas nubes dispersas y soplaba un moderado viento de dirección noreste. La tripulación, en cambio, hablaba de fuertes vientos de 75 millas por hora. Aturdidos, comentaban que sólo tenían combustible para otros 120 kilómetros de vuelo, cuando los tanques de los aviones se habían llenado para que pudieran volar mas de 1 800 kilómetros. Los indicadores de vuelo también se «habían vuelto locos», todas las brújulas giroscópicas y magnéticas de las naves parecían haber dejado de funcionar.

UN GIRO DECISIVO Y MORTAL

El teniente Charles Taylor era un aviador experimentado. Tenía más de 2 500 horas de vuelo y una reputación intachable en la fuerza aérea estadounidense, por lo que su decisión de entregar el mando a un veterano piloto naval, el capitán Stiver, sorprendió en Fort Lauderdale. El nuevo comandante ordenó un giro de 180°, pues suponía que los cinco cazabombarderos habían

Un hidroavión de la flota de Estados Unidos se eleva en su labor de búsqueda de los aviones *Grumman*.

Los hechos obligaron a organizar un espectacular dispositivo de emergencia: 240 aviones de tierra, 67 portaaviones *Solomon*, 4 destructores, varios submarinos, 18 buques de la guardia costera, lanchas, yates y botes privados, aparatos *PBM* de la base aeronaval del río Banana y la ayuda de la Fuerza Aérea y la Marina británica con base en las Bahamas.

Según los expertos, es inexplicable que ninguno de los catorce tripulantes de los cinco aparatos de la patrulla aérea pensara en la solución del amaraje. Los *Avenger* podían posarse sobre el mar y mantenerse a flote durante 90 segundos, treinta más del tiempo que necesitaba la tripulación para abandonar los aviones y subirse a los botes salvavidas.

Portaaviones de la flota de Estados Unidos en el transcurso de una batalla en el marco de la Segunda Guerra Mundial. Un total de sesenta y siete de estos buques acudieron al rescate de los cinco aviones *Grumman* desaparecidos.

MARS OBSERVER, ALERTA ROJA

La carrera espacial iniciada en el siglo XX no ha hecho más que engrosar la lista de misterios que rodean al planeta rojo. Así lo demuestra el episodio del Mars Observer, *uno de los más ambiciosos intentos realizados por la NASA para desentrañar los secretos de Marte, que se saldó con la misteriosa desaparición de la sonda norteamericana.*

El proyecto *Mars Observer* supuso la reanudación por parte de la NASA de las exploraciones sobre Marte, tras un período en el que el interés de la comunidad espacial por el planeta rojo había disminuido notablemente. Su objetivo era el estudio de la geociencia y el clima de Marte, un planeta que en anteriores tentativas de estudio se había mostrado inaccesible. Pero los científicos que mediaron en el proyecto que debía llevar la sonda hasta la órbita de Marte, convencidos del éxito de la misión, pronto recibirían un nuevo revés del Gran Rojo.

La sonda *Mars Observer* había sido diseñada por los científicos de la NASA para que cumpliera cinco importantes objetivos de investigación científica:

- Indicar la naturaleza del campo magnético de Marte.
- Aportar datos sobre el campo gravitatorio y la topografía global.
- Determinar los elementos y la mineralogía de los materiales superficiales del planeta.
- Conocer la estructura y circulación de la atmósfera.
- Aclarar la distribución y el origen del polvo atmosférico en sus ciclos estacionales.

Imagen de la *Mars Observer* durante su maniobra de aproximación a la órbita de Marte. Antes de lograr alcanzarla se perdió el contacto con la sonda espacial estadounidense.

Detalle de la orografía de Marte recogido en una imagen tomada por la sonda *Mars Global Surveyor*, lanzada por la NASA en noviembre de 1996 a fin de desentrañar los secretos del planeta rojo.

EL VIAJE SIN RETORNO

La sonda *Mars Observer* partió hacia Marte a bordo de un cohete Titan-3/TOS el 25 de septiembre de 1992. Con un peso de 1 018 kg, estaba equipada con sistemas muy avanzados, con prestaciones que incluían la capacidad de reorientarse automáticamente en caso de interrumpirse su contacto con la Tierra. Esta y otras características hacían que los ojos de la comunidad espacial estuvieran dirigidos hacia la *Mars Observer*, una sonda espacial que debía marcar un antes y un después en la prospección de Marte, sin duda uno de los grandes desconocidos del sistema solar.

Pero tras unos primeros compases en que la *Mars Observer* cumplió puntualmente las instrucciones asignadas, la pérdida de contacto con la sonda a tres días de su llegada a la órbita de Marte tornó el sueño en pesadilla. Este inesperado percance se produjo el 21 de agosto de 1993, mientras se procedía a la activación del motor de entrada en órbita, tarea que *a priori* no parecía revestir ninguna complicación.

La NASA mantuvo un absoluto mutismo sobre el desarrollo de la misión durante tres días, en un intento desesperado de restablecer

Sondas y naves perdidas en misión a Marte

Misión		Fecha	País
Marsnik 1	Destruido durante el despegue.	10/10/1960	URSS
Marsnik 2	Destruido durante el despegue.	14/10/1960	URSS
Sputnik 29	Se desintegró al entrar en órbita terrestre.	11/01/1962	URSS
Mars 1	A unos 106 760 000 km de la Tierra se perdió la comunicación rumbo a Marte.	21/03/1962	URSS
Sputnik 31	No pudo salir de la órbita terrestre y se desintegró.	04/11/1962	URSS
Mariner 3	La sonda no pudo desprenderse de la cubierta de sus equipos, y el peso adicional hizo que se perdiera en el espacio.	05/11/1964	EE UU
Zond 2	Un panel solar se descompuso y se perdió el contacto con la sonda rumbo a Marte.	05/01/1965	URSS
Mariner 4	Por razones atribuidas a una lluvia de micrometeoritos se perdió el contacto durante casi dos años, desde 1965 hasta 1967.	01/10/1965	EE UU
Mars 1969A	Destruida en el despegue.	27/03/1969	URSS
Mars 1969B	Destruida en el despegue.	02/04/1969	URSS
Mariner 8	Destruida en el despegue.	08/05/1971	EE UU
Cosmos 419	En órbita terrestre, los propulsores fallaron al iniciar el viaje a Marte. Se desintegró al volver a entrar en la atmósfera terrestre.	12/05/1971	URSS
Mars 3	Se perdió el contacto con su módulo 20 segundos después de aterrizar en Marte.	02/12/1971	URSS
Mars 4	Los cohetes fallaron y no detuvieron la sonda, que no modificó su trayectoria y pasó a 22 km de Marte.	10/02/1974	URSS
Mars 5	Se perdió el contacto por la pérdida de presurización de su transmisor.	12/02/1974	URSS
Mars 6	La comunicación se perdió por un error cuando se posaba sobre Marte.	12/03/1974	URSS
Mars 7	Las etapas para el aterrizaje se iniciaron prematuramente, y se perdió en el espacio.	09/02/1974	URSS
Phobos 1	Se perdió la comunicación cuando fallaron los paneles solares.	02/09/1988	URSS
Phobos 2	Un fallo en los ordenadores hizo que se perdiera la comunicación.	27/03/1989	URSS
Mars 96 Orbiter	Esta sonda falló al entrar en su trayectoria hacia Marte y se estrelló contra la superfície de la Tierra.	17/11/1996	Francia
Nozomi	Correcciones de curso causaron un consumo excesivo de combustible. Se tiene la esperanza de que llegue a Marte en 2003	03/12/1999	Japón
Mars Climate Orbiter	Supuestamente, un error de navegación hizo que se desintegrara en la atmósfera marciana.	23/09/1999	EE UU
Marte Pathfinder /Sojojourner	Se ignora por qué se perdió la comunicación con esta estación en la superficie de Marte.	27/09/1999	EE UU
Mars Polar Lander	Perdida en su aterrizaje en el polo sur de Marte.	03/12/1999	EE UU
Deep Space 2	Se desconoce por qué estos sensores nunca transmitieron al aterrizar en Marte.	03/12/1999	EE UU

el contacto con la sonda y poder obviar aquel contratiempo, pero el 24 de agosto de 1993 se dio a conocer oficialmente la pérdida de la *Mars Observer*, sin especificar las razones del suceso. La NASA rubricó con este reconocimiento un sonoro fracaso a la altura de la catástrofe del *Challenger*, ocurrida en el año 1986 y que se cobró seis víctimas mortales.

CABOS SUELTOS Y MUTISMO
Aunque la versión ofrecida por la NASA sobre la pérdida de contacto con la sonda *Mars*

Observer era breve e inconcreta, en líneas generales apuntaba la posibilidad de que la nave se hubiera desintegrado, o bien que su sistema informático hubiese fallado estrepitosamente. Dadas las altas prestaciones de la sonda, entre ellas su reorientación automática, la agencia no descartaba la posibilidad de que se encontrara orbitando alrededor de Marte, aunque resultaba imposible confirmarlo.

Los detractores de la versión oficial no tardaron en poner el grito en el cielo. Este fue el caso de un grupo de prestigiosos científicos esta-

MIEDO A MARTE

Entre *Invaders from Mars* (1953) de William Cameron Menzies, la pequeña obra maestra del cine de ciencia ficción de la década de 1950, y *Mars Attack!* (1996), el film homenaje de Tim Burton a ese viejo pero entrañable cine, transcurrieron cuatro intensas décadas. Durante ellas, los ojos de muchos adolescentes quedaron marcados por brillantes luces que provenían de extraños objetos volantes, por hombrecillos verdes con antenas en la cabeza y por miedo, mucho miedo, que por fortuna no duraba más de hora y media, cuando la palabra «fin» ponía una barrera infranqueable entre los marcianos y los pobres humanos.

En la década de 1950, la de la «guerra fría» al rojo vivo, los estadounidenses, siempre temerosos de perder su privilegiado estatus, pusieron en escena sus miedos a través del cine de ciencia ficción. Los marcianos representaban en el imaginario popular de la superpotencia a todos sus enemigos, reales o supuestos. La «guerra de los mundos» no fue más que una invención del escritor Herbert George Wells.

Recreación del aterrizaje del *Mars Polar Lander*. Desafortunadamente, el 3 de diciembre de 1999 sus antenas perdieron la orientación y sus comunicaciones se interrumpieron.

la pérdida de contacto fue desestimada, decisión que contribuyó a aumentar las dudas que pesaban sobre la fallida misión de la sonda.

Los datos sobre la forma en que la NASA había abordado la pérdida de contacto con la sonda, que fueron ofrecidos con cuentagotas a la opinión pública, agriaron aún más esta polémica al demostrar la absoluta incompetencia de la agencia espacial. Al parecer se habían desestimado planes de emergencia que podrían haber restablecido el contacto con la *Mars Observer*, tales como el uso del segundo ordenador de a bordo. Los escépticos afirmaban que aquellos datos no eran más que una cortina de humo tras la cual la NASA escondía secretos inimaginables sobre Marte. Con el tiempo, la controversia fue menguando, y la misión de la *Mars Observer* se consagró como uno de los enigmas más turbios en la carrera espacial norteamericana.

MARS ODYSSEY 2001

La sonda *Mars Odyssey 2001* continuó las labores encomendadas a las fracasadas *Mars Climate Orbiter* y *Mars Polar Lander*. La nueva sonda estaba equipada con:

– un espectrómetro de rayos gamma preparado para crear un mapa global de la composición elemental de la superficie de Marte,
– un MARIE (*Mars Radiation Environment Experiment*) capaz de estudiar y medir las radiaciones en el entorno del planeta de cara a posteriores misiones tripuladas,
– un sistema de captación de emisiones termales preparado para levantar un mapa mineralógico y morfológico de Marte.

dounidenses, que no dudaron en acusar al gobierno estadounidense de haber saboteado intencionadamente la misión de la *Mars Observer* a fin de ocultar increíbles descubrimientos sobre la existencia de vida extraterrestre inteligente en Marte. La petición realizada por este colectivo de que la NASA publicara las fotos obtenidas por la *Mars Observer* antes de

En 1953, Byron Haskin dirigió la película *La guerra de los mundos,* basada en la novela homónima de H.G. Wells que dio pie a la famosa emisión radiofónica de Orson Welles que creó una psicosis nacional en EE UU.

CATÁSTROFES

*L*as personas interpretamos
constantemente la naturaleza,
dialogamos siempre con el medio e
intentamos explicarlo y controlarlo,
también cuando la naturaleza desata
sus terroríficas fuerzas. Antes de que la
ciencia se apoderara del discurso sobre
la verdad del mundo, todos los pueblos
contaban con interpretaciones míticas
y precisas profecías o leyendas,
transmitidas desde una época perdida en
la caja oscura e infinita del tiempo. Hoy,
cuando vemos que el discurso científico
es insuficiente y en muchos casos
perjudicial por mutilador, debemos
recuperar esa sabiduría antigua que nos
abre los ojos a verdades tan evidentes
como olvidadas. Así Manitú, un dios de
los indios norteamericanos, nos da una
perspectiva sobre el mundo radicalmente
opuesta al capitalismo salvaje de hoy:
«La Tierra no pertenece al hombre, sino
que el hombre pertenece a la Tierra».

Todas las culturas ancestrales han
interpretado la naturaleza y han
dedicado parte de esos relatos a explicar
las grandes catástrofes naturales, desde
terremotos a erupciones de volcanes o
diluvios, de manera particularmente
hermosa. Los indios mapuches chilenos
o los indios norteamericanos relacionan
directamente los acontecimientos del
mundo exterior con la vida espiritual,
para ellos no hay separación entre el
hombre y la naturaleza. Quizá, cuando
hoy hemos dejado de creer que una vaca
es un ser vivo para pensar que es un
producto, debamos recurrir a otras
filosofías, antes de que todos
enloquezcamos...

209

La furia de los volcanes en erupción se ha cernido
en ocasiones sobre el hombre y ha desatado
terribles catástrofes.

UN DILUVIO EN ENTREDICHO

En la actualidad los científicos dudan de la existencia de un diluvio que cubriera toda la Tierra, pero los creacionistas, con su interpretación literal de los textos bíblicos, mantienen, en oposición a la teoría de la evolución, que descendemos directamente de Noé y de sus hijos.

LAS MEDIDAS DEL ARCA DE NOÉ

Según las Sagradas Escrituras de la tradición judeocristiana, las medidas del arca son las siguientes: 300 codos de largo, 50 codos de ancho y 30 de alto. Estos codos referidos por la Biblia son los llamados codos antiguos, equivalentes cada uno de ellos a 27,40 cm. Sin embargo, el codo estándar equivale a unos 50 cm.

Puede servir como referencia otra alusión bíblica, la de las medidas del templo de Salomón, cuyas dimensiones eran de 60 codos de largo, por 20 de ancho y 30 de alto. El templo ha sido destruido y reconstruido en muchas ocasiones.

No obstante, gracias a recientes excavaciones se sabe que el actual muro de las lamentaciones se extiende hasta 488 metros y que esto es la novena parte del perímetro total del templo, que era, por tanto, de 4 392 metros.

Convirtiendo las medidas del arca en codos antiguos a metros, ésta tendría 8 235 m de largo, 1 372 m de ancho y 23 m de alto.

«Le pesó a Dios haber creado al hombre y quiso que toda la carne bajo el cielo pereciera. Sólo Noé, de 600 años de edad, halló gracia frente a Dios y recibió el mandato de construir un arca en la que debería subir dos ejemplares, hembra y macho de toda especie animal, al igual que a su mujer, a sus hijos Sem, Cam y Jafet y a las esposas de éstos» (Génesis 6-9). Según la Biblia, el diluvio universal arrasó toda forma de vida en la Tierra con una tormenta que duró cuarenta días y cuarenta noches, hasta que Dios sopló y la Tierra fue visible de nuevo. Tras el diluvio, Dios vio que el mal era consustancial al hombre y decidió no volver a castigar a todo ser viviente, por lo que estableció un pacto, cuya señal es un arco en el cielo, el arco iris.

Fósil del mesozoico perteneciente a un pterosaurio ranforrínquido. Los defensores de la teoría creacionista consideran los fósiles como los restos sepultados de las víctimas del diluvio universal.

Científicamente no puede afirmarse o negarse la existencia del diluvio universal. Abogan en su favor las muchas leyendas recogidas en muy diversos pueblos que describen un hecho similar, aunque muchos de estos lugares fueron afectados por inundaciones fluviales, como Mesopotamia, las orillas del Nilo y el litoral de Grecia. La hipótesis más probable es que no se haya producido un diluvio que cubriera la Tierra, sino diferentes diluvios locales que afectaron de distinta manera y en diversas épocas glaciares a muchísimos pueblos de todo el planeta.

HOMBRES Y DINOSAURIOS

Los creacionistas, sin embargo, niegan la teoría de la evolución de las especies y creen fir-

OTROS MITOS, OTROS DILUVIOS

Existen más de 270 ejemplos de diluvios, pertenecientes a 60 tradiciones y procedentes de países y culturas tan diversos como Grecia, la India o los pueblos precolombinos de América.

Todos ellos comparten el hecho de que el diluvio fue un castigo en el cual sobrevivieron sólo unos pocos, tanto hombres como animales, elegidos por los dioses. La narración más parecida al diluvio bíblico es la encontrada en las ruinas de Nínive, en la zona de Mesopotamia. Este relato babilónico, perteneciente al poema de Gilgamesh, describe el miedo de éste a la muerte y cómo interroga al único ser inmortal, Utnapistim, quien le revela la llegada del diluvio, al mismo tiempo que su salvación.

Estatua del siglo XVIII a.C. que representa a Gilgamesh, protagonista de una leyenda sobre el diluvio.

memente en que todos los seres vivos descendemos de los supervivientes del arca de Noé. Para ellos, el registro fósil no presenta una gradación desde formas de vida primitivas y simples que aparecen temprano en la columna geológica, hasta las formas anatómicamente más complejas que aparecen más tarde.

Es decir, niegan la secuencia de aparición de varios grupos fósiles: primero invertebrados, después vertebrados simples, tras éstos peces con mandíbulas, a continuación anfibios, después reptiles y por último aves y mamíferos.

Este hecho significaría la secuencia lógica de una descendencia evolutiva con modificación, en la cual los organismos que aparecen más arriba en la columna geológica serían los descendientes de aquellos organismos que aparecen situados más abajo en la escala.

Detalle de la obra *El Diluvio*, de Miguel Ángel, en la que el genio renacentista plasmó la crudeza del acontecimiento.

Sin embargo, para los creacionistas, el registro fósil no es una consecuencia de la evolución, sino que realmente representa los restos hundidos de las víctimas del diluvio universal o un gran cataclismo acuático, ya que, según ellos, las distintas capas geológicas se formaron como consecuencia de la fuerza del movimiento de las aguas y no a lo largo de millones de años tal como se creyó durante un tiempo.

A este último argumento los creacionistas responden afirmando que el orden del registro fósil se debe al peso de los organismos que en esa época convivían, por lo cual los más simples quedaron debajo de los más complejos.

Para la teoría creacionista, el vasto registro fósil comprende un cementerio global preservado en la roca para que todo el mundo pueda verlo; de ninguna manera es un registro de la evolución gradual de la vida, sino de la destrucción súbita de la misma, por lo que ellos entienden que no hay ninguna razón plausible para dudar de que el hombre convivió con los dinosaurios y con otras especies que supuestamente se extinguieron antes de la aparición del ser humano.

UN ENIGMA BAJO LAS AGUAS

Los científicos que defienden la existencia del diluvio como un hecho histórico se basan en hallazgos como el descubrimiento de útiles de piedra congelados en grandes profundidades y en asociación con la fauna del período glaciar.

Para la ciencia, la última glaciación se extendió por la mayor parte del planeta y congeló bajo montañas de hielo medio mundo, incluyendo zonas tropicales. El hielo que se había formado, por alguna razón se descongeló muy rápidamente. En muy poco tiempo, las aguas crecieron de tal forma que inundaron zonas montañosas y anegaron millones de kilómetros cuadrados; una catástrofe en la cual perecería una humanidad anterior a la nuestra y cuyos escasos supervivientes recordaron en forma de relato mítico.

EL KRAKATOA, UNA FURIA INEXPLICABLE

La mayor catástrofe humana documentada históricamente sufrida como consecuencia de la erupción de un volcán, el Krakatoa, se produjo el 26 de agosto de 1883 en una de las islas del archipiélago indonesio, entre Sumatra y Java. La actividad volcánica hizo desaparecer casi en su totalidad la isla y causó la muerte de más de 36 000 personas, que quedaron sepultadas bajo la lava. Al parecer, la catástrofe se debió a un choque de placas tectónicas.

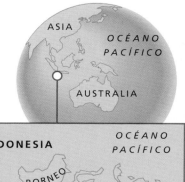

El Krakatoa continúa siendo un volcán activo, que se eleva 813 metros sobre el nivel del mar y da nombre a la isla en la que se encuentra, localizada en el estrecho de la Sonda, entre las islas de Sumatra y Java, en el archipiélago indonesio.

La devastadora erupción del Krakatoa, según un grabado publicado en el periódico francés *L'Illustration*.

212

Su erupción en el siglo XIX sigue siendo una de las catástrofes naturales con mayor número de víctimas mortales; en total, la lava cubrió un área de 35 kilómetros cuadrados.

En la actualidad la isla sigue estando prácticamente deshabitada, porque las personas que lograron sobrevivir y ser evacuadas no pudieron regresar, de hecho, hasta 1927. La mayor parte de la isla era irreconocible.

HIPÓTESIS DE TRABAJO

El caso del Krakatoa ha sido estudiado en muchísimas ocasiones y la hipótesis más probable es que su impresionante explosión se debiera al choque de placas tectónicas de la corteza terrestre. El problema más complejo al que se enfrentan los vulcanólogos al intentar formular una teoría sobre el funcionamiento de los volcanes es la enorme dificultad de poder encontrar características comunes, ya que cada volcán tiene una estructura muy particular.

Durante mucho tiempo, los geólogos supusieron que la existencia de sucesos volcánicos se debía a la entrada de agua en el interior de la

EL CINTURÓN DE FUEGO DEL PACÍFICO

La mayor parte del vulcanismo que se observa en superficie se localiza en el denominado «cinturón de fuego» del Pacífico, que comprende prácticamente todo el contorno del océano Pacífico, desde el área de Nueva Zelanda, los archipiélagos de Filipinas y Japón, la península de Kamchatka (Rusia), Alaska, la costa occidental de Estados Unidos, México, Centroamérica y la región andina en Sudamérica.

Tierra. Sin embargo en los últimos años, los geólogos han integrado el vulcanismo en la teoría de la tectónica de placas, tras observar que los volcanes suelen encontrarse en las fronteras de las placas más importantes.

La teoría más aceptada acerca de las erupciones establece que el mecanismo es similar a la forma en que el gas de una bebida gaseosa puede provocar un chorro de ésta, considerando además la gran cantidad de energía acumulada debido a las altas temperaturas.

MÁS DE MIL VOLCANES

Los vulcanólogos definen un volcán como una abertura en la superficie de la Tierra, a través de la cual se produce un escape de gas caliente, rocas en fusión (lava) y cenizas; dicha emisión puede ser lenta, en cuyo caso se dice que el volcán está activo, o, por el contrario, rápida y violenta, es decir, en erupción.

Existen más de 1 500 volcanes en todo el mundo que pueden ser considerados activos; sin embargo, muchos de ellos no presentan una actividad continua y se encuentran en fase de reposo, y además hay que tener en cuenta que la mayoría de la actividad volcánica es submarina. Dicha actividad forma parte de uno de los procesos dinámicos que se desarrollan sin interrupción en el planeta, que permite la creación de nuevo material: la formación de rocas volcánicas al enfriarse el magma o lava.

BAJO EL VOLCÁN

Aun cuando las erupciones volcánicas no son muy frecuentes, en comparación con otro tipo de fenómenos naturales como terremotos, maremotos o huracanes, es muy importante reconocer el área que podría resultar afectada alrededor de un volcán, ya que incluso un volcán inactivo podría constituir un peligro para la población si coinciden varios factores, tal como sucedió recientemente en Nicaragua, donde una

LA BELLEZA DEL HORROR

El 24 de agosto del año 79 d.C., el Vesubio, que entonces estaba apagado, estalló en una sobrecogedora erupción, que sepultó bajo las cenizas y la lava la próspera ciudad de Pompeya con sus magníficos edificios, templos, palacios, baños y teatros. Pompeya era también conocida por la calidad de sus vinos. El 24 de agosto, la población de Pompeya fue sorprendida por la súbita erupción del volcán, que hasta entonces sólo proporcionaba un fondo majestuoso a la floreciente urbe. La fecha exacta de la erupción se conoce gracias al legado del escritor Plinio el Joven. La ciudad permaneció sepultada hasta el siglo XVIII, cuando comenzaron las excavaciones, que aún hoy siguen deparando innumerables bienes culturales y artísticos. Al cabo de mucho tiempo de permanecer sepultados, los habitantes de Pompeya aparecieron bajo las ruinas conservados como macabras estatuas.

Esta pintura de J. Volaire, conservada en el Nuevo Museo de Le Havre, recrea la sobrecogedora erupción del Vesubio, que devastó por completo la ciudad de Pompeya en el año 79 d.C.

parte de un volcán se desprendió desde la zona más alta y formó un flujo de material volcánico que, al mezclarse con el agua de lluvia producida por el huracán Mitch, formó grandes flujos de lodo que arrasaron varias poblaciones.

En el siglo XX se atribuyeron alrededor de 150 000 muertes a la actividad volcánica en todo el mundo. Sin embargo, es importante señalar que los estudios cada vez más sofisticados han permitido salvar un gran número de vidas, como ocurrió en Filipinas, donde los vulcanólogos del Servicio Geológico de Estados Unidos previnieron a la población respecto a la inminente erupción del volcán Pinatubo, en 1991.

México y Centroamérica son áreas de gran actividad volcánica. En 1994 y 2000, el volcán Popocatépetl, situado a unos 60 kilómetros al sureste de Ciudad de México, comenzó una nueva etapa eruptiva con explosiones de carácter moderado y expulsión de algunas cenizas mezcladas con gases. Sin embargo, los niveles de actividad han sido estables y no han constituido una seria amenaza para los pobladores de los alrededores.

En 1998, otro volcán mexicano que presentó actividad fue el Colima, situado en el oeste de México. En este caso, los instrumentos detectaron señales indicativas de movimiento de magma en el interior.

En este grabado de la época aparece un barco de gran porte varado tierra adentro, como consecuencia de la ola provocada por la erupción del volcán Krakatoa.

LAS EXTRAÑAS LLUVIAS DE OBJETOS

Tanto la mitología como la ciencia han registrado la caída de objetos del cielo, que van desde la lluvia de peces o ranas hasta la caída de cruces, piedras y meteoritos. Las explicaciones que se dan van desde la consideración simbólica del cielo hasta el traslado de objetos como consecuencia de tornados o huracanes.

En la Biblia se describe la más antigua de las lluvias de objetos extraños; en el Libro de Josué, capítulo 10, versículo 11, se relata una batalla entre los israelitas y los amorreos, en la bajada de Betorín: «Yavé hizo caer sobre ellos grandes piedras del cielo hasta Aceca y murieron muchos, siendo más los muertos por piedras de granizo que los muertos por la espada de los hijos de Israel».

La religión musulmana narra un hecho similar, sucedido también en una batalla del siglo VI. El ejército de Abisinia asediaba La Meca y, cuando todo parecía perdido, los abisinios fue-

Fragmento de hierro de un meteorito caído en Sikhote-Alin (Siberia oriental), en el año 1947.

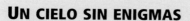

ron increíblemente derrotados por una fuerte lluvia de piedras. Cuenta la leyenda, con la poesía característica de los relatos musulmanes, que éstas eran lanzadas desde los cielos por un ingente número de aves.

En crónicas y grabados antiguos se reflejan otras lluvias de objetos variados; en Sicilia, en el año 746, se cuenta que hubo una lluvia de

UN CIELO SIN ENIGMAS

La importancia concedida al cielo en todas las culturas ha contribuido al desarrollo de instrumentos que permitan contemplar los astros. Esta importante evolución va desde el telescopio de Galileo hasta los radiotelescopios o los telescopios desarrollados por Estados Unidos y la antigua Unión Soviética.
Los únicos objetos móviles constatados por los científicos en el espacio exterior son los cometas y los meteoritos. Los cometas son formaciones de gas congelado y polvo que circulan a través del Sistema Solar en órbitas alargadas. La influencia de la gravedad de las estrellas circundantes empuja los cometas hasta nuevas órbitas que

los llevan hacia el Sol, donde se hacen visibles al ojo humano como unas apariciones incandescentes y fantasmagóricas.
Por su parte, los meteoritos son cuerpos rocosos de tamaño y masa variados. Cuando atraviesan la atmósfera y caen sobre la superficie terrestre, pueden producir grandes cráteres y ocasionar graves desastres ecológicos.
Algunos albergan fósiles microscópicos y compuestos químicos que son la base de la vida. Esto ha dado pie a un debate sobre la posibilidad de vida extraterrestre.

214

Imagen de un tornado sobre Oklahoma registrado en la década de 1980, cuya furia desatada asoló gran parte de la región.

cruces. Durante la Edad Media se relataron lluvias de frutos en las ciudades británicas de Devon y Wansworth.

Más increíbles y vinculadas a la estética de la novela gótica, que tuvo su apogeo en el siglo XIX, son las lluvias de sangre que habrían caído en el siglo XIX sobre París y Bristol, o la de trozos de carne de olor nauseabundo caídos del cielo en Kentucky en 1876.

ANIMALES CAÍDOS DEL CIELO

Ajenas a la religión se han observado y descrito diversas lluvias de animales. En el mes de febrero de 1861, tras seis días consecutivos de lluvia en Singapur, François de Casteinau, naturalista francés que se encontraba trabajando en la isla, comunicó a la Academia de Ciencias de París lo sucedido: «Desde mi ventana vi a un gran número de malayos y chinos llenando cestos de peces que recogían en los charcos de agua que cubrían el terreno. Cuando pregunté por el origen de los peces, respondieron que habían caído del cielo. Tres días después encontramos muchos peces muertos».

En 1833, M. Mauday, director del Museo de Historia Natural de Poitiers, observó una lluvia de sapos durante una tormenta, y en mayo de 1879 miles de pececillos de riachuelo cayeron en tierra, incidente que fue recogido por el Museo de Australia. El doctor Gugger, del Museo de Historia Natural de EE UU, acopió durante cuarenta años informes sobre estos acontecimientos, encontrando 78 relatos diferentes: 17 en EE UU, trece en la India, once en Alemania,

LA MIRADA INQUIETA DE LA SOCIEDAD FORTEANA

La persona que más se ha ocupado de estudiar las lluvias de objetos de difícil explicación es Charles Fort, un rastreador de enigmas, que nació en Nueva York en 1874 y falleció en 1932. Recopiló a lo largo de su vida más de 60 000 fichas sobre acontecimientos paracientíficos. En 1919 publicó su obra *Libro de los Condenados*, a la que siguió *Tierras Nuevas*, *Talentos Salvajes*. El talento visionario del autor revela una curiosa y poética concepción del cosmos en las más de 60 000 fichas citadas, que se conservan en la Biblioteca de Nueva York. Más tarde, el escritor Tiffany Thayer fundó la Sociedad Forteana, que existe aún y sigue investigando fenómenos que no encuentran explicación en los postulados de la ortodoxia científica.

En este grabado de O. Magnus datado en 1555 aparece representada una lluvia de peces. Los casos de lluvias de animales son cuantiosos, y sobre muchos de ellos la ciencia no se aventura a emitir un veredicto concluyente.

Los textos bíblicos también recogen casos de lluvias de animales tales como insectos, que, según sus explicaciones, constituían la materialización de un castigo de orden divino.

nueve en Escocia, siete en Australia y cinco en Inglaterra y Canadá. En algunos países estos fenómenos son constantes, como en el caso de la ciudad de Yoro, en Honduras, donde, al comenzar la época de lluvias, los habitantes esperan recoger las sardinas que caen con las tormentas.

ENTRE LA CIENCIA Y LA MITOLOGÍA

En la actualidad no hay una teoría científica clara que explique este tipo de fenómenos; algunos investigadores que se han aventurado a dar una explicación, sitúan el origen de estas lluvias de objetos en los efectos que provocan algunos torbellinos y tornados; ambos fenómenos atmosféricos se forman de una manera espontánea por las diferencias de temperatura entre distintas capas de aire. Una vez que cobran autonomía, multiplican su fuerza y se llevan consigo todo lo que encuentran a su paso. Es muy posible que algunos tornados absorban los animales contenidos en las charcas o los ríos que atraviesan, los eleven en el aire y, cuando pierdan fuerza, los dejen caer a cientos de kilómetros de distancia en medio de copiosas lluvias.

En cuanto a las explicaciones mitológicas, todas las culturas confieren a los objetos y animales caídos del cielo un carácter simbólico.

DE TERREMOTOS Y LEYENDAS

Chile es un país con una actividad volcánica muy frecuente y lo ha sido desde tiempos inmemoriales, según reflejan las leyendas de los indios mapuches. En el siglo XX, uno de los fenómenos telúricos que habían atemorizado a los antiguos mapuches volvió a asolar a los habitantes del país andino. Una vez más, tampoco en este caso existían explicaciones científicas convincentes.

Devastadores efectos del terremoto que asoló la ciudad chilena de Valdivia en mayo de 1960. Este seísmo, el de mayor intensidad registrado en el siglo XX, alcanzó los 9`5 grados en la escala Richter.

Las leyendas chilenas cuentan que las islas del sur del país fueron creadas como consecuencia de una aterradora y feroz batalla entre la maligna serpiente del mar Cai-Cai-vilu, y la benigna Tren-vilu, serpiente de la tierra y aliada de los indios mapuches. La serpiente del mar, aliada con los brujos de los volcanes, se propuso inundar la Tierra y para cumplir su maldición desencadenó terremotos y terribles sacudidas de las aguas del mar y de los ríos. Mientras las aguas subían, las personas que eran arrastradas hacia el mar se convertían en ballenas. Finalmente, las dos serpientes enemigas se enfrentaron en una lucha de tal violencia que fragmentaron el territorio de Chiloé al sur y de la que nacieron los lagos e islas de la zona. Desde época inmemorial, los nativos realizaban sacrificios de animales y, esporádicamente, humanos, para aplacar la ira de las serpientes.

Otra hermosa leyenda cuenta que un príncipe inca amaba las aguas del mar Arica, que visitaba todos los años, rodeado de su corte, celebrándose cada verano una gran fiesta a su llegada al mar, donde el príncipe se deleitaba viendo cómo las cortesanas más hermosas se bañaban en las aguas tibias del océano. Tan hermosas eran estas mujeres, que las sirenas sintieron unos celos terribles. En una noche festiva y orgiástica de los cortesanos en las arenas de la playa, las sirenas desataron su furiosa envidia en el fondo del mar y provocaron la agitación de las olas; éstas crecieron con descomunal potencia y alcanzaron a toda la corte, que pereció en el fondo de las aguas azules; pero las olas apagaron el fuego carnal cortesano, sino que fueron tan gigantescas que apagaron también el fuego divino del volcán Tacora.

La leyenda cuenta también que los lagos Chungará y Cotacotani fueron creados por la ira desatada de la naturaleza ante la injusticia de dos tribus antagónicas que no permitieron que el príncipe de una contrajera matrimonio con la princesa de la otra. Los dos enamorados fueron asesinados por sus respectivas familias y, como castigo de la naturaleza, ambas tribus fueron inundadas, todos perecieron ahogados y en el lugar en el que habitaban las tribus nacieron dos lagos. Además, donde fueron asesinados el príncipe y la princesa crecieron dos volcanes para que fueran recordados por siempre: el Parinacota y el Pomerame.

LA INEXPLICABLE IRA DE LA TIERRA

El movimiento telúrico más violento e inexplicable registrado en el siglo XX ocurrió en la ciudad chilena de Valdivia en 1960. La onda sísmica se sintió en todo el cono sur del continente

El terremoto que asoló la ciudad de Lisboa en noviembre de 1755 según una pintura de Glama conservada en el Museo de Arte Antiguo lisboeta.

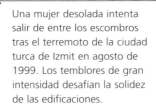

Una mujer desolada intenta salir de entre los escombros tras el terremoto de la ciudad turca de Izmit en agosto de 1999. Los temblores de gran intensidad desafían la solidez de las edificaciones.

americano y alcanzó una intensidad de 9,5 grados en la escala Richter.

El 22 de mayo, poco después del mediodía, sintieron los habitantes de la ciudad de Valdivia una fuerza aterradora que sacudía la tierra: era el terremoto más fuerte jamás registrado. El terremoto dejó sin hogar a 2 millones de personas y más de 4 000 perdieron la vida. Pero las consecuencias no fueron sólo humanas, sino también geográficas: algunos ríos cambiaron su curso, las montañas sufrieron desplazamientos y nacieron nuevos lagos, ya que tras el terremoto dos *tsunamis* (olas gigantes de fuerza descomunal) acabaron de arrasar la zona. Los *tsunamis* se debieron a que uno de los varios epicentros del terremoto estuvo en el mar; como consecuencia del seísmo, se produjeron tsunamis a lo largo de todo el océano Pacífico, con trágicas consecuencias en las costas de California, Hawai y Japón.

En Chile, las ciudades más afectadas fueron las de Valdivia, Chiloé, Angol y Concepción. Tal fue la fuerza del terremoto, que modificó la línea costera meridional chilena. Olas de 25 metros de altura arrasaron las costas de Chile y Perú, y se propagaron desde el epicentro a una velocidad superior a los 300 kilómetros por hora.

A pesar del elevado número de víctimas mortales, la catástrofe pudo ser mucho mayor. Sin embargo, gracias a que el terremoto del 22 de mayo no fue el primero, sino el cuarto de una serie de siete, muchas personas habían abandonado ya la zona.

De la destrucción sufrida por la ciudad puede dar idea el hecho de que, actualmente, en Valdivia no quedan restos de arquitectura colonial, ya que todos fueron destruidos por el terre-

LISBOA ARRASADA

El 1 de noviembre de 1755, un violento terremoto destruyó la ciudad de Lisboa. El temblor tuvo su epicentro en la falla Azores-Gibraltar, a 37° N y 10° 0, y afectó también a otras regiones de Portugal y el sur de España. Aunque sólo duró dos minutos, sus efectos fueron devastadores. La mayoría de los edificios en Lisboa quedaron destruidos y se produjo un gran incendio. De los 235 000 habitantes de la capital portuguesa fallecieron 50 000.

Paralelamente, un terrible y persistente tsunami azotó las costas portuguesas y el golfo de Cádiz. El oleaje de origen sísmico conocido con el término japonés de *tsunami* puede desplazarse a unos 800 km por hora y alcanzar una altura cercana a los 15 m.

LAS MEDIDAS DE LA TRAGEDIA

La intensidad de un movimiento telúrico se mide por medio de unas escalas establecidas por la comunidad científica. Las más utilizadas son la de Mercalli y la de Richter.

La escala de Mercalli toma el nombre del físico italiano que la estableció: Giuseppe Mercalli, que vivió en el siglo XIX. Es una escala que se basa en la percepción que tienen las personas del movimiento de la tierra. Sirve para reunir información en lugares en los que no existen sismógrafos. Está basada en grados de intensidad que miden tanto las percepciones humanas como los daños causados.

La escala de Richter fue ideada por Charles Francis Richter, en 1935, con la ayuda de Beno Gutenberg. Ambos científicos propusieron un método eficaz para comparar cuantitativamente la intensidad de los terremotos, de manera objetiva, prescindiendo de las percepciones humanas. A diferencia de la escala de Mercalli, la de Richter cuantifica la fuerza de los terremotos en función de la energía liberada durante el temblor, para lo cual se desarrolló un instrumento conocido como sismógrafo que registra las ondas sísmicas. De todos los terremotos que se han podido cuantificar con este método, el de Valdivia ha sido el más violento.

El célebre sismólogo Charles Francis Richter (1900-1985), creador de la escala que lleva su nombre y a través de la cual se mide la intensidad de los movimientos sísmicos que asolan el planeta.

moto. Pero las consecuencias no sólo fueron humanas, geográficas y arquitectónicas, sino que modificaron la economía de la ciudad. Hasta la década de 1970, Valdivia había desarrollado un importante proyecto de industrialización, que fue arrasado por el terremoto. Fue necesario reestructurar toda la actividad de la zona, se proyectó una ciudad turística y se dio paso a un nuevo plan económico basado en la potenciación de la ciudad por su ubicación costera.

EL FANTASMA DEL FUEGO Y LA DESOLACIÓN

El siglo XX se cobró muchísimas víctimas mortales como consecuencia de numerosos terremotos que se produjeron en todo el planeta. En EE UU, en la ciudad de San Francisco, el 18 de abril de 1906 se sintió un terrible terremoto que tuvo unas trágicas consecuencias al generarse a continuación un incendio que se propagó por gran parte de la ciudad. Más de setecientas personas murieron a causa de los derrumbamientos o el fuego.

A principios del mismo siglo, Europa palideció ante la catástrofe de Messina, en Italia, donde perecieron más de 120 000 personas entre los escombros causados por un terremoto, que se recuerda como el más violento de cuantos han tenido lugar en el continente europeo. Sin embargo, Europa no es una zona del planeta de gran actividad sísmica.

China sufrió algunos de los terremotos más trágicos que se recuerdan: fue el 16 de diciembre de 1920 cuando más de 180 000 personas perdieron la vida al quedar prácticamente toda la ciudad de Kansu reducida a escombros. China padeció además otros dos terremotos trágicos: en la misma ciudad de Kansu morían 70 000 personas en 1932 y en Tangshan se registraron más de 600 000 víctimas el 27 de julio de 1976; este último es el terremoto que mayor número de víctimas mortales se ha cobrado.

Japón también es un país muy castigado por los movimientos telúricos: en 1923, un terremoto causó la muerte de más de 140 000 personas en la ciudad de Kwanto, además de provocar un incendio que se propagó hasta Tokio. En 1995, los terremotos catastróficos azotaron de nuevo al país del Sol Naciente, en esta ocasión a la ciudad de Kobe, en la cual perecieron más de 5 000 de sus habitantes.

Latinoamérica también ha sido muy castigada por estas catástrofes: además del terremoto de Valdivia, en Chile, en 1972 hubo más de 5 000 muertes en Managua, capital de Nicaragua, y más de 22 000 en Guatemala en 1976. En 1985, la tierra tembló en el Distrito Federal mexicano, y una gran parte del corazón urbano de la capital quedó arrasado, dejando a más de 40 000 personas sin sus viviendas. El Salvador y Ecuador sufrieron en 1986 y 1987, respectivamente, grandes movimientos sísmicos.

Grabado de época en el que se presentan las tareas de rescate y la consternación de quienes las realizaban ante los horrores del seísmo de gran intensidad que devastó la ciudad italiana de Messina el 8 de diciembre de 1908.

Planisferio celeste del siglo XVIII que muestra los signos del Zodíaco.

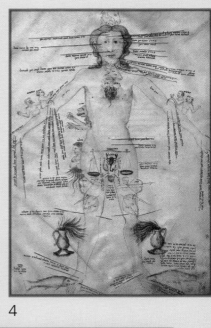

1

EL IMAGINARIO COLECTIVO

Desde que empezó su andadura a lo largo de la historia, el ser humano ha tenido siempre la imperiosa necesidad de comprender todo cuanto le rodea a fin de mejorar su adaptación al medio. En la actualidad, las ciencias altamente perfeccionadas han permitido a los hombres el tomar conciencia de la naturaleza y el funcionamiento de su hábitat al detalle, tomando el relevo dejado por los mitos y las leyendas, que en la Antigüedad ejercieron esta misma función de explicar cuanto ocurría en el planeta.

Sin embargo, existe aún un sinfín de sucesos sobre los que la ciencia no ha podido arrojar luz alguna, los cuales conforman un compendio de enigmas que no han dejado nunca de fascinar al ser humano. Bien por su naturaleza del todo imprevista o bien por la falta de información al respecto, parece difícil que gran parte de estos misterios logren solucionarse algun día, lo que da rienda suelta a la especulación y a la enarbolación de todo tipo de variopintas teorías en lo que a ellos se refiere.

Así pues, si bien por ahora no existe una versión oficial acerca de la existencia de vida extraterrestre en otros planetas, de la misma forma que tampoco disponemos de una confirmación fehaciente sobre la efectividad de antiguos rituales como el de la reanimación de los muertos, todos estamos en contacto con oscuras historias sobre estos y muchos otros temas de la misma naturaleza. Todos juntos conforman un imaginario colectivo que tiene como función primordial el mantener viva la en ocasiones reconfortante y en ocasiones inquietante sensación de que el universo aún nos reserva infinidad de sorpresas.

2

3

4

1. Ataque de una serpiente marina a un pesquero en una ilustración de 1819.
2. Detalle de un planisferio celeste del siglo XVIII.
3. Grabado que representa a Dalila cortándole el cabello a Sansón.
4. Anatomía humana de 1181.
5. Fotograma de *Star Trek* (1979).

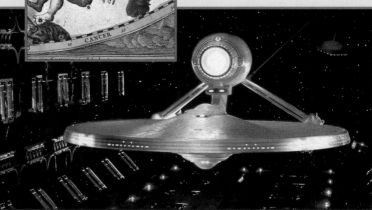

5

HUMANOS CON FORMA DE ANIMAL

*U*n bestiario fabuloso de seres semihumanos ha nutrido la imaginación del hombre. Los deseos e inquietudes más ocultos subyacen bajo la apariencia animal de la variada fauna que ha atemorizado y seducido a la humanidad desde sus orígenes. Todas las culturas sienten esta especie de vértigo respecto a su evolución biológica. Mujeres parcialmente metamorfoseadas en aves, hombres convertidos en murciélagos o transformados en lobos, antropoides de aspecto simiesco, dioses con forma humana que adquieren la apariencia de serpientes o que se encarnan en animales a través de un mediador —el chamán— en sus ritos propiciatorios, conforman un desfile singular de bestias más o menos amenazadoras. El animal se convierte en padre, aliado o enemigo. El hombre toma de él sus virtudes o visualiza sus miedos y temores. Fantasea con su aspecto. Sirenas, vampiros, licántropos y hombres-mono, comparten con los cultos a dioses como Quetzalcóatl —hombres de naturaleza divina y también animales benéficos— el formar parte de un imaginario antropomorfo fascinante que aún continúa vigente en nuestros días.

221

Quetzalcóatl según el *Códice Florentino*. El mito cuenta que esta deidad azteca era capaz de encarnarse bajo formas animales.

CANTOS DE SIRENAS

*En un pasado de leyenda, las sirenas embelesaban con sus cánticos
a los navegantes para luego devorarlos. Mitad bestias, mitad humanas,
las sirenas seducían a los hombres llevándolos a su perdición.
Voluntariamente atentos a su reclamo, fueron muchos los que
se dejaron seducir por sus encantos.*

LAS FEÍSIMAS SIRENAS QUE DESCUBRIÓ COLÓN

Cristóbal Colón aseguró haber visto
sirenas en el Nuevo Mundo. Las *Crónicas de Indias* recogen que avistó tres
—número que coincide con las descripciones de los autores antiguos— en las
costas orientales americanas. No obstante, según sus propios contemporáneos, el Almirante debió de confun-
dirlas con manatíes, unos mamíferos
acuáticos de gran tamaño y cuello
corto, cuyos lamentos parecen humanos y cuyas hembras tienen por atributo
voluminosas mamas. Para su decepción,
no le parecieron tan hermosas como se
las había imaginado; sin embargo, no
es de extrañar: los manatíes son
parientes de lo que comúnmente
conocemos como vacas marinas.

En este grabado del siglo XIX,
las seductoras criaturas
mitológicas aparecen
representadas como seres
alados, forma bajo la que eran
conocidas en el imaginario
de la antigua Grecia.

Ilustración de un manuscrito
del siglo XV en el que las
sirenas, bajo su habitual forma
de criaturas acuáticas, atraen a
los incautos tripulantes de una
nave hacia una muerte segura
en las profundidades.

Pese a la imagen que tenemos formada, estas
ninfas marinas eran, en su origen, mitad mujer
y mitad ave (y no pez, como suele creerse).
Aunque los poetas difieren en su cuantificación,
se admite que fueron tres, Parténope, Ligia y
Leucosia, como tres eran los atractivos con los
que seducían a sus víctimas: la música, el vino
y el amor. Habitaban en rocas escarpadas, cerca de las costas de Italia. Según la leyenda, la
diosa Ceres las convirtió en seres zoomorfos
como castigo por haber permitido el rapto de
su amiga Proserpina.

En uno de los episodios más conocidos de la
Odisea, Ulises logra derrotarlas gracias a la

LA SIRENA DESGRACIADA

La sirenita es, sin duda, la obra literaria más conocida que tiene como protagonista a este bello ser de origen mitológico. A diferencia de otras interpretaciones, el relato del escritor danés Hans Christian Andersen (1805-1875) —que adaptaría en 1989 la factoría Disney en versión animada— presenta a la pequeña sirena como una heroína de destino trágico. Enamorada del príncipe al que había socorrido en las aguas, decide desembarazarse de su hermosa cola para poder unirse con él en tierra. Sin embargo, a pesar de los sufrimientos que la transformación conlleva y del tierno amor que le profesa, el heredero al trono la traiciona.

Más tarde, la pecaminosa imagen de las sirenas fue diluyéndose hasta ser sustituida por una impaciente curiosidad, apreciable en los ocasionales hallazgos de los que se tiene constancia. La prensa británica, en el siglo XVIII, aún daba crédito a la súbita aparición de este espécimen en las costas de su país. Por otro lado, el folclore vasco, como otros europeos, no sólo mantuvo vigentes varias leyendas acerca de las sirenas, sino que durante muchos años sostuvo que estas ninfas hablaban un idioma extrañísimo que únicamente los marineros eran capaces de interpretar.

Con el tiempo, el desarrollo de la ciencia cuestionó algunas de las supuestas apariciones; en cualquier caso, ello no mermó la fascinación por tan bellas criaturas. La prueba es que el nombre de sirenas ha sido adoptado en un sinfín de lenguas para caracterizar la seducción de las pasiones que ejercen las mujeres.

advertencia de Circe. Ésta le previene con las siguientes palabras: «Llegarás primero a las sirenas, que encantan a cuantos hombres salen a su encuentro. Aquel que imprudentemente se acerca a ellas y oye su voz, ya no vuelve a ver a su esposa ni a sus hijos». Para evitar el embrujo, Ulises se hace atar al mástil y ordena a sus hombres taparse los oídos con cera reblandecida para impedir que queden prendados de sus cánticos. De esta manera puede deleitarse escuchándolas sin que él o algún miembro de la tripulación se arroje enloquecido por la borda.

La sirena que preside el puerto de Copenhague ofrece un registro sentimental e inofensivo de estas criaturas mitológicas, en contraste con la maldad que les ha sido atribuida históricamente.

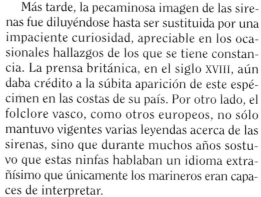

ONDINAS LUJURIOSAS

Por influencia del antiguo Egipto, donde se creía que las almas de los muertos tenían forma de ave con busto humano, las sirenas se asociaron al alma de los difuntos. Quizás por ello la creencia en estos seres fabulosos pervivió camuflada a lo largo de siglos. El cristianismo asimiló esta imagen pagana añadiéndole nuevos matices. Así, en la Edad Media se las llamó *mermaids* u ondinas y su figura, representada en numerosos capiteles con carácter moralizante, era símbolo inequívoco de lujuria. En algunos casos, la talla incluye doble cola. Puesto que ya no extraviaban sólo a los navegantes, sino que, en su condición de ninfas del Mal, llevaban a la perdición a cualquiera que sucumbiese ante ellas, las sirenas comenzaron a ser vistas como seres peligrosamente seductores de los cuales debían protegerse los acólitos.

La seducción era una de las principales armas de las sirenas para culminar sus objetivos, como puede observarse en este grabado del siglo XIX en el que un marino es raptado por una sirena.

Vasija griega del siglo V que presenta a Ulises atado al mástil de la embarcación en la que viajaba. De esta manera se aseguraba no caer rendido ante los encantos de las sirenas aladas.

AULLIDOS BAJO LA LUNA LLENA

*El hombre que metamorfoseado en lobo
acecha a sus víctimas bajo la influencia
lunar, hunde sus raíces en lo más
telúrico de la conciencia humana.
El rastro de su influencia, que
comparten los más diversos pueblos
y culturas de nuestro planeta,
permanece latente.*

La rica mitología celta-irlandesa nos dice que, en tiempos remotos, el lobo fue un animal consagrado a Lug, divinidad pagana que después los romanos incluyeron en su panteón. Según recogen los poemas épicos *Leabhar Gabhala* conservados en el Trinity College de Dublín, Lug era dios y héroe, maestro de los saberes, resucitador de muertos, matemático, músico y arquitecto. Desde entonces, el lobo fue considerado un símbolo en diversos ritos iniciáticos y, como tal, aparece en relación con algunos santos, como san Francisco de Asís.

La identificación del hombre con el animal se recoge muy temprano en los relatos clásicos. Según la tradición, Roma fue fundada por dos hermanos amamantados por una loba, y hay numerosos mitos en los que su protagonista se transforma en esta fiera. En la Edad Media, los lobos constituían un emblema del Maligno. Algunos pasajes de la Biblia testifican la anti-

En este grabado xilográfico del siglo XVI se muestra a un salvaje hombrelobo que perpetra una atroz carnicería humana.

gua animadversión que existía hacia él, aunque probablemente se deba en gran parte al hecho de que el lobo ha sido considerado el animal más temible y dañino para el campesino medio de la época y, ante todo, un depredador rival.

También ha sido asociado con la brujería, bien porque se creía que el lobo era la montura de los brujos o porque se pensaba que la forma que tenía el diablo de recompensar a un hechicero consistía en entregarle una piel mágica o un ungüento que le permitiera transformarse en lobo. En toda Europa existía una creencia muy arraigada, transmitida de generación en generación y defendida por personalidades como el médico y alquimista suizo Paracelso (1493-1541), según la cual los criminales, una vez maldecidos por un sacerdote en su lecho de muerte, se transformaban en lobos.

En Italia circulaban determinadas leyendas que afirmaban que quien nacía en luna llena o dormía al raso un viernes de luna llena se convertía en hombre lobo. En los Balcanes, por el contrario, era comer cierta flor lo que producía

El muérdago ha sido considerado a lo largo de la historia uno de los muchos elementos protectores contra el ataque de los hombres lobo, como también lo han sido la cebada o las cenizas.

UN HOMBRE LOBO SANGUINARIO EN ALLARIZ

El Archivo Histórico de Galicia conserva un proceso judicial, datado en 1852, con el título «Causa 1788, del Hombre lobo», en el que se relatan los crímenes de Manuel Blanco Romasanta (1808-1853), vecino de la localidad de Allariz (Orense).

Asesinó a nueve personas, a las que decapitó y cuyos cuerpos desgarró luego a mordiscos. Confesó los delitos ante el juez, y se disculpó con las siguientes palabras: «Por culpa de la maldición de uno de mis parientes me convertía en lobo, desnudándome primero y revolcándome después por el suelo hasta tomar dicha forma... pero la maldición terminará el día de San Pedro, cuando se hayan cumplido trece años desde mi primera metamorfosis». Tras el indulto parcial firmado por la reina Isabel II, fue condenado a cadena perpetua, pero Romasanta murió poco después, quizá por la misma razón por la que mueren las fieras salvajes al permanecer cierto tiempo encerradas.

el mismo efecto. Sin embargo, como toda magia negra tiene su contrapeso, también existían diversos remedios para combatirlos. En Inglaterra se aconsejaba plantar centeno o recoger muérdago como medida de protección contra sus ataques.

INDIOS-LOBO

Aunque parezca lo contrario, la figura del hombrelobo no es exclusiva del mundo occidental, ya que también existía entre los aztecas. Los chamanes, también llamados «nahuales», palabra que significa «lo que es mi vestidura» o «piel», poseían la habilidad de transformarse en una criatura, que podía ser un lobo, un jaguar, un águila o un coyote. Como se puede observar, existe un evidente paralelismo entre los brujos europeos y estos magos curanderos protegidos del dios Tezcatlipoca —divinidad de la guerra y el sacrificio— que se transformaban en animal mediante la adquisición de un nuevo estado de conciencia.

Esta litografía de George Sand realizada en 1858 lleva por título *Los Lupinos*, y en ella aparecen representados tres especímenes del temible y enigmático hombre lobo acechando a sus víctimas.

LICÁNTROPOS ASESINOS

Hasta tiempos recientes, muchos delincuentes han sido ejecutados bajo la acusación de ser hombres-lobo. En realidad, es probable que la mayoría de ellos padeciera de licantropía, una enfermedad mental de tendencia caníbal en la que el enfermo se imagina haberse transformado en lobo, imita sus aullidos, come carne cruda y sufre alucinaciones y graves trastornos de personalidad. Licántropos famosos fueron el asesino francés conocido como la Bestia de Gevaudan (1714-1767) y, más recientemente, Manuel Blanco Romasanta (1808-1853). Muchos de estos enfermos se creían lobos.

Dos lobos comunes (*Canis lupus*). El lobo es el animal depredador más extendido del mundo a pesar de la persecución de la que ha sido objeto, lo que demuestra su capacidad de supervivencia.

PASEN Y VEAN A LOS MONSTRUOS HOMBRESLOBO

El doctor Frank Greenberg, experto genetista de la Facultad de Medicina de la Universidad Baylor (EE UU), descubrió en 1982, en la aldea mexicana de Loreto, una familia en la que todos sus miembros padecían de hirsutismo, una enfermedad hereditaria caracterizada por el crecimiento desmesurado de vello en el cuerpo y la cara. Sus vecinos, dominados por la superstición, los aislaron socialmente y evitaron cualquier contacto con ellos.
La familia sólo salía de su casa para ganarse la vida en el único lugar donde eran admitidos, el circo, espectáculo en el que se presentaban ante el público como una insólita jauría de hombreslobo.

VUELOS DE VAMPIROS

De profundo arraigo balcánico, el vampirismo, que comparte con la doctrina cristiana los elementos de posesión de las almas y vida ultraterrena, cobró fuerza a partir del siglo XVIII. Desde entonces, el temor y la fascinación que despertaron los vampiros no han disminuido, y han sido el punto de partida de numerosas obras de ficción.

Un vampiro es, según la leyenda, un espectro que, cuando lo desea, adopta la forma de un enorme murciélago. De gran atractivo erótico para las víctimas, es inmortal, duerme de día en un ataúd y vaga por las noches en busca de hombres o caballos para chuparles la sangre. El ajo

Chistopher Lee caracterizado como vampiro en un fotograma del filme *Drácula*, dirigido en 1958 por Terence Fisher. Este actor inglés interpretó al conde de Transilvania en múltiples ocasiones.

o el crucifijo alejan a los vampiros, pero sólo una estaca clavada en el corazón acaba con ellos. No obstante, en 1672, en Laibach (Hungría), se dio el caso de un vampiro que, según las crónicas, consiguió arrancarse el objeto con el que le habían atravesado.

El vampiro, cuyo primer antecedente se encuentra en las diabólicas sirenas, simboliza el apetito por la vida que renace poco después de ser aplacado. Según la tradición, es reclutado entre los excomulgados, los ahorcados, los suicidas o los que eran mordidos por otro vampiro. Personalidades de la solvencia intelectual del escritor y filósofo francés Jean-Jacques Rousseau (1712-1778) creían en su existencia.

En Rumania existía la costumbre de desenterrar a los muertos tras un período comprendido entre tres y siete años, según la edad del difunto. Si la descomposición era completa, el alma descansaba en paz; de lo contrario, vagaba succionando la sangre en forma de vampiro. A causa del temor hacia estos seres de ultratumba, las exhumaciones eran continuas, y en 1801 el obispo de Siges se vio obligado a tomar

En este grabado del siglo XV aparece representado el temible príncipe rumano Vlad Tepes, ante las víctimas de una de sus ofensivas militares tras su sangriento empalamiento.

UN VAMPIRO EN LAS ÚLTIMAS

El 11 de junio de 1989 apareció en el *Heraldo de Aragón* la siguiente noticia relatada por el parapsicólogo catalán Ángel Gordón, a propósito de varios individuos aquejados de hematodixia (enfermedad en la que los pacientes sufren una constante e imperiosa necesidad de beber sangre): «He localizado a seis. A uno de ellos lo descubrí recorriendo los puestos de un mercado. Entre bromas, se bebía el líquido residual de las bandejas de carnes y vísceras. Es como una droga, llegan a tener el "mono" si no satisfacen sus impulsos. Al parecer, este tipo de personas tiene un alto cociente intelectual, no prueban el alcohol, comen carne cruda y tienen una vida sexual muy activa».

cartas en el asunto. Pero su actuación sólo sirvió para evitar que los campesinos desenterraran aquellos cuerpos que ya habían sido desenterrados en dos ocasiones anteriores.

VAMPIROS... Y VAMPIRESAS

Vlad Tepes Drácula (1431-h. 1477), príncipe de Valaquia, Transilvania, es sin duda el vampiro, en sentido figurado, más célebre de la historia. Llevado a la fama por el escritor irlandés Abraham Stoker (1847-1912), que basó parte de su novela en los escritos del estudioso húngaro Arminius Vamberry, resume todas las atrocidades imaginables. En su lucha contra los turcos, Drácula desplegó tal crueldad que la leyenda posterior, sin duda exagerada, le atribuye el asesinato de sus familiares, la quema en la hoguera de niños, el desollamiento de sus sirvientes

Fotograma de una de las muchas películas en las que el actor Bela Lugosi encarnó el personaje de un vampiro. La repetida representación de este mismo papel acabó por ocasionar al actor graves trastornos mentales.

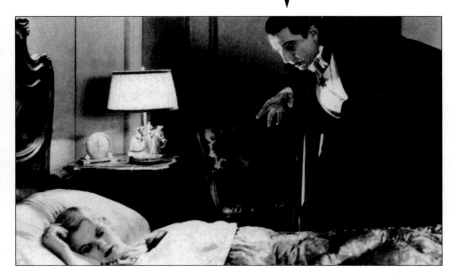

y el empalamiento de sus muchos enemigos... Como castigo a sus desmanes, el rey Matías de Hungría lo capturó y mandó ejecutar durante el pontificado de Pío II, si bien Vlad logró zafarse de esta condena para morir poco después en el curso de una batalla.

Drácula no estaba solo. Además de él, existieron otros vampiros famosos, como el denominado vampiro de Hannover, que mató a unos cincuenta jóvenes entre 1918 y 1924, o el vampiro de Londres, que mató a nueve personas y, después de beber su sangre, sumergió en ácido sulfúrico los cadáveres. Entre las vampiresas, ninguna ha superado en crueldad a Isabel Báthory, condesa transilvana, que no sólo bebía la sangre de jóvenes vírgenes, sino que se bañaba en ella para conservar eternamente su juventud. Cuando los soldados invadieron su castillo a raíz de las denuncias de los campesinos, hallaron cincuenta cadáveres. Sus sirvientes fueron decapitados y a ella la emparedaron viva en su dormitorio.

Dos *Desmondus rotundus*, la más extendida de las especies de murciélago. Uno de los mitos alrededor de los vampiros asegura que éstos pueden encarnarse bajo esta forma animal.

MIEDO A LA RESURRECCIÓN

En zonas muy alejadas de los Balcanes, como Indonesia, Polinesia y la India, existen ritos análogos a los recién descritos. En China, por ejemplo, los cadáveres sospechosos de volverse vampiros eran expuestos a la intemperie para que se descompusieran antes de inhumarlos. Cuando se abría una tumba, si se hallaba al difunto con una apariencia de vida se le pinchaba el corazón con un objeto punzante una sola vez (si eran dos se corría el riesgo de que resucitara) para impedir que el difunto pudiera regresar al mundo de los mortales.

Los suicidas británicos corrían una suerte parecida: eran enterrados en las encrucijadas atravesados con una lanza para evitar que se volvieran vampiros. Esta costumbre atroz no fue prohibida hasta la tardía fecha de 1824.

MURCIÉLAGO PELIGROSO

El vampiro mordedor de Azara (*Desmondus rotundus*), de apenas 30 cm de longitud, orejas puntiagudas y labios en forma de ventosa, puede atacar al hombre. Se alimenta de sangre, tanto de aves como de mamíferos de gran tamaño. Gracias a su saliva anticoagulante, este animalillo nocturno y de fino pelaje puede succionar cuanta sangre quiera, con el riesgo añadido de propagar numerosos gérmenes a sus víctimas.

El vampiro forma colonias poco numerosas en América Central y América del Sur, desde Colombia y Venezuela hasta el norte de Chile, Bolivia y Argentina.

CHAMANES CON LA FUERZA DE LOS ANIMALES

La máscara del chamán identifica al hombre con su animal totémico, y da un sentido mágico al ritual que está realizando. El hombre encarna así a una divinidad que le permite dominar los fenómenos naturales que le atemorizan. Bajo estos preceptos se articulan algunos enigmáticos rituales de los inquietantes chamanes.

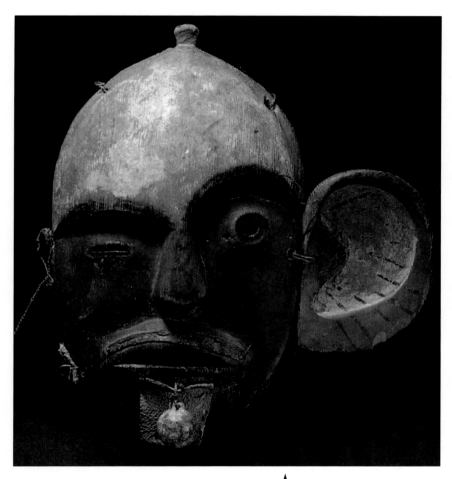

Máscara utilizada en los rituales de curación por los chamanes de una de las múltiples comunidades indígenas del Pacífico.

El chamán es un individuo capaz de alterar deliberadamente su conciencia a fin de obtener respuesta del más allá para aconsejar o curar a los miembros del grupo o la tribu a que pertenece. Para ello suele recurrir a las drogas, o bien, simplemente, hacer uso de máscaras que le ponen en contacto con los espíritus a los que implora. La máscara, que representa espíritus antropomórficos o bien con forma animal, se utiliza en diversas ceremonias, entre las que se encuentran los ritos propiciatorios, de iniciación o funerarios, y en los que puede intervenir o no el resto de la comunidad. Como intermediario entre los hombres y las divinidades, el chamán enmascarado realiza una serie de danzas en las cuales imita los sonidos y los movimientos del animal deificado.

Para los indígenas de las costas del noroeste americano, pueblos sedentarios de pescadores, las máscaras de osos, castores y lobos tenían un carácter religioso, por lo general protector. Estos animales no se podían matar porque se consideraban antepasados de familias o individuos concretos de la tribu. Su representación en las bellas máscaras que elaboraban contenía un lenguaje simbólico evidente para el grupo que comparte determinados mitos, pero indescifrable para todo individuo ajeno a ellos. A pesar de la riqueza de imágenes, el color y el apreciable naturalismo de las máscaras americanas, sus autores no pretenden la concreción de un ideal estético. La función de las máscaras es impresionar. El chamán adquiere poderes sobrenaturales a través de la combinación de la imagen de un animal sagrado y de sus atributos humanos.

¿CHAMÁN O SACERDOTE?

Según José María Poveda, autor de *Chamanismo* (1997), los chamanes, presentes en innumerables culturas, suelen ser nómadas y viven en un medio rural preagrícola. En cambio, los sacerdotes son más propios de las ciudades. El sacerdocio presupone la pertenencia a una clase social y a una jerarquía que cumple con un calendario de conmemoraciones religiosas previamente establecido por los sacerdotes y de obligado cumplimiento para los fieles. Por el contrario, los chamanes carecen de una consideración social relevante en el seno de su comunidad y los rituales que practican son espontáneos y no están sujetos a un esquema cronológico rígido.

BAILE DE MÁSCARAS

No existe una cultura que carezca de máscaras. Los rituales en las que aparecen y su significado difieren según el pueblo al que pertenezcan, pero —piénsese en la tragedia griega, el carnaval, las máscaras africanas o asiáticas— son comunes al hombre de todas las épocas. La cara, la parte del cuerpo más expresiva, es, precisamente, la que se oculta, y esta transformación de la apariencia permite al iniciado alterar su ánimo y ponerse en comunicación con lo sagrado.

Máscara perteneciente a la etnia duala del Camerún, concretamente a la sociedad secreta nacida en su seno bajo la denominación de *Losango*. Esta organización rendía culto a los muertos.

EL DILUVIO PIEL ROJA

En el British Museum de Londres se conserva un antiguo tótem de los indios haida, originarios del sur de Alaska, que ilustra la historia de un diluvio universal.

El tótem está coronado por el «pájaro del trueno», representación de su creador, un hombre con cabeza de hierro. En los tiempos anteriores al diluvio —contaban los ancianos de la tribu—, el hombre con cabeza de hierro era el amo venerado por los hombres y respetado por las divinidades. Cuando comenzó el gran diluvio e inundó la Tierra, los dioses temieron por su protegido, y para salvar a su particular Noé, lo convirtieron en salmón.

Al amainar el temporal lo devolvieron a su forma humana, de manera que, de vuelta en tierra firme, decidió construirse una cabaña a

Tótem del pueblo amerindio de los haida, que habita en el sur de Alaska y el oeste de Canadá. En las tallas de estos postes totémicos suelen aparecer representados los animales sagrados de las distintas tribus.

Ritual de la etnia cherokee según un grabado de la época colonial. La figura del chamán y la del animal sagrado resultaban cruciales en las ceremonias rituales de la tribu.

la orilla del río Nimpkish, donde se había refugiado. Recogió diligentemente troncos y ramas, pero estaba demasiado exhausto a causa del diluvio, que le había dejado sin fuerzas.

En ese momento, apareció para socorrerle el «pájaro del trueno», un ave que tenía el brillo del relámpago en sus ojos y el batir de alas del trueno, que le dijo: «Yo soy como tú. Te ayudaré a recoger y juntar maderos, y luego permaneceré cerca de ti para organizar tu tribu y seré tu protector».

Básicamente era a través de relatos como este sobre el origen de su estirpe como cada grupo de nativos indígenas americanos tomaba a un animal como antepasado y como tótem protector de los suyos.

Las máscaras, conmemorativas de dichos relatos acerca de la génesis de la tribu, identifican al hombre con su animal totémico, y el chamán, cuando se reviste de esta apariencia animal, propicia que el dios vele por ellos en toda ocasión de peligro.

229

QUETZALCÓATL, LA SERPIENTE EMPLUMADA

El dios azteca Quetzalcóatl, mitad ave, mitad serpiente, sabio maestro y benévolo gobernante, abandonó a los hombres una vez cumplida su misión entre ellos. Pero prometió regresar y aún se le espera en las tierras por las que pasó, donde dejó su impronta y conformó uno de los mayores enigmas del contiente americano.

QUETZAL Y QUETZALCÓATL

Quetzalcóatl significa «serpiente emplumada verde», pero el quetzal, además de la moneda de Guatemala, es una bellísima ave trepadora de la América tropical, cuyo suave plumaje de color verde tornasolado y rojo muy brillante en el pecho y el abdomen era muy apreciado en tiempos de Moctezuma. El quetzal mide unos 40 cm de longitud y tiene el pico amarillo con una característica curvatura en su extremo. Los quetzales, que son frugívoros y habitan en troncos huecos, pueblan los bosques centroamericanos y son las especies más bellas del continente.

Escultura de piedra del dios Quetzalcóatl enroscado bajo su encarnación de serpiente emplumada. Son muchos los enigmas en torno a esta deidad azteca, y aún hoy hay quien sigue esperando su regreso.

Quetzalcóatl, bajo la forma de serpiente, representado mientras engulle a un hombre en este detalle del *Códice Borbónico*. Junto a él aparece representada otra de las deidades aztecas, Tezcatlipoca.

Quetzalcóatl, dios civilizador que los aztecas tomaron prestado del sabio pueblo de los toltecas —y divinidad también de los mayas del Yucatán—, era representado como una serpiente emplumada o una serpiente-pájaro. Según el *Codex Chimalpopoca*, el «libro de las tradiciones», Quetzalcóatl era un dios extranjero llegado del este, un príncipe sacerdotal, de raza blanca, gran estatura, barba y un tono de voz grave que podía escucharse a kilómetros de distancia. Vestía túnica blanca y sandalias y predicaba sus enseñanzas entre los indígenas.

Quetzalcóatl vivió con ellos durante cincuenta y dos años, tiempo que empleó en enseñarles todas las artes y las ciencias. Se decía que en el período de su gobierno, el maíz y el algodón crecieron como nunca antes se había visto. Era un dios inteligente y bondadoso que ejercía la medicina, daba consejos de todo tipo y legislaba con justicia. Pero también un dios anciano, que en numerosas ocasiones hubo de batirse en duelo con los jóvenes y belicosos dioses de la guerra. Finalmente se retiró al mar, se embarcó en una nave que puso rumbo a sus tierras de origen y, al despedirse, prometió regresar algún día.

DIOSES BARBUDOS

Quetzalcóatl, el dios inca Viracocha y el mítico Bochica de los indios chibchas comparten, en distintas culturas, una serie de atributos muy similares. Todos ellos son hombres blancos barbados, y sus pueblos los describen como personajes sabios y justos, según aparece en los textos sagrados de sus pueblos.

Bochica es el más antiguo; vivió doscientos años en la meseta de Cundinamarca, en la actual Bogotá, e instruyó a sus habitantes en las celebraciones solares, el cultivo de las tierras y la construcción de cabañas.

Su hermosa pero perversa esposa, Chía, hizo que se desbordase el río Funza y anegara las tierras de los chibchas. Muy enfadado, su marido la convirtió en la Luna para que con su resplandor reparara parte del mal causado al alumbrar a los indígenas por las noches. Viracocha, cuyo nombre significa «espuma de mar», es otro majestuoso dios llegado de tierras lejanas con el mismo afán misionero que los anteriores, y junto a Quetzalcóatl, un pacificador y maestro de las tierras del Nuevo Mundo.

UN ENCUENTRO OPORTUNO

El regreso de Quetzalcóatl, augurado por el calendario azteca, coincidió, en el tiempo, con la llegada del conquistador Hernán Cortés (1485-1547) a Tenochtitlán.

Su gobernante, Moctezuma, tenía a su servicio doscientos mil hombres que podrían haber aplastado sin excesivo esfuerzo a los intrusos, pero, en lugar de ello, recibió a Cortés con todos los honores, plenamente convencido de que se trataba, si no de su anhelado dios, sí al menos de un mensajero suyo.

La casualidad cronológica, sumada a su condición de extranjero llegado del lugar de donde nace el sol e incluso a su barba de español, hizo pensar a Moctezuma que Quetzalcóatl había cumplido su promesa.

Tras el homenaje de bienvenida y pese a las reticencias de sus sacerdotes, quienes sospecharon desde el principio que los recién llegados no eran quienes se creía, Moctezuma dio su aquiescencia a la petición de los visitantes de erigir una capilla.

Sin embargo, la atención de los huéspedes no fue recompensada. El gobernante de Tenochtitlán fue hecho prisionero y se destruyeron los templos y efigies, instalándose el primer contingente de españoles en suelo azteca.

Representación del dios Quetzalcóatl según una ilustración del *Códice Magliabecchiano*, en la cual la deidad azteca aparece representada en una de sus múltiples apariencias.

Grabado del siglo XVI que representa la ofensiva de Pedro de Alvarado en la conquista de Yucatán. El conquistador acrecentó el misterio en torno a Quetzalcóatl al asegurar haberse medido en singular combate con un jefe volador.

LA AZAROSA LUCHA DE ALVARADO

El el 5 de marzo de 1524, tres años después de que fuera conquistada la ciudad, Pedro de Alvarado (1486-1541), a quien había correspondido ser el guardián de Moctezuma durante la toma de Tenochtitlán, afirmó que se había enfrentado en la altiplanicie guatemalteca con un jefe volador de los quiché maya.

El corcel del capitán Alvarado fue decapitado por una lanza de obsidiana arrojada por su atacante, lanza con la que el jefe Tecum creyó haber derrotado a su oponente.

Alvarado aprovechó la presunción de su oponente de que caballo y jinete formaban un mismo cuerpo para asestar el golpe que hirió de muerte al jefe volador.

Quetzalcóatl, la serpiente emplumada verde, habría enseñado a sus súbditos, el dominio de muchas ciencias, pero no el arte de volar. En conmemoración del enfrentamiento, el lugar de la batalla fue llamado Quetzaltenango, denominación con la que hoy se conoce la ciudad guatemalteca.

EL HOMBRE-PEZ DE LIÉRGANES

Las historias acerca de criaturas mitad hombre mitad pez han fascinado a la humanidad desde tiempos inmemoriales. El caso del hombre-pez de Liérganes es particularmente enigmático, ya que fue estudiado por personajes de gran talla científica.

En 1674, un joven de procedencia cántabra desaparecía en las aguas del Nervión a su paso por Bilbao. Cinco años más tarde, unos pescadores advertían la presencia de una extraña criatura acuática en aguas de la bahía de Cádiz. Estas dos historias tan dispares confluirían en una sola para conformar uno de los mayores misterios de la España desconocida: el del hombre-pez de Liérganes.

EL VIAJE DE IDA Y VUELTA DE FRANCISCO DE LA VEGA

Francisco de la Vega Casar nació en Liérganes, población cercana a Santander, en el año 1658. Desde muy temprana edad demostró excelentes aptitudes para la natación, y a la muerte de su padre se trasladó a Bilbao para aprender la profesión de carpintero.

A los dieciséis años, y mientras se bañaba en compañía de unos amigos, Francisco desapareció misteriosamente en las aguas del Nervión. Después de unas infructuosas tareas de búsqueda, se le dio por ahogado y se comunicó el hecho a sus familiares.

Cinco años más tarde, unos pescadores que faenaban en la bahía de Cádiz capturaban a un extraño ser acuático tras tenderle una trampa con sus redes. La criatura, a la que los pescadores habían tratado de capturar sin éxito en otras ocasiones, presentaba la apariencia de un

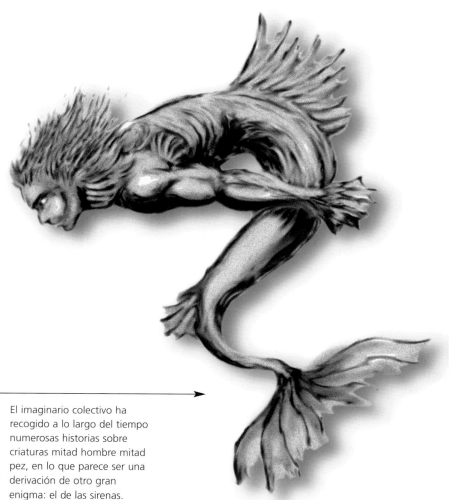

El imaginario colectivo ha recogido a lo largo del tiempo numerosas historias sobre criaturas mitad hombre mitad pez, en lo que parece ser una derivación de otro gran enigma: el de las sirenas.

EXTRAÑAS ESPECIES MARINAS

El 10 de agosto de 1741, el naturalista alemán Georg Wilhelm Steller surcaba las aguas del golfo de Alaska, cerca de las islas Aleutianas, a bordo del navío *Saint Peter*, cuando avistó un ser prodigioso, mitad hombre, mitad pez. Steller escribió en su diario: «La longitud de la bestia era de un metro y medio aproximadamente. Su cabeza era similar a la de un perro, con grandes orejas, largos pelos lacios sobre los labios y ojos grandes y saltones. Tenía un cuerpo grueso y redondo, que se iba haciendo más delgado hasta llegar a la cola, dividida en dos partes».

Curiosamente, otro naturalista alemán, Konrad Gesner, había descrito en 1515 una especie similar en su documentada obra *Historia Animalium*. En este caso, el hombre-pez había sido encontrado en las aguas del mar Rojo.

hombre joven y de complexión fuerte, pero con dos extrañas capas de escamas que cubrían su pectoral y su espinazo. Llevado de inmediato al convento de San Francisco, el hombre fue interrogado sin éxito en diferentes idiomas, y tras varios días de intentos inútiles de establecer un diálogo, al final pronunció la palabra «Liérganes». Tras localizarse en las cercanías de Santander la población a la que parecía referirse, se les preguntó a sus vecinos si había ocurrido algo extraño en los últimos tiempos; fue entonces cuando la viuda María de Casar habló abiertamente de la desaparición de su hijo cinco años atrás, y así, de pronto la historia del hombre-pez comenzó a cobrar sentido.

Juan Rosendo, fraile del convento de San

EL *PESCE COLA*

La historia de Francisco de la Vega guarda relación con la de otro hombre al que se consideró mitad hombre mitad pez, y que vivió en Sicilia hacia la segunda mitad del siglo xv.

Pesce Cola, apodo bajo el que se conocía a Nicolao, era un experto nadador con una sobrehumana capacidad tanto para cubrir enormes distancias a nado como para aguantar la respiración bajo el agua durante largo tiempo.

Sus aptitudes le llevaron a prestar sus servicios como mensajero en diferentes navíos y su fama llegó a oídos del mismísimo rey Federico de Nápoles y Sicilia, quien quiso ponerlo a prueba en un fatídico episodio que se saldó con la muerte de Nicolao, ahogado en aguas del estrecho de Mesina.

Francisco, viajó con el hombre-pez a Liérganes, donde María de Casar lo reconoció sin dudarlo como su hijo Francisco, desaparecido hacía años. El caso se dio por cerrado y Francisco de la Vega volvió a su casa tras una prolongada ausencia en la que nadie había tenido noticias suyas. Pero aparte de las extrañas escamas que cubrían parte de su cuerpo, Francisco distaba mucho de ser aquel joven que había partido hacia Bilbao para aprender un oficio.

Apenas hablaba, mostraba una completa apatía hacia los demás e iba descalzo y desnudo con total normalidad.

Por su extraño comportamiento fue tildado de loco, y el aislamiento en que vivió a partir de entonces acabaría por conducirle a desaparecer de nuevo en aguas del mar Cantábrico, pero en

Portada de la edición del año 1728 del *Teatro Crítico Universal* de fray Benito Jerónimo Feijoo (1676-1764). Esta obra, en la que el autor rebatía numerosas leyendas, hacía mención al caso de Francisco de la Vega Casar.

THEATRO CRITICO UNIVERSAL, Ó DISCURSOS VARIOS, EN TODO GENERO DE MATERIAS, PARA DESENGAÑO DE ERRORES COMUNES,
DEDICADO
AL R.ᵐᵒ P. M. Fr. JOSEPH DE Barnuevo, General de la Congregacion de San Benito de España, Inglaterra, &c.
ESCRITO
POR EL M. R. P. M. Fr. BENITO GERONIMO FEIJOO, Maestro General de la Religion de San Benito, y Cathedratico de Visperas de Theologia de la Universidad de Oviedo.
TOMO PRIMERO.
SEGUNDA IMPRESSION.
CON PRIVILEGIO:
EN MADRID: En la Imprenta de LORENZO FRANCISCO MOJADOS, Año de M. DCC. XXVII.

esta ocasión, por siempre jamás.

LA REAPERTURA DEL CASO DEL HOMBRE-PEZ

Años después de la muerte del hombre-pez de Liérganes, el gran ensayista español fray Benito Jerónimo Feijoo recogería su historia en el cuarto volumen de su *Teatro Crítico Universal* (1726-1740), respaldada por gran número de testimonios y abundantes detalles sobre la historia y la condición de Francisco de la Vega Casar. Feijoo, incrédulo ante historias como la de Francisco, se mostró en su caso plenamente convencido de su existencia, así como de su condición de criatura mitad hombre mitad pez.

LA HIPÓTESIS MÉDICA DE GREGORIO MARAÑÓN

Pero ya en el siglo XX, el médico Gregorio Marañón volvería a incidir en la supuesta condición de hombre-pez de Francisco de la Vega, manifestando su desacuerdo con las afirmaciones de fray Benito Jerónimo Feijoo.

La hipótesis de Marañón sugería la posibilidad de que Francisco hubiera padecido cretinismo, enfermedad que no sólo habría justificado su actitud autista hacia su entorno, sino también sus deformaciones en forma de escama, producidas por causa de una ictiosis, del latín *ictius*, pez.

Las pruebas que aporta el doctor Marañón parecen irrefutables, pero un argumento hace que se tambalee su planteamiento: antes de que desapareciera en aguas del río Nervión, no existía ningún indicio de que el desventurado Francisco de la Vega padeciera de cretinismo,

La historia del hombre-pez de Liérganes fue rescatada del olvido, al ahondar sobre sus bases científicas, por personajes de la talla del eminente endocrinólogo español Gregorio Marañón, retratado en este óleo.

233

LOS FANTÁSTICOS HOMBRES-MONO

Los hombres-bestia pueblan el imaginario colectivo convertidos en los eslabones perdidos de la cadena evolutiva. Muchos pueblos piensan en la actualidad que hombres de la selva, abominables seres de las nieves, big-foots *u hombres-mono de Sumatra permanecen aún escondidos en parajes inaccesibles que no desean abandonar y donde resulta difícil encontrarlos.*

Desde tiempos remotos, los habitantes semi-humanos de selvas y bosques impenetrables son personajes familiares para multitud de culturas. En el cristianismo medieval, la figura del ser salvaje peludo y rubicundo se identificó con el diablo, y así aparece en numerosas representaciones, como la del atrio de la iglesia de Pasenhall, Suffolk, en el Reino Unido. Se trataba de un ser repulsivo y brutal que se relacionaba con el rapto de mujeres jóvenes, reflejo de la moral caballeresca y de las formas de vida de la corte. Por lo general, un valiente guerrero convenientemente armado acudía a rescatar a la doncella de las garras del salvaje. Ambos se enzarzaban en una refriega en la que se enfrentaban la razón y la fuerza, y de la que no siempre salía victorioso el caballero. En ocasiones, la hermosa dama prefería huir al bosque con su impetuosa bestia.

Ilustración de un bestiario de Alejandro Magno que conoció una gran difusión en la Rusia de la década de 1920, y que incorporaba leyendas referentes a numerosos cruces entre animales y seres humanos.

En esta madera tallada del siglo XVII aparece representada una escena del cuento popular chino *El Viaje al Oeste*, en la que un hombre-mono combate contra una mujer-demonio.

Pero si abandonamos las fantasías medievales, encontraremos numerosos informes que demuestran que los hombres-mono al parecer forman parte del ecosistema de una variedad asombrosa de regiones por todo el planeta. Jacqueline Roumeguère-Eberhardt, del Centro Nacional de Investigaciones Científicas, realizó un estudio sobre el hombre-bestia de las selvas de Kenia a mediados de la década de 1960.

En 1974, Vu Quy, zoólogo de la Universidad de Hanoi, investigaba a un extraño animal conocido por los habitantes de una región en el centro de Vietnam como el «hombre de la selva». A causa de la guerra con Estados Unidos las investigaciones no dieron grandes resultados, pero, acabado el conflicto, su expedición rastreó Sa Thay, donde encontraron las huellas de una criatura desconocida que correspondían con las descripciones de los lugareños de un ser de más de 100 kg y entre 1,80 y 1,90 m de altura. Parecía tratarse del hombre-mono de Vietnam. Los vietnamitas describían al «hombre de la selva» como un individuo con abundante pelo en el cuerpo, los brazos y la cara, un fino olfato y una actitud pacífica, ya que rehuía con rapidez cualquier contacto con un humano.

HOMBRES-MONO POCO HIGIÉNICOS

En Japón, los «hibagones», llamados así por aparecer en las proximidades del monte Hiba, cer-

LOS MONOS, HOMBRES CASTIGADOS POR LA DIVINIDAD

Para los indios nahua, los monos eran hombres que habían sido castigados por los dioses. De manera similar a como se describe en la cultura occidental, en el Libro de Enoc —volumen profético sobre las siete razas que constituyeron la humanidad y que la Iglesia consideró apócrifo—, los nahua creían en una sucesión de épocas que concluían todas ellas con un cataclismo. En la segunda edad o *nahui ehecatl* (cuatro vientos) los dioses, transformados en huracán, azotaron el mundo. Querían dar una lección a los hombres. Finalmente fueron clementes con ellos y les perdonaron la vida a cambio de convertirlos en monos. Por ello, los indios afirmaban que los simios entendían todo lo que se les decía y que su permanencia en la Tierra daba ejemplo a los hombres para que fueran rectos.

al primero, cuyo territorio abarca Mongolia, la India y China, una de las explicaciones tradicionales sobre su origen es que desciende del corpulento mono *Gigantopithecus*, cuyos fósiles señalan que habitó la Tierra hace 12 millones de años. El Himalaya experimentó durante dicho período una elevación de unos 3 000 m, a consecuencia de la cual la especie pudo quedar aislada, como de hecho aseguran los científicos que ocurrió con otras especies.

La leyenda del Yeti por tierras himalayas procede de tiempos remotos. El hombre blanco no prestó atención a los relatos de los nativos que hablaban de unos seres enormes de aspecto simiesco y extraordinaria fuerza, hasta la primera exploración del Everest en 1921. El coronel Howard-Bury y sus compañeros se dirigían

ca de Hiroshima, fueron descritos como seres malolientes de grandes ojos, escasa corpulencia y aspecto simiesco, según la descripción ofrecida por los campesinos que los vieron en sus arrozales. En Australia denominaron «yowies» a hombres-bestia de gran tamaño que, por lo que contaban los aborígenes australianos, despedían un olor fétido y emitían unos característicos sonidos guturales.

HOMBRES ABOMINABLES Y DE PIES GRANDES

Sin embargo, las leyendas más documentadas relativas a hombres-mono son las que se refieren al abominable hombre de las nieves (el peludo homínido Yeti) y a los *big-foots* o pies grandes (también llamados *sasquatch*, en su denominación amerindia). Por lo que respecta

Escena de la película de Stanley Kubrick *2001: una odisea del espacio*, en la que se muestran los simiescos precedentes evolutivos del ser humano.

El relato de *La Bella y la Bestia*, cuya adaptación televisiva aparece recogida en la fotografía, incorpora la idea de cruce entre hombre y animal por causa de un castigo de orden sobrenatural.

hacia un puerto de montaña cuando vieron unas monstruosas sombras que caminaban por lugares inaccesibles con sorprendente facilidad. Pocos meses más tarde, durante el descenso en septiembre de ese mismo año, la expedición halló las huellas de un ser con un pie tres veces más grande que el humano. A partir de este primer encuentro, los occidentales comenzaron a recopilar las narraciones tradicionales que circulaban en la zona sobre estos gigantes de cara blanca y espeso vello de color oscuro.

Entonces se extendieron los rumores acerca de la presencia en las cumbres de estos seres que se refugian en cavernas y se alimentan principalmente de carne de yac, aunque en alguna ocasión, cuando están hambrientos, prueben la carne humana. Algunos expedicionarios afirmaron haber visto al monstruo, y muchos otros pudieron contemplar sus huellas y fotografiarlas. El célebre alpinista Eric Shipton las descubrió a 4 800 m de altura durante su escalada del Everest y el etnógrafo Ronald Kalback las encon-

En esta miniatura del siglo XVI que lleva por título *El salvaje* aparece un personaje mitad hombre mitad animal en compañía de una mujer y un niño de su misma condición.

profundamente al aire libre en su saco y se despertó sobresaltado: alguien lo levantaba agarrándole de las piernas y se lo llevaba a toda prisa bosque adentro. Unas horas más tarde, siempre según el relato de Ostman, su captor se detuvo y pudo verle la cara.

Pero no vio sólo a uno, sino a cuatro seres antropomórficos que se asemejaban a la descripción que había escuchado a un indio sobre los *sasquatchs*. Al parecer se trataba de dos adultos, macho y hembra, y de sus dos crías, macho y hembra también. Intentó huir, fingiendo naturalidad, pero uno de ellos, su captor, se lo impidió interponiéndose en su camino. La familia mostraba viva curiosidad por el visitante y no estaba dispuesta a perderlo de vista. A los seis días de su cautiverio Ostman estaba a solas con el macho adulto. Conservaba su rifle, pero no quería disparar porque no estaba seguro de que su única bala pudiera tumbar al pies grandes. El *sasquatch* tomó prestado el tabaco de mascar de su mochila y se lo zampó de un golpe. Le sentó tan mal que el rehén aprovechó la oportunidad que le brindó el salvaje para emprender la huida.

Las evidencias acerca de estos hombres-mono son abundantes aunque, por desgracia, nunca concluyentes. La mayoría consisten en pelos de animales que no encajan en ninguna clasificación y efímeras huellas en el terreno que desaparecen con los fenómenos meteorológicos. Esto, unido a los relatos de exploradores y nativos más o menos sugestionados y a alguna que otra fotografía, es todo cuanto se ha obtenido hasta el momento. Lo cierto es que, a menos que se capture un individuo de la especie, difícilmente podrá probar la ciencia su existencia. No obstante, no se pueden desestimar las inmensas coincidencias apreciables en las descripciones. Todas ellas hablan de un bípedo peludo de cuello corto, espalda arqueada y hombros caídos hacia adelante. No suelen atacar y viven en parajes aislados que no desean abandonar.

tró en la parte sureste del Tíbet. Fue así, testimonio tras testimonio, como se fue prestando más atención y se les dio más crédito a estos peculiares hombres-mono. Algunas instituciones financiaron su búsqueda, entre ellas la prestigiosa expedición al Himalaya de la Royal Geographical Society, que halló cerca de su base, en Melung, la que se considera la prueba fotográfica más fiable.

No obstante, el enigma aún no ha sido resuelto, puesto que no se ha logrado confirmar que tales huellas pertenezcan al Yeti y no a otro ser desconocido.

SECUESTRADO POR UNA FAMILIA DE BIG-FOOTS

Las historias que se cuentan sobre los *big-foots* o *sasquatchs* no son menos interesantes que las que se refieren al Yeti. El maderero estadounidense de origen sueco Albert Ostman afirmó haber sido secuestrado por una familia de pies grandes en 1924, cerca de Toba Inlet, en la Columbia Británica, al oeste de Canadá. Dormía

EL HOMBRE-MONO DE SUMATRA

Menos conocido que otros hombres-mono, este curioso antropoide fue descubierto por los europeos a principios del siglo XIX, aunque las noticias aisladas sobre su existencia no se difundieron hasta la Primera Guerra Mundial. El *orang pendek* (distinto del orangután) habita, entre otras, las selvas que rodean el volcán Kaba. Así mismo, fue visto en los bosques de las montañas Barissan y junto a la enorme marisma situada junto al pico Kerintji. Los colonos establecidos —cuando la isla aún se hallaba bajo la dominación holandesa— organizaron tres expediciones. Ninguna obtuvo el éxito esperado, pero eran tantos los indicios que pocos dudaron de la existencia del *orang pendek*.

EL PODER
DE LA MAGIA

La *ignorancia y el miedo a lo desconocido llevaron al hombre primitivo a aferrarse a la magia como remedio de todos su males, y los ritos mágicos aparecieron y se transmitieron a lo largo de la historia de todas las civilizaciones.*

Si bien hay notables diferencias de forma entre la práctica de sacrificios humanos o el canibalismo, y el tocar madera o retroceder ante un gato negro, el trasfondo es idéntico: la invocación de fuerzas desconocidas, misteriosas, la obtención de poderes por vía sobrenatural o el librarse de males y desgracias invocando lo oculto.

El miedo ancestral innato en la naturaleza humana empuja al hombre a buscar protección y ayuda en lo sobrenatural. E incluso parece que cuando la ciencia y el avance tecnológico dominan cada vez más las fuerzas de la Naturaleza, ésta se revuelve y hace que las creencias en lo mágico se incrementen y se extiendan por doquier, para invadir desde los temas más triviales hasta los más trascendentes.

237

Hechicero yanomani expulsando los malos espíritus de un anciano enfermo. Los yanomani habitan en un territorio situado entre Brasil y Venezuela.

LA MACUMBA CONVOCA A LOS ESPÍRITUS

La macumba es una de las prácticas mágicas más enigmáticas del Brasil. En su dogma confluyen la devoción por las deidades de las tribus africanas ancestrales y el culto a los santos del catolicismo. Su reverso oscuro, la quimbanda, pone en práctica sangrientos y oscuros rituales.

La creencia y devoción por los ritos y dogmas de la macumba persisten en la actualidad en la sociedad de Brasil. Así, en Río de Janeiro existen hoy más de 60 000 templos de macumba, y millares de «mentalistas» ofrecen a la población la celebración de rituales para la consecución de los más diversos fines. Pero, ¿qué se esconde tras estas prácticas mágicas que tan hondo han calado en la imaginería de esta nación latinoamericana?

UN BREVE PASEO POR LA HISTORIA DE LA MACUMBA

Los ritos afrobrasileños conocidos como macumba integran un variado conjunto de cultos y rituales cuyo origen común se remonta a las antiguas religiones animistas africanas. En el siglo XVI, los barcos esclavistas portugueses proveyeron de esclavos africanos a las extensas plan-

Ceremonia vudú en Haití. Fruto del mestizaje cultural del continente americano, el vudú es, junto con la macumba brasileña, uno de los rituales mágicos más enigmáticos.

Un grupo de esclavos trabaja en la obtención de azúcar. Los orígenes de la macumba se remontan a los esclavos africanos que los portugueses emplearon en Brasil.

RITOS MISTERIOSOS

Existen creencias que comparten orígenes y prácticas con la macumba y la umbanda. Así, el candombé y la quimbanda, en el propio Brasil; el vudú, en Haití y también en el estado de Louisiana, donde se conoce como judú; el culto yoruba, en Cuba; la santería, en Estados Unidos, donde sólo en Miami y Nueva York hay más de 20 000 sacerdotes santeros.

Algunos de los principios que, con matices, se dan en casi todas las creencias de origen africano son los siguientes:

– Los individuos están conformados por una parte física y una parte espiritual.
– Existen entidades o seres no materiales (espirituales) en constante contacto con el mundo físico.
– Las personas pueden establecer contacto con dichos seres para conseguir sus propósitos de curación y de evolución espiritual.

taciones del Nuevo Mundo, y muy particularmente a las plantaciones cafeteras de Brasil. Estos esclavos llevaron consigo mitos y creencias, que conservaron y adaptaron modificándolos de muy diversa forma, y que transmitieron oralmente de generación en generación hasta conformar la actual macumba.

Tanto la antigua macumba como la más reciente umbanda son creencias difíciles de catalogar. Los creyentes siguen fielmente a sus líderes, los macumbeiros o umbandistas, sacerdotes de una religión tildada en ocasiones de secta. Su culto mezcla la invocación a antiguas divinidades africanas, entre las que sobresalen las dos principales, Yemeyá y Changó, y la adoración a diversos santos de la Iglesia católica.

LAS CEREMONIAS DE ORIGEN AFRICANO DE LA MACUMBA

Los ceremoniales puestos en práctica por los macumbeiros se inician con el saludo entre sus asistentes, tras lo cual se procede a elevar cantos y oraciones a una deidad determinada. Una figura preside siempre estas reuniones rituales: se trata del *mãe-de-santo* o bien el *pãe-de-santo*, según represente la talla a una mujer o a un hombre, respectivamente.

Tras los cánticos y plegarias, los practicantes invocan a los dioses ancestrales de África, que hacen acto de presencia tomando los cuerpos de algunos de sus adeptos, los cuales entran en trance fruto de la posesión. Una vez invocadas todas las divinidades y personadas físicamente a través de los elegidos, el resto de participantes en el ritual procede a vestirlos con ropas tradicionales y les hacen entrega de ofrendas, para acabar trasladando a los dioses consultas respecto de sus problemas. El acto culmina con la despedida ritual de las divinidades en el mismo orden en que fueron invocadas.

AMULETOS Y FETICHES, UNA ANTIGUA CREENCIA

La práctica del umbandismo contempla, entre otras, la creencia en los amuletos, fetiches y

LA QUIMBANDA

Con este nombre se denomina la ceremonia inversa a la macumba, presidida por Echú, dios de los infiernos, y por su esposa, Pombagira. Reyes de la magia y la hechicería, estas dos figuras son muy temidas por los macumbeiros.

Los ritos de la quimbanda suelen tener lugar en cruces de caminos cercanos a cementerios, y se celebran siempre a partir de la medianoche. Sus participantes, que suelen consumir alcohol de caña en grandes cantidades, visten ropas de color rojo y negro. Tras efectuar el sacrificio de varios animales, cuya sangre es depositada en una vasija, se entierra una serie de objetos sagrados. Es entonces cuando se realizan las peticiones a los Santos, acompañadas por el sonido de un tambor específico para estas ceremonias.

La quimbanda persigue el equilibrio entre las fuerzas del bien y las del mal, a fin de que estas últimas no consigan ganar terreno.

Estatua de Pombagira en Salvador de Bahía, Brasil. La de la mujer de Satán es una de las figuras centrales de la quimbanda, el reverso de la macumba, en cuyos rituales se le rinde tributo a base de sacrificios animales.

El padre santo del candombé, nombre bajo el que se conoce al culto de origen africano en el que encontramos, entre otras ramificaciones, la macumba. Este culto fue introducido en América por los esclavos africanos.

talismanes, objetos mágicos que el umbandista prepara de modo especial e individualizado para el creyente que requiere curación o protección ante un maleficio.

Collares, medallas, «caracoles», «cocos» e infinidad de objetos son utilizados con este fin, práctica que, por otra parte, constituye una protección mágica que procede de tiempos y civilizaciones remotos.

El fetiche es, en realidad, un ídolo u objeto al que se rinde culto por la creencia de que posee propiedades sobrenaturales. Su origen es compartido por las tribus del norte y oeste de África, los indios americanos y los polinesios.

EN BUSCA DE LA PIEDRA FILOSOFAL

Son muchos los misterios que rodean a la antigua y enigmática ciencia de la alquimia, tanto por lo que respecta a su evolución y a sus protagonistas como a sus prácticas secretas. A lo largo de los tiempos, no fueron pocos los incautos que creyeron que, tal como afirmaban los alquimistas, era posible convertir el metal en oro.

El alquimista Hermes Trimegisto, autor de varios tratados de filosofía religiosa, muestra el Sol en una ilustración del siglo XVII.

La alquimia, que se inició en el Antiguo Egipto bajo la figura del alejandrino Hermes Trismegistos, conoció un gran auge durante la Edad Media, período en el que esta antigua y enigmática ciencia sufrió notables transformaciones. Tras una primera época en la que los alquimistas se limitaron a deslumbrar al pueblo llano con sus demostraciones, se inició la persecución de uno de los más relevantes objetivos del arte de la alquimia, el de convertir metales «viles», como el plomo, en oro. Se iniciaba así una búsqueda plagada de interrogantes y misterios: la de la piedra filosofal.

ALQUIMIA MEDIEVAL

En una primer etapa de la alquimia medieval, comprendida entre los siglos XIII y XIV, los alquimistas se limitaban a ejecutar coloraciones de metales sencillas, con las cuales muchas veces embaucaban a su audiencia, a la que hacían creer que tales coloraciones eran, en realidad, transmutaciones metálicas. Pero el interés creciente de personajes cultivados de la época por los dogmas de la alquimia desembocó en un

segundo período (ss. XIV-XVII) en el que los avances, tanto teóricos como prácticos, fueron más que notables. El principal motor de esta revolución fue la persecución de la codiciada *lapis philosophorum* o piedra filosofal y también del no menos ansiado elixir de la eterna juventud, objetivos ambos que emparientan a la alquimia con la química y la medicina, respectivamente.

EL VEREDICTO DE LA CIENCIA

Con el advenimiento de la ciencia moderna, la alquimia quedó relegada a la categoría de ciencia oculta, y muchos de sus postulados fueron enérgicamente descartados.

Así ocurrió con la transmutación de los metales «viles» en oro, considerada a todas luces irrealizable a partir de los trabajos de eminentes científicos de la talla de Lavoisier.

Sin embargo, el tiempo ha acabado por dar la razón a los visionarios alquimistas, al demostrarse que la piedra filosofal era una idea factible en su raíz; y es que a través de la moderna técnica de aceleración de partículas y de las reacciones nucleares, es posible alterar la composición atómica de la materia a fin de transmutarla.

LOS DUDOSOS ÉXITOS EN LA CARRERA HACIA LA PIEDRA FILOSOFAL

Fueron muchos los alquimistas que por espacio de siglos trataron de transmutar en oro el plomo, algunos de ellos personajes notables, como Arnau de Vilanova, Paracelso o Alberto Magno, y otros relegados por siempre jamás a las sombras de la historia. Sin embargo, ninguno de ellos pareció dar con la fórmula providencial, pues sin duda un hallazgo así habría trascendido el secretismo que ha rodeado siempre a la historia de la alquimia.

Aun así, existen casos de personajes que se han atribuido el hallazgo de la piedra filosofal, como Miguel Escoto, quien en su libro *De alquimia* dio la fórmula infalible para transmutar el plomo en oro, si bien ésta resultó ser irrealizable al requerir ingredientes indescifrables como la «raíz de carcha» o la «tuchia africana». Mucho tiempo después, a principios del siglo XX, el alemán Franz Tausend también afirmaría haber logrado fabricar oro a partir de metales viles, pero tras certificar su descubrimiento al obtener un gramo del preciado metal en la Casa de la Moneda Bávara, fue acusado de fraude y, poco después, asesinado.

EL EXTRAÑO CASO DE NICOLÁS FLAMEL

El de Flamel es sin duda uno de los casos más enigmáticos sobre el supuesto hallazgo de la piedra filosofal, y aún son muchos los interrogantes que pesan sobre este hombre, quien, a

El alquimista, cuadro del pintor flamenco del siglo XVII David Teniers II «el Joven».

LA TÉCNICA PARA LA TRANSMUTACIÓN

Si bien el proceso alquímico de transformación de metales viles en oro no parece haber llegado a realizarse nunca en la práctica, su complejo desarrollo aparece recogido en numerosos tratados sobre alquimia.

Según estos textos antiguos, el procedimiento se iniciaba con la extracción de las materias primas del subsuelo, que posteriormente se licuaban, se deshidrataban y se separaban en sus distintos componentes en una primera fase del proceso conocida como la «obra en negro».

El alquimista procedía entonces a ejecutar una de las dos obras restantes, que desembocaban en la obtención de distintos metales preciosos: la «obra en blanco» permitía transmutar los metales en plata, y la «obra en rojo», en oro.

Retrato de Antoine Lavoisier en compañía de su esposa, realizado por Jacques-Louis David. Tras el advenimiento de la ciencia moderna, Lavoisier y otros científicos de la época quisieron demostrar la inviabilidad de la piedra filosofal.

mediados del siglo XIV, se enriqueció misteriosamente tras hacerse con un antiguo manuscrito escrito por un alquimista.

Nacido hacia el año 1330 en la población francesa de Pontoise, Nicolás recibió en su juventud una completa educación impartida por los monjes benedictinos, lo cual le permitió emplearse como contable y comerciante. En el año 1357, tras la supuesta aparición de un ángel portador de un extraño libro, un hombre ofreció a Nicolás un volumen encuadernado en cobre, que éste compró de inmediato por dos florines convencido de que se trataba del mismo libro de su visión.

El manuscrito, de 21 páginas, estaba firmado por un tal Abraham el Judío y recopilaba fórmulas alquímicas, al estudio de las cuales Flamel dedicó veinte años de su vida.

Sin embargo, Nicolás no logró desentrañar en todo este tiempo las avanzadas fórmulas recogidas en el volumen, hasta que, perdidas ya todas sus esperanzas y en el transcurso de una peregrinación a Santiago de Compostela, entró en contacto con maese Canches, un médico francés con el que Flamel compartió su secreto.

Si bien la temprana muerte de Canches le impidió ver con sus propios ojos el libro de Abraham el Judío, Nicolás Flamel reanudó su investigación con energías renovadas tras su encuentro, y según sus textos, el 17 de enero de 1382 logró por vez primera la transmutación del mercurio en plata. Pocos meses más tarde, concretamente el 25 de abril de ese mismo año, Flamel daría un paso de gigante al convertir mercurio en oro.

LA DOBLE VIDA DE LOS ZOMBIS

La creencia en los muertos vivientes o zombis ha sembrado el pánico entre los hombres por espacio de siglos. La fascinación que desde siempre han suscitado estos seres de ultratumba, dominados por los hechiceros boko según las enigmáticas doctrinas del vudú, continúa viva en la actualidad en ciertas regiones de Centroamérica y, muy especialmente, en Haití.

Entre el rico abanico de creencias que se conservan de los más antiguos pueblos de la zona de Centroamérica, la de los zombis o muertos vivientes, encuadrada en el oscuro culto del vudú, es una de las más fascinantes y misteriosas. Si bien sus detractores consideran irrealizable la resurrección de un cadáver, entre los estratos populares se teme a los *bokos*, enigmáticos conocedores de los rituales secretos del vudú.

Sacerdote vuduista de Dangbé, una de las divinidades del vudú. El hermetismo de sus practicantes ha originado incontables enigmas acerca del vudú, como el relativo a la zombificación.

LA TEORÍA DE LOS DETRACTORES DE LA ZOMBIFICACIÓN

Según parece, existen determinadas sustancias capaces de reducir a un mínimo inapreciable los latidos del corazón, de modo que el sujeto puede pasar perfectamente por muerto ante sus semejantes.

En opinión de los críticos más escépticos, los *bokos* simularían así la muerte de aquellos a los que, luego, rescatarían aún en vida y harían pasar por zombis, o muertos vivientes.

Según algunos estudios realizados por científicos e investigadores, para convertir a un hombre en zombi, además de la poderosa arma de la sugestión y el miedo, el *boko* utiliza algún tipo de veneno o toxina que provoca la parálisis del individuo.

Algunas complejas «recetas» de los preparados para este fin comprenden ingredientes tales como el pez globo (que contiene tetrodotoxina), plantas con alta proporción de saponinas, lagartijas, polvo de huesos humanos y huesos de un sapo gigante especialmente venenoso.

DIOSES, ESPÍRITUS Y RITOS

Para comprender e interpretar las complejas ceremonias del vudú es necesario retroceder a sus antiguas raíces africanas, compartidas algunas de ellas con la macumba y el candombe. En ciertas regiones de África, principalmente en Togo y también en la República de Benín (antiguamente, Dahomey), la palabra «vudú» sirve para designar a las divinidades representativas de los elementos, fenómenos, fuerzas y seres de la naturaleza.

Cuando los esclavos negros procedentes de África fueron llevados a América, conservaron muchas de estas antiguas creencias religiosas, con sus mitos y leyendas, que paulatinamente sufrieron modificaciones y adaptaciones, fruto de la influencia de las creencias de los lugares a donde fueron a parar.

Así, en Haití, al espíritu de los dioses africanos, nombrado como *lwa*, se le unieron los espíritus del lugar o *marasa*, todos ellos bajo el dominio de un dios supremo que en ocasiones podía mostrarse colérico y terrible, y otras veces bondadoso. A todo ello se unió la forzada y precipitada cristianización, que añadió mayor complejidad al ya recargado crisol de creencias y

supuso la incorporación de diversos santos católicos como espíritus del vudú.

En los ritos del culto vudú, en algunos de los cuales se ofrecen sacrificios de sangre de animales, intervienen un sacerdote varón (*uga*) o una sacerdotisa (*mambo*), además de un hechicero o *loup-garou* y el mago (*boko*). El iniciado es encomendado a un espíritu o *loa*, creado por el Gran Maestro para su protección. Los actos rituales ofrecidos a los vudús constan de oraciones, invocaciones, palabras y alabanzas, cuyo conjunto constituye una especie de cantar de gesta que rememora el árbol genealógico de los antepasados.

En esta pintura *naïf* de Víctor Hyppolite que lleva por título *Zombis* podemos observar a dos almas en pena caminando de nuevo bajo el mando de un practicante del vudú, que las conduce atadas.

Sacerdote vuduista en Lomé, Togo. Las raíces del vudú se hunden en la noche de los tiempos africana.

EL EXTRAÑO CASO DE CLAIRVIUS NARCISSE

En el año 1962 se presentó en el hospital Albert Schweitzer, sito en la población de Deschapelles, un hombre que dijo llamarse Clairvius Narcisse, con evidentes síntomas de grave enfermedad, a causa de la cual falleció a los pocos días; los médicos certificaron su muerte y su hermana reconoció la identidad del cadáver.
Pero 18 años después, en 1980, Clairvius se presentó ante su hermana y le contó una extraña historia. Dijo que tras su presunta muerte lo sacaron del ataúd, lo convirtieron en zombi y le

obligaron a trabajar en una plantación como esclavo durante años. Ante la duda de una posible suplantación de personalidad, fue examinado por un neuropsiquiatra que, de acuerdo con la hermana del presunto zombi, le interrogó sobre numerosos detalles familiares, y por sus respuestas no se pudo poner en duda que se trataba del verdadero Clairvius Narcisse. El caso de Narcisse conoció una amplísima repercusión en todo el mundo gracias a un documental emitido por la prestigiosa cadena de televisón británica BBC y popularizó aún más el tema de los supuestos muertos vivientes.

EL CAMINO DE REGRESO A LA VIDA

El de los zombis es, sin lugar a dudas, el más secreto de los rituales del vudú, y poco o nada sabemos acerca de su desarrollo.

Los magos, conocidos como *bokos*, guardan silencio sobre la forma en que presuntamente devuelven a los muertos a la vida a fin de convertirlos en sus esclavos, pero algunas misteriosas historias sobre muertos vivientes han trascendido este secretismo, rompiendo el misterio de las zombificaciones.

Según parece, en el marco de las sociedades secretas del vudú, altamente jerarquizadas y lideradas por la figura del *boko*, la zombificación funciona a modo de «pena capital» y se administra como un castigo.

Sin embargo, en las zonas en que se practica el vudú, alguien externo a estas organizaciones puede contratar los servicios de un *boko* para que zombifique a alguien a modo de venganza, lo cual constituye la más aterradora faceta de este ritual.

243

CURANDEROS Y CURACIONES

La curación de las enfermedades ha sido un objetivo perseguido por todas las culturas que han conformado nuestra civilización, y a lo largo de la historia, sus éxitos han ido configurando lo que conocemos como medicina tradicional. Su figura central, la del curandero, despierta la fe de algunos y la desconfianza de otros.

Tanto el médico ortodoxo actual como el sanador o el curandero son los descendientes del brujo o hechicero de la tribu primitiva. Cuando la enfermedad se apodera del individuo y peligra su salud, éste acude a ellos con fe y con la esperanza de curación. El profano no tiene por qué entender de medicina, como tampoco comprende de qué forma actúa el curandero, pero tiene fe, ya sea en los conocimientos y la pericia del médico oficial o bien en la capacidad del curandero. Pero, en definitiva, el que acude a que le sanen lo hace con esperanza y realiza un acto de fe.

En este grabado del naturalista Claudio Gay aparece representada una ceremonia de curación de los indios mapuches, oficiada por el machi, vínculo entre los vivos y lo sobrenatural.

Los hechiceros de las tribus primitivas llevaban a cabo curaciones que resultaban inexplicables —mágicas— para el resto de la tribu. Empleaban hierbas y pociones, y muchas de ellas, con los siglos, han demostrado tener propiedades curativas y se han integrado a la farmacopea moderna. Pero también utilizaban otra herramienta: la sugestión.

CURACIÓN POR LA FE

Es un hecho demostrado que cuando un enfermo pierde la fe en su curación y se deja abatir por la depresión, su enfermedad se agudiza. Por el contrario, la esperanza, la fe espontánea o estimulada, es capaz de activar las defensas propias del organismo, fortalecerlo, desarrollar

LOS REYES CURANDEROS

«El rey te toca, Dios te cura» era la fórmula empleada por los reyes franceses cuando, en fechas señaladas, practicaban la imposición de manos a sus súbditos enfermos.

La tradición se remonta al siglo XII, y se aplicaba especialmente a quienes padecían una enfermedad muy frecuente en aquella época, la adenitis tuberculosa, conocida entonces como escrófula, lamparones o «mal real».

La imposición de manos, curara o no la enfermedad, servía no obstante para fortalecer la monarquía y atribuirle poderes excepcionales emanados del cielo. La costumbre se perpetuó a lo largo de generaciones, hasta bien entrado el siglo XIX.

EL VENENO MORTAL DE LA *MAMBA-NEGRA*

Uno de los muchos ejemplos que avalan las técnicas de sanación de los curanderos es el de la técnica aplicada para paliar la mordedura de la serpiente africana *mamba-negra*. El efecto devastador del veneno de este reptil, que resulta mortal a las pocas horas de la mordedura, es aplacado por el curandero de un modo especial: éste cava un agujero de la misma estatura de la victima de la mordedura, en el que primero hace arder leña para tapizar a continuación las brasas con diversas hojas medicinales. Entonces se procede a introducir al enfermo en el hoyo, en el cual su cuerpo absorbe a través de sus poros abiertos el efecto beneficioso de las hierbas. La persona recobra el conocimiento en ese momento, y vomita de inmediato. A partir de ahí, el curandero le dispensará otros remedios naturales hasta su completa recuperación.

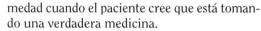

Método de curación mediante el uso de imanes. Existen infinidad de rituales curativos, arraigados en la tradición en la práctica totalidad de las culturas ancestrales.

anticuerpos y, en consecuencia, conseguir —o facilitar— la curación.

Una muestra clara del poder de la fe reside en los llamados «placebos» que, en ocasiones —especialmente en los casos de dolencias psicosomáticas— recetan los médicos ortodoxos. Se trata de falsos medicamentos, sustancias inocuas, que consiguen mitigar el dolor o la enfer-

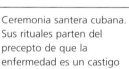

Ceremonia santera cubana. Sus rituales parten del precepto de que la enfermedad es un castigo y que los santos son los encargados de erradicarla.

medad cuando el paciente cree que está tomando una verdadera medicina.

La imposición de manos parece la fórmula más frecuente que utilizan los curanderos, aunque no es la única, pues a veces basta con su presencia o con su mirada para conseguir la curación del enfermo. En ocasiones, pueden utilizar pociones, hierbas, amuletos, invocaciones, etcétera, pero la imposición de manos es una práctica casi universal.

La explicación se atribuye a un flujo energético que mana del sanador y se transmite al paciente, aunque nadie ha podido demostrar su existencia ni sus propiedades.

LA SANTERÍA CUBANA

Los creyentes de la santería creen que las enfermedades son consecuencia del odio y la envidia, o un castigo por una falta cometida. Por ello acuden a los santos para conseguir las curaciones.

La santería, creencia que se caracteriza por el culto exclusivo a los santos, apareció en el siglo XVI al mezclarse las creencias de los esclavos negros procedentes de Nigeria con la religión católica imperante en las colonias. De este modo, los dioses tribales africanos tomaron nombre de santos católicos: Oyá es Nuestra Señora de la Candelaria; Babalú Ayé es san Lázaro; Yemayá es la Virgen de Regla; y Oggún es san Pedro.

En la santería, cada enfermedad está relacionada con un santo determinado. Así, se invoca a san Servando para las enfermedades de los pies; a san Francisco de Sales para el asma; a San Bernardo para las enfermedades del estómago; a san Fermín para la hidropesía; a santa Margarita para el dolor de garganta; a san Ramón Nonato para el dolor de muelas.

245

LA MEDICINA ALTERNATIVA DE LOS CIRUJANOS FILIPINOS

Una de las formas más espectaculares de curanderismo es la que practican los sanadores filipinos que, aparentemente, realizan operaciones quirúrgicas utilizando sólo las manos o, en ocasiones, un simple cuchillo. Sus conocimientos se remontan a tiempos ancestrales.

La manipulación es totalmente indolora para el paciente. El curandero empieza el tratamiento practicando un enérgico masaje sobre la zona afectada; de pronto, brota sangre y el curandero extrae un tumor o repara la zona dañada; luego, limpia el cuerpo con un algodón humedecido y procede a dar un suave masaje, tras lo cual no aparece ninguna cicatriz en la zona supuestamente operada. Uno de los practicantes más conocidos es Tony Agpaoa, que declara ser un simple instrumento de una fuerza cuyo origen desconoce, pero que le guía en todos sus pasos.

Cuando la medicina convencional ha investigado seriamente los métodos de las supuestas

Ofrendas a través de las cuales se trata de invocar a los santos, emparentados con las distintas enfermedades, en las ceremonias de la santería cubana.

PSICOTERAPIA POPULAR

El profesor Enrique Blanco Cruz, de la Universidad española de Granada, habla de la enorme distancia que separa a pacientes y psicoperapeutas, a pesar de que el psicoanálisis se marcó como objetivo en sus orígenes la relación del hombre con sus semejantes. El uso de un lenguaje científico y el desconocimiento del ambiente en el que vive el enfermo son algunos de los problemas. Los pacientes, afirma, "buscan ayuda bajo condiciones que se adaptan mejor a su entorno social". Por esta razón, considera a los curanderos como psicoperapeutas populares, ya que el secreto del curanderismo es precisamente su sintonía cultural con los pacientes a los que se cura. Las condiciones culturales y las formas propias de conducta y de socialización no suelen contar para el psicoterapeuta tradicional, pero sí para el médico popular, el curandero.

En esta pintura *naïf* aparecen representadas las distintas divinidades adoptadas por la santería cubana: Ochún, Changó y Yemeyá. A través del sincretismo, muchas de las divinidades de la santería de Nigeria se incorporaron a su variante cubana.

PÓCIMAS Y UNGÜENTOS SECRETOS

Los curanderos han hecho uso desde tiempos inmemoriales de fórmulas secretas con las que elaborar antídotos y paliativos contra los más diversos males. Estos productos suelen incorporar entre sus ingredientes productos vegetales, arcillas y sales, y a menudo también excrementos de animales, un bien utilizado con especial asiduidad en la farmacopea de la selva africana. El celo con el que los curanderos han preservado el empleo de estas pócimas y ungüentos de generación en generación, unido a la agravante de que las zonas en que se emplean tales remedios suelen tener una más que escasa cobertura médica, hace que estas sustancias curativas sigan utilizándose hoy en día con regularidad, y los buenos resultados cosechados en su empleo siguen sorprendiendo a la incrédula comunidad médica.

intervenciones quirúrgicas de los curanderos filipinos ha encontrado casi siempre muestras evidentes de fraude.

Al analizar la sangre, se comprobaba que no era humana sino de origen animal; los supuestos tumores extraídos correspondían a vísceras de pollo. No obstante, se dan casos de «operados» que han mejorado en su enfermedad, lo cual siempre puede atribuirse a la sugestión e incluso al tratamiento hipnótico.

En 1968, el investigador alemán Hans Bender quiso cerciorarse de la veracidad de las curaciones de los cirujanos filipinos. Sus conclusiones no dejaron lugar a dudas sobre la supercheria que se escondía sobre una práctica pretendidamente científica. Bender desmontó con sólidos argumentos la supercheria.

SERES PODEROSOS

A lo largo de la historia, el imaginario popular ha dado cuerpo a seres con cualidades sobrehumanas, criaturas con un poder preternatural cuya sola mención infunde un gran respeto. El terror que sentimos ante lo desconocido, hacia todo aquello cuya capacidad de reacción se nos escapa, pero también la inseguridad que muchas veces nos crean nuestras propias limitaciones, nos ha llevado a crear mitos asentados sobre la predisposición a la credulidad que tenemos de forma natural.

Algunos seres, como las valquirias o las amazonas, no pasan de ser fabulosas creaciones cuya verosimilitud no va más allá de lo que representan, es decir, la reivindicación de las mujeres como sexo fuerte, y no débil, como se viene manteniendo desde hace siglos. En otros casos, la realidad y la ficción se confunden hasta requerir una interpretación histórica del fenómeno. Tal es el caso de las brujas o de Sansón. Y no faltan las criaturas cuya morfología y naturaleza constituyen un verdadero enigma, como el Golem, el monstruo del lago Ness o el Yeti.

247

Las valquirias, óleo de Frank Stassen.

LAS INTRÉPIDAS AMAZONAS

A las míticas amazonas se las educaba desde pequeñas en el arte de la guerra y se les cercenaba o quemaba un pecho, con la finalidad de que pudieran manejar con mayor soltura el arco. De ahí proviene el nombre de «amazona», término que en griego significa «sin pecho».

Detalle de una vasija del siglo IV a.C. en el que aparece representada la escena de un combate entre las amazonas y las huestes griegas. Ambos pueblos se enfrentarían en numerosas ocasiones.

El noveno trabajo que Euristeo, rey de Micenas, encomendó a su primo Hércules fue que le llevara el cinturón de oro del dios Ares, mítica pieza que adornaba el talle de Hipólita, reina de las amazonas. El monarca pretendía así complacer un deseo de su hija Admete.

Hipólita apenas opuso resistencia a la solicitud del guerrero, y le ofreció el cinturón en señal de amor, pero Hércules hubo de enfrentarse con este grupo de aguerridas mujeres cuando un rumor difundido por la diosa Hera les hizo creer que Hércules había llegado a sus dominios con la idea de raptar a su soberana. Los apuros que pasó el recio héroe para zafarse de la ofensiva amazona hablan bien a las claras del carácter batallador de esta estirpe de féminas descendientes de Ares, dios de la guerra, y de la propia hija de éste, la ninfa Harmonía.

Las amazonas habitaban, según el historiador Herodoto (c. 484-425 a.C.), a orillas del río Termodonte, en la región de Capadocia. Allí tenían sus dominios, que autogestionaban sin la presencia de varón alguno. Sus únicos contactos con personas del sexo opuesto los llevaban a cabo con extranjeros una vez al año y con un

único fin: perpetuar la especie. Si los recién nacidos eran varones, se les mataba. Sólo en muy pocos casos, les eran devueltos con vida a sus padres. Las amazonas únicamente se quedaban con las niñas, a las que educaban desde muy pequeñas en el arte de la guerra.

Así consiguieron erigir una sociedad matriarcal en la que el poder máximo era compartido por dos reinas, una para la defensa y otra para las tareas domésticas. Vestidas con una túnica corta y ceñida, y armadas con arcos y flechas, las amazonas tenían declarada la guerra a todas aquellas culturas en las que prevalecía la dominación masculina. Consideradas como unos seres contranaturales y peligrosos por las restantes civilizaciones, las amazonas no combatían únicamente para defenderse de los ataques que a menudo padecieron —recuérdese el caso de Hércules—, sino que en muchas ocasiones lo hacían para extender sus dominios a los territorios limítrofes.

La mitología clásica recoge episodios bélicos en los que las amazonas tuvieron una participación decisiva. Así, la invasión de Licia, de donde fueron expulsadas por Belerofonte —el domador del caballo alado Pegaso—, o la de Frigia. Pero si hubo un pueblo que padeció su furia batalladora, ese fue el griego. Hasta el punto de que cuando su antiguo enemigo, el rey Príamo —quien las había combatido durante la invasión de Frigia—, solicitó su presencia en Troya

LAS MUJERES QUE AMABAN A LOS CABALLOS

Las amazonas odiaban a los varones tanto como amaban a los caballos.

Aún hoy, el término amazona se sigue utilizando para referirse a aquellas mujeres que dominan el arte de la equitación. Esta horda de hembras soldado, aparte de por su belleza y su acierto en el tiro con arco, cobró fama en la Antigüedad por su

destreza hípica. Sobre el lomo de su respectivo corcel eran capaces de bailar, brincar y ejecutar toda suerte de cabriolas. Su extensa gama de habilidades no se quedaba ahí, ya que además les gustaba exhibirse saltando de un caballo a otro al galope e incluso rebasar, sin silla, un anillo de fuego, con un salto espectacular.

Los caballos se mostraban dóciles y las obedecían en todo. Siendo así, ¿qué falta hacía un hombre en sus vidas?

Busto de mármol de Herodoto. Muchos de los conocimientos que se conservan acerca del pueblo de las amazonas se deben a los textos del célebre historiador de Halicarnaso.

EL REINO DE LAS MUJERES

En el siglo IX, Alfredo el Grande (849-899), rey de Wessex (Inglaterra), habla de un reino, el Magdala, situado al norte de Europa y habitado exclusivamente por mujeres. Cincuenta años después, las crónicas del viajero árabe Ibn Yacoub confirmaron la existencia de este territorio dominado por féminas, y lo situaron cerca del mar Báltico. Cabe pensar si no estarían refiriéndose a las famosas valquirias, el equivalente escandinavo del mito griego de las amazonas.

Algunas leyendas malayas hablan así mismo de una tribu de mujeres guerreras que vivía en la isla de Engano, cerca de la de Sumatra.

El propio Marco Polo (1254-1324) fue testigo, durante uno de sus viajes al Lejano Oriente, de la existencia de dos islas en las proximidades del reino de Khesmakoran, cada una de las cuales acogía población de un único sexo. Una vez al año, los hombres visitaban a las mujeres de la isla vecina para mantener relaciones sexuales. Al dar a luz, las mujeres se quedaban con las niñas y enviaban a los hijos varones con sus padres al cumplir los doce años.

Por su parte, el navegante español Francisco de Orellana (1511-1546) dio nombre al río Amazonas después de haber librado un combate en aquellas tierras con una estirpe de mujeres que demostraron gran destreza en las artes bélicas, según relató uno de los miembros de la expedición.

para vengar la muerte de su hijo Héctor a manos de los griegos, las amazonas acudieron raudas a la ciudad devastada con un contingente encabezado por su soberana Pentesilea. El aguerrido héroe heleno Aquiles dio muerte a la reina de las amazonas, pero, según cuenta la leyenda, no pudo reprimir las lágrimas al verla morir tan joven y tan bella.

GUERRERAS SENSUALES

Además de valerosas, esta raza de mujeres destacó por su belleza. De hecho, muchos de sus enemigos no pudieron evitar caer rendidos ante sus encantos. Tal fue el caso de Teseo —el vencedor del Minotauro—, quien acudió a sus dominios para raptar a la reina Antíope, con la consiguiente ira de las restantes amazonas, que persiguieron al secuestrador hasta Ática, don-

En este fragmento del friso del monumento funerario a Mausolo, construido en el siglo IV a.C. en Halicarnaso, aparece reflejado el fragor de una de las muchas batallas libradas entre los griegos y las temibles amazonas.

de finalmente cayeron derrotadas. Teseo y Antíope tuvieron un hijo, Hipólito, a quien el poeta francés Jean Baptiste-Racine (1639-1699) haría protagonista de su drama *Fedra*.

Otros que cayeron víctimas de la sensualidad irradiada por estas féminas fueron los escitas, a cuyos dominios llegaron las amazonas después de haberse hecho con el mando del barco utilizado por los griegos para capturarlas. Si hemos de hacer caso a Herodoto, los escitas firmaron la paz con las amazonas y tuvieron descendencia con ellas. Lo cual cuesta creer de este grupo de hembras valientes, orgullosas de su feminidad y de su capacidad para gobernarse a sí mismas. Las amazonas son un ejemplo de independencia y autosuficiencia digno de admiración aún en nuestros días.

249

SANSÓN, LA FUERZA DEL ODIO

El personaje de Sansón representa en la tradición hebrea al hombre de acción movido por sus profundas convicciones. Su biografía, según la presenta la Biblia, está cargada de actos heroicos, cercanos en algunos casos al fanatismo religioso.

Sansón, el hombre que durante veinte años —según se recoge en la Biblia— impartió justicia entre las tribus de Israel, era un hombre inflexible, más aún cuando desde joven profesó un desprecio inquebrantable al pueblo filisteo. Pero del contenido de las Sagradas Escrituras no podemos concluir si su conversión en ejecutor de la ley divina fue algo que le llegó por vocación o bien tras sufrir un desengaño amoroso. Aun así, este héroe hebreo fue el hombre más fuerte de su época, hasta el punto de que no se conformaba con dictar sentencias, sino que también las ejecutaba.

Sansón era miembro de la tribu de Dan. Un ángel anunció a sus padres que su vástago sería un nazareo, es decir, una persona consagrada al servicio de Jehová, y les advirtió: «No debe venir navaja alguna sobre su cabeza y es él quien lle-

En este cuadro de Guido Reni, *Sansón victorioso*, conservado en la Pinacoteca de Bolonia en la actualidad, el héroe hebreo aparece rodeado por los cuerpos de sus víctimas.

Fotograma perteneciente a la película *Sansón y Dalila*, adaptación de las vicisitudes del héroe israelita dirigida por el célebre director Cecil B. DeMille en 1949.

vará la delantera en salvar a Israel de la mano de los filisteos».

UN HOMBRE FUERTE CONTRA LOS FILISTEOS

Los filisteos eran un pueblo no semítico asentado en la región costera del sur de Palestina, en lo que actualmente es Cisjordania. Su expansión territorial les hizo enfrentarse repetidamente con los pueblos hebreos, que consideraron a los filisteos su *bestia negra*. Sansón, como había revelado el ángel a sus padres, consagró su vida a combatirlos, desde muy joven, aunque en su primera juventud se enamoró perdida-

LOS VOTOS DEL NAZAREO

Sansón fue, según la tradición hebraica, además de juez de Israel en el siglo XII a. C., un destacado nazareo.
El nazareato era una especie de sacerdocio alternativo, abierto indistintamente a hombres y mujeres, y orientado a la elevación espiritual. Se accedía a él tras la pronunciación de tres votos: abstenerse de beber vino, no acercarse a ningún cadáver ni exteriorizar duelo, ni siquiera por los parientes cercanos, y no cortarse nunca el cabello. La palabra nazareo proviene de *nezer* que, entre otras cosas, significa cabello largo. El nazareato no estaba ligado a privilegios heredados, como era el caso de los levitas o el sumo sacerdote, por lo que estaba al alcance de cualquier persona.

SANSÓN RESCATADO POR LOS ARQUEÓLOGOS

Todavía hoy está abierta la polémica sobre la autenticidad histórica de determinados pasajes bíblicos. El de Sansón y su lucha contra los filisteos era uno de los más controvertidos. La fuerza sobrehumana del héroe nazareo parecía más cosa de leyenda que episodio histórico. Sin embargo, en la década de 1990, un equipo de arqueólogos descubrió en Israel los restos de dos templos que muy bien podían datar de la época en la que los filisteos ocuparon la zona. El estudio posterior reveló que se trataba de sendas construcciones en las que el techo estaba sostenido por dos pilares de madera separados unos 2 metros entre sí. Este descubrimiento ha llevado a afirmar a los investigadores que las características de ambas columnas hacen fácilmente creíble la hazaña de Sansón cuando mató a sus enemigos y pereció con ellos, ya que con su fuerza quebró ambos pilares. Se trataría, por tanto, de una historia mucho más plausible de lo que muchos están dispuestos a admitir.

mente de una filistea a la que conoció en la ciudad de Tumna. A pesar de las advertencias paternas, el joven nazareo se comprometió en matrimonio con aquella muchacha.

Para celebrarlo, dio un banquete al que fueron invitadas varias personas. Sansón, entonces, las puso a prueba con una adivinanza para cuya resolución les concedió siete días. Los retados presionaron a su prometida para que sonsacara a su futuro marido la solución del enigma, amenazándola de muerte si no lo hacía. Y así, cuando le dieron la respuesta, Sansón conoció la traición de su amada y decidió regresar a casa decepcionado, no sin antes matar a algunos filisteos. Su descomunal fuerza comenzaba a manifestarse por aquellos días, en los que se cuenta que fue capaz de matar un león con sus propias manos.

LA TRAICIÓN DE DALILA

Esta primera referencia, plasmada en el texto bíblico, induce a pensar que Sansón, pese a llegar a ejercer de juez reforzaba su autoridad no con la razón, como otros famosos personajes bíblicos, sino con su musculatura. E incluso, considerando su comportamiento, podría decirse que el recio nazareo era más bien un provocador nato y un personaje conflictivo. Sin embargo, en su defensa cabe alegar que le trataron muy mal aprovechándose en varias ocasiones de su nobleza y, hasta cierto punto, simpleza, sobre todo las mujeres.

El episodio más famoso de Sansón en su lucha con los filisteos tendría lugar algunos años más tarde. El juez israelita se enamoró de una mujer llamada Dalila. Fue entonces cuando los filisteos, ansiosos de derrotar a Sansón, convencieron a la joven para que descubriera el secreto de su fortaleza, ofreciéndole 100.000 piezas de plata como recompensa. Él, que ya había sido traicionado dos décadas atrás por una mujer filistea, se resistió a revelar a Dalila el secreto de su poder. Cuando ésta le interrogaba acerca del mismo, Sansón respondía una y otra vez con una mentira. Le dijo que deberían atarlo con siete tendones para poder vencerle y que quien le hiciera siete trenzas en su melena lo doblegaría. Pero Dalila, convencida como estaba de que el nazareo mentía, se ganó su confianza advirtiéndole que estaba en el punto de mira de los filisteos, eso sí, después de haber dispuesto contra el héroe todas aquellas tretas que presuntamente habrían de vencerle de acuerdo con su propio testimonio.

Dalila sabía que Sansón, enamorado como estaba, terminaría por revelarle su secreto. Tras contarle que toda su fuerza se concentraba en su cabello, la fatal mujer puso sobre aviso a los filisteos y, aprovechando que dormía, le cortó el cabello. Desprovisto de su melena de nazareo, fue una presa fácil para los filisteos, quienes se congratularon de su captura exhibiéndolo encadenado ante todo el pueblo. El todopoderoso guardián de las tribus de Israel había sido vencido. Humillado y herido, al héroe le fueron arrancados los ojos y, ciego, fue obligado a trabajar tirando de la muela del grano en una prisión.

Aprovechando que Sansón dormía, Dalila consumó su traición cortándole el cabello al hebreo, tras haber descubierto que en él residía el secreto de la sobrehumana fuerza del hasta entonces invencible guerrero.

BRUJOS Y EMBRUJADOS

El ritual pagano más extendido durante la Edad Media era el aquelarre. Esta reunión congregaba a un pequeño grupo de personas, por lo general mujeres, alrededor de un líder masculino al que se consideraba un enviado del diablo y que dirigía la celebración disfrazado de macho cabrío.

En esta pintura anónima del siglo XIX aparece un grupo de brujas camino del Sabbat. En estas masivas reuniones de adoradores del Maligno se mezclaba el satanismo con las más desmedidas orgías sexuales.

LA CEREMONIA DE LA FERTILIDAD

En la Edad Media existía la creencia de que los brujos desarrollaban una serie de poderes sobrehumanos que les permitían provocar tormentas, preñeces —tanto en personas como en animales— y curar enfermedades. Actividades, todas ellas, vinculadas al ideal regeneracionista que conllevaba la teología dual inspirada en el maniqueísmo. La aspiración a lograr la fertilidad de los campos y la fecundidad en las mujeres tampoco debe extrañarnos en un contexto rural. Este anhelo justificaría las supuestas reuniones orgiásticas que se atribuían a los brujos y brujas. Más dudoso parece que, durante estas liturgias, se acometieran prácticas como la de clavar alfileres en muñecos de barro o la de conjurarse para echar mal de ojo, unos poderes que tienen más que ver con supersticiones populares que con la realidad.

De entre todos los lugares donde se desarrollaron prácticas de brujería en la Europa medieval, quizás el más famoso sea la mítica cumbre Brooken, el punto más elevado de las montañas del Harz, en Alemania. Allí se celebraba varias veces al año el Sabbat, una reunión multitudinaria en la que, mediante un juramento de sangre, eran iniciadas en la brujería personas de toda índole que se comprometían con la causa de Luzbel, Señor de las Tinieblas. Tras la ceremonia iniciática se procedía a la profanación de crucifijos y otros símbolos cristianos, seguida de un acto de culto en el que se invocaba al diablo mediante danzas que cada vez se iban tornando más intensas y obscenas, hasta culminar con una gran orgía en la que participaban todos los asistentes al Sabbat.

Esta reunión, organizada en términos de liturgia religiosa, induce a pensar que lo que durante siglos fue llamado brujería, lejos de ser una actividad mágica o esotérica, no era más que la manifestación de un credo alternativo inspirado en los principios del maniqueísmo, una fe que aún se conservaba como vestigio de un pasado remoto en muchos puntos, sobre todo, en las áreas rurales de la vieja Europa. Esta fe, que durante el Medievo fue alentada por los cátaros, fue combatida con saña por la Iglesia católica para imponer su doctrina monoteísta. La persecución estuvo fundamentada en la consideración del secularismo como herejía y la identificación de los herejes como brujos. Así pues, toda la iconografía de la que disponemos hoy sobre la práctica de la brujería como aplicación de unos poderes sobrenaturales, está vinculada a las representaciones difundidas por la

LA REPRESIÓN DE UN CREDO ALTERNATIVO

La Iglesia católica escribió una de las páginas más negras de su historia durante los más de tres siglos de existencia del tribunal del Santo Oficio, la Inquisición española. Algunos de los procesos que abrió contra la práctica de la brujería tuvieron mucha resonancia en la opinión pública:
1528. Se inicia en Cuenca el proceso contra el doctor Torralba, conocido médico de la localidad a quien se atribuían tratos con un demonio llamado Zequiel. El juicio se prolongó durante tres años, tras los cuales el acusado fue condenado a varios años de cárcel. 1610. El tribunal del Santo Oficio inicia en Logroño el proceso contra 29 personas procedentes de la región del Baztán (Navarra), acusadas de participar en diversos aquelarres y reuniones en las que se invocaba al demonio. La denuncia partió de un señor feudal, quien instigó el proceso para ajustar cuentas contra un grupo de campesinos que habían cuestionado su poder. Una de las supuestas brujas, María de Zuzaya, fue condenada a morir en la hoguera. 1619. Varias mujeres de la comarca catalana de Vich fueron acusadas de prácticas demoníacas. El proceso concluyó con varias sentencias a la pena capital.

fe cristiana de este culto pagano, popular a la par que antiinstitucional.

UN MUNDO DUAL

El credo cátaro se basaba en una teología dual, según la cual el universo estaba compuesto por dos mundos en conflicto, uno espiritual creado por Dios y el otro material forjado por Satán. Los ritos de adoración al orden de lo material se sustentaban a su vez en el miedo a la muerte, fuente de la que se alimentan todas las religiones. La existencia de un más allá ya se contemplaba en el Paleolítico. Prueba de ello es la famosa pintura de la cueva de Ariège (Francia), que representa al dios de la guerra y de la muerte bajo los rasgos de un macho cabrío. El miedo a la muerte implicaba la celebración de la vida, representada mediante una figura femenina, diosa de la fecundidad, fuerza creadora a la que se emparentó con el dios de la muerte. Ambos iconos simbolizan la idea de regenera-

Con motivo de los juicios por brujería que se sucedieron en la población norteamericana de Salem, las calles de la ciudad se viciaron de un clima irrespirable de desconfianza entre su vecindad, como se aprecia en esta ilustración de 1883.

En este grabado popular de finales del siglo XVIII aparece representada una quema de brujas, sádico ajusticiamiento que se generalizó en la Europa medieval y que se cobró la vida de multitud de personas inocentes.

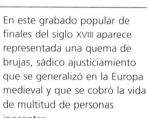

ción unida a la fertilidad, percepción en la que se basaron los ritos paganos medievales del aquelarre y el ya mencionado Sabbat, condenados como herejía por el credo cristiano. La difusión de la idea de que en aquellas reuniones se rendía culto al diablo convirtió a miles de personas en brujas y brujos a los ojos de la Iglesia católica.

MUERTE EN LA HOGUERA

A pesar de lo que se suele creer, no fue en España donde la Iglesia más empeño puso en la caza de brujas. Durante el siglo XVI, en España, el Tribunal del Santo Oficio sólo pronunció veinte sentencias de muerte bajo acusación de brujería, casi todas contra mujeres, lo que no oculta el fondo misógino de estas imputaciones. Esta cifra contrasta con las cerca de 60.000 personas que perecieron en la hoguera en el resto de Europa, sólo durante los primeros cincuenta años del siglo XVII.

Pero la Iglesia católica no sólo luchó contra los viejos ritos paganos a través de métodos punitivos, sino que paralelamente llevó a cabo una serie de prácticas para debilitarlos por la vía de la asimilación. Así, muchas festividades de origen profano se convirtieron en celebraciones de carácter religioso.

NESSIE, EL MONSTRUO DEL LAGO

Aunque las evidencias niegan la existencia de un monstruo con aspecto de dinosaurio en el escocés lago Ness, los habitantes de la comarca alimentan sin cesar la leyenda de un raro animal marino que, a pesar de su supuesto aspecto aterrador, es un ser pacífico.

PARIENTES LEJANOS

Si, como insisten algunos, *Nessie* llegó a las profundidades del lago Ness desde el mar, a través de un túnel submarino, no tiene por qué parecerles extraño que al otro lado del océano existan criaturas de características similares a las del monstruo escocés. Su pariente más famoso es *Champ*, una especie de reptil gigante que habita en las profundidades del lago Champlain, en Estados Unidos. No faltan testimonios de quienes afirman haberlo visto, pero por desgracia casi todos son, cuando menos, cuestionables. Así mismo, en los lagos Flathead (Montana) o Erie (Ohio) se han producido avistamientos de raros especímenes de tamaño insólito. Los canadienses, por su parte, también tienen en sus lagos un nutrido catálogo de apariciones. Así se habla del monstruo del lago Manipago, del de Manitoba o de uno que habita indistintamente en los lagos Ogopogo y Okanagan.

Este grabado popular retrata el ataque de una serpiente marina al pesquero *Sally*, acontecido en 1819. Las leyendas acerca de enigmáticas criaturas acuáticas han salpicado el imaginario popular a lo largo de la historia.

«Era de un color marrón brillante y tenía un cuello largo, parecido al de una jirafa. Lo pude ver con mucha claridad. Debía de medir unos 12 metros de longitud. Se nos mostró durante 10 minutos, más o menos. Cuando la estela del

El lago Ness está situado en la depresión de Glen More, en Escocia. Su desagüe lo constituye el río Ness, que desemboca en Inverness.

monstruo llegó hasta la orilla del lago tuve un poco de miedo, pero en ningún momento dejé de correr detrás de él tan rápido como pude.» Quien así habla es Edna MacInnes, una joven escocesa que a mediados de la década de 1990 se encontraba en compañía de su amigo David Mackay. De pronto ambos percibieron, a menos de un kilómetro de donde se encontraban, la presencia de una legendaria figura, la del monstruo del lago Ness, o *Nessie* como familiarmente se le conoce en aquellas frías y húmedas tierras.

Desde hace casi un siglo siguen reiterándose declaraciones en parecidos términos. En 1933, Alex Campbell, un alguacil local, dijo que había presenciado la emersión de las aguas del lago de una extraña forma de vida que en nada se parecía a cualquier especie conocida. Campbell se limitó a poner voz a una leyenda popular que hablaba de la existencia de una serpiente marina en las profundidades del lago Ness y que durante siglos fue la comidilla local entre los habitantes de las regiones del norte de Escocia. No obstante, hasta la fecha nadie había hablado de un encuentro cara a cara con la bestia. Este recelo llevó a no prestar demasiada atención a las palabras del alguacil Campbell, quien además tenía fama de ser un habitual de las tabernas.

Este primer testimonio no cayó en saco roto y ese mismo año hubo manifestaciones semejantes de otras personas que afirmaron haber visto a *Nessie*. Tal fue el caso de Mary Hamilton, una dama que mientras paseaba por las inmediaciones del lago observó una presencia desconocida que se asemejaba bastante a la criatura descrita por Campbell, aunque miss Hamilton fue más prolija a la hora de entrar en

Fotografía del lago escocés Ness, el cual experimentó, a raíz de la leyenda acerca del monstruo que supuestamente habita en sus profundidades, un increíble desarrollo como destino turístico en las islas británicas.

Una de las muchas fotografías de dudosa veracidad con las que se ha tratado de demostrar la realidad de la existencia del enigmático monstruo del lago Ness.

detalles sobre la apariencia del monstruo. Gracias a ella se supo que tenía una cabeza algo chata y, desde luego, muy pequeña, en relación a su inmenso cuerpo.

UNA ATRACCIÓN LOCAL

Bien sea por esta profusión de detalles, bien por proceder el testimonio de una persona que, al menos, no se hallaba socialmente bajo sospecha, lo cierto es que las palabras de Mary Hamilton encontraron una gran repercusión en los periódicos de la época. Hasta un diario tan serio como *The Times* —de todos es conocida la inclinación sensacionalista de la prensa británica— destacó el suceso a cuatro columnas. El asunto alcanzó tal magnitud que llegó hasta el Parlamento británico, donde se escucharon propuestas de todo tipo, algunas tan descabelladas como la que pretendía dragar el lago Ness para comprobar la existencia de la criatura. El secretario de Estado para Escocia, sir Godfrey Collins, ordenó rodear el área con un cordón policial a fin de despejar las dudas sobre lo que estaba ocurriendo.

Nuevos testimonios de personas que decían haber visto a *Nessie*, terminaron por consolidar una creencia que, de la noche a la mañana, pasó a ser asumida como evidencia por la mayoría de los escoceses e, incluso apurando, de los británicos. Muchos fueron los que, ya entonces, comenzaron a valorar el filón económico que para la zona podían suponer las apariciones de aquel extraño animal. Así las cosas, si aún quedaba algún escéptico sobre la existencia del monstruo del lago Ness, por el bien de la economía local, guardaba el más discreto silencio. *Nessie* comenzó así a exhibirse en los escaparates de las pastelerías, donde adoptaba apariencia de chocolatina, y en los tenderetes que empezaron a instalarse en las inmediaciones del

UN MONSTRUO CON BENDICIÓN

Según muchos escoceses, el que *Nessie* tenga un carácter pacífico es mérito de san Columbano de Iona (521-597), responsable así mismo de haber divulgado la presencia de esta extraña criatura en las profundidades del lago Ness. San Columbano era un predicador irlandés que, en el siglo VI, marchó a los dominios de los pictos —antiguos habitantes de Escocia— para convertir a la fe cristiana a estas tribus de feroz reputación. Cuenta la leyenda que el religioso se disponía a cruzar el lago en una barcaza con sus hombres cuando una gigantesca criatura emergió de entre las aguas y, de un bocado, se tragó al barquero.

Hay quien dice que el predicador reprendió al monstruo su acción y éste, compungido, aceptó la reprimenda; según otras fuentes, Columbano utilizó su fortaleza espiritual y no hubo sino de mover una de sus manos para que aquella enorme serpiente marina se amansara y dejase en paz a la misión. Sea como fuere, lo único que parece claro es, que gracias a este sacerdote irlandés, *Nessie* es un ser pacífico, incapaz de atacar a persona alguna. Todavía hoy, quienes afirman que lo han visto corroboran su espíritu dócil y pacífico.

lago. Allí se vendían tallas de madera del espécimen a los miles de visitantes que acudían en masa, ávidos de ser testigos de su comparecencia. En una sola semana del mes de agosto de 1934, 10.000 vehículos de turistas accedieron a la zona.

TESTIMONIOS BAJO SOSPECHA

También en 1934 se tomó una fotografía del monstruo, que fue ampliamente difundida por todos los periódicos. Aquello era la prueba definitiva de que *Nessie* existía, si bien, después, el autor de aquella instantánea, que dio la vuelta al mundo, confesó que se trataba de un montaje y que aquella cabecita que emergía de entre las aguas no era otra cosa que un submarino de juguete. Pero para que la verdad saliera a la luz hubo que esperar a 1994, es decir, seis décadas después de que la imagen fuera captada, lo cual no impide que aún hoy haya quienes, cautivados por la leyenda, se resistan a creer que todo fue un engaño. Para estas personas, el montaje de aquella foto no es sinónimo de que el monstruo no exista, y se escudan en que hay otras evidencias, orales, escritas, sonoras y hasta cinematográficas. Y no les falta razón.

Desde aquel ya lejano 1934, si hacemos caso a Roy P. Mackal, autor de un libro sobre el tema, se pueden contabilizar cerca de 10.000 informes conocidos que recogen las experiencias de otros tantos individuos que afirman haber visto a *Nessie*. Pero, ¿cuántos de estos documentos merecen fiabilidad? A decir de los expertos, ninguno, porque si bien hay fotos y películas que no parecen haber sido manipuladas —exis-

ten incluso tomas submarinas—, también es verdad que aquello que se ve en ellas y que pasa por ser una parte de la anatomía del monstruo podría ser cualquier otro animal u objeto.

Los más escépticos denuncian la inverosimilitud de la existencia del monstruo y aducen razones objetivas. Porque, en primer lugar, se preguntan, ¿qué clase de animal es el monstruo del lago Ness? Hasta la fecha, la versión más difundida es que se trata de un representante del fascinante mundo de los dinosaurios, que ha sido capaz de sobrevivir decenas de millones de años y llegar hasta nuestros días. En concreto ha sido descrito como un plesiosaurio, una especie de dinosaurio marino que solía alimentarse de peces. Para los científicos esto representa la primera incongruencia, ya que el lago no tiene capacidad física para acoger la inmensa cantidad de peces que el monstruo hubiera precisado como alimento para mantenerse vivo durante todos estos siglos.

Quienes creen en su existencia responden que *Nessie* llegó al lago a finales de la era glaciar a través de un túnel submarino que lo une con el mar. Se especula incluso con que la criatura vuelve a temporadas al océano a través de ese pasadizo que sólo ella conoce. Recientes estudios geológicos realizados en el fondo del lago utilizando sondas de hasta 4 metros de longitud han determinado, sin embargo, que no existen estratos sedimentarios de animal marino alguno, lo cual cierra la posibilidad de que el lago Ness haya estado en alguna época en contacto con el mar.

Pero poco importa todo esto a los habitantes de la zona. Saben que mientras perviva la creencia de que el monstruo del lago Ness es algo más que una leyenda, sus ingresos turísticos no correrán peligro.

El monstruo del lago Ness, obra de Gino d'Achille realizada en 1935 y en la que aparece representada la descomunal criatura acuática tras capturar una oveja.

SERES DE OTROS MUNDOS

*L*a Tierra es demasiado pequeña para
la imaginación del hombre, y por ello
debe buscar, encontrar o imaginar su
alter ego *más allá de las estrellas. Desde
la más remota Antigüedad, la historia
y las leyendas recogen testimonios de
fenómenos extraterrestres. Naves
voladoras, apariciones en el cielo,
batallas aéreas o seres llegados del
espacio pueblan las crónicas antiguas
y las tradiciones populares de todos
los pueblos primitivos, irrumpen en la
historia a través de los siglos y se
manifiestan con similares muestras
y testimonios hasta el presente.*

*Realidad o ficción, experiencias
verdaderas o superchería, lo cierto es
que, entre un gran número de hechos
dudosos o fraudes orquestados,
se hallan abundantes fenómenos que no
encuentran una explicación satisfactoria
sin admitir la existencia real de seres
extraterrestres llegados a nuestro
planeta procedentes del espacio exterior.
Por lo tanto, parece innegable que
«algo hay ahí afuera». Tan fascinante
posibilidad, aún no probada por la
ciencia, sirve de argumento a leyendas
contemporáneas y da base a las
más extravagantes hipótesis
parapsicológicas.*

257

Si bien a través de la astrología tenemos un
profundo conocimiento del firmamento, su negra
inmensidad parece ocultarnos aún enigmas.

EL TESTIMONIO DE PLINIO EL VIEJO

Aunque se suele creer que el fenómeno OVNI (Objetos Volantes No Identificados), también conocido como UFO (Unidentified Flying Objects), empezó su andadura en el siglo XX, ya en la Antigüedad se hablaba de la posible existencia de seres «alienígenas» que surcaban el espacio en objetos voladores de las más diversas formas y colores.

Los supuestos avistamientos de objetos volantes desconocidos se hicieron numerosos a partir de los últimos años de la década de 1940, coincidiendo con el fin de la Segunda Guerra Mundial, pero el fenómeno encuentra resonancias muy antiguas, que se repiten con cierta intermitencia a lo largo de la historia. En el siglo XX, con la eclosión de las comunicaciones casi instantáneas, la acuñación del concepto de «globalización» y las transmisiones televisivas

Plinio el Viejo, sin duda uno de los grandes sabios romanos, dejó constancia en su extensa y ambiciosa *Naturalis Historia* de los avistamientos de objetos voladores no identificados en la Antigüedad.

en directo se dieron las condiciones propicias para que un fenómeno que en otros tiempos podría pasar desapercibido, se convirtiera en noticia difundida por todo el mundo. No es, pues, de extrañar que la frecuencia con que se dan noticias del suceso se haya incrementado precisamente al aumentar los medios de comunicación y su poder en el siglo XXI.

LAS VISIONES DE UN HISTORIADOR

Plinio el Viejo fue un hombre culto que vivió en Roma en el siglo I de nuestra era. Nació, probablemente, en el año 23 o 24, en Como, en el seno de una acaudalada familia, y murió trágicamente en el año 79, víctima de la erupción del Vesubio. Dedicado a las artes de la guerra, realizó numerosos viajes, y dada su gran curiosidad, recogió un gran número de observaciones, leyendas y descripciones en los treinta y siete libros de su *Naturalis Historia* (Historia Natural), una verdadera enciclopedia de la Antigüedad. Si bien muchos de los contenidos que recoge son de dudosa veracidad, otros constituyen una valiosa aportación al conocimiento.

Entre los abundantes datos consignados figuran bastantes que se refieren a noticias sobre el avistamiento de extrañas naves voladoras. Tanto es así que, en su obra, Plinio no sólo se limita a exponerlas, sino que incluso se dedica a aventurar una posible clasificación de las mismas.

Montaje fotográfico que muestra irónicamente la sensación de avistamientos de presuntos platillos volantes a lo largo del siglo XX.

ESTRELLAS, COMETAS Y... ¿NAVES?

No fue Plinio el primero en tener noticia de «extrañas naves voladoras». La mitología de los pueblos primitivos está llena de leyendas en las que diviniza a extraños seres que llegaron desde los confines del cielo. La referencia al espacio exterior es constante. Pero aún resulta más sorprendente la frecuencia con que se hace alusión al uso de naves o vehículos. El ensayista suizo Erich von Daniken creyó ver en la pampa de Nazca una pista rudimentaria de aterrizaje de naves extraterrestres que habrían visitado nuestro planeta en el pasado. Otros investigadores ligados a la parapsicología consideran que el enigmático conjunto arquitectónico de Stonehenge representa a seres extraterrestres. Otros afirman que la plaza central de la ciudad de Tikal fue en realidad una gran pista de aterrizaje para naves extraterrestres...

OBJETOS CELESTES

En su *Naturalis Historia*, Plinio clasifica las apariciones «ufológicas» de las que ha tenido noticia atendiendo a la forma y las características de los objetos celestes avistados, y así, distingue entre: los *clipei ardentes*, objetos de gran luminosidad y forma discoidal; los *trabes*, grandes aparatos en forma, diríamos hoy de «cigarro puro»; y los *chasmata*, de apariencia inmaterial o etérea. Algunas de las descripciones puntuales que ofrece Plinio son contundentes y precisas: «Durante la puesta del sol, un gran objeto en forma de escudo ardiente surcó el cielo de este a oeste, mientras lanzaba chispas...».

No debe pasar desapercibido el hecho de que la descripción de algunos de los avistamientos reseñados, en especial los de la forma *trabes*, coincidan con numerosas informaciones difundidas en el siglo XX, que describen los objetos volantes. Además, muchas de ellas corresponden a la experiencia vivida por personas que es poco probable que conocieran la obra de Plinio. Otro hecho que cabe destacar es que lo que podían ver las gentes de la época de Plinio, evidentemente, no podía ser fruto de la confusión con un globo sonda o un avión, objeción que se realiza en la actualidad al respecto de muchos supuestos avistamientos contemporáneos.

Las descripciones aportadas por Plinio el Viejo acerca de los objetos voladores que surcaron el cielo en la Antigüedad guardan una increíble similitud con los más recientes testimonios sobre avistamientos de ovnis.

Detalle de una edición medieval miniada de la *Naturalis Historia* de Plinio el Viejo. La extensa obra del erudito romano, además de ser una de las primeras en dar constancia del fenómeno OVNI, abarcaba multitud de temáticas.

LOS DIOSES VIAJAN EN VIMANAS

En una gran variedad de obras de la literatura védica, incluso en el *Ramayana*, se cita de forma recurrente la existencia de los vimanas, aparatos voladores en los cuales se desplazaban los dioses que llegaban del cielo. Aunque es difícil bucear en la mente de los autores de mitos y leyendas tan antiguos, existen numerosos detalles y coincidencias que resultan fascinantes. Así ocurre, por ejemplo, con la forma discoidal que se atribuye a tales naves, con su capacidad de viajar a gran velocidad por todos los medios y en todas direcciones, y con su aspecto luminoso y muy brillante.

En algunas obras incluso se dan detalles técnicos sobre la naturaleza, los mecanismos, las formas de energía y las instrucciones para la manipulación de los mencionados artefactos voladores.

Se describen en ellas minuciosamente los *sundara*, en forma de cilindro de gran tamaño y que desprendía «una gran luminosidad»; los *rukma*, en forma de cono truncado y «resplandecientes como el oro»; y los *sacuna*, que ofrecían la apariencia de «un gran pájaro con las alas extendidas».

LA LEYENDA QUE NACIÓ EN ROSWELL

En muchas ocasiones, el supuesto avistamiento de un ovni se debe a un error o una confusión por parte del observador o bien, a un engaño premeditado. Sin embargo, pocos casos como el del platillo de Roswell presentan tantos visos de realidad y plantean tantas incógnitas aún pendientes de ser resueltas.

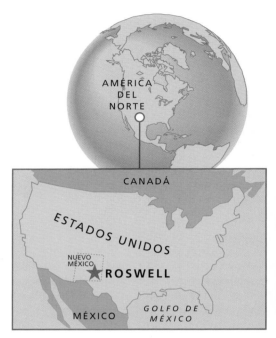

Roswell, Nuevo México. Día 2 de julio de 1947, por la tarde. La fiebre de los platillos volantes había movilizado a docenas de curiosos y aficionados que se dedicaban desde hacía unos días a escudriñar el cielo a todas horas con la esperanza de ver por sí mismos los extraños objetos

En junio de 1997, la prestigiosa revista *Time* dedicó su portada a la conmemoración del quincuagésimo aniversario de los sucesos acontecidos en Roswell.

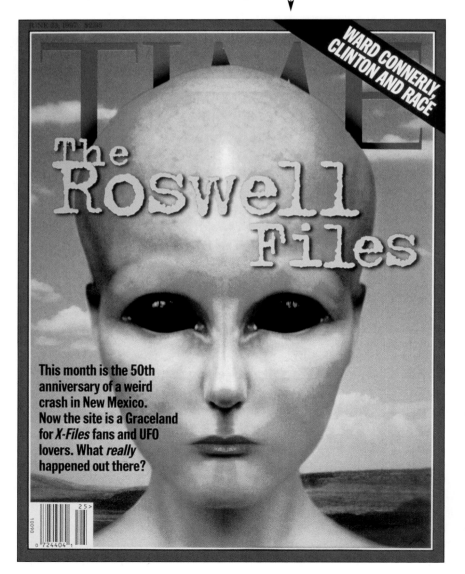

This month is the 50th anniversary of a weird crash in New Mexico. Now the site is a Graceland for *X-Files* fans and UFO lovers. What *really* happened out there?

de los que se hacía eco la prensa en los últimos días. No todos iban a sentirse defraudados.

En un momento determinado, varios testigos avistaron lo que parecía ser un brillante objeto volador no identificado que sobrevolaba el rancho McBracel. Pocos instantes después, el aparato sufrió un percance: como si hubiera

OBJETOS VOLADORES

Al parecer, la expresión «platillos volantes», que hizo fortuna en todo el mundo antes de que se generalizaran denominaciones más precisas como ovni y ufo, tiene su origen en la descripción realizada por el piloto estadounidense Kenneth Arnold.

En la madrugada del 24 de junio de 1947, Arnold, ingeniero y piloto con muchas horas de vuelo, sobrevolaba las Montañas Rocosas. El día era claro y despejado, sin ninguna nube en el cielo. De pronto, su avión se cruzó con nueve objetos discoidales que se movían a una velocidad inusitada.

Una vez en tierra, Arnold dio cuenta de lo sucedido empleando la expresión «objetos volantes en forma de platillos». La prensa se hizo eco entonces de la expresión «platillos volantes», que pasó a designar durante muchos años y en todo el mundo cualquier «objeto volante no identificado», fuera cual fuese su forma.

LA IMAGEN DE LOS EXTRATERRESTRES

Supuestos, imaginados y representados gráficamente de muy diversas formas, humanoides o monstruosas, los pilotos del platillo de Roswell constituían la primera imagen creíble de un extraterrestre. De entre los pocos y silenciados testigos presenciales que tuvieron ocasión de observar personalmente los cadáveres de los ocupantes del platillo, sólo tres se atrevieron a comunicar sus impresiones al investigador norteamericano Leonard Stringfield. Según éste, los testimonios eran coincidentes. Se trataba del sargento M. E. Brown, el fotógrafo especialista N. von Poppen y el doctor Weisberg. Según las descripciones realizadas, los extraterrestres medían entre 1 y 1,30 metros, y tenían aspecto humanoide, con los miembros muy delgados y la cabeza de proporciones mayores que la de los humanos, desprovista de cabello, de nariz y de pabellones auditivos, con ojos muy grandes y oblicuos. A finales de la década de 1990 se dijo que se había practicado la autopsia al cadáver de un supuesto extraterrestre.

sido alcanzado por un proyectil o por un rayo, fue afectado por una explosión parcial, experimentó un cambio brusco de dirección y desapareció, para estrellarse a los pocos momentos a unos 250 kilómetros de distancia, en las afueras de la ciudad de Magdalena.

PRIMERAS IMPRESIONES

A la mañana siguiente, 3 de julio, un ingeniero llamado Barnett llegó a Magdalena y dijo que había encontrado un gran disco metálico, de unos 10 metros de diámetro, y a cuatro pequeños humanoides muertos. En Roswell, lugar donde se inició el accidente, las autoridades llevaron a cabo un reconocimiento sobre el terreno y encontraron restos metálicos de naturaleza desconocida.

Tras estas declaraciones iniciales, que fueron recogidas por la prensa, el ejército acordonó las zonas afectadas e impidió cualquier interferencia civil. Además, el 8 de julio se emitió un comunicado (reconocido posteriormente como una burda maniobra de distracción) en el que se desmentía o rectificaba cualquier información anterior y se aseguraba que todo había consistido en la caída de un globo sonda, al que pertenecían los restos encontrados. Pero todo el material recogido, que incluía cuatro misteriosos sacos, fue urgentemente retirado del lugar y trasladado a dependencias militares.

A raíz del caso de Roswell se acrecentó notablemente el interés de la opinión pública por el tema de los platillos volantes, filón que fue aprovechado por la industria cinematográfica en películas como *Independence Day* (1998).

INFORMACIÓN CLASIFICADA ULTRASECRETA

Desde aquel momento fue imposible seguir la pista de lo sucedido o, mejor dicho, de las pruebas materiales del accidente. El ejército declaró *top secret* cualquier información referida al caso e impidió todos los intentos de investigación sobre el asunto. Incluso el entonces director del FBI, Edgar Hoover, emitió un comunicado interno protestando por negársele el acceso a la información. Siete años más tarde, el propio presidente de Estados Unidos, Dwight Eisenhower, tuvo serias dificultades para vencer el hermetismo militar y contemplar personalmente los restos del supuesto platillo y de sus presuntos ocupantes que, según todo parece indicar, se hallaban por aquel entonces fuertemente custodiados en la base militar de Edwards, en el estado de California.

Cuando, en 1977, se promulgó un acta sobre la libertad de información se creyó que los interesados en estudiar el caso tendrían acceso, si no a las pruebas materiales, sí a los informes relacionados con el caso. Pero la reticencia del estamento militar al respecto siguió siendo rígida e impenetrable. En la actualidad, un museo recuerda a sus visitantes los extraños hechos de Roswell, incluidas algunas dudosas fotos.

Otra célebre adaptación cinematográfica de una hipotética invasión extraterrestre fue la dirigida por Tim Burton en 1996, *Mars Attacks!*, en la que se abordaba con grandes dosis de humor la llegada a la Tierra de unas criaturas venidas de Marte.

261

¿ENCUENTROS EN LA TERCERA FASE?

Como si de una epifanía laica se tratara, el extraterrestre se da a conocer ante los atónitos ojos de sus observadores. En eso consisten lo que los paracientíficos han denominado «encuentros en la tercera fase», el momento de la verdad, por ahora incierta.

Aunque la abundancia de hechos reseñados y la contundencia de muchos de ellos hace sospechar que no estamos solos en el universo, más difícil resulta dar por cierto lo que constituye el aspecto más subjetivo de dichos fenómenos: los llamados «encuentros en la tercera fase», los contactos personales con extraterrestres.

Los ufólogos distinguen tres niveles o fases claramente diferenciados. En el primer nivel se encuentran los llamados «encuentros cercanos de primera clase», donde se consignan todos aquellos fenómenos en los que se produce un avistamiento a menos de 150 metros de distancia, de modo que el observador puede distinguir detalles estructurales de las naves.

En el segundo nivel de observación, «encuentros cercanos de segunda clase», se incluyen

Fotograma perteneciente a la película *Star Trek* (1979), la primera adaptación cinematográfica de la célebre saga televisiva, basada en un futuro remoto en el que seres humanos y extraterrestres comparten el control del universo.

aquellos casos en los que, una vez desaparecido el fenómeno, pueden hallarse consecuencias físicas del mismo objetivamente apreciables; es decir, manchas o agujeros en el suelo, hierbas y arbustos chamuscados, aparatos eléctricos afectados, etc.

Por último, los «encuentros cercanos de tercera clase», más conocidos como «encuentros en la tercera fase» recogen aquellos hechos en los que se incluye la figura del extraterrestre, el cual establece con el observador una relación por lo menos visual.

EL PRIMER CONTACTADO
Tan controvertido como todos los fenómenos OVNI, el primer supuesto encuentro con un ser extraterrestre tuvo lugar cerca del monte

En la página anterior, arriba a la derecha, recreación artística de supuestos extraterrestres.

Fotograma de la película *Encuentros en la tercera fase*, dirigida en 1977 por Steven Spielberg.

Palomar, en California, y el afortunado «terrestre» que lo protagonizó fue el imaginativo George Adamski.

Adamski, aficionado a la astronomía, era propietario de un restaurante en la ladera del monte Palomar. En el mes de octubre de 1946 estaba contemplando una espectacular lluvia de meteoritos cuando avistó una nave de gran tamaño, con forma de cigarro y de color negro; fue su primera experiencia alienígena, y el fenómeno fue presenciado por otros observadores. En agosto del año siguiente, de nuevo tuvo la ocasión de contemplar nada menos que más de un centenar de «extrañas luces» u objetos brillantes, también observados por numerosos testigos. Más tarde, a finales 1949, Adamski tomó una serie de fotografías muy espectaculares, cuya autenticidad se ha puesto en duda en numerosas ocasiones.

LOS ENCUENTROS

El 20 de noviembre de 1952, Adamski realizaba una excursión por el desierto que rodea monte Palomar con varios amigos cuando avistaron lo que parecía ser una nave extraterrestre en

ENCUENTROS, ABDUCCIONES Y LUCES DESLUMBRANTES

El avistamiento de ovnis, los encuentros con extraterrestres e incluso las abducciones son un fenómeno enraizado en la cultura popular estadounidense, pero que empieza a extenderse fuera de sus fronteras. De este nuevo mundo legendario, gestado a espaldas de la ciencia, son una buena muestra los siguientes relatos, muy divulgados por los ufólogos.

– Mayo de 1955. Branch Hill, Ohio. En la madrugada del día 25, R. Hunnicutt se dirige a su casa en automóvil y observa junto a la carretera tres figuras humanoides de corta estatura, boca ancha, carentes de nariz y piel grisácea. Puede contemplarlas durante varios minutos a escasos metros de distancia.

– Septiembre de 1961. El matrimonio Hill viaja en su automóvil por una carretera de New Hampshire cuando un ovni empieza a perseguirles. Pierden la noción del espacio y el tiempo, y no logran recordar nada más. Sometidos luego a hipnosis, coinciden en declarar que fueron raptados por seres humanoides con los que intercambiaron información sobre diversos temas.

– Septiembre de 1964. Cisco Grove, California. Tres amigos que estaban cazando en el bosque acampan para pasar la noche. Aparece un objeto volante del que descienden varios humanoides y una especie de autómata o robot de aspecto metálico.

– Octubre de 1973. Pascagoula, Mississippi. Dos pescadores observan cómo un objeto de forma ovalada se posa sobre las aguas del río, y de él salen tres figuras que introducen a uno de ellos en el interior de la nave, lo colocan sobre una camilla y le realizan un examen médico, con escáner incluido. Luego, lo devuelven tranquilamente a la orilla.

– Noviembre de 1975. Bosque de Apache-Sitgreaves, Arizona. Un equipo de leñadores se encuentra con un extraño objeto y cuando T. Walton se acerca a él es abducido por una intensa luz procedente de la nave. Apareció cinco días después, lejos del lugar, y contó que había estado con unos extraños seres delgados, de cabeza grande y ojos enormes, que le realizaron varios exámenes médicos.

– Junio de 1976. Valence, Francia. Hélène Giuliana regresa a su casa por la noche cuando su automóvil se detiene de repente, dejándola a oscuras completamente. Entonces puede ver en la carretera un objeto luminoso de color naranja. Asustada, cierra los ojos, y cuando los vuelve a abrir el objeto ha desaparecido y todo funciona con absoluta normalidad... Exceptuando que al comprobar la hora advierte que no han pasado unos segundos, sino ¡casi tres horas! No recuerda nada más, pero sometida a hipnosis acaba relatando que fue llevada al interior de la nave y sometida a un examen médico.

– Noviembre de 1979. Cergy-Pontoise, París. Tres jóvenes que viajan en una furgoneta observan una extraña burbuja de luz. Uno de ellos se acerca y desaparece envuelto en una neblina luminosa. Reaparece a los siete días y no recuerda nada de lo ocurrido.

DELIRIOS EN LA TERCERA FASE

Si en la década de 1950 el cine de Hollywood llegó a identificar en ocasiones a los extraterrestres con los soviéticos, Steven Spielberg dio una vuelta de tuerca no menos delirante al identificar las visitas alienígenas con una cierta idea de redención divina. La película en la que el cineasta norteamericano ahondó en esta cuestión, realizada en 1977, se tituló *Close Encounters of the third Kind* (Encuentros en la tercera fase) y aunaba su huero misticismo con una espectacular puesta en escena. Cinco años más tarde, el realizador volvería a presentar a un extraterrestre «bueno» en su taquillera *E.T.*, una fantasía cercana al concepto de cine familiar de Walt Disney.

forma de cigarro. *«De pronto vi un hombre de pie... Me hacía señales para que me acercara.»* Una vez Adamski se hubo alejado del grupo, según cuenta, tuvo lugar su primer encuentro. La narración es extensa y prolija en detalles, y relata interesantes «conversaciones» con el supuesto venusiano.

El 13 de diciembre de 1952, según relata Adamski, los extraterrestres se pusieron de nuevo en contacto con él y le entregaron un carrete fotográfico en el que figuraban extraños símbolos y signos, cuyo significado aún no ha sido descifrado. Aunque él asegura que mantuvo varios contactos más, la opinión generalizada, incluso sin negar la posible veracidad del pri-

E.T. el extraterrestre, de Steven Spielberg, fue una de las más exitosas películas que trató un hipotético contacto entre humanos y alienígenas.

El testimonio textual y gráfico del norteamericano George Adamski, quien presuntamente presenció numerosos fenómenos OVNI, afirmó el término de «platillo volante» referido a una nave de origen extraterrestre.

Fotografía del observatorio de monte Palomar. Los episodios de la enigmática narración de Adamski se sucedieron en los alrededores de este monte, en donde el californiano regentaba un restaurante.

mer encuentro, es que éstos obedecen simplemente a invenciones fantasiosas con el fin de acrecentar su notoriedad.

Hay que tener en cuenta que, a partir de sus primeras manifestaciones, Adamski se hizo mundialmente famoso, y su testimonio fue requerido por numerosos estamentos de todo tipo, a raíz de lo cual sus declaraciones fueron adquiriendo tintes cada vez más discutibles, como la descripción de su visita al interior de una nave extraterrestre, invitado por un venusiano llamado Firkon, con el que mantuvo largas conversaciones, su supuesto viaje a la Luna en una de sus naves, y la afirmación final de que, en nuestro satélite, había grandes ciudades extraterrestres.

PROLIFERACIÓN DE LOS CONTACTOS EN EL SIGLO XX

Son numerosos los casos en los que, con mayor o menor lujo de detalles, se consignan encuentros con extraterrestres. Ya en la década de 1950 otros compatriotas estadounidenses de Adamski compartieron con él la gloria de contarse entre los primeros terrícolas escogidos.

La ufología recuerda los nombres de Howard Menger, Truman Bethurum y Daniel Fry, entre otros. Posteriormente, el fenómeno se generalizó hasta tal punto que resultaba difícil distinguir entre iluminados, profetas, visionarios, estafadores, ingenuos y meros aficionados a la especulación.

Aunque las circunstancias son muy diversas y las descripciones varían notablemente de un caso a otro, se ha intentado establecer clasificaciones más o menos coincidentes en un intento de dilucidar la veracidad de las diferentes narraciones. No obstante, lo cierto es que muchas coincidencias ofrecen la duda de si el supuesto contactado disponía de abundante información previa leída en las numerosas publicaciones existentes sobre el tema.

SEÑALES

*D*esde que san Pablo se cayera del caballo camino de Damasco, cegado por una brillante luz, muchas han sido las señales luminosas aparecidas en el firmamento de las que tenemos noticia, y aun antes muchas otras civilizaciones revelan en sus escritos una sublime expectación ante las revelaciones celestiales. En la era cristiana, los relatos de la tradición comienzan con la archifamosa estrella de Belén que condujo a los Magos de Oriente. Después se ha especulado mucho sobre que aquella pudo ser la primera manifestación de la que se tuvo noticia del cometa estudiado varios siglos después por el astrónomo británico Edmund Halley, de quien tomó su nombre actual. Pero no es posible asegurarlo.

Y es que la humanidad ha pasado de caminar sobre la seguridad que le proporcionaba la fe a rebelarse contra las limitaciones que conllevaba el credo. Aún hay misterios precedidos por una señal luminosa que son imposibles de resolver, como el de la tormenta que siguió a la crucifixión de Jesús, las tinieblas que secuestraron a Rómulo —rey fundador de Roma— o la cruz que vislumbró en el cielo el emperador Constantino antes de una batalla decisiva y que terminó por inclinarle a adoptar la fe cristiana.

Ante lo desconocido, el hombre se ha amparado en supuestas señales impresas por seres superiores tanto en el cielo como en la tierra.

LA ESTRELLA DE BELÉN

El signo celestial que indicó a los Magos de Oriente el lugar de nacimiento del Mesías sigue siendo un gran enigma. La ciencia apela a un acontecimiento astronómico extraordinario para justificar la existencia de esta estrella que alumbró una acción no menos excepcional.

La megalomanía del rey Herodes quedó herida cuando recibió en audiencia a tres llegados de Oriente (hoy se especula con que Persia fue su lugar de partida), y éstos al ser preguntados por el motivo de su presencia en Palestina, contestaron: «Vimos una estrella gigante entre las demás constelaciones, tan sorprendente que las superaba a todas. Así comprendimos que había nacido un rey en Israel y nos pusimos en camino para adorarlo».

Estas palabras alimentaron una insana envidia en Herodes, quien temeroso por tener que compartir su cetro con otro, pidió a los magos más detalles sobre la venida al mundo de aquel a quien consideraban el rey de los judíos: «Id a buscarlo y si lo encontráis, hacédmelo saber para que yo también lo adore», dijo Herodes a los Magos. Sin embargo, Melchor, Gaspar y Baltasar, previendo su reacción, y tras asistir en

La célebre estrella de Belén ha sido profusamente estudiada por la astronomía moderna, incrédula ante la naturaleza mágica del fenómeno.

Cortejo de los Reyes Magos, detalle del conjunto de mosaicos de la iglesia de San Apolinar Nuevo de Ravena (Italia).

LOS CÁLCULOS DE KEPLER

En 1606, el astrónomo alemán Johannes Kepler (1571-1630) intentó explicar la naturaleza de la estrella de Belén afirmando que se trataba del recuerdo de una triple conjunción de Júpiter y Saturno bajo el signo Piscis, lo cual significa que ambos planetas se hallaron, en tres momentos, en una situación de alineamiento con respecto a la Tierra. Cuando se produjo esa situación, Júpiter y Saturno pudieron ser percibidos como un punto de gran luminosidad en medio del espacio. Algunos le respondieron que una situación de alineamiento triple era muy improbable. Sin embargo, reputados astrónomos han contabilizado al menos dos posiciones semejantes a la propuesta por Kepler en toda la historia de la humanidad, una en el año 860 de nuestra era y la otra en el 7 a.C. Así pues, parece dudoso que el año 0 fuera el del nacimiento del Mesías, como lo es que éste se produjera el 24 de diciembre, pues la situación de alineamiento a la que se refiere Kepler tuvo lugar en torno al 12 de abril, el 3 de octubre o el 4 de diciembre.

En esta pintura de Gentile da Fabriano, *Adoración de los Magos*, conservada en la Galería de los Uffizi, Melchor, Gaspar y Baltasar aparecen profesando su adoración hacia el Mesías recién nacido.

un mísero pesebre de Belén al advenimiento del Mesías, cambiaron de ruta para su regreso, lo que desorientó a Herodes I el Grande e incrementó más aún su furor. El rey de los judíos ordenó ajusticiar, uno por uno, a todos los recién nacidos del lugar. De este modo pensó el monarca que se libraría del ascendiente de Jesucristo como nuevo líder espiritual de su pueblo.

SE CUMPLIÓ LA PROFECÍA

Llegados a este punto, la versión del acontecimiento recogida por los Evangelios suscita muchas dudas, tanto entre los historiadores, que recelan de que los acontecimientos sucedieran de acuerdo con las fechas expuestas en la Biblia, como entre los astrónomos. Estos últimos han intentado explicar durante siglos la aparición de aquel maravilloso cuerpo celeste de acuerdo con unos mínimos criterios científicos. Por otra parte, algunos aún discuten acerca de cómo los tres sabios de Oriente pudieron relacionar aquella señal con Jesús.

Esto es más fácil de explicar, ya que los que hoy llamamos Reyes Magos se limitaron a tomar como referencia un pronóstico realizado siglos atrás por el profeta Miqueas, según el cual, todo el mundo conocería el advenimiento del hombre llamado a liberar a los israelitas del dominio al que estaban sometidos por los pueblos extranjeros presentes en Palestina. Miqueas predijo que cuando naciera el Redentor, su cuna estaría iluminada por una señal divina que extendería su luz por todo el firmamento. De

EL PESEBRE FUE LA META

Siguiendo el relato bíblico sobre los Magos de Oriente que obsequiaron a Jesucristo al nacer con oro, incienso y mirra, podemos saber cuál fue su ruta hasta dar con el mítico pesebre. A partir de la base de que la conjunción de Júpiter con Saturno bajo el signo de Piscis se produjo en tres momentos distintos, algunos eruditos han especulado que fue el segundo aviso —el del 3 de octubre—, el que movilizó a los Magos llevándolos a Jerusalén, donde se cree que llegaron a finales de noviembre. Una vez allí y tras entrevistarse con Herodes, Melchor, Gaspar y Baltasar prosiguieron su camino tras una nueva revelación que les llegó en la noche del 4 de diciembre, cuando se produjo el tercer alineamiento de los planetas. Más dudosa resulta la celeridad con la que localizaron el lugar preciso del alumbramiento, ya que en aquellas fechas Belén no era más que una aldea. Según los Evangelios, la estrella dirigió su luz precisamente hacia el mísero pesebre donde María acababa de dar a luz al Hijo de Dios. Esta coincidencia no deja de ser, según los astrónomos, una bella licencia literaria llamada a enfatizar tan gran acontecimiento.

este modo, Melchor, Gaspar y Baltasar —a los que se supone astrónomos—, al contemplar la estrella, relacionaron su presencia sobre el cielo de Oriente con aquel vaticinio.

MUCHO MÁS QUE UN SIMPLE ASTRO

Con independencia de que los acontecimientos se sucedieran en el tiempo como aparecen relatados en las Sagradas Escrituras, más interesantes son los intentos por explicar la naturaleza científica de aquel evento no sólo por su dimensión astronómica, sino por lo que representó. Además, las teorías propuestas al respecto han servido así mismo para comprobar el desajuste temporal existente entre la narración y los hechos reales.

Durante algunos siglos se interpretó que la estrella de Belén, tal como aparece descrita en la Biblia, podría ser un cometa.

El célebre astrónomo alemán Johannes Kepler (1571-1630) se sirvió de datos de gran precisión para sustentar su teoría según la cual la estrella de Belén habría sido en realidad el resultado de una triple conjunción entre Júpiter y Saturno bajo el signo de Piscis.

LAS TINIEBLAS QUE SE LLEVARON A RÓMULO

La ascensión a los cielos no es una alegoría exclusiva del cristianismo. El propio Rómulo, fundador y primer rey de Roma, se dice que fue arrebatado de la Tierra por una tormenta de origen desconocido que lo elevó a los cielos.

EL DIVINO QUIRINO

Rómulo pasó a integrar la nómina de dioses que habitaban el ya de por sí muy poblado elíseo romano. Fue venerado bajo el nombre de Quirino, denominación que, en su honor, recibió también una de las siete colinas que rodeaban Roma, la del Quirinal. Como dijo el poeta Ovidio (43 a.C.-17 d.C.), Rómulo fue inmortal, porque los valerosos quedan para siempre vivos en la memoria de los hombres, dado que la muerte nada puede contra el valor.

La historia que narra la creación de Roma se debate entre lo mitológico y lo real. De acuerdo con la mitología, Rómulo y su hermano gemelo Remo fueron los únicos fundadores de la ciudad. Ambos eran hijos de Marte, dios de la guerra, y de Rea Silvia, una de las vírgenes que custodiaban el templo de Vesta, la cual, a su vez, tenía por progenitor a Numitor, rey de Alba Longa, depuesto por su hermano menor Amulio, quien había obligado a su sobrina a ejercer de sacerdotisa para impedir que tuviera descendencia, con lo cual se aseguraba que nadie le disputara el trono.

Por temor a las represalias de su tío, cuando Rea Silvia quedó encinta de Marte, introdujo a sus dos hijos gemelos en una cesta y los arrojó

En este cuadro de Nicolas Poussin, *El rapto de las sabinas*, se recoge el episodio en el que Rómulo capitaneó un secuestro con el cual el fundador de Roma pretendió dotar de esposa a todos los habitantes de la nueva ciudad.

al río Tíber. Pero Rómulo y Remo fueron rescatados y alimentados por una loba en la falda del monte Palatino, donde los descubrió el pastor Fáustulo, quien los llevó a su casa para que fueran criados por su esposa Aca Larentia. Cuando alcanzaron la madurez, los hermanos destituyeron a Amulio y pusieron a su abuelo Numitor en el trono.

Los hermanos decidieron entonces construir una ciudad. Después de discutir sobre el lugar de emplazamiento, se decidieron por el monte Palatino. Allí Rómulo construyó un muro, pero Remo, para demostrar que era inadecuado, saltó despectivamente sobre él; en respuesta, su hermano lo mató, convirtiéndose así en el único soberano de la ciudad.

ENTRE LO REAL Y LO LEGENDARIO

Esta narración mitológica tiene su parte de verdad. En efecto, parece ser que Roma estuvo poblada en sus orígenes por una amalgama de tribus latinas, etruscas y sabinas, que se asentaron en las colinas que rodeaban la región del Lacio. De común acuerdo, establecieron la monarquía como sistema de gobierno de la comunidad. Por tanto, hubo un primer monarca elegido de entre los primitivos grupos de pobladores asentados en la zona. Hoy, los historiadores convienen en conceder el nombre de Rómulo a este gobernante. Aunque esta concesión aparece afectada por la mitología, lo cierto es que la historia que siguió a la fundación de la ciudad, y de la cual Rómulo fue protagonista, se encuentra plagada de elementos enigmáticos que no resistirían ser interpretados sino dejándose llevar por la leyenda que el acervo popular mantuvo sobre su primer monarca.

A pesar de haber matado, o mandado matar, a su hermano gemelo, la autoridad como gobernante de Rómulo jamás fue cuestionada. Su figura era contemplada, e incluso venerada, por los primitivos romanos. Quizás fue su habilidad como político lo que le llevó a ser tan respeta-

De supuesta ascendencia divina, los hermanos Rómulo y Remo fueron abandonados a su suerte por su madre, Rea Silvia, temerosa por el porvenir de sus vástagos. Según la leyenda, una loba los amamantó y les dio cobijo.

do, aunque, sin duda, también influyó su condición de patriarca. El caso es que aquel hombre del que se decía que todo su poder provenía de la leche de loba que lo había amamantado, siempre fue venerado por sus vasallos. De ahí que su muerte no fuera la de un ser normal, sino que enseguida surgió entre la población la idea de que los dioses les habían arrebatado a su rey para convertirlo en un ídolo celestial, para lo cual era necesario que su figura perdiera toda referencia mundana.

LOS ELEGIDOS POR LOS DIOSES

Muchos otros ilustres personajes fueron, antes y después que Rómulo, llamados por los dioses para que vivieran a su lado. Entre los seres legendarios que, como el patriarca de Roma, protagonizaron sonadas ascensiones a lo más alto del Olimpo están Elías, el más famoso de los profetas hebreos, y Enoc. Ambos casos aparecen reseñados en el Antiguo Testamento. No obstante, la ascensión de Enoc no fue una recompensa, sino un castigo por haber hecho que las tinieblas se cernieran sobre la Tierra.

Pero el mito de la ascensión no afectó sólo a figuras legendarias, sino a personalidades reales como el rey macedonio Alejandro Magno (356-323 a.C.) o el filósofo heleno Empédocles (c. 493.-433 a.C.). Según la versión más extendida, el primero murió de unas fiebres en Babilonia al regresar de una de sus campañas, mientras que el segundo se suicidó arrojándose al cráter del Etna. No obstante, estas versiones han sido cuestionadas por quienes estaban empeñados en mantener viva la leyenda de estos dos hombres-dioses que dignificaron su región de origen: Alejandro, Macedonia, y Empédocles, Agrigento (Sicilia), donde instauró la democracia. Quizá se prefiere pensar que ambos fueron llamados por los dioses como premio a su labor.

UN REY QUE LLEGÓ A LOS CIELOS

El historiador Tito Livio (59 a.C.-17 d.C.) recogió en sus escritos la misteriosa muerte de Rómulo, el fundador, en los siguientes términos: «Cierto día Rómulo organizó una asamblea popular junto a los muros de la ciudad para arengar al ejército. De repente se desató una fuerte tormenta. El rey se vio envuelto en una densa nube. Cuando la nube se disipó, Rómulo ya no se encontraba sobre la tierra; había sido arrebatado por el cielo.

«El pueblo al principio quedó perplejo; después comenzó a venerar a Rómulo como nuevo dios y como padre de la ciudad de Roma» (*Livius*, I,16).

La escenificación es inmejorable para quienes aún dudaban de la naturaleza divina de su rey. El hecho de que una tormenta precediera a la extraña desaparición de Rómulo (por aquel entonces, estos fenómenos atmosféricos eran considerados como una acción provocada por los dioses), no daba lugar a otra explicación que no fuera la ascensión a los cielos del fundador de Roma, en la que quizá tuviera algo que ver Marte, padre del monarca.

Alejandro Magno, representado en esta estatua del siglo II a.C., es otro de los célebres personajes de la Antigüedad que pudo haber sido agraciado con su ascensión al Olimpo de los dioses.

LA CRUZ DE CONSTANTINO

La expresión «ver la luz» como sinónimo de conversión tiene dos antecedentes ilustres: uno en san Pablo, otro en el emperador romano Constantino (c. 274-337 d.C.), a quien una señal celestial con forma de cruz le indicó el camino que debía seguir para vencer a su rival Marco Aurelio Majencio.

Cuando en el año 306 Constantino fue proclamado emperador no sólo heredó de su padre, Constancio I (250-306), el cetro imperial, sino que sus líneas de actuación política se mantuvieron firmemente asentadas sobre los dos pilares que habían hecho de su progenitor uno de los césares más respetados y queridos: una audacia militar fuera de toda duda y una fe inquebrantable en el dios Sol, a quien consideraba *summus deus*, es decir, una deidad suprema e invisible. A decir verdad, el culto henoteísta mantuvo su hegemonía en el siglo III a lo largo y ancho del Imperio Romano.

Este relieve, conservado en la actualidad en el Museo de Argel, hace referencia a la victoria de Constantino sobre Majencio en el puente Milvio, confrontación que se saldó en favor del primero por una supuesta intervención de orden divino.

UN REPENTINO E INESPERADO CAMBIO DE CREDO

Las motivaciones de Constantino a la hora de invertir sus convicciones siguen constituyendo todo un misterio, sobre todo por la nefasta incidencia, según algunos, que tuvo para el devenir del Imperio acoger como religión oficial un credo que, desde sus orígenes y hasta el momento, había sido objeto de represión por casi todos

En esta acuarela de A. Ramboux, *La victoria de Constantino sobre Majencio*, puede observarse la cruz que apareció sobre el escenario de la contienda.

los que habían ceñido los laureles imperiales. Sólo una revelación explicaría la súbita conversión del joven emperador al cristianismo.

Esa señal se produjo en el año 312, cuando Constantino esperaba, a las puertas de Roma, el momento de enfrentarse al poderoso ejército de Marco Aurelio Majencio, gobernador de la ciudad y enemigo declarado de los cristianos. Este hecho fue tenido en cuenta por Constantino, quien, intuyendo las escasas posibilidades de triunfo, invocó al Dios de los cristianos para que les iluminara, a él y a sus hombres, el camino de la victoria. Aún no había acabado el emperador de rezar sus oraciones cuando vio sobre su cabeza un inmenso cuerpo celeste con forma de crucifijo que resplandecía en el cielo y sobre el cual estaba escrita la siguiente leyenda: *In hoc signo vinces* («Con este signo vencerás»).

En efecto, tal como le había sido vaticinado, al día siguiente las huestes del emperador acorralaron a Majencio separándolo del grueso de su ejército. El acontecimiento tuvo lugar sobre el puente Milvio, que cruza el Tíber y que en aquél momento formaba frontera entre los dominios de Constantino y los de su rival.

En señal de gratitud, el soberano ordenó poner la cruz entre sus emblemas para, un año despues, promulgar el edicto de Milán por el que los cristianos no sólo dejaron de ser perseguidos, sino que se les concedió libertad de culto y reunión y se les restituyeron los bienes confiscados por el Imperio.

UNA MADRE DEVOTA

Para muchos historiadores parece claro que, más allá de los símbolos y las señales celestiales, la conversión de Constantino al credo cristiano se debió fundamentalmente a su madre, santa Elena. Nacida en Bitnia, localidad situada junto al mar Negro, hacia el año 270, conoció al futuro emperador Constancio I cuando éste llegó a la región en calidad de general de la guardia pretoriana.

Convertida en secreto al cristianismo en el año 307 (tan sólo doce meses después de que su hijo fuera coronado emperador), santa Elena predicó en todo momento la compasión y tolerancia hacia esta confesión religiosa, víctima de una cruenta represión.

Cuando Constantino reveló que se había sentido iluminado por el signo de la Cruz, su madre interpretó esta señal como la prueba definitiva de que los cristianos merecían, además de la indulgencia del emperador, su reconocimiento. Indujo a su hijo a adoptar la fe cristiana y éste le correspondió nombrándola augusta o emperatriz y poniendo a su disposición todos los recursos económicos que considerase convenientes para la difusión por el mundo de la doctrina apostólica.

EL SUEÑO Y LA CONVERSIÓN

Según muchos historiadores, la conversión de Constantino no se produjo de la noche a la mañana, sobre todo porque la señal celestial que llevó al emperador a su victoria sobre Majencio no fue tan determinante como algunos, sobre todo la jerarquía eclesiástica, han querido hacer ver. Se habla incluso de la ascendencia que santa Elena, madre del emperador, que se había convertido secretamente al cristianismo en 307, tenía sobre su hijo. Esta influencia estaría directamente relacionada con el episodio que vivió el emperador tan sólo unos pocos meses antes de la decisiva batalla del puente Milvio. Al parecer, Constantino vio en sueños a Jesucristo que llevaba una cruz y repetía el lema que poco tiempo después le llevaría a la victoria: «Con este signo vencerás».

Pese a su predisposición tolerante con la fe cristiana, el emperador tardó algún tiempo en dar el paso que le llevaría a conceder a este credo el rango de religión oficial del Imperio. Esto sucedería unos diez años más tarde. Aunque no existe una fecha precisa de su conversión personal, se puede afirmar que en el 325 —año de celebración del concilio de Nicea—,

Busto de Constantino (Museos Capitolinos, Roma). Son muchos los enigmas que pesan sobre la conversión de este emperador romano al cristianismo, a raíz de la cual se inició una nueva era de colaboración entre Estado e Iglesia.

En esta moneda aparece representada la personificación de la gran ciudad de Constantinopla, que se convirtió en la nueva capital del Imperio Romano, en detrimento de Roma, bajo el mandato de Constantino, comprendido entre los años 306 y 337.

Constantino profesaba con plena convicción el credo apostólico.

Lo único evidente es que bajo su reinado comenzó la expansión mundial del cristianismo, hasta entonces un culto restringido y clandestino. Conviene recordar también que los dominios del César abarcaban prácticamente todo el Mediterráneo.

LA MAYOR RELIQUIA JAMÁS HALLADA

Aprovechando su poder, santa Elena organizó una expedición a Jerusalén en busca de la Santa Cruz en la que murió Jesucristo. Cuando el 3 de enero del 326 fue hallada la reliquia, tras una excavación en el monte Calvario, el emperador ordenó que se dividiera en tres partes, una de las cuales quedó en Jerusalén, y las otras dos fueron enviadas a Roma y Constantinopla, donde aún hoy se veneran.

EL COMETA HALLEY

Las investigaciones del astrónomo británico Edmund Halley despejaron muchas incógnitas sobre los cuerpos celestes, que dejaron de ser vistos como manifestaciones divinas para entrar en el campo de la ciencia.

Durante siglos, los cometas constituyeron la base para que muchos visionarios difundieran sus profecías aprovechándose de la superstición popular. Las acertadas predicciones del astrónomo británico Edmund Halley (1656-1742) pusieron fin al misterio de estos cuerpos celestes. En el año 66 d.C., una extraña ráfaga luminosa surcó el cielo de Jerusalén. La población, que esperaba la inminente caída de la ciudad en manos de los romanos, interpretó aquella presencia como una señal fatídica que anunciaba lo que ya nadie parecía dudar y, en efecto, un año después las huestes imperiales, al mando de Tito, hacían su entrada triunfal en la región.

Esta es la primera noticia que se tiene de la aparición del que hoy conocemos como el cometa Halley, si bien por aquel entonces aún faltaban más de 1600 años para que naciera el célebre astrónomo británico en cuyo honor este cuerpo celeste recibió su nombre. El mérito de Edmund Halley, contemporáneo y amigo de Isaac Newton (1642-1727), no fue tanto predecir

Fotografía del cometa Halley tomada el 24 de abril de 1986 en Cairns, Australia. Con su descubrimiento se vinieron abajo muchos mitos referentes a extraños cuerpos celestes.

el regreso en 1758 del cometa que él mismo había observado 76 años antes como en refrendar la teoría de que estos cuerpos formaban parte del sistema solar y su aparición en el cielo obedecía a las leyes de la física y no a ningún imperativo divino, como se había creído hasta entonces.

COSMOLOGÍA PRIMITIVA

En la Antigüedad existía la creencia de que a través de la posición que ocupaban el Sol, la Luna y los restantes planetas respecto del resto del firmamento, se podía predecir el futuro. Estos principios astrológicos rudimentarios, toscos en sus planteamientos y afectados por la superchería, difundieron la idea de que la aparición de un cometa, puesto que se producía de modo inesperado y sin obedecer a lógica alguna, anunciaba un acontecimiento. No se sabía muy bien qué, pero se suponía que debía de ser algo inesperado y extraordinario, ya que la presencia de uno de estos cuerpos celestes no es algo que acontezca todos los días.

Por tanto, la estrella de Belén, de la que hoy se dice que no fue sino una de las primeras apa-

UNA SEÑAL QUE TRAE COLA

Hace 3000 años el hombre era capaz de predecir los eclipses, pero el paso de un cometa continuó siendo objeto de especulaciones por inhabitual hasta hace poco más de 300 años. No obstante, aparte de su azarosa comparecencia, ¿qué es lo que realmente llamaba tanto la atención cada vez que uno de estos cuerpos celestes surcaba el espacio terrestre? Sin duda, su forma. Un cometa se divide en tres partes, núcleo, cabellera y cola, siendo esta última la más espectacular. De no ser por ella, un cometa apenas diferiría de una estrella inusualmente brillante. Por eso, lo que mantenía más preocupadas a las antiguas sociedades era desentrañar el significado de aquella luz que se arrastraba en el horizonte y que, dada su peculiar forma, parecía indudable que se trataba de una señal que alumbraba, a quien la viera, el camino que debía seguir para llegar donde deseaba.

HALLEY, EL HOMBRE DEL COMETA

La primera catalogación de las estrellas del cielo austral fue realizada por el astrónomo británico Edmund Halley. Por otra parte, en su *Synopsis astronomiae cometicae*, publicada en 1705, aplicó las leyes del movimiento de Newton a todos los datos disponibles sobre los cometas. Entre otras importantes aportaciones al campo de la astronomía, Halley demostró la existencia de movimiento propio en las estrellas, lo cual reducía la vigencia de las observaciones más antiguas, y estudió la revolución completa de la Luna durante dieciocho años. Sus tablas astronómicas estuvieron vigentes por mucho tiempo y fueron de gran utilidad.

Tycho Brahe en su laboratorio, según el *Atlas* de J. Blaeu. Al célebre astrónomo danés se debe la aplicación de las leyes de la física al estudio de los cuerpos celestes, lo que supuso una crucial aportación para la conformación de la astronomía moderna.

riciones del mítico cometa Halley, presagió el advenimiento del Mesías. En el año 1066, una nueva comparecencia del mismo cuerpo celeste se relacionó con la ocupación de Inglaterra por los ejércitos normandos de Guillermo I el Conquistador, que tuvo lugar meses después, e incluso en una época relativamente tan avanzada como 1456, una nueva aparición del cometa dio pie a la idea de que se trataba de una reprobación divina por la caída de Constantinopla en manos de los turcos, acaecida tres años antes.

Eso por no hablar de otros cometas en los que se quiso ver anunciados acontecimientos tan relevantes como el asesinato de Julio César (44 a.C.) o la muerte del monarca de Aquitania y líder del Sacro Imperio Romano Germánico, Ludovico Pío (840), hijo y único heredero de Carlomagno. Incluso la curiosa apariencia física de estos cuerpos inspiró a más de uno la idea de que se trataba de armas sobrenaturales: piedras, discos, puñales y espadas enviadas por las divinidades para combatir a los enemigos del pueblo. Plinio el Viejo (23-79 d. C.), reputado científico y autor de una de las primeras enciclopedias del conocimiento de las que se tiene

El saqueo de Jerusalén a manos de las tropas del emperador romano Tito, acaecido en el año 70 d.C., pudo haber sido preconizado años antes por una ráfaga luminiscente que surcó el cielo de la ciudad santa.

noticia, estuvo entre quienes con más ahínco defendieron esta posibilidad. Habida cuenta de que las apariciones de estos astros siempre se vinculaban a la sucesión de catástrofes sobre el territorio donde se observaban, no es de extrañar que ningún científico europeo se sintiera atraído por su estudio.

LA RACIONALIDAD PIDE LA PALABRA

Con el Renacimiento llegó una nueva percepción de la realidad, basada en la recuperación de los postulados filosóficos de la Antigüedad grecolatina, que se tradujo en una firme apuesta por la ciencia aplicada al estudio de los fenómenos naturales. De hecho, desde Aristóteles ningún erudito se había preocupado de proponer unos nuevos supuestos para el estudio del cosmos que sustituyeran las viejas e ingenuas creencias sobre el poder sobrenatural de los astros, repletas de superstición.

Hubo que esperar a 1472 para que el astrónomo alemán Johann Müller (1436-1476) contemplara un cometa no como una señal divina, sino como un fenómeno cosmológico. Siguieron sus pasos el italiano Jerónimo Fracastoro (1483-1553) y el también alemán Peter Apiano (1501-1552), quienes observaron estos cuerpos celestes con rigor científico. No obstante, sus estudios no pasaron de ahí, por lo que se puede decir que fue el astrónomo danés Tycho Brahe (1546-1601) el primer sabio que se propuso estudiar

273

LA CIENCIA VENCE, PERO NO CONVENCE

Por desgracia, Edmund Halley falleció en 1742, a los 86 años de edad, por lo que no vivió para ver si se cumplían sus predicciones. Sin embargo, los pronósticos de Halley despertaron tanta expectación en la sociedad británica, que la comunidad científica se propuso mantener vivo el interés ciudadano por este vaticinio astronómico. Pero las expectativas de la población no tenían nada que ver con el interés por la ciencia, sino con su afición a las profecías. Por tanto, las conclusiones de Halley eran entendidas como las de un visionario y no como las de un científico.

Por eso, cuando en 1759 —apenas unos meses después de la fecha establecida por el astrónomo— el cometa de Halley volvió a hacer su aparición, la sociedad, lejos de contemplar el fenómeno como un triunfo de la razón, no pudo contener el pánico que les provocaba la aparición de estos extraños cuerpos celestes y, al menos durante dos siglos, los siguió asociando a fenómenos paranormales. Su visión seguía siendo asociada al anuncio de una nueva desgracia. Divisar un cometa era señal inequívoca de que una gran amenaza se cernía sobre la población indefensa.

Aunque los trabajos de Halley fueron continuados por otros eminentes astrónomos hasta conseguir que la sociedad viera los cometas como una manifestación de la naturaleza, a corto plazo sus investigaciones apenas encontraron repercusión fuera de determinados círculos intelectuales. Una vez más se demuestra que la ciencia, aunque al final vence, no siempre convence.

Retrato de Edmund Halley. La crucial aportación en el campo del estudio de los cuerpos celestes del célebre astrónomo inglés halló su máximo exponente en la increíble exactitud con la que éste anticipó la aparición del cometa que llevaba su nombre.

estos cuerpos celestes a partir de la aplicación de las leyes de la física. Brahe observó un cometa en 1577 y desde entonces consagró sus investigaciones a intentar medir la distancia que lo separaba de la superfície terrestre. Aunque sus estudios se revelaron infructuosos, no cayeron en saco roto, ya que años después, su discípulo Johannes Kepler (1571-1630) retomó sus trabajos a la hora de enunciar las tres leyes del movimiento planetario.

Los trabajos de Kepler abrieron un camino que fue seguido, entre otros, por Newton. A él le debemos la ley de la gravitación universal de los cuerpos, sobre la que se asienta toda la física moderna. Sus propuestas teóricas alcanzaron una inmediata repercusión entre la comunidad científica, ya que eran enormemente reveladoras, y muchos investigadores las adoptaron como base para sus trabajos.

UN ESPERADO REGRESO

Edmund Halley no sólo admiraba a Newton, sino que mantuvo con él una cordial amistad. Quizá por ello fue uno de los primeros en intentar demostrar la validez de los principios físicos formulados por Newton aplicándolos a sus investigaciones. Según las leyes newtonianas, un cometa puede desplazarse en derredor del Sol, describiendo una órbita parabólica, o bien, siguiendo una trayectoria elíptica. Para averiguar cuál de las dos formas de desplazamiento sigue el cometa, se ha de calcular la distancia de éste respecto al Sol y averiguar la velocidad que alcanza en su movimiento a dicha distancia. Si su desplazamiento es lento, la órbita debe ser una elipse y no una parábola, en cuyo caso el cometa tiene que regresar algún día.

De acuerdo con estas tesis, Halley se propuso calcular la órbita descrita en su trayectoria por el cometa por él mismo observado en 1682.

Imagen de un telescopio perteneciente a Newton, con quien Edmund Halley mantuvo una cordial amistad. La gran admiración que ambos se profesaban se materializó en la aplicación de las leyes del primero en los estudios del segundo en relación con los cuerpos celestes.

LOS QUE VEN EL FUTURO

¿*Q*ue será de nosotros el día de mañana? ¿Hacia dónde camina el mundo? Probablemente estas sean dos de las preguntas más repetidas por el ser humano a lo largo de su historia. Sumergidos en una sociedad que se autodenomina «del conocimiento», el hombre del siglo XXI haría bien en tomar conciencia de que si hay algo que realmente nos diferencia del resto de especies animales es nuestra innata curiosidad, nuestro deseo de conocer, lo cual, unido a la natural inclinación egoísta de la que todos participamos, nos lleva a priorizar sobre el resto de preocupaciones aquellas que se refieren a nuestro futuro y, como mucho, al del colectivo al que pertenecemos.*

Desde épocas remotas, son muchos los iluminados que, teniendo la curiosidad humana como referente, hicieron de las predicciones su razón de ser. A algunos, como el célebre Nostradamus o nuestro contemporáneo Edgard Cayce, se les presume un fin exclusivamente altruista y empático a la hora de formular sus visiones, cuando menos discutibles, sobre el fin de la humanidad. Pero en su origen, el alcance de los oráculos estuvo inextricablemente unido al discurso de salvación preapocalíptica, que es un rasgo común en todas las religiones. Profetas más tarde canonizados y sacerdotes de templos cuyas leyendas aún resuenan fueron los primeros augures de una tradición que se mantiene hasta nuestros días.

275

Majestuosas ruinas del templo del dios Apolo en Delfos (Grecia).

El Apocalipsis según san Juan

El último libro del Nuevo Testamento, atribuido al apóstol Juan, es la única obra profética aceptada como tal por la Iglesia católica. Sobre sus pasajes oscuros y ambiguos resalta la idea del triunfo del Bien sobre el Mal.

Una de las escenas del mayor tapiz del mundo, el *Apocalipsis de Angers*, realizado por el miniaturista flamenco Jean de Bandol entre 1376 y 1380 y consagrado por completo al texto profético atribuido al apóstol Juan.

EL SÉPTIMO SELLO

Sin duda, el adjetivo «apocalíptico» cobra todo su sentido, majestuoso y aterrador, en este fragmento de la obra profética del apóstol Juan donde anuncia el Juicio Final: «Cuando abrió el séptimo sello, se hizo en el cielo un silencio como de una media hora. Y vi a los siete ángeles que estaban en pie ante Dios; y se les dieron siete trompetas. Otro ángel vino entonces y se paró ante el altar, con un incensario de oro; y se le dio mucho incienso para que acompañara las oraciones de todos los santos, sobre el altar de oro que estaba delante del trono. Y de la mano del ángel subió a la presencia de Dios el humo del incienso con las oraciones de los santos. Y el ángel tomó el incensario, y lo llenó del fuego del altar, y lo arrojó a la tierra; y hubo truenos, y voces, y relámpagos, y un terremoto».

Según los postulados del libro del *Apocalipsis*, el Mesías regresará a la Tierra a fin de derrotar a las fuerzas del mal, pugna de la que Cristo saldrá victorioso y tras la cual instaurará un reinado que se prolongará por un lapso de mil años.

Juan fue el discípulo predilecto de Jesucristo y por eso lo eligió para advertir a la humanidad que llegará el día en el que todos, sin excepción, habremos de rendir cuentas a Dios. Estas profecías fueron formuladas en un libro que aún hoy es objeto de estudio: el *Apocalipsis*. A la doctrina cristiana siempre se le ha reprochado alentar a sus fieles a la sumisión espiritual durante su vida, dado que, tras la muerte, habrán de presentarse ante Dios para rendir cuentas de su comportamiento en la Tierra. El propio Jesucristo dio ejemplo a sus seguidores de lo que esperaba de ellos cuando al ser golpeado ofreció al agresor su otra mejilla. Sobre esta idea incide el libro del *Apocalipsis*, escrito por el apóstol Juan por encargo divino para reanimar la esperanza de la comunidad cristiana, abatida por la violenta persecución que se cernía sobre ellos, ordenada por las autoridades de Roma.

De ahí que las profecías del apóstol Juan impliquen una invitación a la resistencia, animando a todos los fieles cristianos a que no se desvíen del camino que deben seguir, porque aunque sufran persecuciones, represión y castigos, este sufrimiento se volverá, en el futuro, contra quienes lo provocaron, porque Dios es siempre justo y sabe recompensar a los que, por serle fieles, vivieron afligidos.

EL APÓSTOL DILECTO

Entre todos los discípulos de Cristo, Juan, hermano de Santiago, era el más joven. Durante la Última Cena, antes de que los soldados roma-

La fascinación que despiertan las enigmáticas profecías del *Apocalipsis* se hace palpable en la profusa representación de sus escenas en las distintas vertientes del arte sacro. Así lo demuestra esta página del *Apocalipsis de Bamberg* (s. XI).

le estaba pidiendo a Juan es que glosara el destino que esperaba a la humanidad, de acuerdo con su doctrina, aunque su inspiración como vidente siempre estuvo guiada por la palabra del Ser Supremo.

Justo es reconocer que este libro, el único de tintes proféticos que la Iglesia católica ha incluido en el canon bíblico, ha sido, a lo largo de los siglos, un referente sobre el que se han sustentado todos los pronósticos de carácter religioso que se han venido haciendo. Además, al estar legitimadas estas profecías por las autoridades eclesiásticas, muchos han sido los que no han dudado de su veracidad, y esperan su cumplimiento de un momento a otro.

LÍRICA INSPIRADORA

En la actualidad, el valor que hemos de conceder a las profecías del apóstol Juan es doble: por

nos llegaran para apresar a Jesús, Juan se mantuvo recostado sobre su pecho, junto a su corazón, como si pretendiera dar a entender al hombre de Nazaret que compartía con Él no sólo todo su amor, sino también el dolor que le embargaba en aquellos momentos previos a su captura. Al menos, esto es lo que cuenta el propio Juan en su Evangelio, un libro muy discutido como todos los que forman el Nuevo Testamento, ya que su autoría no está clara y existen serias dudas sobre si fueron escritos por los discípulos de Jesús o por otros cristianos a quienes éstos transmitieron sus vivencias.

Sin embargo, curiosamente, la autoría del *Apocalipsis* es menos cuestionada, quizá porque el contexto en el que explica el apóstol Juan sus visiones se ajusta bastante a su proceso vital, estudiado con precisión por varios historiadores. En efecto, parece ser que, tras la Resurrección de Cristo, Juan se dirigió a Jerusalén, para predicar la doctrina cristiana y que algunos años más tarde y con el mismo fin llegó a Éfeso, en Asia Menor. No obstante, el emperador Domiciano, que gobernó entre el 81 y el 96, ordenó su destierro a la isla de Patmos. Por tanto, el apóstol Juan sufrió en sus propias carnes la persecución desatada contra la cristiandad por los primeros emperadores romanos.

EL DICTADO DIVINO

En Patmos, un Juan abatido por el cariz que estaba tomando la represión romana, recibió el aliento necesario de una voz que en un primer momento le desconcertó, pero que enseguida reconoció como la del Hijo de Dios: «No temas, yo soy el primero y el último», para, a continuación recibir un extraordinario encargo: «Escribe las cosas que has visto, y las que son, y las que han de ser después de éstas». Lo que Dios

TERRORES MILENARIOS

Según se iba aproximando el año 1000, entre la comunidad cristiana se vivió una especie de paranoia colectiva, aguardando el momento en que se produjera el ansiado día del Juicio Final anunciado en el *Apocalipsis*. De esta época datan numerosas alegorías pictóricas que se inspiraran en el referente apocalíptico. Así mismo, durante el primer tercio del siglo XX, en vista del belicismo latente en las sociedades postindustriales, fueron muchos los que pronosticaron que el Apocalipsis tendría lugar en el año 2000. Por fortuna, los augurios del profeta Juan no se cumplieron, si bien el año 2001 estuvo lleno de inquietudes.

un lado, histórico, por cuanto acabamos de explicar, y por otro, literario, ya que el *Apocalipsis* es uno de los manifiestos poéticos más bellos de los que se tiene noticia. Su colección de alegorías, la exactitud de sus metáforas y su fuerte simbolismo invitan a una puesta en escena magnífica de la obra. Tanto es así que muchos de sus recursos líricos siguen utilizándose hoy, con el mismo significado que se les dio antaño. Así el número 666 para identificar al maligno o las plagas de insectos y arácnidos que presagian el fin de los tiempos.

La iconografía medieval también se nutrió profusamente de este texto en sus representaciones. Por ejemplo, la representación de los arcángeles guerreros sobre sus caballos dando muerte a las bestias del Averno se convirtió en un motivo preferente para adoctrinar sobre el triunfo de la fe sobre la inmoralidad y la vileza.

San Juan (h. 7-101), uno de los doce apóstoles, según una pintura de Andrea Mantegna conservada en la actualidad en la National Gallery de Londres.

NOSTRADAMUS O EL LENGUAJE DE LAS BRUMAS

La lectura de las Centurias astrológicas, *una larga obra escrita en verso en 1555 por el astrólogo y médico francés Michel de Nostradamus, sigue inquietando aún en nuestros días a todos aquellos que la consultan en la confianza de que se trata realmente de un texto profético.*

Es difícil de comprender que su nombre esté aún en boca de todos los aficionados a la cabalística, cuando lo cierto es que el médico francés Michel de Nostredame dejó este mundo hace muchos años, concretamente en 1566, pero su legado sigue vivo y algunos concentran sus esfuerzos en evitar que desaparezca. En la actualidad, pocos recuerdan ya sus méritos como galeno. Tampoco han pasado a la historia sus prácticas como alquimista, que le llevaron a preparar con éxito un licor medicinal a base de resina de ciprés y extracto de pétalos de rosa.

Toda su fama se debe a la obra *Centurias astrológicas*, que ya causó un importante revuelo social en el momento de su publicación (1555) y que todavía hoy es tenido por muchos como una obra de referencia e interpretada como si en sus páginas estuviera plasmado el devenir de la humanidad.

La muerte del monarca francés Enrique II en un torneo fue preconizada por Michel de Nostredame en la que supuso una de las primeras y más notables coincidencias entre las *Centurias astrológicas* del adivino francés y la realidad.

EL BOSQUE DE LAS PALABRAS

La intención de Nostradamus (latinización del apellido real del médico) no era otra que ver más allá del presente, cuando comenzó la redacción del volumen. Su afición a la astronomía se tradujo en un interés por intentar intuir acontecimientos futuros, pero contra lo que suele ser norma en estos casos, Nostradamus no se conformó con prever hechos que debían acaecer en un futuro inmediato, sino que su ambición le llevó a aventurar una relación de sucesos cuya materialización situó en un futuro lejano. En concreto, sus profecías se extienden hasta el año 3797, fecha esta en la que, según él, se producirá el fin del mundo.

Habida cuenta de la celeridad con la que evolucionan las sociedades, la osadía del médico francés que se hacía llamar Nostradamus merece, cuando menos, una sincera admiración. Cosa bien distinta es estimar válidas sus predicciones, como siguen haciendo muchos. Éstas aparecen redactadas en un lenguaje ambiguo y en cuartetos rimados, lo cual dificulta aún más su interpretación. Cabe pensar que este carácter confuso fue desarrollado intencionadamente por Nostradamus a fin de que sus predicciones pudieran ser interpretadas por las futuras generaciones tanto en un sentido como en otro. De este modo son los acontecimientos los que se ajustan a las profecías y no al revés.

POR LOS SIGLOS DE LOS SIGLOS

Lo cierto es que muy pronto comenzaron a reconocérsele sus méritos como profeta. Ocho años después de que publicara sus *Centurias*, una de sus predicciones, aquella que hacía referencia a la muerte de Enrique II de Francia en un tor-

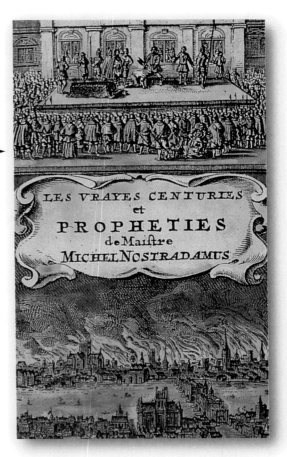

Portada de una edición de 1668 de las *Centurias astrológicas*. La fama de tan osado texto profético no ha mermado con el paso de los siglos, y aún son muchos los que confían ciegamente en la clarividencia de Nostradamus.

MALOS AUGURIOS PARA ESPAÑA

Si ya de por sí resulta difícil poner en relación el significado de muchas de las profecías de Nostradamus con los acontecimientos históricos que le sucedieron, el escollo se torna insuperable en aquellas predicciones que tienen a España como protagonista. No se sabe muy bien por qué, quizás a causa de los litigios que por aquel entonces mantenían las Coronas española y francesa, lo cierto es que la península Ibérica fue objeto de muchas de las predicciones cifradas en las *Centurias,* y no precisamente de las mejores. Según algunos analistas, Nostradamus predijo la invasión de España por las tropas napoleónicas (1808), el alzamiento militar del general Franco, y la guerra civil española (1936-1939), la salida de los primeros exiliados políticos (1939-1941), los cuarenta años de dictadura y hasta el golpe de Estado del 23 de febrero de 1981. Pero también predijo Nostradamus el retorno del islam a Córdoba, un acontecimiento del que, por el momento al menos, no se tiene noticia.

neo, se cumplió. Tras este hecho comenzaron a propagarse los rumores sobre el carácter visionario de Nostradamus, lo que unido a sus éxitos como médico lo convirtió en una mezcla de terapeuta y mago a los ojos de la sociedad de la época, hasta el punto de que el rey Carlos IX lo nombró médico de la corte.

La admiración social se acrecentó aún más el 2 de julio de 1566, día en el que, como había predicho unos pocos años antes, aconteció su muerte. Desde entonces, década tras década, siglo tras siglo, muchos han sido los encargados de supervisar el cumplimiento de las profecías de Nostradamus y alertar sobre su eventual consumación. Tan sólo unos años después de muerto, nuevos acontecimientos vendrían a cimentar su fama. Así, la batalla de Lepanto (1571) fue predicha en los siguientes términos:

A las Españas llegará un rey muy poderoso
Por mar y por tierra subyugando nuestro
mediodía
Este mal hará rebajando la Media Luna
Bajar las alas a los del viernes.

Y, en efecto, Felipe II, que reinó entre 1555 y 1598, llegó a ocupar París (mediodía francés) y a enfrentarse militarmente a los sultanes otomanos (la Media Luna) por el control del Mediterráneo.

Retrato de Michel de Nostredame, más conocido como Nostradamus, a los 63 años de edad, realizado por su hijo Cesar y en el marco del cual el médico y astrónomo francés aparece referenciado como «profeta de Francia».

EDGAR CAYCE, UN VISIONARIO DEL SIGLO XX

Cayce, un hombre sencillo y bonachón de Kentucky, EE UU, es reconocido como una especie de guía espiritual por todos los que le conocieron. La huella de sus enseñanzas se mantiene viva en la fundación que lleva su nombre.

En los albores del siglo XX, miles de norteamericanos, llegados de todas partes del país, peregrinaban hasta Kentucky en busca de un remedio sobrenatural que paliara sus dolencias físicas y enfermedades. En este estado de lo que se ha dado en llamar la América profunda, gobernado por la doble ley del rifle y la Biblia, tenía su santuario Edgard Cayce, uno de los más extraños santones de cuantos se tienen noticia. Su perfil de hombre rural, de persona simple pero siempre al servicio de la comunidad, lo distancian históricamente de los profetas clásicos, por lo general hombres de ciencia o personas ilustradas pertenecientes a las elites sociales.

Pero en la misma medida que permanece alejado de los patrones tradicionales, este temperamento revela a Edgard Cayce como un profeta muy vinculado al siglo XX, a una sociedad preapocalíptica, donde la colisión entre moder-

> Uno de los méritos que le es atribuido a Edgar Cayce es el de haber predicho el final de la Unión Soviética, si bien esta previsión podría responder más al odio de Cayce hacia la URSS que no a unas verdaderas dotes adivinatorias.

> El *crack* del 29, que interrumpió dramáticamente los hasta entonces «felices veinte» y sumió a la próspera economía norteamericana en el más absoluto caos, también fue predicho por el visionario Edgar Cayce.

nidad y tradición ha alimentado el temor de las personas sobre su futuro inmediato. La gente siente que la sobrepasa la realidad y entonces busca el auxilio de otras fuerzas ajenas a la naturaleza, distanciadas del orden de lo material. En aquel contexto de confusión y tensiones sociales que alumbró el paso del siglo XIX al XX, la aparicion de una figura como la de Edgard Cayce cobra todo su sentido.

UN VIDENTE POCO DOTADO

Este hombre, nacido en una vieja granja cercana al poblado de Hopkinsville (Kentucky), en 1877, no fue, exactamente, lo que se entiende por un profeta. Entre sus habilidades sobrenaturales se encontraba la de poder predecir el futuro de la humanidad, pero no fue esta la que practicó con más asiduidad ni la que le dio una mayor fama. Sus dotes como adivino se han revelado, con el tiempo, bastante mediocres.

Cierto es que pudo predecir el fin de la URSS, pero quizás esta predicción la hizo imbuido por el gran amor que profesaba a su patria, más que por convicción. También se afirma que fue capaz de adivinar las consecuencias de la crisis del 29, pero junto a estas predicciones, en las que tam-

INDICIOS DEL FIN DEL MUNDO

Todos aquellos a quienes se considera profetas tienen, entre sus visiones de futuro, la del día del fin del mundo. A este respecto, Edgard Cayce no fue una excepción y entre las predicciones que formuló estando en trance se halla la de los últimos días de la humanidad y la de la segunda venida de Jesucristo trayendo de nuevo a la Tierra un mensaje de paz y concordia. No obstante, cabe reprocharle que, viviendo en el siglo XX, no asegurase sus predicciones desplazándolas a fe-chas más remotas en el tiempo.

Según Cayce, los desastres medio-ambientales habrían de ser la señal inequívoca de que el fin del mundo no estaba muy lejos. El primer indicio sería una gran erupción subma-rina, a la cual seguiría un cambio en el eje terrestre. Esto provocaría que nuestro planeta se rompiese, dando lugar a dos superficies. La línea de fractura la situó Cayce en el oeste de América del Norte, como no podía ser de otro modo.

Una nueva superficie terrestre habría de emerger más allá de la costa oriental de Norteamérica. Esta señal ha sido relacionada por mu-chos con el mito de la Atlántida, el continente sumergido.

La emergencia de un nuevo espacio vital coincidiría con el hundimiento de la civilización anterior, como castigo por la depravación de sus pobladores. Resulta curioso comprobar el hecho de que Edgard Cayce, un hombre del medio rural, relacionara la degeneración de la especie humana con el entorno urbano, y de ahí que incida en el hecho de que tanto San Francisco como Los Ángeles y Nueva York quedarían devastadas por sucesivos seísmos. El conjunto de estas señales precedería a la segunda venida del Mesías.

poco se puede decir que arriesgara demasiado, proliferan otras realmente calamitosas ya que no sólo no se han cumplido, sino que probablemente jamás se consumarán. Así, no parece que China sea, ni vaya a ser, la «nueva cuna del cristianismo», tal y como él predijo, ni que al final de siglo XX (1998 fue la fecha concreta por la que apostó Cayce) se haya conseguido la paz en el mundo.

TEMPRANA VOCACIÓN DE REDENTOR

Estos graves errores en un profeta no son algo que pueda reprocharse demasiado a Edgard Cayce. Su apego a un discurso humanista de honda raíz cristiana le impulsó a preocuparse más por los problemas individuales de cada una de las personas que se dirigían a él en busca de ayuda que de los de la sociedad, entendida ésta como un todo. Recordemos que el ideal sobre el que se forja la identidad estadounidense es el de la consideración de la persona como centro del universo, de acuerdo con los postulados liberales. De ahí que las transformaciones individuales se valoren positivamente y los cambios sociales se contemplen con recelo. Este modelo social se basa en la presencia de líderes surgidos de la propia comunidad.

A Edgard Cayce se le ha de contemplar en su justa dimensión de gurú, de guía espiritual para los espíritus afligidos, antes que como profeta de acuerdo con la imagen clásica de hombre docto preocupado por el futuro de la humanidad. Él mismo confesó haber tenido una visión a los 13 años, en la que una dama le preguntaba qué era lo que despertaba en él más entusiasmo, y él respondió: «Deseo ayudar a la gente, sobre todo a los niños y a los enfermos».

Es decir, Cayce, asumía su condición de iluminado, del mismo modo que hoy lo haría el líder de una secta. Su labor estaría más cerca de la de un *fabricante de milagros*, que de la de un vidente. De hecho, sin riesgo de falsear la historia, se puede decir que Edgard Cayce fue el precursor del actual fenómeno de los telepredicadores. Su vocación de benefactor de los más débiles y preceptor de las almas inocentes lo convirtió en una especie de seudomesías para las clases más desfavorecidas de la sociedad norteamericana durante la primera mitad del siglo XX. Su aspecto de profeta, por tanto, debe ajustarse a estas consideraciones.

LA LEYENDA DEL «PROFETA DURMIENTE»

Cuentan sus hagiografías que a los 21 años, mientras trabajaba de dependiente en una pape-

Fotografía de Edgard Cayce. Una visión angelical a la tierna edad de trece años convirtió a este nativo de Kentucky en uno de los personajes más enigmáticos de Estados Unidos durante el siglo XX, condición que le reportó un gran número de convencidos seguidores.

Los telepredicadores, como el que aparece en la fotografía, constituyen un fenómeno genuinamente estadounidense que se ha extendido con rapidez por América del Sur, aunque con menor intensidad.

Como se puede comprobar, sus hábitos como vidente no distaban mucho de los practicados por las sacerdotisas del santuario de Apolo, en Delfos, aunque cabe poner en duda que quienes acudían a Cayce para que les orientara hubieran oído hablar de tales mitos. De ahí que su talento psíquico fuera admirado como uno de los más notables de la historia.

Lo cierto es que las facultades extrasensoriales de este visionario y gurú del siglo XX eran muy heterogéneas, pues con la misma facilidad podía ver el futuro que alcanzar una comunicación telepática con sus clientes. Así mismo, una de las habilidades que más admiración despertaban entre sus fieles era la capacidad de retrocognición, es decir, la facultad de ver los acontecimientos del pasado. Cayce impresionaba a quienes pedían su ayuda desvelándoles la fecha de su nacimiento o algún otro acontecimiento destacado de la vida de su interlocutor que éste mantenía en secreto.

LA LEYENDA DE CAYCE

La expectación que en su tiempo despertaron en la sociedad estadounidense todas estas demostraciones de percepción extrasensorial fue aprovechada por Edgard Cayce para incrementar su patrimonio. Así, en 1923 comenzó a hacer lecturas públicas de textos sobre el cuerpo físico, la mente y el alma, aunque pronto amplió sus discursos hacia otros temas como los años desconocidos de la vida de Jesucristo, profecías históricas, historia de las civilizaciones primitivas y asuntos de alcance mundial.

Edgard Cayce falleció el 3 de enero de 1945 en Virginia Beach, legando una amplísima colección de documentos en los que se recogían sus experiencias como mentalista y que hoy constituyen la base de una importante fundación que lleva su nombre. Su muerte no hizo sino alimentar su leyenda, como lo prueban los casi 300 libros que sobre él se han escrito.

lería, Edgard Cayce sufrió una parálisis que le afectó a la garganta y las cuerdas vocales. Esto le obligó a dejar el empleo y entrar a trabajar en el estudio de un fotógrafo. Puesto que, tras ocho meses de recorrer consultas médicas, nadie le pudo dar un diagnóstico sobre su extraña laringitis, tomó la decisión de acudir a un profesional de la hipnosis para que lo sumiera en un sueño autoinducido. En estado de trance pudo hablar normalmente, y lo hizo para diagnosticar el origen de su afección y autoprescribirse un tratamiento, gracias al cual consiguió recuperar la voz.

Esta especie de milagro se extendió como la pólvora entre la gente de Kentucky. Los lugareños comenzaron a alimentar la leyenda del «profeta durmiente», apodo con el que Cayce pasó a ser conocido, habida cuenta de que realizaba sus diagnósticos en estado de trance, y algunos médicos del estado solicitaron su colaboración para la curación de casos difíciles.

Wesley Ketchum, uno de estos médicos, escribió un informe sobre las habilidades curativas de Edgard Cayce para la Sociedad Clínica de Investigación de Boston. Este documento fue filtrado a la prensa y se publicó el día 9 de octubre de 1910 en las páginas de *The New York Times*. A partir de entonces el culto hacia este gurú de origen rural, cuyos estudios no alcanzaban a completar la escuela primaria, fue extendiéndose por todo el país.

APTITUDES MÚLTIPLES

En ese estado de sueño autohipnótico, además de diagnosticar las enfermedades con precisión, Edgard Cayce tenía la facultad de contestar a cualquier duda o pregunta que se le formulase.

PAT ROBERTSON, EL MESÍAS MEDIÁTICO

El fenómeno de los telepredicadores surgió en EE UU en la década de 1960, y en la actualidad es un pujante negocio. Entre los muchos que han probado suerte como mesías tecnológicos destaca Pat Robertson, un brillante abogado que estudió en la Universidad de Yale. Desde la década de 1980 posee una cadena de televisión propia, la Christian Broadcasting Network (CBN), una de las más importantes emisoras que emiten por cable en EE UU, con una audiencia media de 8 000 000 de telespectadores. Robertson, que además de proclamar su capacidad para curar tumores cerebrales, entre otras enfermedades, afirma poseer el don de lenguas, fue candidato a la presidencia de su país en 1989, aunque en este caso sus superpoderes no dieron el fruto deseado.

EL DESTINO ESTÁ EN LOS ASTROS

*L*a relación del hombre con el medio natural se manifiesta en un sentimiento de pertenencia a un todo absoluto del que cada uno de nosotros tan sólo es una minúscula parte, aunque no por ello insignificante. Las civilizaciones primitivas desarrollaron la idea de que las sociedades humanas conformaban un microcosmos. Por tanto, las relaciones que se producían en el seno de las sociedades eran un reflejo de las que acontecían entre los diversos cuerpos celestiales en un orden superior como es el del universo, también llamado macrocosmos.

Cada hombre sería, pues, hijo de una posición precisa de los astros, bajo cuya influencia vino al mundo y cuya ascendencia regiría toda su vida. Dicho de otro modo, «todo lo que está arriba, está abajo», según una máxima de la época. La creencia en el poder de los astros ha llegado hasta nuestros días, y la astroterapia, una práctica muy discutida, cimentada en las aportaciones teóricas de Carl Gustav Jung, los tiene en cuenta a la hora de establecer un diagnóstico psíquico.

283

Detalle del *Atlas catalán* de 1375 en el que se muestran los signos del zodiaco.

LOS ASTRÓLOGOS DE NABUCODONOSOR

Los astrólogos caldeos que vivieron en el III milenio a.C. ya observaban los planetas visibles desde la Tierra y estudiaban su influencia en la conducta humana. Durante el reinado de Nabucodonosor II, en el siglo VII a.C., la adivinación y la astrología conocieron un notable desarrollo y de sus avances da cuenta la Biblia hebrea.

EL ORGULLO DE ORIENTE

El rey Nabucodonosor II (605-562 a.C.) convirtió Babilonia en la gran capital del mundo oriental y un importante centro de las artes y las ciencias. Según los investigadores, Babilonia ocupaba unas 800 hectáreas a orillas del Éufrates, rodeada por varias murallas, a lo largo de las cuales había torres de vigilancia y defensa. La ciudad estaba dividida en barrios cruzados por calles ortogonales. El monarca tenía dos suntuosos palacios, uno de ellos al norte y el otro al sur de la ciudad. En este último parece ser que estaban los míticos jardines colgantes construidos en terrazas escalonadas ascendentes, cuya sola descripción causaba admiración en la Antigüedad.

Mesopotamia, la región donde, según los historiadores, se asentaron las primeras sociedades, no podía dejar de ser el lugar de nacimiento de la astrología. La fe en los astros existe en tanto que es compartida por los distintos integrantes de un pueblo, aunque en el caso de estas civilizaciones primitivas, la astrología y la teología comenzaron su desarrollo de la mano. El nombre de Mesopotamia proviene del griego clásico y significa «entre ríos», ya que esta área territorial abarcaba la región situada entre las márgenes de dos grandes ríos, el Éufrates y el Tigris, en el golfo Pérsico.

Allí empezó el hombre su aventura de vivir en sociedad con todo lo que ello implica, es decir, la definición de una serie de líneas de actuación basadas en los intereses comunes dominantes en la comunidad.

Entre los diversos referentes que dotaron de una identidad compartida a los primitivos asentamientos humanos de Mesopotamia, hay dos que destacan por encima de los demás: su fe religiosa y su creencia en el poder determinista de los cuerpos celestiales.

Comoquiera que ambos referentes les obligaban a mirar al cielo en busca de una revelación que orientase sus actuaciones, los pueblos mesopotámicos dirigieron su atención a todo lo que sucedía en el ámbito celeste.

La ciudad de Babilonia, centro neurálgico del próspero reino de Nabucodonosor II, estaba situada a orillas del Éufrates, uno de los cuatro brazos del río que brotaba del Edén según un pasaje de la Biblia.

A fin de desarrollar sus tareas adivinatorias, los astrólogos babilonios recogían multitud de datos astronómicos en tablillas como la de la foto.

MÁS ALLÁ DE LA FAZ DE LA TIERRA

Los sumerios, uno de los pueblos mejor organizados institucionalmente de cuantos vivían en Mesopotamia, cultivaban un credo basado en el politeísmo, según el cual el hombre (la mujer no se consideraba importante) había sido creado por los dioses en su propio beneficio. Esta concepción de su condición hacía que los mesopotámicos se sintieran como una suerte de muñecos carentes de libertad, a merced de sus dioses, que controlaban su conducta para satis-

La torre de Babel, sobre la que versa uno de los más célebres pasajes de la Biblia, podría haber sido proyectada en realidad para cumplir las funciones de observatorio astronómico, finalidad que difiere de la estipulada en las Sagradas Escrituras, que la consideraban una materialización de la soberbia de los hombres.

facer sus deseos. Contravenir la voluntad de los dioses llevaba aparejada la desgracia. En consecuencia, la fe religiosa, ya en sus orígenes, fue articulada como una herramienta psicosocial efectiva para controlar la conducta humana, inducida por el miedo, ya que tanto el bien como el mal eran entendidos como elementos de un único concepto acuñado por los dioses.

De esta manera no ha de extrañar que los primitivos pobladores de Mesopotamia desarrollasen una visión fatalista del mundo, y de acuerdo con ella, consagraban su existencia a convertirse en siervos de sus divinidades, temiendo que éstas, si se sentían agraviadas, pudieran tomarse algún tipo de venganza celestial.

La astronomía comienza a desarrollarse precisamente entre estos pueblos con la pretensión de comprender los misterios del ámbito celeste, feudo de las divinidades. Acercarse a la com-

OBSERVAR LOS ASTROS, OBSERVAR A LOS DIOSES

En el principio de los tiempos sólo había una lengua y fue Dios, después de bajar a Babel, quien decidió confundir a las diferentes civilizaciones haciéndoles hablar lenguas distintas. Este relato bíblico, recogido en el libro del Génesis, habla de una torre consagrada al culto. Habida cuenta del lugar, Mesopotamia, y del tiempo histórico en el que se sitúa esta narración, el principio de los tiempos, muchos historiadores y antropólogos han identificado la mítica torre en la que se originó la pluralidad lingüística universal con uno de los zigurats erigidos por los pueblos primitivos que vivieron a orillas del Éufrates. Al fin y al cabo, estas edificaciones fueron construidas por los hombres para estar más cerca de los dominios de los dioses y no sólo para dejarse guiar por ellos, sino para conocer sus más íntimos secretos y rebelarse contra la servidumbre que les imponían. El castigo a tal osadía fue la confusión dispuesta por Yahvé cuando hizo que aquella primera lengua diera lugar a innumerables idiomas, con lo que los hombres dejaron de entenderse entre sí, y perdió fuerza el grupo y el sentido de identidad corporativa la tribu.

plejidad del cosmos equivalía, de acuerdo con la mentalidad mesopotámica, a aproximarse al lugar donde moraban los dioses, es decir, a tenerlos bajo control. De esta manera se pretendía conocer de antemano sus intenciones y prevenir a la comunidad sobre sus reacciones. A tal fin, los caldeos, otra de las civilizaciones más destacadas de cuantas se asentaban en las márgenes del río Éufrates, comenzaron a erigir los primeros zigurats.

ASÍ NACIÓ LA ASTROLOGÍA

En un principio, estas grandes torres de mampostería y sillares de piedra de estructura piramidal comenzaron a edificarse como un lugar que vinculara a los dioses con la vida terrestre. De ahí que en la cima de los zigurats se instalase una capilla acondicionada para reposo de los dioses durante sus estancias en la comarca. Sin embargo, con el paso del tiempo, los zigurats fueron adaptados para servir de observatorio astronómico. Desde su cumbre, los magos, los adivinos y los sacerdotes observaban la bóveda celeste, tomando buena nota de cuanto aconteciera en ella para transmitírselo al líder político de la comunidad, que basaba todas sus decisiones en las revelaciones divinas, manifestadas a través de los astros.

De esta manera, el origen de la astrología aparece contaminado por rituales religiosos y su desarrollo se mantuvo íntimamente vinculado al de las profecías dictadas por los dioses. El legado de estos pueblos se mantuvo vigente en la Antigüedad en la India, de donde pasó a China. Las civilizaciones de uno y otro país perfeccionaron el estudio de los astros.

DOCE SIGNOS QUE MARCAN LA VIDA

Aunque la creencia en el zodíaco se remonta a tiempos inmemoriales, fue en el siglo XVI cuando renació el interés que por él existe en la actualidad. Los trabajos de Cornelio Agrippa, al servicio del emperador Carlos I de España, fueron decisivos en este sentido.

Las antiguos pueblos de Asia Menor denominaron zodíaco a una especie de cinturón astral que bordea la bóveda celeste, y se extiende aproximadamente 8° a uno y otro lado de la misma. Esta anchura fue fijada por los mesopotámicos tomando como referencia las órbitas del Sol y la Luna y las de los cinco planetas por ellos conocidos: Mercurio, Venus, Marte, Júpiter y Saturno.

A partir de este detallado cálculo, el zodíaco se dividió en 12 secciones de 30° cada una, que recibieron el nombre de la constelación que estaba situada dentro de sus límites en el siglo II a.C.: Aries, Tauro, Géminis, Cáncer, Leo, Virgo, Libra, Escorpión, Sagitario, Capricornio, Acuario y Piscis.

Zodíaco renacentista de autor anónimo perteneciente a un códice que se conserva en la Biblioteca de París. Además de su precisión astronómica, es una bella obra de arte.

EL DESPERTAR RENACENTISTA

Este legado astronómico fue ampliamente difundido por los griegos, los cuales adoptaron los símbolos de los pueblos de Mesopotamia, y se los revelaron a otras civilizaciones, que a veces asignaron nombres y símbolos diferentes a las divisiones del zodíaco.

Ya en aquella época estos signos fueron tomados como referencia para determinar su incidencia en el futuro personal de cada individuo. Pero esta fe en los astros fue decayendo de forma progresiva en Occidente en la medida en que la Iglesia católica fue imponiendo su autoridad. Su cruzada por abolir del credo popular cualquier ritual pagano que hundiera sus raíces en culturas no latinas culminó con la caída en desgracia de la confianza en el zodíaco y en las revelaciones astrales.

Parece contradictorio hablar de «edad de oro de las ciencias y las artes» para referirse a los siglos XV y XVI, cuando lo cierto es que aquella época lo que alumbró fue una resurrección de las viejas prácticas astrológicas que, con más o menos acierto, habían cultivado destacados científicos de la Antigüedad como Claudio Tolomeo (100-170), cuya teoría geocéntrica sobre la disposición de los cuerpos celestes fue aceptada hasta el siglo XVI, cuando Nicolás Copérnico (1473-1543) difundió su concepción heliocéntrica del universo.

ASTROLOGÍA ORIENTAL

De igual modo que un mismo libro leído por dos personas puede dar lugar a dos interpretaciones dispares, las estrellas y todo el conjunto de cuerpos celestes que a lo largo de los siglos se han ido descubriendo han sido interpretados de manera diferente por cada cultura. Quizá la astrología más antigua sea la hindú, desarrollada a partir de un zodíaco lunar que abarcaba veintisiete constelaciones. El *Brahajjâtaka*, libro de cabecera de los primitivos hindúes en cuestión de oráculos, recogía la posibilidad de determinar astrológicamente las condiciones personales de cada individuo para su posterior reencarnación, una vez que hubiera abandonado ya su vida en la Tierra.

Los chinos, por su parte, tomaron como referencia el zodíaco desarrollado en Mesopotamia para elaborar una astrología fundamentada en el ritmo anual de las fases lunares. Los doce signos de su horóscopo varían, por lo tanto, de acuerdo con el año y no con el mes. Un sistema de lectura astral similar fue el desarrollado por la civilización azteca, que contemplaba la influencia de la Luna en la fijación del mes de nacimiento de las personas y la del Sol para definir el día exacto en que éste se producía.

ASTROLOGÍA PRECOLOMBINA

Los pueblos indígenas americanos, entre los que se contaban los olmecas, los mayas y los aztecas, aun no teniendo referencia alguna de las prácticas astrológicas desarrolladas en China, compartían con los pueblos orientales su amor hacia la madre naturaleza, a la que consideraban fuente de toda vida. Su horóscopo, como el de los chinos, estaba constituido por signos cuya referencia es un animal, un icono vegetal o un elemento del universo. Para los primitivos habitantes de Mesoamérica, el ámbito natural no sólo delimitaba el espacio, sino que influía hasta tal punto en la concepción del tiempo que era percibido como una dimensión subjetiva medible exclusivamente por el individuo a partir de su relación, de sus vínculos, con el medio en el que desarrollaba su experiencia vital.

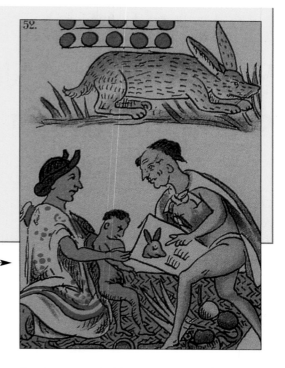

ENTRE LA CIENCIA Y LA SUPERCHERÍA

Cabe establecer una clara diferencia entre las investigaciones de quienes avanzaron en el estudio de los astros de acuerdo con los postulados científicos y las predicciones y los oráculos de toda una cohorte de profetas aficionados que realizaron sus vaticinios al amparo del inescrutable designio de los astros.

Los primeros eran maldecidos, agraviados e incluso excomulgados; algunos fueron condenados a morir en la hoguera. Los segundos, por el contrario, eran escuchados y sus consejos y pronósticos eran atendidos no sólo por el vulgo, como cabría pensar, sino por príncipes, reyes y emperadores. La reina Isabel I de Inglaterra (1533-1603) pidió al doctor John Dee (1527-1608) que fijara el día más propicio para su coronación de acuerdo con la influencia de los astros.

En la astrología precolombina, el signo calendárico que regía la vida de cada persona era determinado por el denominado lector de destinos, el cual basaba su atribución en el contenido del *tonalámatl*, un calendario conformado por 13 veintenas de días.

Según una opinión muy extendida, la recomendación fue acertada, puesto que la soberana reinó durante cuarenta años.

LA REVITALIZACIÓN ZODIACAL DE AGRIPPA

Heinrich Cornelius Agrippa von Nettesheim (1486-1535), más conocido como Cornelio Agrippa, puso sus conocimientos al servicio del emperador Carlos I de España (1500-1558), tras años de olvido de la práctica ancestral de la astrología, en una época en que la reivindicación de las culturas clásicas parecía estar en auge. Agrippa pagó su osadía con una prolongada estancia en la cárcel acusado de brujería, pero sus trabajos de divulgación astrológica han llegado hasta nuestros días.

Agrippa, doctor en teología, contribuyó con sus escritos a difundir la idea de que el futuro de cada hombre estaba escrito en los astros y que se podía predecir conociendo la hora exacta, la fecha y el lugar del nacimiento de cada persona, es decir, su carta astral. Por tanto, era posible predecir lo que el destino depara a cada cual atendiendo a la ascendencia que sobre cada uno ejerce el signo zodiacal bajo el que ha llegado al mundo, así como la fase en la que éste se encontraba en el momento de nacer.

Esta creencia no la introdujo Cornelio Agrippa, aunque sí contribuyó a extenderla en Europa occidental, puesto que la valoración del zodíaco como oráculo apenas había traspasado el hermético ámbito de las antiguas culturas orientales y, en especial, el de la civilización mesopotámica.

La creencia en que la incidencia de los astros sobre los hombres podía concretarse en asociaciones entre constelaciones y partes concretas de la anatomía humana dio lugar a ilustraciones como esta, perteneciente al libro del siglo XV *Les Tres Riches Heures du duc de Berry*.

PARACELSO, SIETE ÓRGANOS, SIETE PLANETAS

La leyenda negra que acompañó en vida al médico suizo Theophrastus Bombastus von Hohenheim (1493-1541), más conocido como Paracelso, ha llegado hasta nuestros días. Sin embargo, hay que reconocerle el mérito de ser el primero que buscó en el medio natural el origen y el fin de las enfermedades.

¿Científico ilustrado u oscuro alquimista? La vida y la obra de Paracelso estuvieron afectadas por la polémica que este médico, natural de Basilea, supo crearse a su alrededor. Porque Paracelso no rehuía la controversia, al contrario, sus discursos, que echaban por tierra algunos de los conceptos más asentados de la ciencia médica, le llevaron a granjearse no pocos enemigos, sobre todo a raíz de su ataque frontal y lleno de acritud a las teorías de Galeno (129-199), que 1300 años después de ser formuladas gozaban aún de gran predicamento.

EL HOMBRE COMO MICROCOSMOS

En el siglo XVI, Europa se vio afectada por una doble influencia sociocultural que no tardaría en provocar una confrontación de ideas. De un lado, el Renacimiento significó la revalorización de los cánones estéticos e intelectuales imperantes en la Antigüedad grecolatina. De otro, las civilizaciones que habitaron Europa en el Medioevo habían dejado en el continente un legado cultural, social y político de gran trascendencia. Entre las teorías más extendidas que se cultivaron durante la Baja Edad Media estaba la consideración del hombre como un microcosmos cuya actividad vital quedaba restringida por los recursos que le ofrecía el ámbito natural, entendido éste como macrocosmos. Así pues, los individuos y el entorno natural vivían en permanente interactividad, afectándose mutuamente en sus actuaciones. Este postulado llegó a chocar con el principio filosófico

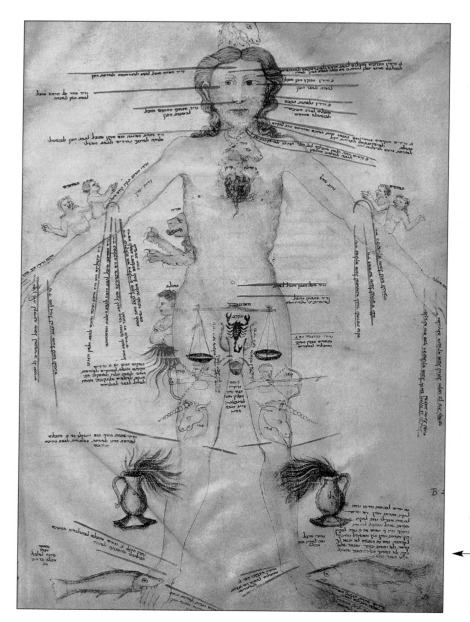

En esta anatomía humana perteneciente a un manuscrito hebreo de 1181, las diferentes partes del cuerpo humano aparecen asociadas a las distintas constelaciones existentes en el firmamento.

Ilustración de época en la que aparece retratado Paracelso. Aún hoy, multitud de enigmas rodean la biografía de este científico, médico y mago suizo.

según el cual «el hombre es el centro del universo», base del pensamiento renacentista.

En términos médicos, la aceptación del primer paradigma se tradujo en la creencia de que, en contra de lo que afirmaban los filósofos clásicos, entre ellos Galeno, las dolencias corporales del hombre estaban determinadas en buena medida por agentes exteriores, es decir, por elementos de la naturaleza. La analogía entre lo externo (universo) y lo interno (la anatomía humana) llegó a tener tanta repercusión social que algunos se atrevieron a llegar un poco más lejos en sus disquisiciones.

EL HOMBRE NO ES EL CENTRO DEL UNIVERSO

Paracelso fue uno de los pocos eruditos europeos que dieron la espalda a los postulados humanistas, tan en boga, para dejarse llevar por la filosofía de otros pueblos no europeos, a los que, despectivamente, se llamaba bárbaros. Su magis-

Relieve de Andrea Pisano que representa la astronomía a través de un astrónomo que observa el cielo sosteniendo un cuadrante en su mano derecha.

UN CUERPO ES SÓLO UN CUERPO

Los estudios anatómicos del médico griego Claudio Galeno (h. 129) fueron traducidos del latín por los árabes durante el siglo IX. Desde entonces, la idea de que el organismo humano es un ente autónomo encontró amplia difusión entre los profesionales de la medicina, a excepción de los seguidores de Paracelso. Por otra parte, Galeno afirmaba que las enfermedades de nuestro organismo se debían a un desequilibrio de los humores o fluidos corporales, y que podían curarse mediante sangrías y purgas.

Claudio Galeno, a la izquierda, junto a otro de los más célebres médicos de la Antigüedad, Hipócrates. Galeno cultivó muchas otras facetas del pensamiento a lo largo de su vida, tales como la gramática, la filosofía y la geometría.

tratura se fundamentó en un doble supuesto. Paracelso no sólo pensaba que toda enfermedad tiene un origen ajeno al organismo de la persona, sino que éste está conformado de acuerdo con el orden natural. Según dejó escrito en una de sus obras, «el espíritu del hombre deriva de las constelaciones; su alma, de los planetas y su cuerpo, de los elementos».

De acuerdo con esta máxima, Paracelso elaboró su «teoría de los siete planetas» según la cual, y tomando como referencia la tradición hermética de la alquimia, existiría una evidente correspondencia entre los órganos de nuestro cuerpo y los planetas del sistema solar que entonces eran siete, pues aún no habían sido descubiertos Urano, Neptuno y Plutón, y que la Tierra se contaba doble, en función del Sol y de la Luna. A los astrónomos aún les quedaba un largo camino por recorrer.

EL LEGADO DE PARACELSO

El Renacimiento trajo consigo la diferenciación entre astrólogos y astrónomos a fin de zanjar el debate sobre la condición sobrenatural de ciertas investigaciones, como las de Paracelso, que jamás fueron aceptadas por los eruditos de la época, por entender que tenían más de alquimia que de ciencia. Pese a esta diferenciación y a la consiguiente defenestración de los astrólogos en favor de los astrónomos, las teorías de Paracelso crearon escuela. Sus discípulos tomaron como referencia la relación analógica órganos/planetas explicada por Paracelso para formular una propuesta según la cual los doce signos del zodíaco extenderían su influencia sobre otras tantas áreas de nuestro cuerpo. De estos estudios anatómico-cosmológicos emanan las siguientes dualidades: Aries/cabeza; Tauro/cuello y garganta; Géminis/hombros; Cáncer/pechos; Leo/corazón; Virgo/intestinos; Libra/riñones; Escorpio/órganos sexuales; Sagitario/muslos; Capricornio/rodillas; Acuario/tobillos; Piscis/pies. El legado de Paracelso sigue siendo muy valorado en nuestros días. En la actualidad todavía se elaboran estudios acerca de la ascendencia de la carta astral de una persona sobre, por ejemplo, las posibilidades que tiene esa misma persona de desarrollar un tumor maligno.

EL YO Y EL COSMOS

El psicoanálisis posterior a Freud se propuso determinar en qué medida la ascendencia astral bajo la que vivía una persona podía condicionar su carácter. La psicología transpersonal fue una corriente terapéutica difundida por Stanislav Grof a partir de los estudios de Carl Gustav Jung.

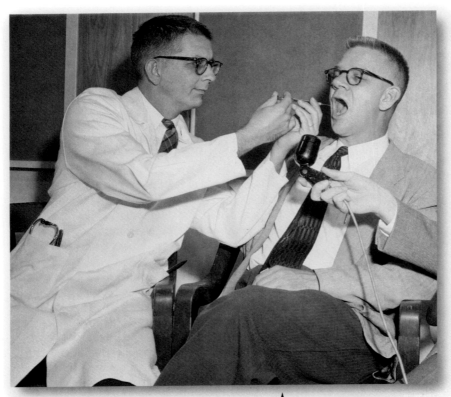

A principios del siglo XX, la tradición astrológica se encontraba ya completamente superada en Occidente por los estudios astronómicos. El cosmos había perdido todo valor de referencia para los individuos en su quehacer cotidiano y sólo algunos pocos científicos ávidos de reconocimiento entre sus colegas se entregaban al estudio de las distintas posiciones de los astros en el firmamento. Pero este estudio no ocultaba ningún afán por desvelar cuál habría de ser la influencia que una u otra constelación ejercerían sobre las personas nacidas durante ese día. El triunfo de la razón trajo consigo el encarcelamiento de las almas dentro de los cuerpos.

La denominada psicología transpersonal experimentó con el LSD, una droga altamente alucinógena, a través de la administración de la cual se pretendía ampliar la conciencia de los sujetos sometidos a tales pruebas.

LA TRANSGRESIÓN ESPIRITUAL

No obstante, los primeros años de la década de 1900 conocieron una notable efervescencia de la actividad científica en general y de la física y de la química en particular. Recordemos

Los gráficos de las cartas astrales reproducen diversas posiciones planetarias en el instante del nacimiento de una persona y que inciden en su destino. En la actualidad pueden confeccionarse por ordenador, como muestran los ejemplos de las fotografías.

LAS CARTAS ASTRALES

La carta astral es un estudio del mapa del cielo en el momento exacto del nacimiento de una persona. En ella aparecen representadas, gráficamente y con la Tierra como epicentro, las posiciones del Sol, la Luna y los planetas, así como las distintas relaciones que estos astros establecen con la bóveda celeste y con el horizonte del lugar de nacimiento del individuo objeto del estudio. Una vez confeccionada, esta carta es sometida al análisis de un profesional de la astrología, quien deriva a partir de esta disposición del firmamento una serie de factores que presumiblemente incidirán sobre la persona.

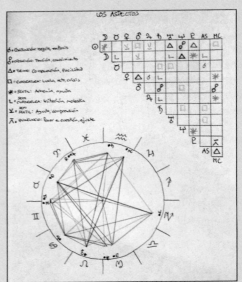

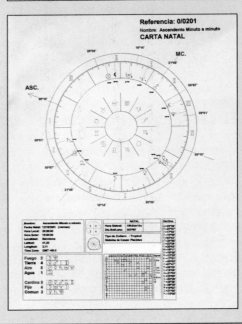

PSICOLOGÍA Y ALQUIMIA

En 1944, Carl Gustav Jung escribió una obra que abría nuevos horizontes de reflexión, *Psicología y alquimia*. En ella, este profundo conocedor de corrientes esotéricas tan diversas como el tantra, el taoísmo o la alquimia, habla acerca de los paralelismos existentes entre su psicología analítica y la alquimia. Ya en 1928 Jung había tenido ocasión de leer *El secreto de la flor de oro*, un texto chino del siglo VIII en el que descubrió los paralelismos entre su búsqueda interior y la de los alquimistas. También mostró un gran interés por las obras de dos alquimistas del siglo XVI, Paracelso y su discípulo Gerhart Dorn.

Fotografía del psiquiatra suizo Carl Gustav Jung, quien, tras renegar de los postulados del que fuera su maestro, el célebre psicoanalista Sigmund Freud, creó su propio pensamiento psicológico, en el cual tenía una gran relevancia el subconsciente.

que los antecedentes más remotos de estas dos disciplinas del saber fueron la astrología y la alquimia respectivamente, prácticas desarrolladas a partir de la extendida creencia en el poder astral que los árabes recuperaron para Occidente.

Con la revolución técnica ya consolidada, en el continente europeo se estaba desarrollando un modelo de sociedad postindustrial que rendía pleitesía a la máquina y reivindicaba la belleza del paisaje urbano, que entonces comenzaba a extenderse. En este contexto, el ingenio humano empezó a ser reivindicado como fuente de toda creación. Los creadores de aquellas máquinas que forjaron el progreso de la humanidad, de aquellos mecanismos asombrosos con capacidades sobrehumanas, bien merecían ser reconocidos como espíritus emprendedores, libres de toda atadura, como almas inquietas cuyo inconformismo respecto a lo establecido les había llevado a romper con el modelo social decadente bajo el que habían nacido.

El hombre y su voluntad transgresora pasaron a ser el referente de todas las manifestaciones artísticas, científicas y culturales, y la necesidad de llegar a entender aquellos mecanismos que determinan nuestro comportamiento hizo que la psicología dejase de ser un concepto abstracto para desarrollarse plenamente como disciplina científica autónoma. Como se puede ver, las motivaciones clínicas de los psicólogos tampoco diferían tanto de las que manejaban los astrólogos primitivos. Unos y otros partían de la necesidad de llegar a entender la conducta humana. Y si el alquimista suizo Paracelso estableció una relación de influencia mutua entre los siete planetas conocidos del sistema solar y otros tantos órganos y sistemas del cuerpo humano, forzoso es decir que la psicología ejerció su influencia inmediata en los estudios sobre fisiología que realizaron en el último tercio del siglo XIX eminentes científicos como Wilhelm Wundt (1832-1920) o Theodor Fechner.

JUNG Y EL INCONSCIENTE COLECTIVO

Pero el origen del verdadero encuentro entre la psicología y la astronomía hay que buscarlo en la obra de Carl Gustav Jung (1875-1961), quizás el psicoanalista más importante después de Sigmund Freud (1856-1939). Jung fue un discípulo aventajado de Freud, pero renegó de sus teorías con el paso de los años hasta desarrollar una corriente propia dentro de la psicología, el llamado «pensamiento jungiano». La idea en torno a la que se articula esta propuesta es relatada del siguiente modo por Toni Wolff, uno de los mas importantes discípulos de Jung. En sus *Estudios sobre la Psicología* escribió: «El inconsciente humano contiene toda la forma vital y funcional hereditaria de la serie de los antepasados, de suerte que en el niño está presente

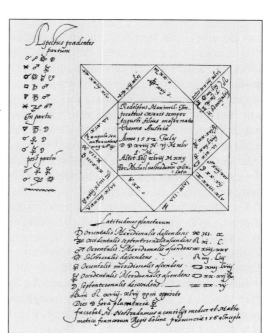

Horóscopo tradicional elaborado por el médico y astrónomo francés Michel de Nostredame, más conocido como Nostradamus, en julio de 1552. El célebre autor de las *Centurias astrológicas* creía en la fiabilidad de las predicciones astrológicas.

Cuatro temperamentos según la naturaleza

En la eclosión del saber astrológico que vivimos en la actualidad, no podían faltar quienes reivindican la aplicación al hombre contemporáneo de la famosa teoría de «los cuatro temperamentos», desarrollada por los filósofos de la Antigüedad griega.

Quizás sea esta la propuesta más divulgada acerca de la confluencia en un único espacio físico del hombre y de su entorno natural. Las cuatro categorías de temperamentos son: sanguíneo, colérico, melancólico y flemático. Cada categoría es definida por una lista de características descriptivas. Entonces, se trata de emparejar a las personas con las descripciones y asignarlas luego a una categoría. Al pasar la teoría de un siglo a otro,

las descripciones de cada tipo han sido modificadas y ampliadas. Los términos descriptivos para cada categoría no siempre son iguales entre quienes emplean el sistema de los cuatro temperamentos. Para algu-

nos, una característica particular como liderazgo sería empleada para describir a un colérico; mientras que para otros describe al sanguíneo. Las listas, por tanto, no son fijas ni firmes. Varían según la persona que las emplea.

Aunque con el paso del tiempo esta teoría cayó en el olvido, ya en siglo XX, Carl Gustav Jung la retomó para justificar su famosa dicotomía de caracteres: introvertido frente a extravertido. Jung colocó al sanguíneo y el colérico bajo el tipo extravertido, y al melancólico y el flemático bajo el del introvertido.

También asignó la ira a los sanguíneos y los coléricos, y el miedo a los melancólicos y los flemáticos. Desde entonces han sido muchos los psicoanalistas que se han dedicado a teorizar sobre el grado de acierto atribuible a la aplicación de estas cuatro categorías.

una funcionalidad psíquica adecuada ya antes de cualquier conciencia».

Carl Gustav Jung se sorprendió al descubrir imágenes primordiales idénticas que manifestaban en los sueños de pacientes de sexo, religión y cultura dispares. Las investigaciones complementarias demostraron que esas imágenes aparecían también en la mitología mundial, lo cual llevó a Jung a la conclusión de que representaban absolutos en la psique humana. Es decir, existe una serie de iconos cuyo contenido y significado son universales, que condicionan el carácter de aquellos individuos que se sitúan bajo su dominio antes incluso de que se llegue a desarrollar en ellos conciencia alguna. Este conjunto de imágenes simbólicas fue lo que Jung denominó inconsciente colectivo, y lo confrontó con el inconsciente individual, que sería el conformado por los deseos, los recuerdos, los temores, los sentimientos y las ideas desarrollados por cada sujeto en su experiencia personal y cuya expresión queda reprimida en el plano de la conciencia.

De este modo, Carl Gustav Jung reafirmaba el principio de que cada persona es un mundo, pero también el de que sobre la conciencia humana incide de un modo muy directo la dimensión espiritual de cada individuo, y ésta se ha de comprender desde la vinculación que cada uno de nosotros tenemos con nuestros semejantes, con el medio que habitamos y con el cosmos.

Grabado de la obra *Quinta essentia*, escrita en 1574 por L. Thurneysser, en la que aparecen descritos los cuatro temperamentos del hombre: flemático, sanguíneo, colérico y melancólico, los cuales supuestamente determinaban su naturaleza.

LA CARTA ASTRAL, CLAVE EN EL DIAGNÓSTICO

Esta interpretación acerca de los mecanismos que mueven nuestra conciencia llevó a Carl Gustav Jung, en más de una ocasión, a afirmar que el conocimiento de la carta astral de cada persona era un instrumento muy preciso a la hora de establecer un diagnóstico psicológico sobre su comportamiento. No debe extrañarnos esta aseveración en una persona que dedicó los cincuenta últimos años de su vida a divulgar sus conocimientos sobre mitología e historia, y a viajar para poder conocer de primera mano aquellas culturas que aún valoraban la influencia del universo físico en la conformación del carácter de la persona. Este objetivo le llevó a conocer Nuevo México, la India, Kenia y China, donde se inició en el conocimiento del *I Ching*, libro de referencia de toda la astrología china. La obra de Jung ejerció una gran influencia en las siguientes generaciones de psicólogos.

LA PSICOLOGÍA TRANSPERSONAL

En plena efervescencia del movimiento contracultural estadounidense, la fabulosa armonía conseguida por Jung en sus escritos entre el «yo» del individuo y la totalidad del cosmos encontró una resonacia inmediata, hasta el punto de dar lugar a una nueva corriente terapéutica, la llamada psicología transpersonal. Este término fue acuñado por Stanislav Grof, un psiquiatra estadounidense de origen checo.

EL DIABLO ESTÁ CON NOSOTROS

*E*n la mitología de muchos pueblos
se atribuyen al diablo todos los males
que hay en el mundo, si bien su papel
se reserva a encender el lado más oscuro
que existe en cada uno de nosotros, dado
que es el hombre, en última instancia,
el encargado de materializar el mal.

Las representaciones que ha conocido
el demonio a lo largo de la historia son
infinitas, tantas como credos se han
divulgado. Hoy se discute mucho si
la legendaria serpiente del Génesis,
y como representa la Biblia al espíritu
del maligno, es una de ellas. Jesucristo
fue tentado por Satanás, quien intentó
incluso descarriar al Salvador. Una
experiencia similar vivió Buda, que tuvo
que hacer un esfuerzo sobrehumano
para rechazar la fastuosa recompensa
que le ofrecía Mara (representación
del diablo en Extremo Oriente) para que
abandonara su camino de perfección.

Con el paso del tiempo, la
consolidación de los distintos credos
alentó la insolidaridad del hombre con
sus semejantes. Algunos asuntos turbios
en los que aparecían mezclados
la religión y el poder político dieron
lugar a una extendida caza de brujas
en los siglos XVI y XVII.

293

La bruja. Ilustración para *Escenas matritenses* (1842)
de Ramón de Mesonero Romanos.

UN DEMONIO CON PIEL DE SERPIENTE

El eterno combate entre el Bien y el Mal, presente en casi todas las religiones, aparece en el Génesis ejemplificado en el episodio de la serpiente que tentó a Eva. Un relato que antepone la fe a la razón.

En muchas culturas existe el mito del Árbol de la Vida. Sus frutos suelen ser la sabiduría o la inmortalidad, y de su custodia suele encargarse algún ser mitológico, por lo general un dragón o una serpiente. Sus piezas sólo son otorgadas a quienes las merecen y, casi siempre, como recompensa por una determinada acción resuelta favorablemente. En otras civilizaciones, sin embargo, el dragón o la serpiente simbolizan la tentación, la muerte o la perversidad.

Adán y Eva, los dos únicos pobladores del Paraíso que aparece descrito en el Génesis, según una pintura del célebre pintor alemán Alberto Durero, conservada en la actualidad en el Museo del Prado de Madrid.

Esto sucede cuando el reptil aparece asociado al Árbol del Conocimiento en lugar de al Árbol de la Vida, lo cual induce a pensar que, para muchas culturas, la curiosidad siempre ha estado condenada por ser algo temido. Sus consecuencias son completamente impredecibles.

EL IRRESISTIBLE AFÁN DE SABER Y LA LEY DIVINA

El afán de conocer aquello que permanece vetado a la razón acabó por convertirse en una de las características que mejor definirían al ser humano, la obra cumbre de la Creación divina. En consecuencia, Adán, ser de naturaleza simple y fiel cumplidor de los designios divinos, fue incapaz de decir no a una mujer, Eva. Ésta, a su vez, obró inducida no por Dios, sino por la enigmática serpiente que, enroscada en el tronco del árbol más esbelto y hermoso de cuantos poblaban el jardín del Edén, la indujo a que probara su fruto, lo cual tenían prohibido.

¿Quién era aquel reptil que con sus palabras sedujo a Eva incitándola a pecar? ¿Qué cosa o idea estaba encarnada en aquella sibilina serpiente? En la Biblia, sólo se dice que la serpiente era el más astuto de los animales que Dios había creado, pero no se menciona la presencia del demonio en el jardín. Por otro lado, no parece lógico que Dios permitiera deliberadamente la comparecencia de su enemigo en el interior de sus dominios.

VICIO Y VIRTUD CLARAMENTE DELIMITADOS

Sin embargo, si consideramos no la acción en sí, tal como es descrita en el libro del Génesis, sino sus consecuencias, parece claro que por la boca de aquel reptil habló el propio Luzbel, ya que a este pecado original estaba llamado a sucederle la irremediable degeneración moral de la especie humana, que significaría su triunfo

Este mosaico, de la nave central de la Capilla Palatina de Palermo, plasma el instante en el que Eva sucumbe y prueba la manzana.

en enconado combate eterno que enfrenta a la virtud contra el vicio.

Fueron las consecuencias de aquella transgresión del imperativo divino las que nos hacen pensar que, en efecto, la serpiente del Paraíso no era sino la reencarnación del diablo y que aquella fue su primera aparición en la Tierra. Además, si tomamos como referencia el Apocalipsis de san Juan e invertimos su interpretación, ¿acaso no sería lógico pensar que, del mismo modo que la destrucción del diablo señala el fin de toda forma de vida sobre la faz de la Tierra, su irrupción entre nosotros fue la que impulsó el devenir de la especie humana?

UN CASTIGO EJEMPLAR PARA ADÁN Y EVA

El hombre es un ser muy complejo, desde el momento en que es capaz de discernir entre el bien y el mal. Esta capacidad, que es la que nos diferencia de las restantes especies animales, no pudimos desarrollarla hasta conocer de primera mano la existencia del mal.

Adán y Eva, en cuanto que fueron, según la tradición judeocristiana, nuestros antepasados más remotos, hubieron de ser, así mismo, los primeros en tener conciencia de lo que era el mal. Este concepto vinculado al de pecado quedó rígidamente grabado en sus almas tras ser expulsados del Paraíso. Un castigo ejemplar que sanciona una conducta desviada de los designios divinos y, como tal, reprobable.

Esta interpretación del texto bíblico nos aproxima a la conclusión de que la condición humana está condicionada en su conducta tanto por Dios como por Lucifer.

DEL APOCALIPSIS AL GÉNESIS

Para algunos investigadores, la interpretación de que la serpiente del Génesis es una representación del demonio característica del Antiguo Testamento se debe a una asociación equivocada de ideas, pues es en el Apocalipsis de san Juan donde se afirma: «Después hubo una gran batalla en el cielo: Miguel y sus ángeles luchaban contra el dragón; y luchaban el dragón y sus ángeles; pero no prevalecieron, ni se halló ya lugar para ellos en el cielo. Y fue lanzado fuera el gran dragón, la serpiente antigua, que se llama diablo y Satanás, el cual engaña al mundo entero; fue arrojado a la tierra, y sus ángeles fueron arrojados con él».

(Apocalipsis 12:7-9.)

El valeroso arcángel Miguel, quien, según el libro de Daniel del Antiguo Testamento, será el encargado de pesar las almas de los muertos tras el Juicio Final, combate en esta pintura al Maligno respaldado por sus huestes.

Pueblos muy diversos han incorporado al dragón en su iconografía tradicional. Fragmento de la muralla de Los Nueve Dragones, situada en la Ciudad Prohibida de Pekín.

Si somos como somos, si nos comportamos como nos comportamos, no es como consecuencia de tener una moral desviada, pues ésta se desarrolla en permanente bifurcación.

Basta con echar una mirada al mundo para ver que la maldad representada en aquella serpiente no nos ha abandonado, sino que, muy al contrario, continúa entre nosotros encarnada en diversas formas.

SERPIENTES PARA BIEN Y PARA MAL

A pesar de que el Antiguo Testamento nos haya legado una imagen negativa de la serpiente, un animal que, por lo demás, sólo ataca para defenderse, este reptil de movimientos sinuosos y lengua bífida ha conocido un sinfín de representaciones tanto para bien como para mal. Así, mientras en Occidente se la identifica con el demonio, en Oriente se la relaciona con el dragón, un animal mítico al que se

atribuyen innumerables cualidades benéficas. Los aztecas, por su parte, tenían un ídolo con forma mitad serpiente mitad ave, Quetzalcóatl

que representaba diversos poderes relacionados con el viento, la lluvia y el trueno. Para otras culturas, la serpiente siempre ha sido un animal de dos caras, representativas del bien y del mal, con lo que se otorga a este reptil una complejidad de la que carece en la Biblia. Así, la tradición taoísta china relaciona a la serpiente con el ying y el yang, mientras que para los antiguos egipcios esa dualidad simbolizaba a su vez la lucha que se mantiene en el interior de cada persona entre su yo superior y su yo inferior.

CAZA DE BRUJAS EN SALEM

Una extraña histeria colectiva se desató entre los habitantes de la pequeña ciudad de Salem, al noroeste de Boston, a finales del siglo XVII. El puritanismo de sus habitantes quiso ver demonios donde tan sólo había miedo.

Dramática escena del transcurso de uno de los múltiples juicios por brujería seguidos en 1692 en Salem, según una litografía del siglo XIX. Los sucesos que sacudieron esta población norteamericana pusieron de manifiesto la codicia y la envidia existente entre sus habitantes.

Fueron días muy duros los de aquel mes de enero de 1692 en Salem (Massachusetts). Las bajas temperaturas no hacían sino incidir en el resentimiento que invadía a los habitantes de esta pequeña ciudad de Nueva Inglaterra. Con una población en crecimiento, asediada por las guerras y las dificultades propias del medio rural, bastaba que alguien encendiese la mecha de la discordia entre los lugareños para que ésta se manifestara con toda su fuerza. Daba igual que quien la encendiera fueran unas niñas de apenas diez años, porque no faltaría quien avivase la hoguera, como así sucedió. El clima de hostilidad que imperaba en aquella colonia británica llevó a sus habitantes a exorcizar sus propios demonios interiores, amparándose en la amenaza que suponía la presencia de Satán, rey de las tinieblas entre ellos. Pero, ¿hubo acaso otro demonio en Salem que no fuera la ruindad de sus pobladores?

DIAGNÓSTICO ENDEMONIADO

Según cuentan las crónicas de la época, el origen de aquellos sucesos tuvo lugar en la casa de Dios, lugar donde vivía el reverendo Samuel Pharris, párroco de la ciudad, junto a su hija Elizabeth y su sobrina Abigail. Las dos niñas eran cuidadas por Tituba, una sirvienta negra originaria de las Antillas que las entretenía contándoles historias de su tierra natal. Muchas hacían referencia a rituales mágicos y a ceremonias de brujería. Se dice que estos relatos podrían haber conmocionado profundamente a las niñas; lo cierto es que durante aquel gélido mes de enero, Elizabeth rompía a llorar sin motivo, mientras que su prima, según cuentan, corría a cuatro patas aullando como un perro.

El reverendo Parrish, alarmado, llamó al médico del pueblo, William Griggs, quien al examinar a las niñas detectó en su cuerpo diversas señales que ellas atribuían a unos seres invisibles que las mordían y pellizcaban durante la noche. El médico, asombrado, descartó cualquier explicación lógica y declaró que se trataba de un caso de brujería. Esto bastó al reverendo para alarmar a sus conciudadanos y expresar su convencimiento de que el diablo se había instalado en aquella comunidad. Lo único que resta-

El célebre escritor norteamericano Arthur Miller, uno de los condenados por el tribunal McCarthy de Actividades Antiamericanas.

ba saber era el nombre de los vecinos que servían a Satanás en sus maléficos propósitos.

¿BRUJAS O PARIAS?

El reverendo Parrish tomó la iniciativa y comenzó por su cuenta los interrogatorios. Como no podía ser menos, su hija y su nieta fueron las primeras. Elizabeth, asustada por el cariz que estaba tomando el asunto e impresionada por la autoridad de su padre, se apresuró a señalar a Tituba como bruja. Abigail confirmó que si sus espíritus estaban poseídos, se debía a la influencia demoníaca que sobre ellas había ejercido la infeliz esclava. Pero la acusación no se quedó ahí, sino que también señaló a otras dos mujeres del pueblo: Sarah Good —una indigente que tenía el hábito de fumar en pipa y que presentaba síntomas de deficiencia mental— y Sarah Osborne, una inválida que vivía con un hombre sin haberse casado. Estas inculpaciones son cuando menos sospechosas, ya que las tres afectadas eran personas socialmente repudiadas y su conducta era, a todas luces, repro-

MILLER, EL «BRUJO»

Entre los que fueron llamados a testificar en los procesos iniciados por el senador McCarthy, en su particular cruzada contra los «brujos» del siglo XX, se encontraba el dramaturgo Arthur Miller (1915-2005), quien no sólo se negó a declarar, sino que rechazó la autoridad del Comité y se negó a delatar a otros compañeros. Su rebeldía le valió ser condenado a una multa y a treinta días de arresto, lo cual no le hizo desistir de manifestar públicamente lo que pensaba respecto de aquella persecución política.

Este incidente fue lo que le llevó a escribir *Las brujas de Salem*, obra teatral en la que trazaba un símil histórico entre la paranoia colectiva vivida por los vecinos de este pueblo en 1692 y la esquizofrenia múltiple que afectaba a los políticos norteamericanos de entonces, y en particular a McCarthy. Si a finales del siglo XVII el demonio era considerado el principal enemigo de la comunidad, 260 años después el comunismo constituía a los ojos de los bienpensantes la amenaza más importante para la integridad norteamericana.

En ambos casos se impuso la razón, pero muchas víctimas se quedaron en el camino.

bable en la consideración de la puritana sociedad de Nueva Inglaterra.

ACUSACIONES CRUZADAS

Pero la cosa no quedó ahí, sino que, ya fuera por rencor o por notoriedad pública, muchas personas del pueblo siguieron el ejemplo de la hija y la nieta del reverendo y comenzaron a acusar a sus vecinos de brujería. La pequeña Ann Puttman, de 12 años, denunció entre sollozos que había sido perseguida por el espíritu de una mujer que quería decapitarla. Tres meses después de aquellas denuncias, Tituba, en la vista oral que siguió a su procesamiento, confesó que

Lauren Bacall y Humphrey Bogart se manifiestan en contra de las actividades del tribunal McCarthy.

era bruja y se declaró culpable del intento de asesinato de la niña. Pero Ann Puttman, inducida por su madre, acusó a Rebecca Nurse, de 71 años, de ser la responsable del ataque sufrido.

La alarma social aumentó con una segunda confesión de Tituba en la cual declaró que no era la única bruja del pueblo. Al contrario, manifestó que un hombre alto de Boston le había enseñado un libro donde figuraban todas las brujas de la colonia. Así fue como se abrió la veda. Cualquiera podía ser brujo o bruja, y su imagen no se identificaba ya con los menesterosos de la localidad, sino que todo aquel que tuviera un vecino cuyo carácter le resultara sospechoso o no le agradara, acudía a los tribunales con una acusación de brujería bajo el brazo.

NADIE ESTABA LIBRE DE SOSPECHA

Incluso al reverendo George Burroghs, antiguo ministro del pueblo, se le acusó de ser el líder de las brujas. Nadie cuestionó la escasa verosimilitud de aquella acusación. Así mismo, el capitalino John Alden fue identificado como el hombre alto de Boston que atesoraba una relación de todas las brujas de la comarca, según confesión de Tituba. Ambos fueron ahorcados en agosto de aquel fatídico año 1692.

En apenas siete meses la histeria colectiva compartida por los habitantes de Salem, cada vez más convencidos de que el diablo había echa-

Salem, situada junto al río Willamette y al sur de Portland, en el estado de Oregón. En la actualidad tiene algo más de doscientos mil habitantes.

do sus raíces en aquellas tierras, llevó al patíbulo a siete hombres y veinte mujeres, un hombre de 80 años murió lapidado por negarse a declarar, más de 200 personas fueron arrestadas y otras tantas acusadas de estar implicadas en rituales satánicos.

En las audiencias celebradas, la infamia y la calumnia estuvieron a la orden del día. A quienes se declararon inocentes de los hechos que se les imputaban, presentando una coartada, se les condenó aduciendo que en su calidad de siervos de Satán, éste podía dotarles de una doble apariencia. Por tanto, aunque estuvieran ocupados en otras labores, sus espectros podían estar atacando al mismo tiempo a otros ciudadanos. Así, muchos habitantes de Salem fueron

condenados de antemano. El perdón sólo recayó en quienes, reclamados por los tribunales, acudieron a los estrados para autoinculparse y, de paso, denunciar a otros vecinos.

DE SALEM A DANVERS

Los sucesos de Salem se difundieron por toda la región y, casi de inmediato, se generó una leyenda negra sobre los habitantes del pueblo y sus supersticiones, más aún cuando distinguidos personajes de la comarca, como el propio rector de la Universidad de Harvard, fueron involucrados también en las acusaciones. En octubre, el gobernador William Phips ordenó la disolución del Tribunal de Auditoría y Tasación de Salem, liberó a los que estaban a la espera de ser procesados y perdonó a quienes aguardaban su ejecución. Dieciocho meses después de estos acontecimientos, las veinte personas que habían muerto en la horca fueron exoneradas públicamente de todas sus culpas.

Al cabo de los años, una nueva generación de vecinos propuso cambiar el nombre original de la localidad por el de Danvers. Nadie quería que su ciudad fuera relacionada con aquellos terribles acontecimientos. Sin embargo, el triste recuerdo de Salem no deja de atormentar aún en nuestros días las mentes.

El senador McCarthy fue el principal promotor de la persecución de supuestos filocomunistas en Estados Unidos.

CAZA DE BRUJAS EN LA CASA BLANCA

«Los pueblos que olvidan sus errores están condenados a repetirlos.» Esta fue la leyenda que alguien escribió en una de las paredes del campo de concentración de Auschwitz. Corría el año 1945, y esta frase aparece como una premonición de lo que iba a suceder tan sólo dos años más tarde en EE UU. El Senado norteamericano llamó a declarar a diez personalidades del mundo del cine para que prestaran declaración sobre sus presuntas simpatías comunistas.

Sin embargo, no fue hasta la década de 1950 cuando esta investiga-

ción adquirió verdaderas proporciones de «caza de brujas». Joseph McCarthy (1908-1957), senador por Wisconsin, impulsó la creación del Comité de Actividades Antiamericanas en el seno de la cámara, tras denunciar infiltraciones comunistas en el Departamento de Estado. La consolidación del bloque socialista en la Europa del Este y el triunfo de la revolución en China habían creado un caldo de cultivo propicio para propagar entre los estadounidenses el temor a una conjura comunista internacional e hicieron que las acusaciones de McCarthy fueran apoyadas desde diversos estratos

sociales. Por el Comité pasaron a declarar todo tipo de sospechosos, pero alcanzaron una gran repercusión, sobre todo, los testimonios de personajes vinculados al mundo del cine, prototipo de una vida desordenada y bohemia.

ÍNDICE
ANALÍTICO

Anubis, dios egipcio de los muertos y conductor
de las almas, según un relieve del siglo IV a.C.

Índice analítico

Créditos fotográficos

Aci/Roca-Sastre: 21. Age Fotostock: 44, 48 abajo, 49 abajo, 51 abajo, 53, 62 abajo, 63 arriba, 150 arriba, 163, 166, 170 abajo, 171 arriba, 174, 179 abajo, 208 arriba, 255 arriba, 259 izquierda, 262 arriba, 264 abajo, 266 arriba, 272, 274 izquierda. Aisa: 64 arriba, 98 abajo, 108 abajo, 131, 132 arriba, 154, 182, 209, 232, 240, 241 abajo, 248 arriba, 293. Albert Fortuny: 290 derecha. Album: 23 abajo, 26 arriba, 72 abajo, 75, 89, 94, 95 arriba, 138, 110 abajo, 112, 188 arriba. Asa: 50 abajo, 51 arriba. Corbis/Sygma: 55, 68 arriba, 69 abajo, 72 arriba, 74, 87 arriba, 183 abajo, 186 arriba, 186 abajo, 187, 191 abajo, 192, 193. Cordonpress: 164 abajo, 202, 203 abajo, 204, 205 arriba, 206 arriba, 216, 255 abajo, 258 abajo, 260, 264 centro, 282. Cover: 281, 290 izquierda. Efe: 102 abajo. Índex: 47 arriba, 77, 80, 81 izquierda, 95 abajo, 106, 107 centro, 113 abajo, 175, 218 arriba, 219, 251, 256, 258 arriba, 267 abajo, 283, 291 arriba. Firo Foto: 142 abajo, 167 abajo, 169. Jordi Vidal F: 18 arriba, 19 arriba. Luis Gasca: 83, 149, 150 abajo, 151, 152, 153, 155, 159 arriba, 160, 165, 235, 236, 250 abajo, 252, 253 abajo, 254, arriba, 263, 293. Mireille Vautier: pág. V, VIII cent. izq., cent. inf. der., inf. der., IX sup.-izq., X sup.-izq., 23 sup.-dcha., 27, 32 arriba, 33 sup.-dcha., 41, 42 inf., 48 arriba, 49 arriba, 54, 58 sup., 58 abajo, 99, 115 sup.-dcha., 116 núm. 3 y núm. 5, 116-160 sup.-izq. (pictos), 117, 122, 124, 125 arriba, 127, 133, 136, 138, 139 abajo, 140 abajo, 141 abajo, 148, 181, 221, 230 abajo, 231 inf.-izq., 238 arriba, 239, 243 izquierda, 245 abajo, 246, 287 sup.-dcha. Oronoz: 31 abajo, 59 abajo, 62 arriba, 64 abajo, 180 arriba, 183 arriba. Xavier Gassió: 275.